LES ÉDITIONS DUVAL
Accent
mathématique
4

LES ÉDITIONS DUVAL

Accent mathématique 4

Auteurs de la collection et conseillers principaux
Mary Lou Kestell • Marian Small

Auteurs principaux
Heather Kelleher • Kathy Kubota-Zarivnij • Pat Milot
Betty Morris • Doug Super

Auteurs
Carol Brydon • Andrea Dickson • Catharine Gilmour
Elizabeth Grill-Donovan • Jack Hope • Wendy Klassen
David Leach • Pat Margerm • Gail May • Scott Sincerbox
Debbie Sturgeon • Rosita Tseng Tam

Conseillers à l'édition française
Nicole Bourgoin-Carr, enseignante (Nouveau-Brunswick)
Jacinthe Hodgson, conseillère (Saskatchewan)
Émilie Johnson, enseignante (Ontario)
Léo-James Lévesque, conseiller (Nouveau-Brunswick)
Marthe Poirier, conseillère (Ontario)

Conseiller en évaluation
Damian Cooper

Accent mathématique 4

Auteurs de la collection et conseillers principaux
Mary Lou Kestell, Marian Small

Auteurs principaux
Heather Kelleher,
Kathy Kubota-Zarivnij, Pat Milot,
Betty Morris, Doug Super

Auteurs
Carol Brydon, Andrea Dickson,
Catharine Gilmour,
Elizabeth Grill-Donovan,
Jack Hope, Wendy Klassen,
David Leach, Pat Margerm,
Gail May, Scott Sincerbox,
Debbie Sturgeon,
Rosita Tseng Tam

Conseiller en évaluation
Damian Cooper

Conseillers à l'édition française
Nicole Bourgoin-Carr, enseignante (Nouveau-Brunswick); Jacinthe Hodgson, conseillère (Saskatchewan); Léo-James Lévesque, conseiller (Nouveau-Brunswick); Émilie Johnson, enseignante (Ontario); Marthe Poirier, conseillère (Ontario)

Direction
Jean Poulin

Traduction
Jude Des Chênes

Coordination
Marie Turcotte

Révision
Émilie Leclerc, Jude Des Chênes

Correction d'épreuves
Émilie Leclerc, Shauna Babiuk

Illustration
ArtPlus Ltd., Andrew Breithaupt,
Steven Corrigan, Deborah Crowle,
Vesna Krstanovic, Sharon Matthews

Conception
Suzanne Peden

ISBN-13: 978-1-55220-565-5
ISBN-10: 1-55220-565-7

Imprimé et relié au Canada
2 3 4 5 16 15 14 13

Les Éditions Duval, Inc.
18228, 102e Avenue
Edmonton (Alberta)
Canada T5S 1S7
Téléphone : (780) 488-1390
1-800-267-6187
Télécopie : (780) 482-7213
Courriel : 3jp@compuserve.com
Site Web : www.editionsduval.com

Nous reconnaissons l'aide financière du gouvernement du Canada par l'entremise du Programme d'aide au développement de l'industrie de l'édition (PADIÉ) pour nos activités d'édition.

Nous nous sommes efforcés d'indiquer toutes les sources des photographies et des illustrations. Merci de bien vouloir nous signaler toute omission.

Catalogage avant publication de la Bibliothèque nationale du Canada

Accent mathématique 4 / Mary Lou Kestell ... [et al.].

Traduction de: Nelson Mathematics 4.
Comprend un index.
Pour les élèves de la 4e année de l'élémentaire.
ISBN 1-55220-565-7

1. Mathématiques—Manuels.
I. Kestell, Mary Louise
II. Titre: Accent mathématique quatre.

QA135.6.N44414 2003
510 C2003-905946-4

Comité d'experts

Expert principal

Doug Duff
Superviseur pédagogique
Thames Valley District School Board
London (Ontario)

Experts

Donna Anderson
Coal Tyee Elementary School
Nanaimo (Colombie-Britannique)

Keith Chong
Directeur
School District #41
Burnaby (Colombie-Britannique)

Anne Cirillo
Conseillère
Toronto Catholic District
School Board
Toronto (Ontario)

Attila Csiszar
Enseignant
Surrey School District #36
Surrey (Colombie-Britannique)

David P. Curto
Directeur
Hamilton-Wentworth Catholic
District School Board
Hamilton (Ontario)

Marg Curto
Coordonnatrice de programmes,
palier élémentaire
Hamilton-Wentworth Catholic
District School Board
Hamilton (Ontario)

Edna Dach
Directrice des services pédagogiques
Elk Island Public Schools

Wendy Dowling
Peel District School Board
Mississauga (Ontario)

Lillian Forsythe, BEd, BA, MEd
Regina (Saskatchewan)

Peggy Gerrard
Dr. Morris Gibson
Foothills School Division
Okotoks (Alberta)

Mary Gervais
Durham Catholic District
School Board

C. Marie Hauk, PhD
Conseillère
Edmonton (Alberta)

Rebecca Kozol
Maple Ridge School
District #42
Maple Ridge
(Colombie-Britannique)

A. Craig Loewen, PhD
Département de mathématiques
University of Lethbridge
Lethbridge (Alberta)

Frank Maggio
Conseiller en mathématiques
Halton Catholic District
School Board
Burlington (Ontario)

Moyra Martin
Directrice
Msgr. O'Brien School
Calgary Catholic School District
Calgary (Alberta)

Janet Millar Grant
Ontario

Meagan Mutchmor
Conseillère
Winnipeg School District #1
Winnipeg (Manitoba)

Mary Ann Nissen
Conseillère
Elk Island Public Schools
Sherwood Park (Alberta)

Darlene Peckford, BEd, MA
Directrice
Taber (Alberta)

Kathryn Perry
Peel District School Board
Brampton (Ontario)

Susan Perry
Conseillère
Durham Catholic District
School Board
Oshawa (Ontario)

Bryan A. Quinn
Conseiller
Edmonton Public District
School Board
Edmonton (Alberta)

Ann Louise Revells
Vice-Directrice/Enseignante
Ottawa-Carleton Catholic
School Board
Ottawa (Ontario)

Evelyn Sawicki
Conseillère en mathématiques
Calgary (Alberta)

Lorraine Schroetter-LaPointe
Conseillère
Durham District School Board
Whitby (Ontario)

Nathalie Sinclair, PhD
Faculté d'Éducation
Simon Fraser University

Susan Stuart
Professeure
Nipissing University
North Bay (Ontario)

Joyce Tonner
Coordonnatrice pédagogique
Thames Valley District
School Board
London (Ontario)

Stella Tossell
Conseillère en mathématiques
North Vancouver
(Colombie-Britannique)

Sandra Unrau
Directrice
Calgary Board of Education
Calgary (Alberta)

Gerry Varty
Coordonnateur en mathématiques
Wolf Creek School Division #72
Ponoka (Alberta)

Michèle Wills
Calgary Board of Education
Calgary (Alberta)

Comité d'examen

Mary Adams
Thames Valley District School Board

Michael L. Babcock
Limestone District School Board

Anne Boyd
Campbell River School District 72
Colombie-Britannique

James Brake
Peterborough, Victoria, Northumberland, Clarington, Catholic District School Board

Nancy Campbell
Rainbow Board of Education

Deborah Colvin-MacDormand
Edmonton Public District School Board

Anna Dutfield
Toronto District School Board

Linda Edwards, BA, BEd
Toronto District School Board

Susan Gregson
Peel District School Board

Susannah Howick
North Vancouver School District

Julie Keough
Waterloo Catholic District School Board

Wendy King
Avalon West School District

Joan McDuff
Département d'éducation
Queen's University

Ken Mendes
Ottawa (Ontario)

Gillian Rudge
Richmond School District

Naomi Young, BPE, BEd, ME
Lewisporte Gander School District #6
Terre-Neuve et Labrador

Rose Scaini

Critiques en matière de contenu autochtone

Brenda Davis
Conseillère
Six Nations

Moneca Sinclaire, MSE, MSc

Laura Smith
School District #34
Abbotsford
(Colombie-Britannique)

Perry Smith
Enseignant
School District #34
Abbotsford
(Colombie-Britannique)

Critique en matière de traitement équitable

Arlene Campbell
Éducatrice
Toronto District School Board
York University Doctoral Candidate

Critique en matière d'apprentissage et de linguistique

Dre Roslyn Doctorow
Conseillère en éducation

Nos remerciements aux enseignants et enseignantes qui ont mis à l'épreuve les tâches du chapitre.

Mary Lynne Alderdice
Niagara District School Board

Sonja Atwood
Central Okanagan School District 23

Rick Beetstra
Richmond School District 38

Kevin Corcoran
Peel District School Board

Anna Dutfield
Toronto District School Board

Lena Giorgio
Peel District School Board

Susan Gregson
Peel District School Board

Kelly Joel
Peel District School Board

Don Jones
Peel District School Board

Catherine Niven
Niagara District School Board

Kim Philip
Peel District School Board

Bryan Wood
Peel District School Board

Table des matières

CHAPITRE 1 Suites et régularités en mathématiques 1

Premiers pas : Classer des perles pour faire une suite non numérique 2
Leçon nº 1 : Créer des suites aux attributs multiples 4
Leçon nº 2 : Créer des suites numériques 6
Leçon nº 3 : Identifier une régularité dans un tableau en T 8
Leçon nº 4 : Identifier une régularité dans les mesures 10
Révision 12
Jeu de maths : Suites numériques pour calculatrice 13
Leçon nº 5 : Utiliser la régularité pour résoudre des problèmes 14
Leçon nº 6 : Décrire des suites numériques multiples 16
Leçon nº 7 : Trouver les nombres manquants 18
Leçon nº 8 : Créer des équations équivalentes 20
Calcul mental : Additionner des 5 21
Curiosités mathématiques : Le triangle de Pascal 21
Acquisition des compétences 22
Problèmes de tous les jours 24
Révision du chapitre 25
Tâche du chapitre : Découvrir la régularité numérique dans des suites non numériques 26

CHAPITRE 2 Numération 27

Premiers pas : Représenter des nombres 28
Leçon nº 1 : Représenter la valeur de position 30
Leçon nº 2 : Écrire des nombres sous forme décomposée 32
Leçon nº 3 : Comparer et ordonner des nombres 34
Leçon nº 4 : Étudier les nombres jusqu'à 10 000 36
Calcul mental : Additionner des dizaines, des centaines et des unités de mille 37

- Activité guidée
- Enseignement direct
- Exploration

Leçon n° 5 : Multiplier un nombre par 10, 100 ou 1 000 38
Révision 40
Jeu de maths : Objectif 10 000! 41
Leçon n° 6 : Arrondir à la dizaine, à la centaine ou à l'unité de mille près 42
Leçon n° 7 : Expliquer comment ordonner des nombres 44
Leçon n° 8 : Compter des sommes d'argent 46
Acquisition des compétences 48
Problèmes de tous les jours 51
Révision du chapitre 52
Tâche du chapitre : Inventer un casse-tête 54

CHAPITRE 3 Traitement des données 55

Premiers pas : Classer des trésors de la mer 56
Leçon n° 1 : Construire un pictogramme 58
Images mentales : Diagrammes sur du papier à points 61
Leçon n° 2 : Choisir une échelle pour un diagramme à bandes 62
Leçon n° 3 : Recueillir des données 64
Curiosités mathématiques : Diagrammes à tiges et à feuilles 65
Leçon n° 4 : Construire un diagramme à bandes à intervalles 66
Leçon n° 5 : Lire et interpréter des diagrammes 68
Révision 70
Leçon n° 6 : Construire des diagrammes à l'ordinateur 71
Leçon n° 7 : Expliquer comment recueillir des données 72
Leçon n° 8 : Faire un sondage 74
Jeu de maths : La Course au sommet 75
Acquisition des compétences 76
Problèmes de tous les jours 78
Révision du chapitre 80
Tâche du chapitre : La planification d'une cour de récréation 82

RÉVISION CUMULATIVE : CHAPITRES 1 – 3 83

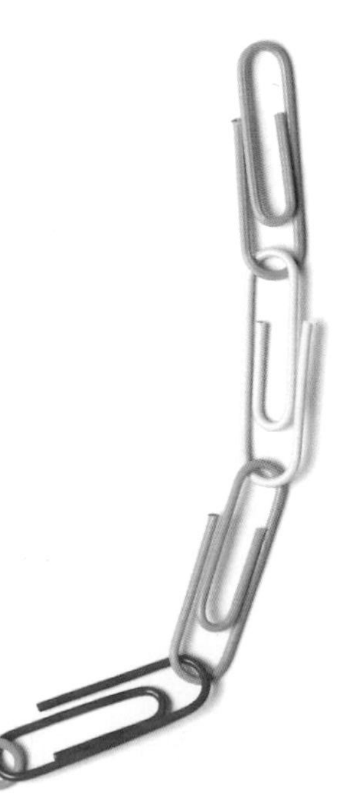

DUV

CHAPITRE 4 Additionner et soustraire des nombres 85

Premiers pas : Compter les élèves 86
Leçon n° 1 : Additionner mentalement des nombres 88
Leçon n° 2 : Estimer des sommes 90
Leçon n° 3 : Expliquer des concepts de numération et des démarches 92
Leçon n° 4 : Additionner des nombres de 4 chiffres 94
Jeu de maths : Objectif : 150 97
Révision 98
Calcul mental : Additionner des nombres pour mieux les soustraire 99
Leçon n° 5 : Soustraire mentalement des nombres 100
Leçon n° 6 : Estimer des différences 102
Jeu de maths : La Traversée du ruisseau 103
Leçon n° 7 : Faire une soustraction à partir d'un nombre de 4 chiffres 104
Curiosités mathématiques : Les chiffres cachés 107
Leçon n° 8 : Soustraire des nombres d'une autre façon 108
Leçon n° 9 : Rendre la monnaie 110
Leçon n° 10 : Additionner et soustraire des sommes d'argent 112
Acquisition des compétences 114
Problèmes de tous les jours 117
Révision du chapitre 119
Tâche du chapitre : On déménage 120

1208 km
1518 km
Calgary
Winnipeg
Toronto

37,67 $
14,53 $

CHAPITRE 5 Mesurer la longueur et le temps 121

Premiers pas : Mesurer des formes liées à la vie quotidienne 122
Leçon n° 1 : Mesurer en décimètres 124
Leçon n° 2 : Mesurer en millimètres 126
Leçon n° 3 : Noter des mesures à l'aide d'unités multiples 128

Activité guidée
Enseignement direct
Exploration

Leçon nº 4 : Résoudre des problèmes à l'aide de réseaux 130
Révision 132
Curiosités mathématiques : Découper et mesurer 133
Leçon nº 5 : Mesurer le périmètre d'un rectangle 134
Leçon nº 6 : Décrire les relations entre les décennies, les siècles et les millénaires 136
Images mentales : Estimer la longueur 137
Leçon nº 7 : Mesurer des intervalles de temps en minutes 138
Acquisition des compétences 140
Problèmes de tous les jours 142
Révision du chapitre 143
Tâche du chapitre : Vitraux à suspendre 144

CHAPITRE 6 Multiplication et division 145

Premiers pas : Trouver des régularités dans une table de multiplication 146
Leçon nº 1 : Faire une multiplication en doublant des nombres 148
Leçon nº 2 : Partager et grouper des nombres 150
Leçon nº 3 : Multiplier et diviser des nombres 152
Leçon nº 4 : Créer des arrangements pour une famille d'opérations 154
Leçon nº 5 : Établir diverses stratégies pour multiplier des grands nombres 156
Leçon nº 6 : Résoudre des problèmes en fabriquant des modèles 158
Révision 160
Curiosités mathématiques : Multiplier et diviser des nombres 161
Leçon nº 7 : Diviser un nombre par 2 : multiplier et diviser un nombre par 5 et par 10 162
Leçon nº 8 : Additionner des nombres : multiplier et diviser un nombre par 3 et par 6 164
Leçon nº 9 : Soustraire des nombres : multiplier et diviser un nombre par 9 166
Curiosités mathématiques : Multiplier un nombre par 9 167
Calcul mental : Additionner le nombre du milieu 167

Le Mathou

DUV

Leçon n° 10 : Identifier des nombres voisins : multiplier et diviser un nombre par 7 et par 8 168
Curiosités mathématiques : Des cercles et des chiffres 170
Jeu de maths : Le Mathou 171
Acquisition des compétences 172
Problèmes de tous les jours 175
Révision du chapitre 177
Tâche du chapitre : Les musiciens dans le défilé 178

CHAPITRE 7 Géométrie à 2 dimensions 179

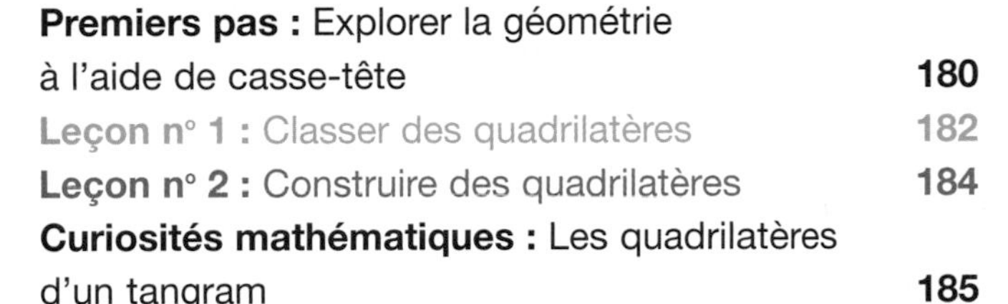
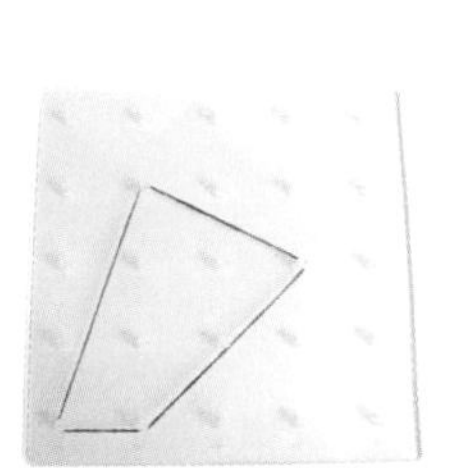
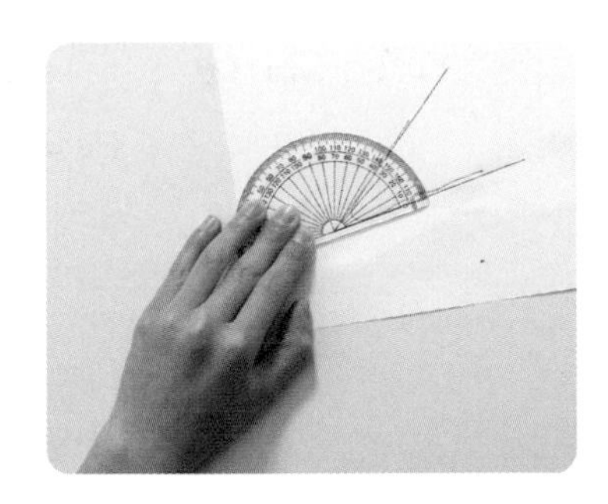

Premiers pas : Explorer la géométrie à l'aide de casse-tête 180
Leçon n° 1 : Classer des quadrilatères 182
Leçon n° 2 : Construire des quadrilatères 184
Curiosités mathématiques : Les quadrilatères d'un tangram 185
Leçon n° 3 : Identifier des figures congruentes 186
Leçon n° 4 : Décrire des figures semblables 188
Curiosités mathématiques : Test de similitude 190
Révision 191
Leçon n° 5 : Mesurer des angles 192
Images mentales : Former des figures à partir de triangles 195
Leçon n° 6 : Construire un modèle pour résoudre un problème 196
Leçon n° 7 : Déterminer les axes de symétrie 198
Leçon n° 8 : Classer des figures à 2 dimensions 200
Jeu de maths : Le Jeu des angles 201
Acquisition des compétences 202
Problèmes de tous les jours 204
Révision du chapitre 205
Tâche du chapitre : Noms des figures 206

RÉVISION CUMULATIVE : CHAPITRES 4 – 7 207

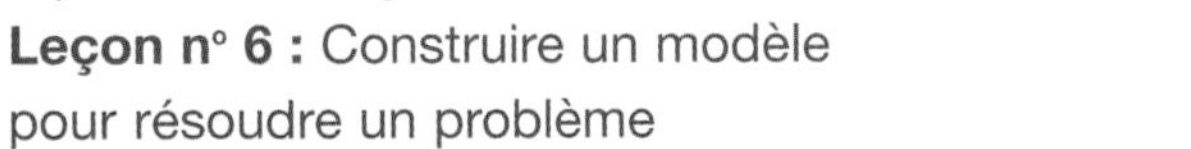
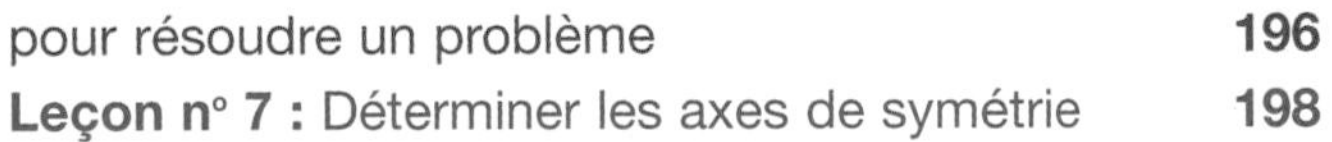

- Activité guidée
- Enseignement direct
- Exploration

DUV

CHAPITRE 8 Aire et quadrillage 209

Premiers pas : Comparer des aires 210
Leçon nº 1 : Utiliser des unités de mesure conventionnelles 212
Images mentales : Découpage et déplacement 213
Leçon nº 2 : Mesurer une aire en centimètres carrés 214
Jeu de maths : La logique des aires 217
Leçon nº 3 : Mesurer une aire en mètres carrés 218
Révision 220
Curiosités mathématiques : Des aires sur géoplan 221
Leçon nº 4 : Établir la relation entre les dimensions linéaires et l'aire 222
Leçon nº 5 : Établir la relation entre la forme, l'aire et le périmètre 225
Leçon nº 6 : Résoudre des problèmes à l'aide de listes ordonnées 226
Acquisition des compétences 228
Problèmes de tous les jours 230
Révision du chapitre 231
Tâche du chapitre : Le plan d'une ménagerie pour enfants 232

CHAPITRE 9 Multiplication des grands nombres 233

Premiers pas : Représenter des multiplications 234
Leçon nº 1 : Explorer la multiplication 236
Curiosités mathématiques : La persistance des nombres 237
Curiosités mathématiques : La somme et le produit 237
Leçon nº 2 : Multiplier des nombres à l'aide d'arrangements 238
Leçon nº 3 : Multiplier des nombres sous forme décomposée 240
Révision 242
Calcul mental : Additionner des nombres proches de 100 243
Leçon nº 4 : Expliquer la résolution des problèmes 244

DUV

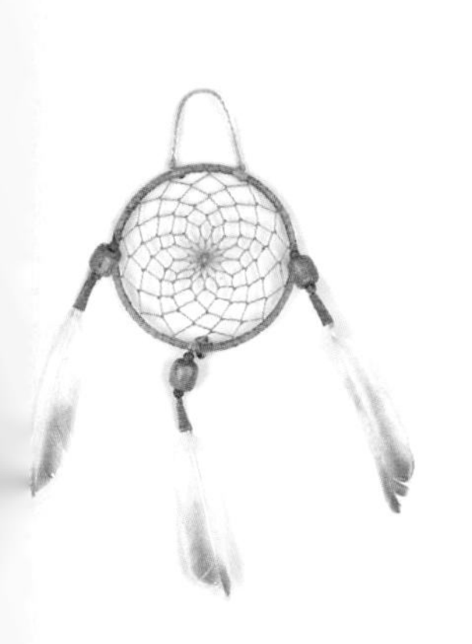

Leçon n° 5 : Multiplier des nombres de 3 chiffres par des nombres de 1 chiffre 246
Leçon n° 6 : Multiplier des nombres à l'aide d'un algorithme 248
Jeu de maths : Qui aura le plus gros produit? 251
Leçon n° 7 : Choisir une démarche de multiplication 252
Curiosités mathématiques : Multiplication à l'égyptienne 253
Acquisition des compétences 254
Problèmes de tous les jours 257
Révision du chapitre 258
Tâche du chapitre : La description d'une année scolaire 260

CHAPITRE 10 Division des grands nombres 261

Premiers pas : Planifier une journée sportive 262
Leçon n° 1 : Explorer la division 264
Calcul mental : Additionner des nombres par étapes 265
Leçon n° 2 : Utiliser la soustraction répétée pour diviser des nombres 266
Leçon n° 3 : Interpréter le reste 268
Leçon n° 4 : Diviser un nombre de 2 chiffres par un nombre de 1 chiffre 270
Leçon n° 5 : Résoudre des problèmes par essais systématiques 272
Révision 274
Jeu de maths : La Chasse au reste 275
Leçon n° 6 : Faire des estimations avec des dividendes de 3 chiffres 276

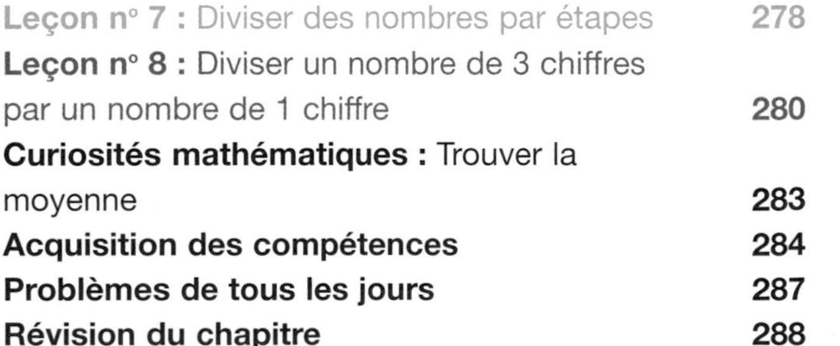

Leçon n° 7 : Diviser des nombres par étapes 278
Leçon n° 8 : Diviser un nombre de 3 chiffres par un nombre de 1 chiffre 280
Curiosités mathématiques : Trouver la moyenne 283
Acquisition des compétences 284
Problèmes de tous les jours 287
Révision du chapitre 288
Tâche du chapitre : L'imprimerie 290

- Activité guidée
- Enseignement direct
- Exploration

CHAPITRE 11 Géométrie et mesure des figures à 3 dimensions 291

Premiers pas : Décrire des emballages 292

Leçon n° 1 : Savoir dessiner des faces de solides 294

Curiosités mathématiques : Faces, arêtes et sommets 295

Leçon n° 2 : Construire des solides aux faces congruentes 296

Images mentales : Coupes transversales 297

Leçon n° 3 : Construire des charpentes 298

Curiosités mathématiques : Faire des ombres 299

Leçon n° 4 : Dessiner des figures à 3 dimensions 300

Leçon n° 5 : Communiquer sa compréhension de certains concepts géométriques 302

Révision 304

Leçon n° 6 : Mesurer la masse 305

Leçon n° 7 : Mesurer la capacité 306

Leçon n° 8 : Utiliser la masse et la capacité 308

Leçon n° 9 : Construire des modèles de volume 310

Acquisition des compétences 312

Problèmes de tous les jours 314

Révision du chapitre 316

Tâche du chapitre : Cubanimal 318

RÉVISION CUMULATIVE : CHAPITRES 8 – 11 319

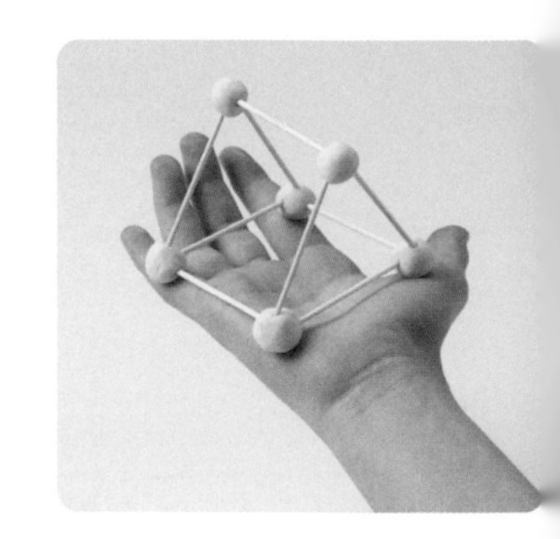

CHAPITRE 12 Fractions et nombres décimaux 321

Premiers pas : Décrire des fractions 322

Leçon n° 1 : Décrire les fractions d'une aire 324

Leçon n° 2 : Illustrer des nombres fractionnaires et des fractions impropres 326

Leçon n° 3 : Décrire les fractions d'un ensemble 328

Leçon n° 4 : Écrire des dixièmes décimaux 330

DUV

Leçon nº 5 : Illustrer des nombres décimaux plus grands que 1 332
Révision 334
Jeu de maths : Trouve la paire 335
Leçon nº 6 : Additionner des dixièmes décimaux 336
Leçon nº 7 : Soustraire des dixièmes décimaux 338
Leçon nº 8 : Expliquer des opérations avec des nombres décimaux 340
Leçon nº 9 : Écrire des centièmes décimaux plus petits que 1 ou égaux à 1 342
Leçon nº 10 : Additionner et soustraire des centièmes 344
Leçon nº 11 : Établir la relation entre les fractions et les nombres décimaux 346
Calcul mental : Des 25 cents et des 10 cents 347
Acquisition des compétences 348
Problèmes de tous les jours 351
Révision du chapitre 352
Tâche du chapitre : Des cerfs-volants décimaux 354

CHAPITRE 13 Probabilités 355

Premiers pas : Discuter de la probabilité 356
Leçon nº 1 : Utiliser des droites de probabilité 358
Leçon nº 2 : Faire des expériences avec des roulettes 360
Leçon nº 3 : Faire des prédictions 362
Jeu de maths : Deviner les tuiles 363
Révision 364
Jeu de maths : Choisis ta roulette 365
Leçon nº 4 : Comparer des probabilités 366
Leçon nº 5 : Construire des roulettes 368
Curiosités mathématiques : Probabilité et fractions 369
Leçon nº 6 : Résoudre des problèmes à l'aide de diagrammes en arbre 370
Images mentales : Roulettes décimales 372
Acquisition des compétences 373
Problèmes de tous les jours 375
Révision du chapitre 376
Tâche du chapitre : La loterie des probabilités 378

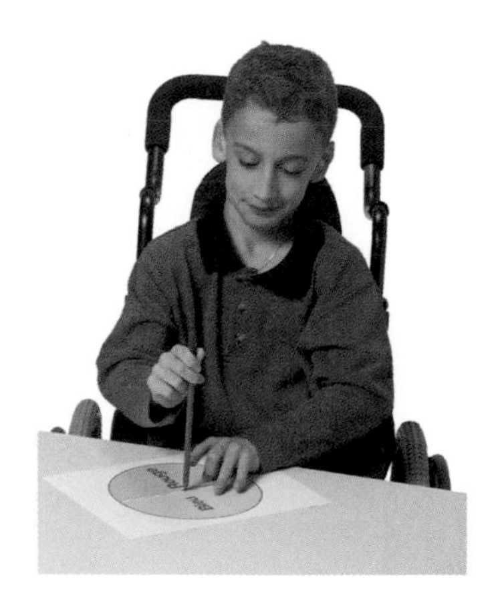

- Activité guidée
- Enseignement direct
- Exploration

CHAPITRE 14 Motifs et transformations géométriques 379

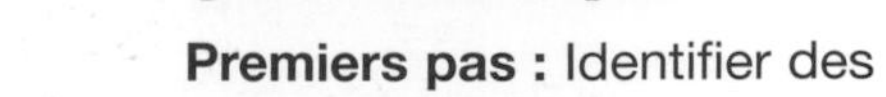

Premiers pas : Identifier des motifs géométriques **380**

Leçon n° 1 : Apprendre à utiliser des coordonnées **382**

Leçon n° 2 : Faire des translations de figures **384**

Leçon n° 3 : Faire des rotations de figures **386**

Leçon n° 4 : Décrire la réflexion des figures **388**

Révision **390**

Jeu de maths : Jouer à la cachette **391**

Leçon n° 5 : Expliquer les transformations **392**

Leçon n° 6 : Créer des suites à l'aide de transformations **394**

Images mentales : Prédire des rotations **395**

Leçon n° 7 : Prolonger des motifs de transformation **396**

Acquisition des compétences **398**

Problèmes de tous les jours **400**

Révision du chapitre **402**

Tâche du chapitre : Comment faire une courtepointe mathématique **404**

RÉVISION CUMULATIVE : CHAPITRES 12 – 14 **405**

GLOSSAIRE **407**

INDEX **423**

RÉFÉRENCES PHOTOGRAPHIQUES **432**

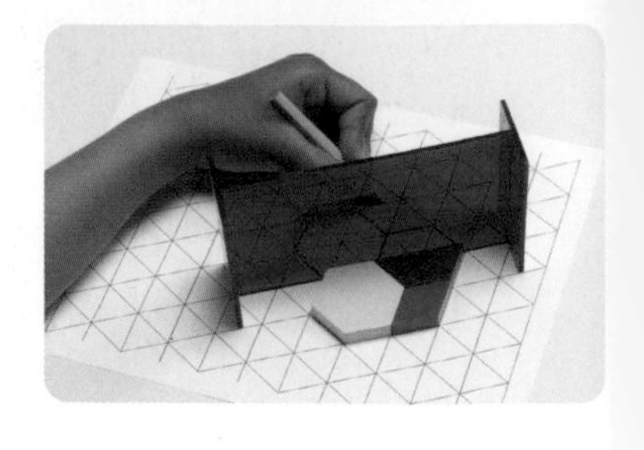

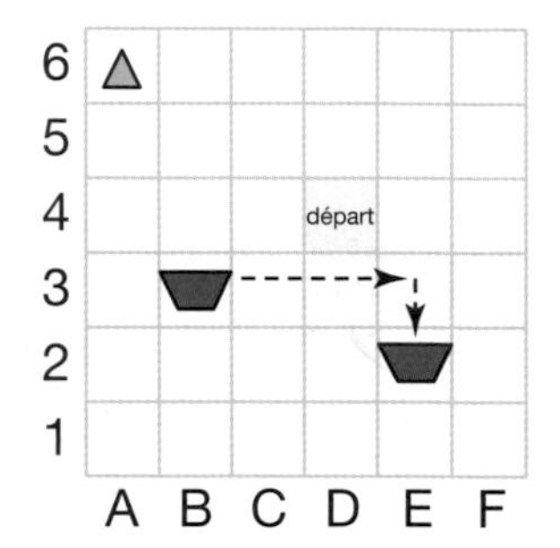

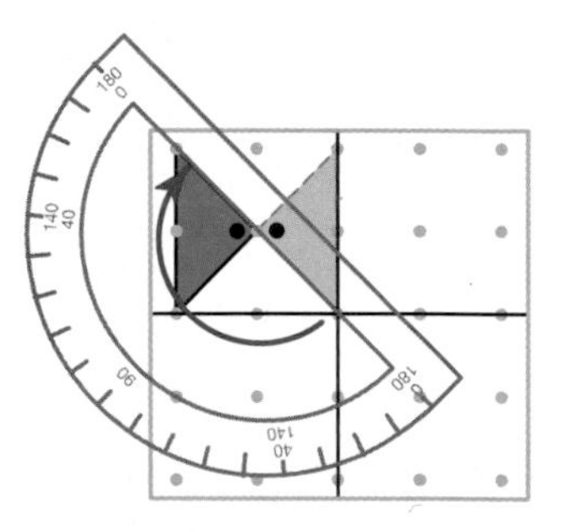

- Activité guidée
- Enseignement direct
- Exploration

DUV

CHAPITRE 1

Suites et régularités en mathématiques

Attentes

Tu pourras

- **identifier, prolonger et créer des suites numériques ou non numériques;**
- **décrire et prolonger la régularité dans une suite;**
- **créer des tableaux pour identifier et prolonger des suites;**
- **analyser des suites pour résoudre des problèmes.**

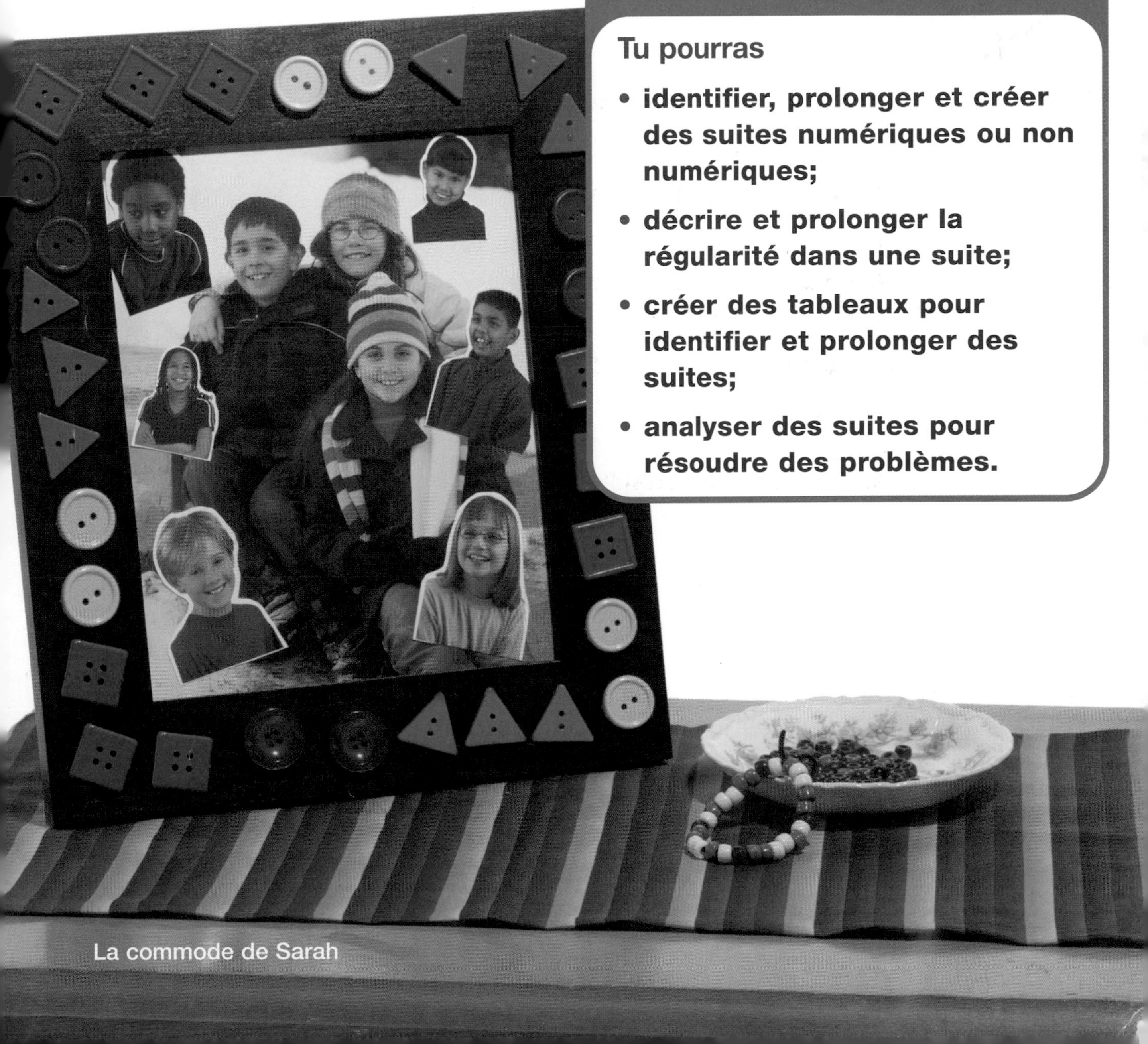

La commode de Sarah

Premiers pas

Classer des perles pour faire une suite non numérique

Matériel nécessaire

- des perles de différentes formes, couleurs, tailles et textures

- du fil à collier

Sarah veut faire un collier de perles qui démontre une régularité.

Choix de perles de Sarah

J'ai classé mes perles en 4 groupes.
J'ai choisi 2 **attributs** : la couleur et la texture.

Maintenant, je peux choisir les perles qu'il faut pour faire mon collier.

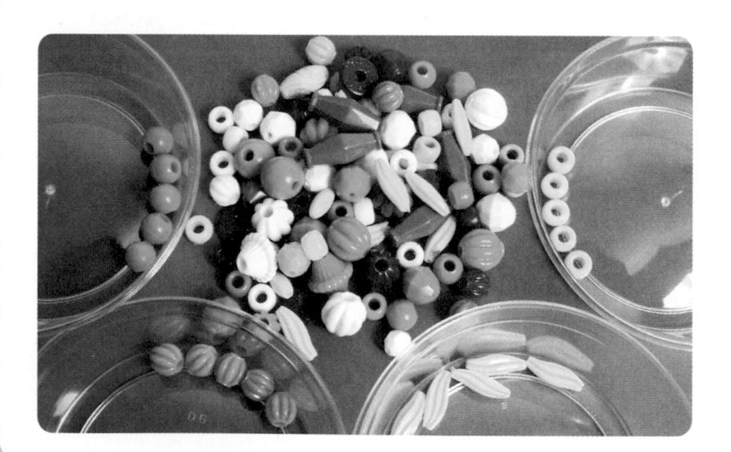

? Comment classerais-tu les perles pour produire une régularité?

A. Énumère au moins 4 attributs observables pour classer les perles.

B. Dessine ou décris une façon de classer les perles en utilisant 2 attributs ou plus.
Note le nom des attributs choisis.

C. Voici le collier de perles de Sarah.
Décris la régularité dans la suite en expliquant comment chaque attribut change.

D. Fabrique ton propre collier d'après une régularité de 2 attributs ou plus.
Décris la suite en expliquant comment chaque attribut change.

Rappelle-toi!

1. Dessine ou décris les 3 prochaines figures de chaque suite.

a) ■ ◆ ■ ◆ ■ ◆

b) ○ ○ △ ○ ○ ☆ ○ ○ △ ○ ○ ☆ ○ ○ △ ○ ○ ☆

c) ▬ ▬ ▬ ▬ ▬ ▬ ▬ ▬ ▬ ▬ ▬ ▬

2. Écris les 3 prochains nombres ou lettres de chaque suite.

a) 25, 50, 75, 100, 125, ■, ■, ■

b) 19, 28, 37, 46, 55, ■, ■, ■

c) 100, 98, 96, 94, 92, ■, ■, ■

d) A, C, E, G, ■, ■, ■

3. Écris le chiffre 5.
Ajoute le chiffre 2 et écris la somme.
Continue d'ajouter 2 à cette somme pour produire une suite de 6 nombres.

1 Créer des suites aux attributs multiples

Matériel nécessaire

- des crayons de couleur

Identifier, prolonger et créer des suites numériques ou non numériques qui changent de plusieurs façons.

Le bracelet de Christian

J'ai perdu mon bracelet de perles préféré.

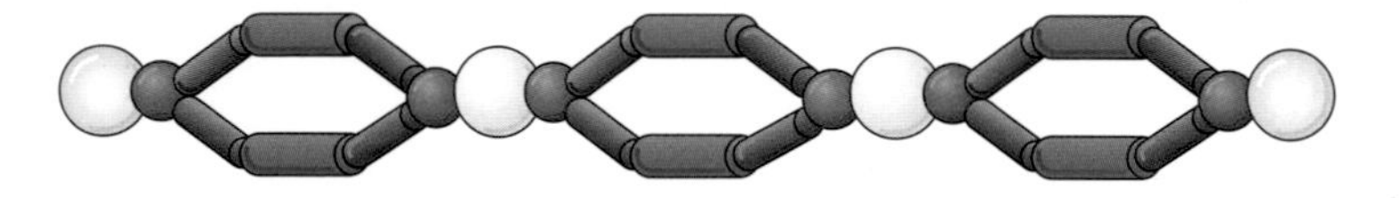

? Comment Christian décrirait-il son bracelet pour en faire fabriquer un autre?

A. Décris la régularité dans le bracelet de Christian en expliquant comment la couleur, la forme et la taille des perles changent.

B. On a attribué une lettre à chaque sorte de perle du bracelet de Christian.
Complète le modèle alphabétique pour décrire la régularité.
Répète la régularité 2 fois.

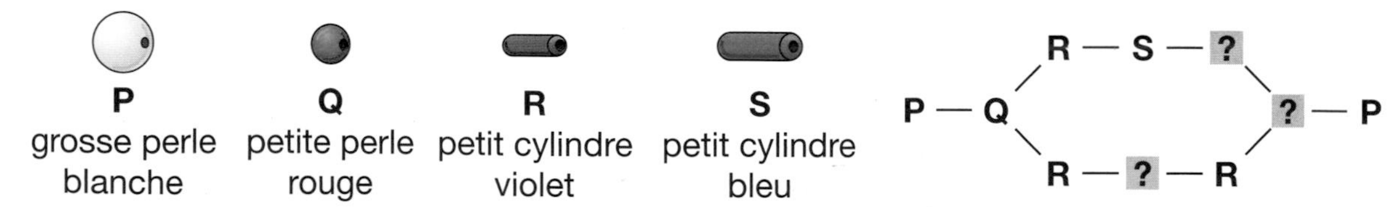

C. Dessine un bracelet différent en te servant des 4 sortes de perles utilisées pour le bracelet de Christian.

D. Décris la régularité dans la suite de ton bracelet en expliquant comment chaque attribut change.

E. Décris ta suite de perles à l'aide d'un modèle alphabétique. Répète la régularité 2 fois.

Réflexion

1. La régularité dans le bracelet de Christian est formée de plusieurs petites suites. Qu'est-ce que cela signifie?
2. Comment le modèle alphabétique décrit-il la régularité?

Vérification

3. a) Décris la régularité dans la suite en expliquant comment chaque attribut change.

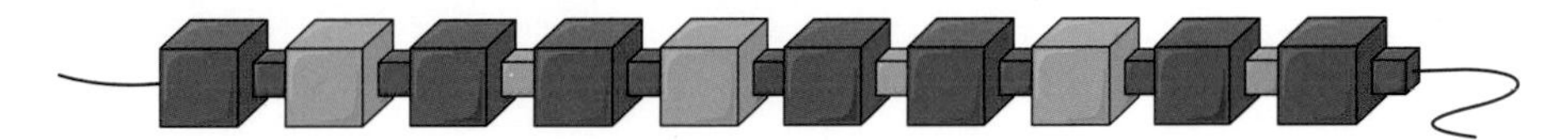

   b) Dessine les 3 prochaines perles.
   c) Ce modèle alphabétique décrit la régularité pour les 14 premières perles de la partie a).
   Décris la perle qui correspond à chaque lettre.

   A - B - C - D - E - F - A - B - C - D - E - F - A - B

Application

4. Décris la régularité dans la suite en expliquant comment chaque attribut change.
   Ensuite, dessine les 3 prochaines perles.

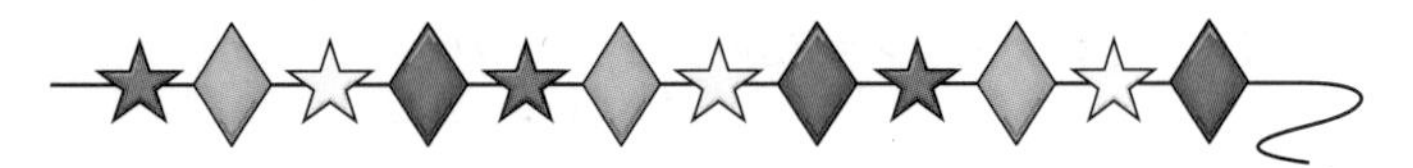

5. Écris un modèle alphabétique pour représenter la régularité dans cette suite de perles.

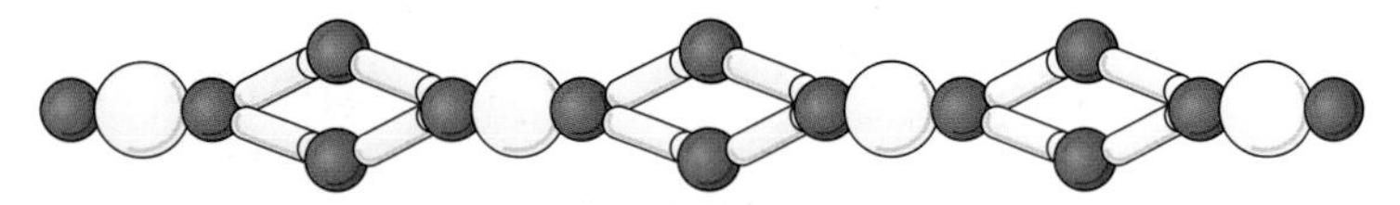

6. a) Dessine ta propre suite de perles comportant au moins 2 attributs qui changent.
   b) Décris la suite en expliquant comment chaque attribut change.
   c) Décris la régularité dans ta suite de perles à l'aide d'un modèle alphabétique.

2 Créer des suites numériques

Créer, décrire et prolonger des suites numériques.

Pedro et 4 autres élèves ont créé 5 suites numériques différentes.
Ils décrivent ainsi la régularité dans leur suite numérique.

Suite A : 42, 46, 50, 54, 58, ...
Suite B : 42, 24, 42, 24, 42, 24, ...
Suite C : 45, 44, 41, 40, 37, 36, ...
Suite D : 100, 95, 90, 85, 80, ...
Suite E : 10, 12, 16, 22, 30, 40

? À quel élève correspond chaque suite?

A. Associe la description de chaque élève avec 1 des suites numériques ci-dessus. Ensuite, écris les 3 prochains nombres de la suite.

B. Crée 5 nouvelles suites numériques, c'est-à-dire 1 suite pour chacune des descriptions d'élève.
Inscris au moins 5 nombres par suite.

La suite de Pedro

Les nombres décroissent d'une quantité égale chaque fois.

La suite de Carl

Les nombres décroissent de diverses quantités.

La suite de Carmen

Les 2 mêmes nombres se répètent.

La suite de Joseph

Les nombres augmentent d'une quantité différente chaque fois.

La suite de Marie

Les nombres augmentent d'une quantité identique chaque fois.

Réflexion

1. a) Pourquoi peut-il y avoir plus de 1 suite à chaque description?
   b) Comment peux-tu modifier chaque description pour que 1 seule suite soit possible?

Vérification

2. a) Crée une suite numérique comportant au moins 5 nombres.
   b) Décris la régularité dans ta suite numérique. Assure-toi qu'il n'y a que 1 seule suite possible d'après ta description.

Application

3. Décris la régularité dans chaque suite numérique. Ensuite, écris les 3 prochains nombres de chaque suite.
   a) 100, 98, 96, 94, 92, 90, ...
   b) 100, 99, 97, 94, 90, ...
   c) 3, 8, 13, 18, 23, ...
   d) 3, 6, 9, 3, 6, 9, 3, 6, 9, 3, ...

4. a) Crée une suite numérique qui augmente d'une quantité différente chaque fois.
   b) Explique pourquoi plus de 1 suite est possible d'après la description de la partie a).
   c) Modifie la description pour qu'elle décrive seulement la suite que tu as inventée.

5. Thierry a 8 paires de chaussettes.
   Les paires de chaussettes sont représentées par la suite numérique suivante : 2, 4, 6, 8, …
   a) Écris les 3 prochains nombres de la suite de Thierry.
   b) Décris la régularité dans la suite de Thierry.

6. Zoé regarde l'horloge.
   Elle voit une régularité dans les heures : 2, 4, 6, 8, …
   a) Écris les 3 prochains nombres de la suite de Zoé.
   b) Décris la régularité dans la suite de Zoé.
   c) Compare la régularité dans la suite de Zoé à celle de Thierry à la question nº 5. En quoi les régularités sont-elles semblables? En quoi sont-elles différentes?

3 Identifier une régularité dans un tableau en T

Matériel nécessaire

- des mosaïques géométriques

Utiliser des tableaux en T pour identifier et prolonger une suite en maintenant la régularité.

Un inukshuk est un repère de forme humaine.
Il est fait de pierres superposées.
Manitok a ramassé 15 petites pierres et 26 grandes pierres.

? Manitok a-t-il assez de petites pierres pour construire 6 inukshuks comme celui-ci?

Les inukshuks de Manitok

Étape n° 1 J'ai fait des modèles réduits d'inukshuk à l'aide de mosaïques géométriques. J'ai pris des blocs verts pour remplacer les petites pierres.

Étape n° 2 J'ai créé un **tableau en T** pour noter le nombre de blocs verts utilisés par modèle.

Étape n° 3 Après avoir construit 3 inukshuks, j'ai découvert la régularité suivante dans le tableau en T : 3, 6, 9, …

Étape n° 4 J'ai prolongé la suite en maintenant la régularité pour remplir le tableau en T.

Inukshuks	Nombre total de blocs verts
1	3
2	6
3	9
4	12
5	15
6	18

Pour construire 6 inukshuks, il me faut 18 petites pierres.
Je n'ai que 15 petites pierres; donc, il m'en manque.

Réflexion

1. Explique comment le tableau en T a aidé Manitok à résoudre son problème.
2. Décris une autre méthode que Manitok aurait pu utiliser pour résoudre le problème.

Vérification

3. a) Manitok a 26 grandes pierres.
   A-t-il assez de grandes pierres pour faire 6 inukshuks?
   Utilise un tableau en T comme celui de droite pour résoudre le problème.

Inukshuks	Nombre total de grandes pierres
1	
2	
3	

   b) Observe les nombres de la 2e colonne de ton tableau en T. Décris la régularité dans cette suite.

Application

4. Il y a un inukshuk sur le drapeau du Nunavut.
   a) Crée un tableau en T pour trouver le nombre total de pierres qu'il faut pour construire 7 inukshuks semblables à celui du drapeau.

Inukshuks	Nombre total de pierres
1	
2	
3	

   b) Décris la régularité dans la suite.

5. a) Construis ton propre petit inukshuk. Utilise 2 grosseurs de blocs. Prends un nombre différent de blocs de chaque grosseur.
   b) Combien de blocs de chaque sorte te faut-il pour construire 7 inukshuks? Utilise des tableaux en T.
   c) Combien d'inukshuks peux-tu construire si tu as 30 petits blocs et 15 gros blocs? Explique ton raisonnement.

Identifier une régularité dans les mesures

Matériel nécessaire
- une calculatrice

Attente **Prolonger une suite en maintenant la régularité dans le temps sous forme de tableau en T.**

Tu passes près de 195 jours à l'école chaque année.

? Combien de jours passeras-tu en classe d'ici la fin de la 4ᵉ année?

La calculatrice de Jean l'aide à prolonger une suite en maintenant la régularité

À la maternelle, j'ai passé 195 jours à l'école.

En 1ʳᵉ année, j'ai aussi passé 195 jours à l'école; j'additionne donc :

195 [+] 195 [=] 390 [=] [=] [=]

J'utilise la fonction de répétition constante de la calculatrice pour prolonger la suite.

Année	Nombre total de jours d'école
Maternelle	195
1	390
2	
3	
4	

A. Quelle est la **règle de la suite** pour les nombres de la 2ᵉ colonne?

B. Remplis le tableau en T de Jean.

C. Combien de jours Jean passera-t-il à l'école d'ici la fin de la 4ᵉ année?

D. Observe les nombres de la 2ᵉ colonne du tableau en T.
Décris la régularité.

E. Prédis le nombre de jours d'école d'ici la fin de la 5ᵉ année et d'ici la fin de la 6ᵉ année.
Utilise une calculatrice pour vérifier tes prédictions.

règle de la suite
Façon dont une suite commence et peut se prolonger en maintenant sa régularité.

Réflexion

1. Explique comment la suite de nombres t'a aidé à prédire combien de jours tu devras passer à l'école d'ici la fin de la 5e et de la 6e année.
2. Le nombre 1 456 pourrait-il apparaître dans la 2e colonne du tableau en T de Jean? Explique ton raisonnement.

Vérification

3. Une année d'école compte environ 19 jours de congé.
   a) Combien de jours de congé y aura-t-il d'ici la fin de la 4e année? Utilise un tableau en T.
   b) Écris la règle de la suite.
   c) Décris une régularité que tu vois dans les nombres de la 2e colonne du tableau en T.
   d) Prédis le nombre de jours de congé d'ici la fin de la 6e année. Ensuite, vérifie ta prédiction.

Année	Nombre total de jours de congé
Maternelle	19
1	38
2	
3	

Application

4. Remplis 7 rangées pour chacun des tableaux en T.

a)

Jours	Nombre total d'heures
1	
2	
3	

b)

Années	Nombre total de mois
1	
2	
3	

5. Examine la 2e colonne de chaque tableau en T de la question n° 4. Écris la règle de la suite pour chaque tableau en T.
6. Quel est ton âge en mois? Montre ton travail.
7. Chantal utilise un ordinateur pendant 45 minutes chaque jour. Combien de temps l'utilise-t-elle en 1 semaine? Sers-toi d'un tableau en T.

LEÇON

Révision

1

1. a) Décris la régularité dans la suite en expliquant comment chaque attribut change.

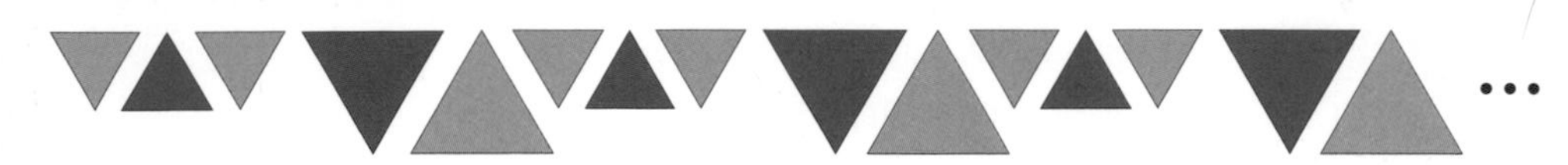

b) Dessine ou décris les 3 prochaines figures de la suite.
c) Décris la régularité dans la suite à l'aide d'un modèle alphabétique.

2

2. Écris les 3 prochains nombres de chaque suite.
a) 6, 12, 18, 24, ...
b) 49, 42, 35, 28, ...
c) 5, 15, 25, 35, ...
d) 1, 3, 5, 1, 3, 5, 1, 3, 5, 1, ...

3. Décris la régularité dans chaque suite numérique. Écris les 3 prochains nombres.
a) 25, 27, 29, 31, ...
b) 0, 1, 3, 4, 6, 7, 9, ...
c) 22, 19, 16, 13, ...
d) 0, 15, 30, 45, 0, 15, 30, 45, 0, 15, 30, 45, ...

4. Une suite commence à 60, puis décroît de 1 unité, de 2 unités, de 3 unités et ainsi de suite. Quel est le 10e nombre de cette suite? Montre ton travail.

4

5. La bibliothèque reçoit 16 nouveaux livres par mois.
a) Remplis un tableau en T pour représenter le nombre de nouveaux livres au bout d'un an.
b) Écris une règle pour définir la suite de la 2e colonne du tableau en T.
c) Décris des régularités dans les nombres. Prédis les 3 prochains nombres.

Mois	Nombre total de nouveaux livres
1	

6. Il faut environ 45 minutes à Suki pour faire un bracelet. Crée un tableau en T qui montrera combien de bracelets Suki peut faire en 4 heures.

Jeu de maths

Suites numériques pour calculatrice

Matériel nécessaire

- une calculatrice

Nombre de joueurs : 2

Règles du jeu : Le joueur n° 1 inscrit une suite numérique secrète dans une calculatrice.
Le joueur n° 2 tente de trouver la régularité dans les nombres de la suite.

Étape n° 1 Entre un nombre de 3 chiffres.
Entre un **opérateur**.

Étape n° 2 Appuie sur la touche [=].
Passe la calculatrice à ton ou ta partenaire.

Étape n° 3 Ton ou ta partenaire appuie sur la touche [=] et tente de trouver la régularité dans les nombres de la suite. Après que ton ou ta partenaire aura trouvé comment les nombres changent, ce sera à son tour d'imaginer une suite secrète.

La suite secrète de Joseph

nombre de départ	opérateur	
134	[+] 4	[=] 138

La solution de Sarah

J'ai appuyé 2 fois sur la touche [=].

138 [=] 142 [=] 146

Je crois que l'opérateur est [+] 4.

Autres façons de jouer :

- Utilise [−] au lieu de [+].
- Trouve le nombre de départ de la régularité dans la suite.

5 Utiliser la régularité pour résoudre des problèmes

Matériel nécessaire

- une grille de 100

1	2	3	4
11	12	13	14
21	22	23	24
31	32	33	34

Attente **Analyser des suites pour résoudre des problèmes.**

Voici un défilé de 100 clowns!
Chaque 2e clown a un nez rouge.
Chaque 3e clown porte des lunettes.

? Combien de clowns ont un nez rouge *et* portent des lunettes?

La solution de Miki

Comprendre le problème

Je dois trouver un moyen pour compter chaque 2e et 3e clown dans une file de 100 clowns. Je pourrai ainsi savoir combien de clowns ont un nez rouge *et* des lunettes.

Élaborer un plan

Je marquerai chaque 2e et 3e nombre sur une grille de 100.
Ensuite, je compterai les marques.

Mettre le plan en œuvre

Dans les 3 premières rangées de la grille, je marque chaque 2e nombre avec une \ et chaque 3e nombre avec une /.
Je vois une régularité! Chaque 6e nombre porte les 2 marques.
Je peux maintenant encercler chaque 6e nombre avant de compter.

1	2	3	4	5	6	7	8	9	10
11	12	13	14	15	16	17	18	19	20
21	22	23	24	25	26	27	28	29	30
31	32	33	34	35	36	37	38	39	40
41	42	43	44	45	46	47	48	49	50
51	52	53	54	55	56	57	58	59	60
61	62	63	64	65	66	67	68	69	70
71	72	73	74	75	76	77	78	79	80
81	82	83	84	85	86	87	88	89	90
91	92	93	94	95	96	97	98	99	100

Donc, 16 clowns ont un nez rouge et des lunettes.

Réflexion

1. Comment la recherche d'une régularité t'aide-t-elle à résoudre le problème?

Vérification

2. Chaque 5e clown dans la file porte un chapeau.
Chaque 2e clown a un nez rouge.
Combien de clowns ont un chapeau *et* un nez rouge?

Application

3. a) Chaque 3e clown dans la file de 100 clowns porte des lunettes. Combien de clowns ont un chapeau *et* des lunettes?
b) Combien de clowns ont un chapeau, des lunettes *et* un nez rouge?

4. a) Décris la régularité dans les nombres de ces étiquettes.

b) Fais une étiquette avec un nombre de 7 chiffres en maintenant la régularité.

5. La famille de Brigitte est allée patiner un mardi.
Par la suite, Brigitte et son frère Luc sont allés patiner tous les 2 jours. Leur mère y est allée tous les 3 jours et leur père, tous les 4 jours.
Quel jour de la semaine la famille de Brigitte a-t-elle patiné ensemble de nouveau?

6. Cherche une régularité dans ces nombres pour trouver la réponse.

$20 - 19 + 18 - 17 + 16 - 15 + 14 - 13 + 12 - 11 + 10 - 9 + 8 - 7 + 6 - 5 + 4 - 3 + 2 - 1$

7. Invente un problème. Résous-le en cherchant une régularité.

6 Décrire des suites numériques multiples

Prolonger et décrire des suites numériques particulières.

Alice a créé une bande numérique.

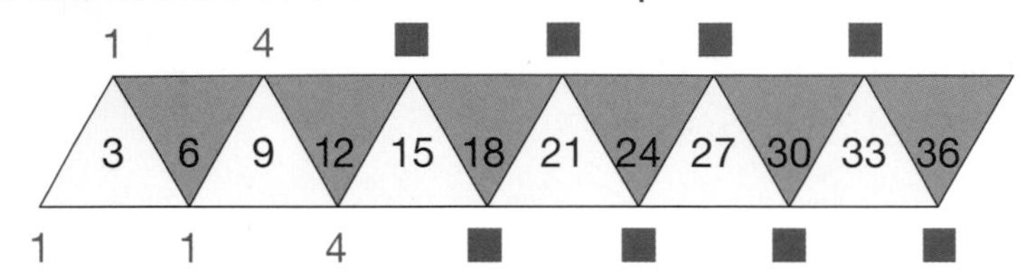

? Quels sont les nombres manquants dans la bande numérique d'Alice?

La bande numérique d'Alice

J'ai inscrit une suite numérique dans les triangles.

Aux sommets de chaque triangle, j'ai écrit des nombres dont la somme est inscrite à l'intérieur.

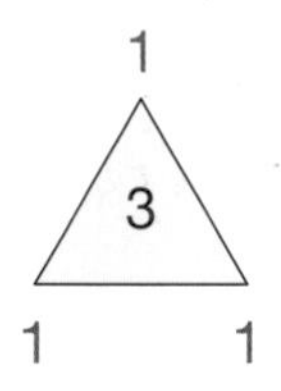

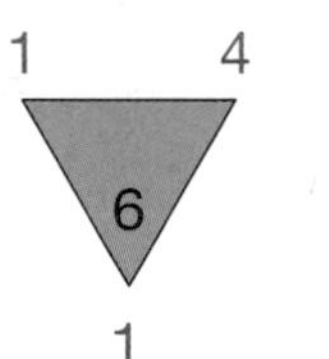

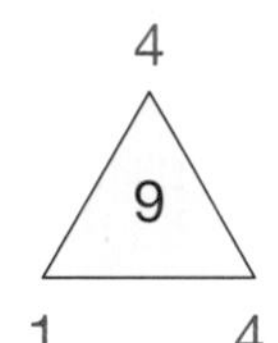

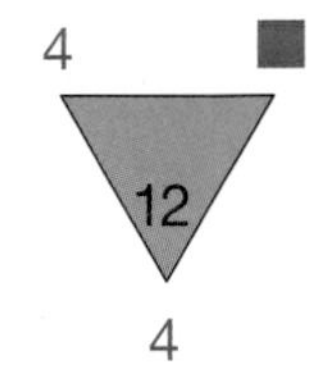

A. Explique comment trouver le nombre manquant pour le triangle 12.

B. Termine la bande numérique d'Alice.

C. Écris la suite numérique pour
- **a)** les nombres en rouge au-dessus de la bande : 1, 4, ...
- **b)** les nombres à l'intérieur de la bande : 3, 6, 9, 12, ...
- **c)** les nombres en bleu au-dessous de la bande : 1, 1, 4, ...
- **d)** les nombres en bleu et en rouge en zig-zag : 1, 1, 1, 4, 4, ...

D. Prédis le prochain nombre de chaque suite de la partie C. Pour vérifier tes prédictions, prolonge la bande numérique avec 2 autres triangles.

E. Décris chaque suite numérique de la partie C.

Réflexion

1. Compare les 4 suites numériques dans la bande.
   En quoi les suites sont-elles semblables?
   En quoi sont-elles différentes?

Vérification

2. a) Termine la bande numérique en ajoutant des nombres aux sommets pour obtenir les sommes inscrites au centre des triangles.

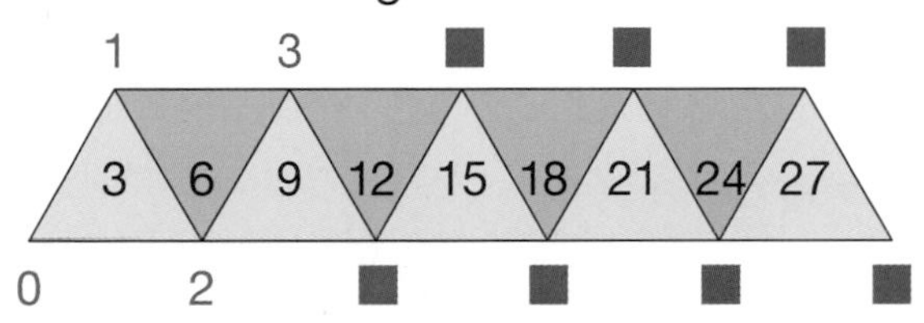

   b) Écris chaque suite numérique dans la bande.
   c) Prédis le prochain nombre de chaque suite.
   Ensuite, prolonge la bande numérique avec 2 triangles de plus pour vérifier tes prédictions.
   d) Décris chaque suite numérique de la partie b).

Application

3. a) Termine la bande numérique. Ensuite, prolonge-la avec 6 autres triangles en maintenant la régularité.

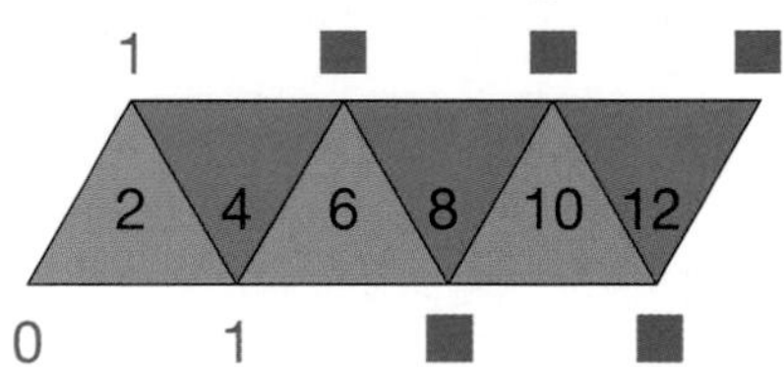

   b) Décris chaque suite numérique dans la bande.

4. Il y a des suites de nombres en zig-zag.
   Écris les 3 prochains nombres de chaque suite.
   a) 1, 1, 2, 4, 4, 5, 7, 7, 8, ■, ■, ■
   b) 2, 3, 5, 7, 8, 10, 12, 13, 15, 17, ■, ■, ■

7 Trouver les nombres manquants

Matériel nécessaire

- du matériel de base dix

Trouver le nombre manquant dans une suite et dans une équation.

Tu peux trouver un nombre manquant dans une suite si tu sais de quelle façon les nombres de cette suite changent.

équation
Phrase mathématique qui comporte un signe d'égalité et au moins une variable ou inconnue.

$4 + ■ = 6$
$4 = 6 - ■$

? Quel est le nombre manquant dans cette suite?
15, 21, 27, 33, ■, 45, ...

Nathalie et Rami ont trouvé que les nombres de la suite augmentent chaque fois de 6 unités.
Ils ont ensuite écrit une **équation** avec un nombre manquant pour trouver ■.

L'addition de Nathalie

+6

15, 21, 27, 33, ■, 45, ...

$■ + 6 = 45$

Pour trouver ■, j'ai d'abord écrit 45 sur une droite numérique.

Puis je me suis dit : « Où aurais-je commencé sur la droite numérique pour arriver à 45 en additionnant 6? »

Alors, j'ai soustrait 6 pour obtenir la réponse.

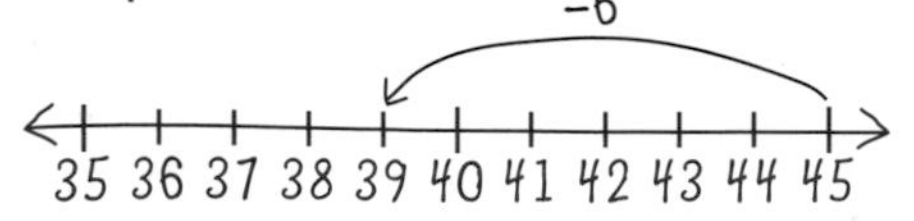

Le nombre manquant, ■, est 39.

La soustraction de Rami

−6

15, 21, 27, 33, ■, 45, ...

$■ - 6 = 33$

Pour trouver ■, j'ai reproduit 33 avec du matériel de base dix.

Puis je me suis dit : « Quel aurait été mon premier nombre si j'avais soustrait 6 pour obtenir 33? »

Alors, j'ai ajouté 6 pour trouver la réponse.

$39 - 6 = 33$

Le nombre manquant, ■, est 39.

DUV

Réflexion

1. Explique comment tu utiliserais une droite numérique pour trouver $\blacksquare$ dans l'équation $\blacksquare - 6 = 33$.
2. Explique comment tu utiliserais du matériel de base dix pour trouver $\blacksquare$ dans l'équation $\blacksquare + 6 = 45$.
3. Explique comment, par essais systématiques ou par calcul mental, tu pourrais trouver $\blacksquare$ dans les équations $\blacksquare - 6 = 33$ et $\blacksquare + 6 = 45$.

Vérification

4. Quel est le nombre manquant dans cette suite numérique?

   6, 11, $\blacksquare$, 21, 26, 31, …

   Sers-toi de $\blacksquare + 5 = 21$.

5. Quel est le nombre manquant dans cette suite numérique?

   27, 23, 19, 15, $\blacksquare$, 7, …

   Sers-toi de $\blacksquare - 4 = 7$.

Application

6. Utilise l'équation pour trouver le nombre manquant dans chaque suite.
   a) 16, 25, 34, 43, $\blacksquare$, 61, ... $\blacksquare + 9 = 61$
   b) 31, $\blacksquare$, 25, 22, 19, 16, ... $\blacksquare + 3 = 31$
   c) $\blacksquare$, 77, 73, 69, 65, 61, 57, ... $\blacksquare - 4 = 77$

7. Écris la règle de la suite pour chaque suite de la question n° 6.

8. Trouve $\blacksquare$ dans chaque équation.

a) $\blacksquare + 7 = 16$	d) $\blacksquare + 12 = 19$	g) $15 + \blacksquare = 44$
b) $21 - \blacksquare = 5$	e) $27 - \blacksquare = 11$	h) $\blacksquare - 14 = 17$
c) $\blacksquare - 9 = 35$	f) $36 + \blacksquare = 52$	i) $74 - \blacksquare = 39$

8 Créer des équations équivalentes

- des jetons de 2 couleurs

Utiliser des suites non numériques pour formuler des équations.

Chaque figure dans l'équation ■ + ▲ = 11 + 4 représente un nombre.

? Combien de paires de nombres différentes peuvent remplacer les 2 figures?

A. Utilise des jetons pour trouver 1 paire de nombres. Dessine les jetons.

B. Dans l'équation ■ + ▲ = 11 + 4, remplace les figures par la paire de nombres de la partie A.

C. Trouve une autre paire de nombres. Note l'équation.

D. Remplis le tableau en T pour montrer différentes paires de nombres.

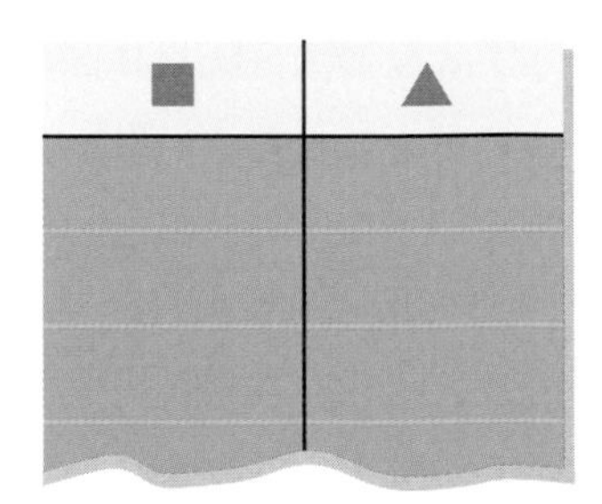

E. Cherche la régularité dans les suites du tableau en T. Si tu ne vois pas de régularité, reclasse les rangées dans un autre tableau en T. Décris toute régularité que tu vois.

F. Trouve 5 paires de nombres ou plus pour l'équation 15 + 8 = ■ + ▲. Note une équation pour chaque paire de nombres.

Réflexion

1. As-tu trouvé toutes les paires de nombres possibles de la partie D? Comment le sais-tu?
2. Explique comment tu peux utiliser des régularités pour trouver différentes paires de nombres pour l'équation 17 + 9 = ■ + ▲.
3. En quoi est-ce différent de trouver des paires de nombres pour l'équation ■ − ▲ = 15 − 9?

Calcul mental

Additionner des 5

Pour additionner 2 nombres, décompose chacun d'eux pour qu'ils se terminent par un 5 et ensuite additionne le reste.

$15 + 7 = 15 + 5 + 2$

$20 + 2 = 22$

A. Pourquoi est-il facile d'additionner 2 nombres se terminant par le chiffre 5?

À ton tour!

1. **a)** 15 + 8 **b)** 25 + 6 **c)** 45 + 9 **d)** 95 + 7

2. **a)** 5 + 18 **b)** 69 + 5 **c)** 38 + 45 **d)** 36 + 6

Curiosités mathématiques

Le triangle de Pascal

En 1653, Blaise Pascal s'est servi de cette figure pour résoudre un problème.

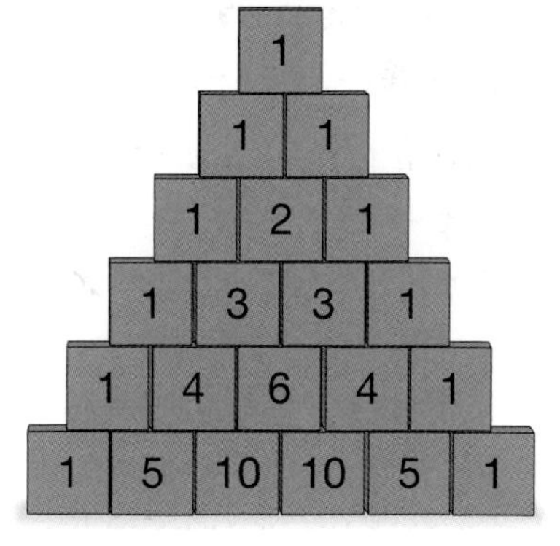

1 Choisis n'importe quel nombre à l'intérieur du triangle.
Observe les 2 nombres situés au-dessus du nombre choisi.
Comment Pascal a-t-il créé son triangle?

2 Écris la prochaine rangée de nombres du triangle de Pascal.

LEÇON

Acquisition des compétences

1

1. Décris la régularité dans chaque suite en expliquant comment chaque attribut change.
Ensuite, dessine les 3 prochains symboles ou figures.

a) ♣♦♠♥♣♦♠♥♣♦♠♥

b) ▼▽●○▼▽●○▼▽●○

c) ■ ▲ ■ ▲ ■ ▲ ■ ▲ ■

d) □◆▲▽■◆△▼■◇▲▼

e) ↑→↓←↑→↓←↑→↓←

f) ☺☺😐☺☺😐☺☺😐☺☺😐

g) ▲▼◆ ◆▼▲ ▲▼◆ ◆▼▲ ▲▼◆ ◆▼▲

h) 

2

2. Décris la régularité dans chaque suite. Ensuite, écris les 3 prochains nombres.

a) 99, 96, 93, 90, 87, …

b) 4, 9, 14, 19, 24, …

c) 5, 10, 15, 5, 10, 15, 5, 10, 15, …

d) 1, 2, 3, 5, 6, 7, 9, 10, 11, 13, …

e) 98, 91, 84, 77, 70, …

f) 100, 98, 94, 88, 80, 70, …

g) 4, 9, 5, 10, 6, 11, 7, 12, 8, …

h) 13, 20, 28, 37, 47, 58, …

3

3. Il y a une feuille d'érable sur le drapeau du Canada.

a) Crée un tableau en T pour trouver le nombre total de dents dans 6 feuilles d'érable.

b) Décris la régularité dans la 2e colonne du tableau en T.

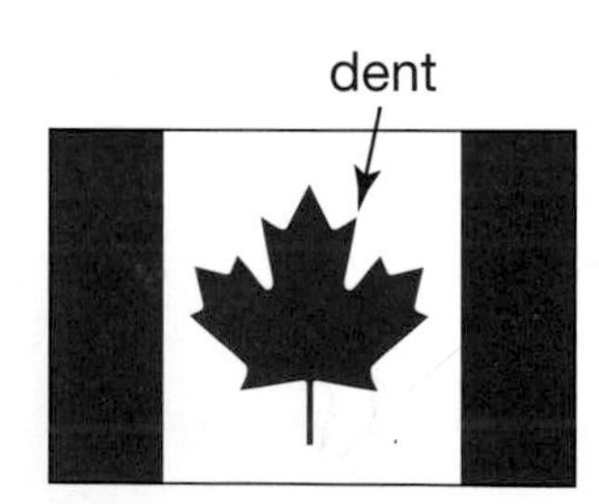

Nombre de feuilles	Nombre total de dents
1	11
2	
3	

4. Remplis un tableau en T pour trouver le nombre total de sommets de 7 octogones.

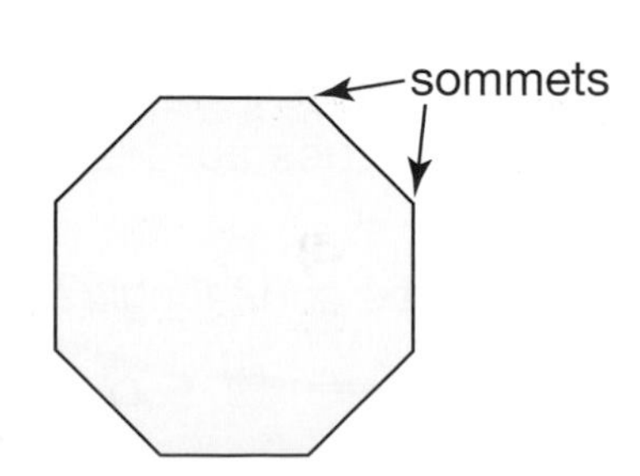

4

5. Remplis 7 rangées pour chacun des tableaux en T.
Utilise une calculatrice.
Écris la règle de la suite pour la 2e colonne du tableau en T.

a)

Années	Nombre total de semaines
1	52
2	
3	

b)

Semaines	Nombre total d'heures
1	168
2	
3	

6

6. Complète chaque bande numérique.
Ensuite, prolonge chaque bande en ajoutant 6 autres triangles.

a)

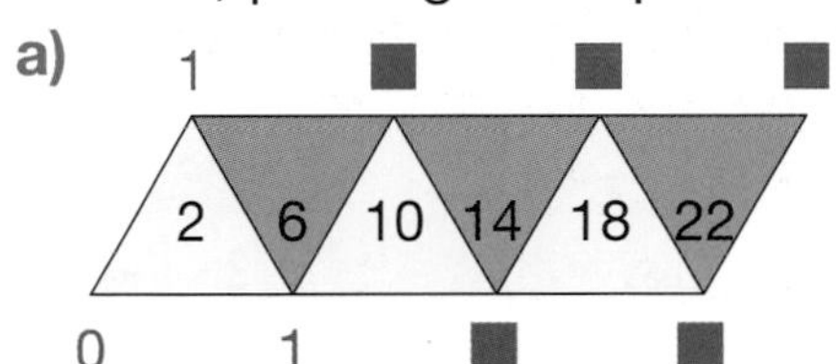

b)

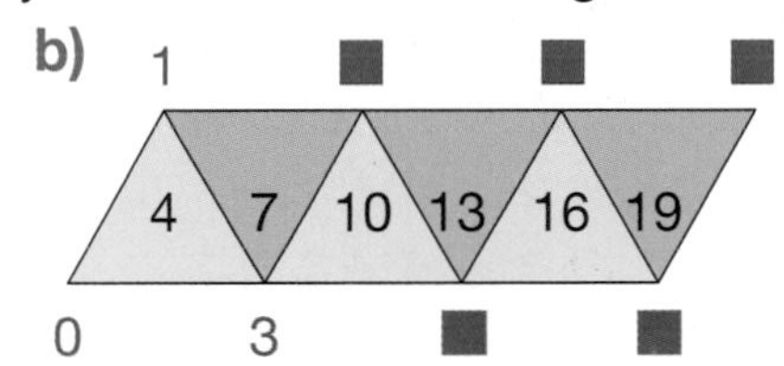

7. Écris les 3 prochains nombres de chaque suite.

a) 0, 1, 2, 2, 3, 4, 4, 5, 6, 6, 7, 8, …
b) 0, 1, 3, 4, 5, 7, 8, 9, 11, 12, …
c) 0, 1, 4, 5, 6, 9, 10, 11, 14, 15, 16, …
d) 0, 1, 2, 6, 7, 8, 12, 13, 14, 18, 19, 20, …

7

8. Utilise l'équation pour trouver le nombre manquant dans chaque suite.

a) 8, 15, 22, ■, 36, 43, … ■ − 7 = 22
b) ■, 65, 59, 53, 47, 41, … ■ − 6 = 65
c) 17, ■, 23, 26, 29, 32, … 3 + ■ = 23

9. Trouve ■ dans chaque équation.

a) 11 + ■ = 36
b) ■ + 26 = 54
c) 73 − ■ = 49
d) ■ − 12 = 56
e) 23 + ■ = 42
f) ■ − 8 = 76

8

10. Trouve 3 paires de nombres différentes pour ces équations.

a) 11 + 3 = ■ + ▲
b) ■ + ▲ = 10 + 6
c) 9 − 4 = ■ − ▲
d) 19 + 2 = ■ + ▲
e) 16 − 12 = ■ − ▲
f) ■ + ▲ = 13 + 4
g) ■ + ▲ = 9 + 18
h) 21 + 8 = ■ + ▲
i) 23 − 9 = ■ − ▲

LEÇON

Problèmes de tous les jours

5

1. Jennifer pose des marques le long d'une piste de course.
Elle pose la 1re marque à 100 m.
Ensuite, elle en pose une autre à tous les 50 m.
Combien de marques lui faut-il pour atteindre 400 m?

2. Karen a participé à une course de 10 km.
Elle a couru le 1er kilomètre en 5 minutes.
Ensuite, elle a ralenti, et chaque kilomètre lui a pris 1 minute de plus que le kilomètre précédent.
Combien a-t-il fallu de temps à Karen pour faire la course?

3. Collin passe devant les portes 1 à 12 et ouvre chaque 2e porte.
À son 2e passage, il s'arrête à chaque 3e porte. Si la porte est fermée, il l'ouvre. Si la porte est ouverte, il la ferme. Quelles portes sont restées ouvertes après le 2e passage de Collin?

4. Brian vient de fêter son 5e anniversaire de naissance.
Il se fait couper les cheveux tous les 8 mois.
Combien de coupes de cheveux Brian a-t-il reçues dans sa vie?

6

5. André fera des travaux d'entretien pour sa tante pendant 5 jours.
Il peut se faire payer de 2 façons différentes :
   - 10 $ par jour;
   - 1 $ le premier jour et, ensuite, le double du montant de la journée précédente.

   a) Comment André choisira-t-il de se faire payer? Pourquoi?
   b) Ta réponse changerait-elle s'il travaillait pendant une semaine? Explique ton raisonnement.

8

6. Trouve au moins 5 façons différentes de compléter l'équation
13 + ■ = ▲ − 17. Que remarques-tu?

LEÇON

Révision du chapitre

1. Décris la régularité de chaque suite non numérique en expliquant comment chaque attribut change. Dessine ou décris les 3 prochaines figures.

   a)
   b)

2. Écris les 3 prochains nombres de chaque suite.

   a) 7, 11, 15, 19, ... b) 24, 21, 18, 15, ...

3. Une suite commence à 51 et décroît de 8 unités chaque fois. Écris 6 nombres de cette suite.

4. Remplis chaque tableau en T et décris chaque règle de la suite.

a)

Heures	Nombre total de minutes
1	60
2	120
3	180
4	
5	
6	
7	

b)

Chats	Nombre total de griffes
1	18
2	36
3	54
4	
5	
6	
7	

5. Invente un problème qui peut être résolu en utilisant un des tableaux en T de la question n° 4.

6. a) Crée 2 suites numériques différentes qui commencent par 1, 3, ...
   b) Écris la règle de la suite pour chacune de tes suites.
   c) Compare la régularité dans tes suites. En quoi sont-elles semblables? En quoi sont-elles différentes?

7. Trouve ■ pour chaque équation.

   a) ■ + 13 = 21 b) 5 + ■ = 34 c) 100 − ■ = 91 d) ■ − 22 = 66

8. Remplace les symboles ■ et ▲ afin d'écrire 3 nouvelles équations pour chacune des équations suivantes.

   a) ■ + ▲ = 19 + 8 b) ■ + ▲ = 15 + 6 c) 25 + 8 = ■ + ▲

Tâche du chapitre

Découvrir la régularité numérique dans des suites non numériques

Pedro a inventé cette suite non numérique à l'aide de mosaïques géométriques.

figure 1 — 1 bloc
figure 2 — 4 blocs
figure 3 — 9 blocs
figure 4 — ?

? Quelle régularité numérique vois-tu dans la suite non numérique?

Partie nº 1

A. Dessine ou fabrique un modèle de la figure 4. Décris en mots la régularité dans la suite non numérique.

B. Remplis un tableau en T pour montrer la régularité dans la suite non numérique de Pedro.

C. Prolonge le tableau en T pour découvrir combien de blocs la figure 5 et la figure 6 contiendraient.

D. Écris la règle qui définit cette régularité numérique.

Figure	Nombre total de blocs
1	1
2	4
3	9
4	
5	

Partie nº 2

E. Crée ta propre suite non numérique à l'aide de blocs mosaïques. Dessine et décris la régularité dans ta suite non numérique.

F. Décris la régularité numérique dans ta suite non numérique.

G. En quoi la régularité dans ta suite et dans celle de Pedro sont-elles semblables? En quoi sont-elles différentes?

Liste de contrôle de la tâche

- ☑ As-tu inclus un dessin?
- ☑ As-tu utilisé des tableaux en T pour montrer des suites numériques?
- ☑ As-tu décrit des suites numériques en écrivant des règles de la suite?

CHAPITRE 2

Numération

Attentes

Tu pourras

- **démontrer une compréhension des nombres jusqu'à 10 000 et comparer ces nombres;**
- **représenter des nombres de 4 chiffres de diverses façons;**
- **explorer la relation entre un chiffre et sa valeur de position;**
- **expliquer comment ordonner des nombres;**
- **compter et estimer des sommes d'argent.**

Des papillons monarques se rassemblent avant leur migration vers le Canada.

Premiers pas

Matériel nécessaire

- du matériel de base dix

- de la monnaie de jeu

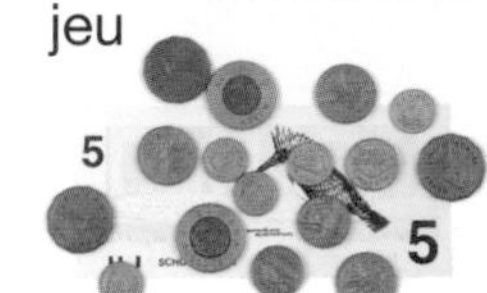

Représenter des nombres

En Inde, un homme a appris à imiter le cri de 326 animaux et oiseaux.

Voici une façon de représenter le nombre 326 à l'aide de matériel de base dix.

Il a fallu utiliser 11 blocs.

A. Comment sais-tu que 326 se situe entre 300 et 400?

B. Comment peux-tu représenter 326 si tu n'as pas de réglettes de dizaine?

C. Comment peux-tu représenter 326 en utilisant exactement 20 blocs?

Pour chacune des tâches ci-dessous, choisis 11 blocs. Tu prends du matériel différent à chaque fois, mais tu dois toujours utiliser au moins 1 planchette de centaine, 1 réglette de dizaine et 1 cube-unité.

D. Quel est le plus grand nombre que tu peux représenter avec les 11 blocs choisis? Comment sais-tu qu'il s'agit du plus grand nombre?

E. Quel est le plus petit nombre que tu peux représenter avec les 11 blocs choisis?

F. Utilise les 11 blocs pour représenter 2 nombres qui valent près de 300. Représente 1 nombre qui est inférieur à 300 et 1 autre qui est supérieur à 300.

Rappelle-toi!

1. Représente chaque nombre à l'aide du matériel de base dix. Écris chaque nombre sous forme de ■ centaines + ■ dizaines + ■ unités.

a) 169 **b)** 961 **c)** 320 **d)** 507

2. Dans chaque paire de nombres, lequel est le plus grand?

a) 639 ou 714 **b)** 495 ou 475 **c)** 306 ou 360

3. Ordonne les nombres du plus petit au plus grand.

a) 384, 389, 364, 368 **b)** 870, 780, 817, 728

4. Décris 2 façons de représenter chaque somme d'argent avec des pièces de monnaie.

a) 4,50 $ **b)** 9,75 $

1 Représenter la valeur de position

Matériel nécessaire

- du matériel de base dix

Attente **Représenter des nombres jusqu'à 10 000.**

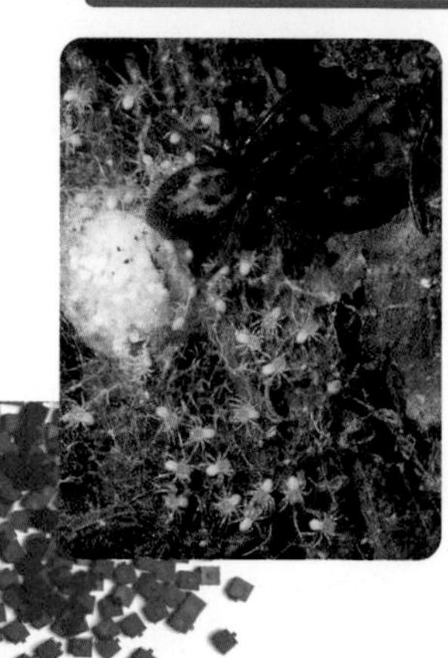

Chantal étudie les araignées.
Elle a découvert une araignée capable de pondre 1 200 œufs.

? Comment Chantal représentera-t-elle 1 200 avec le moins de matériel de base dix possible?

Le modèle de Chantal

Je peux représenter 1 200 par 1 200 cubes-unités.

Si les cubes-unités sont regroupés en réglettes de dizaine, il ne me faut que 120 réglettes de dizaine pour représenter 1 200.

A. Si les réglettes de dizaine sont regroupées en planchettes de centaine, combien de blocs as-tu? Fais ce nouveau modèle.

B. Dix planchettes de centaine font 1 cube de mille.
Regroupe les planchettes de centaine.
Combien de blocs y a-t-il maintenant?

Réflexion

1. a) Quel modèle utilise le moins de matériel de base dix possible?

b) Quelle est la relation entre ce modèle et les chiffres inscrits dans un tableau de valeurs de position?

Unités de mille	Centaines	Dizaines	Unités

2. Comment l'assemblage d'un cube de mille à partir de planchettes de centaine est-il semblable à l'assemblage d'une planchette de centaine à partir de réglettes de dizaine?

Vérification

3. Trois araignées ont pondu 2 065 œufs au total.
   a) Représente 2 065 avec des cubes-unités, des réglettes et des planchettes.
   b) Représente 2 065 avec le moins de matériel de base dix possible. Tu peux utiliser des cubes de mille, des planchettes, des réglettes et des cubes-unités.
   c) As-tu utilisé les 4 sortes de blocs à la partie b)? Explique pourquoi ou pourquoi pas.

Application

4. Lors de sa migration, un papillon monarque a volé 3 256 km.
   Trouve 3 façons de représenter 3 256.
   Dessine chaque modèle.

5. Écris chaque nombre correspondant.
   a)

   b)
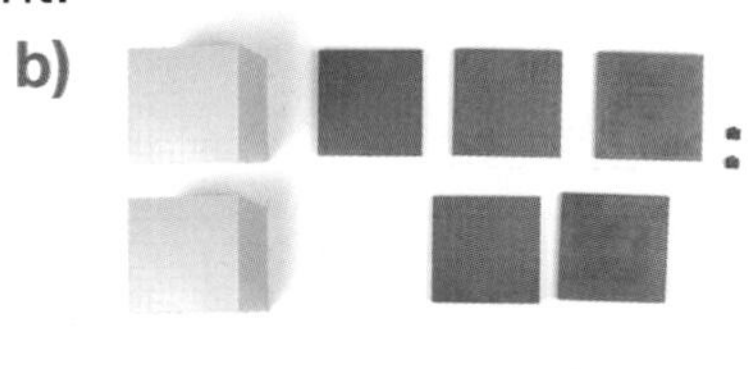

6. Si tu n'utilises que 1 seule sorte de blocs pour représenter chaque nombre, combien de planchettes de centaine te faudra-t-il? Combien de cubes de mille te faudra-t-il?
   a) 2 000 b) 5 000 c) 9 000

7. Dans un restaurant, une affiche indique que 4 562 hamburgers ont été vendus.
   Pendant les 5 semaines suivantes, le restaurant a vendu plus de 100 hamburgers par semaine.
   a) Représente 4 562 avec le moins de matériel de base dix possible.
   b) Ajoute des blocs à ton modèle pour inclure les 100 hamburgers supplémentaires vendus par semaine. Regroupe tes blocs pour utiliser le moins de matériel de base dix possible.
   c) Que lira-t-on sur l'affiche à la fin des 5 semaines?
   d) Quels blocs ont changé dans ton modèle? Pourquoi?

2 Écrire des nombres sous forme décomposée

Écrire des nombres jusqu'à 10 000 sous forme décomposée.

Pendant sa carrière, un joueur de base-ball professionnel a joué 3 562 parties.

? De quelles façons peut-on représenter 3 562?

Matériel nécessaire

- du matériel de base dix

- un tableau de valeurs de position

Unités de mille	Centaines	Dizaines	Unités

À la façon de Shani

Je peux représenter 3 562 avec du matériel de base dix dans un tableau de valeurs de position.

Unités de mille	Centaines	Dizaines	Unités
3	5	6	2

Je peux écrire 3 562 ainsi :
3 unités de mille, 5 centaines, 6 dizaines, 2 unités.

Je peux lire 3 562 : trois mille cinq cent soixante-deux.

Quand un nombre est écrit ainsi : 3 562, on dit qu'il est écrit **en chiffres**.

Je peux aussi écrire un nombre sous sa **forme décomposée**.
En mots, la forme décomposée de 3 562 s'écrit :
3 unités de mille + 5 centaines + 6 dizaines + 2 unités.

En utilisant des nombres, la forme décomposée de 3 562 s'écrit : 3 000 + 500 + 60 + 2.

en chiffres
Façon habituelle d'écrire les nombres.

forme décomposée
Façon d'écrire un nombre qui montre la valeur de position de chaque chiffre.

Réflexion

1. Si tu écris sous forme décomposée, pourquoi 3 000 + 500 + 60 + 2 est-il mieux que 500 + 3 000 + 2 + 60?
2. Quelle différence y a-t-il entre écrire 3 562 et écrire des nombres tels que 3 062, 3 502 ou 3 560 sous forme décomposée?
3. Pourquoi écrit-on surtout les nombres en chiffres plutôt que sous forme décomposée?

Vérification

4. Le Brésilien Pele a compté 1 281 buts pendant sa carrière de joueur de soccer professionnel.
   a) Écris 1 281 dans un tableau de valeurs de position.
   b) Écris 1 281 sous la forme suivante :
   ■ unité de milles, ■ centaines, ■ dizaines, ■ unités.
   c) Comment lirais-tu ce nombre?
   d) Écris 1 281 sous forme décomposée en utilisant des nombres.

Application

5. Rob Peterson détient le record de la plus longue série de services réussis au tennis.
   Sous forme décomposée, le nombre de services s'écrit 8 000 + 10 + 7.
   a) Écris ce nombre sous forme décomposée en utilisant des mots.
   b) Écris ce nombre en chiffres.
6. Écris les nombres suivants sous forme décomposée en utilisant un tableau de valeurs de position, des nombres et des mots.
   a) 7 845 c) 9 999 e) 8 050
   b) 4 309 d) 6 006 f) 7 700

3 Comparer et ordonner des nombres

Comparer et ordonner des nombres jusqu'à 10 000.

Lors d'une épreuve du Tour de France, les cyclistes ont parcouru 1 368 km de route de montagne et 1 982 km de route de plaine.

? Quelle est la plus longue distance : la route de montagne ou la route de plaine?

La solution de Christian

J'inscris les chiffres dans des tableaux de valeurs de position. Ensuite, je représente les nombres avec du matériel de base dix.

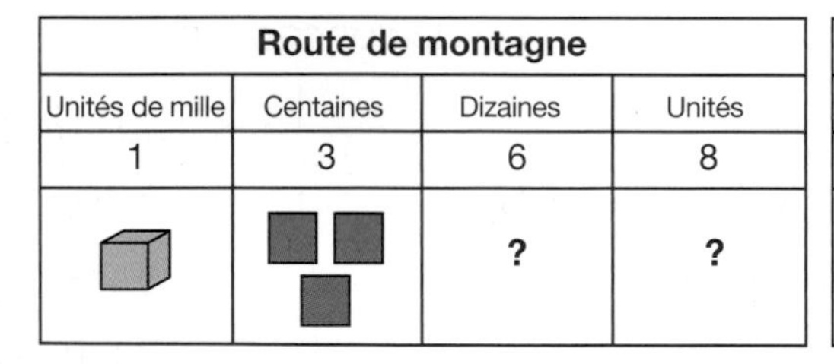

Route de montagne			
Unités de mille	Centaines	Dizaines	Unités
1	3	6	8
		?	?

Route de plaine			
Unités de mille	Centaines	Dizaines	Unités
1	9	8	2
	?	?	?

A. Complète les tableaux de valeurs de position afin de représenter les nombres.

B. Compare les nombres pour trouver quelle distance est la plus longue.

C. Quand tu compares des nombres, utilise les symboles **<** et **>**.
Montre comment les nombres se comparent en remplaçant ■ par les symboles <, = ou >.

1 368 ■ 1 982 1 982 ■ 1 368

Le symbole > signifie que le 1er nombre est plus grand que le 2e.
Le symbole < signifie que le 1er nombre est plus petit que le 2e.

$8 > 5$ $5 < 8$

DUV

Réflexion

1. Écris un nombre entre 1 368 et 1 982.
   Quels chiffres se trouvent à la position des unités de mille? À la position des centaines?
2. Quand tu compares des nombres comme 1 368 et 1 982, tu regardes chaque chiffre de gauche à droite. Explique ce que tu fais quand tu arrives à la 1re valeur de position avec un chiffre différent.

Vérification

3. Examine les 2 manchettes de droite.
   Utilise les symboles < ou > pour indiquer dans quelle course on parcourt la plus grande distance. Comment le sais-tu?

Dans l'Arctique, une course de traîneaux à chiens s'étire sur 1 795 km

Les cyclistes parcourent 3 350 km lors du Tour de France

4. Utilise les chiffres 3, 3, 5 et 0 pour inventer 4 nouvelles distances. Ordonne les distances de la plus courte à la plus longue.

Application

5. Annie habite Vancouver.
   Elle a créé un tableau qui montre les distances entre Vancouver et 6 autres villes canadiennes.
   a) Quelle ville est la plus proche de Vancouver? Explique.
   b) Quelle ville est la plus éloignée de Vancouver? Explique.
   c) Quelles villes sont entre 3 000 et 6 000 km de Vancouver?
   d) Refais le tableau d'Annie en ordonnant les villes de la plus éloignée à la plus proche de Vancouver.

Distances à partir de Vancouver

Ville	Distance (km)
Whitehorse (Yukon)	2 700
Toronto (Ontario)	4 500
Montréal (Québec)	4 800
Moncton (N.-B.)	5 825
Calgary (Alberta)	1 050
St. John's (Terre-Neuve)	7 675

6. Complète ces équations à l'aide des symboles >, = ou <. Explique ton raisonnement.
   a) 9 981 ■ 654 b) 6 772 ■ 7 276 c) 2 365 ■ 7 942

4 Étudier les nombres jusqu'à 10 000

Explorer les régularités dans la valeur de position des nombres jusqu'à 10 000.

Matériel nécessaire

- du matériel de base dix

Les régularités de valeur de position de Joseph

J'ai inventé des problèmes de valeur de position en utilisant des suites numériques. Chaque suite compte 4 nombres.

La suite n° 1 commence par 9 unités de mille + 9 centaines + 7 dizaines. Le chiffre des dizaines augmente de 1 par nombre.

La suite n° 2 commence par 9 unités de mille + 9 centaines + 9 dizaines + 1 unité. Le chiffre des unités augmente de 3 par nombre.

La suite n° 3 commence par 10 cubes-unités. Remplace tous les cubes-unités par des réglettes de dizaine. Remplace chaque bloc par des blocs de valeur supérieure.

La suite n° 4 commence par 4 cubes de mille. Le chiffre des unités de mille augmente de 2 par nombre.

A. Utilise du matériel de base dix pour représenter les 4 suites.

B. Qu'observes-tu au sujet de la régularité du 4ᵉ nombre de chaque suite?

C. Invente une suite numérique croissante avec le même 4ᵉ nombre. Écris une description de ta régularité.

Réflexion

1. Dessine ou décris une représentation en matériel de base dix pour le 4ᵉ nombre des suites de Joseph.

Additionner des dizaines, des centaines et des unités de mille

Nathalie et Manitok ont joué à la Superroulette.
Nathalie a obtenu 3 000 et 5 000.
Manitok a obtenu 4 000 et 2 000.

La Superroulette
Règles du jeu :

Étape n° 1 Fais tourner l'aiguille 2 fois.

Étape n° 2 Additionne les nombres obtenus pour savoir ton résultat.

Étape n° 3 La personne qui a le meilleur résultat marque un point.

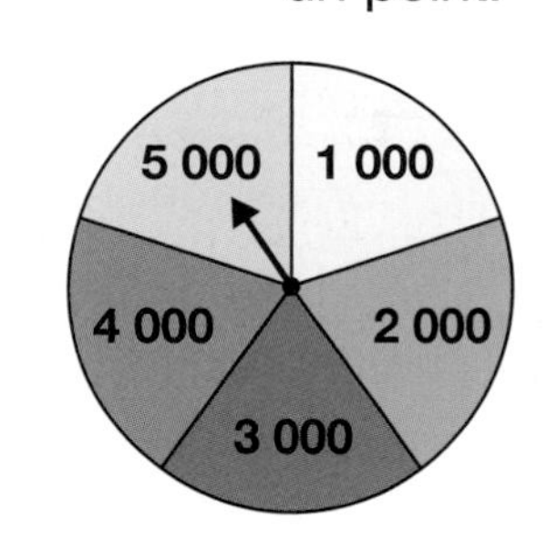

? Qui marque le point?

La solution de Nathalie

Je sais que 3 + 5 = 8, donc j'additionne mentalement 3 000 + 5 000.

3	3 000	3 mille
+ 5	+ 5 000	+ 5 mille
8	8 000	8 mille

A. Comment le fait de savoir 3 + 5 = 8 aide-t-il Nathalie à calculer ses points?

B. Combien de points Manitok a-t-il obtenus? Qui a gagné la partie?

À ton tour!

1. Utilise 3 + 2 = 5 pour trouver chaque somme.
   a) 30 + 20 **b)** 300 + 200 **c)** 3 000 + 2 000
2. Utilise 7 − 4 = 3 pour trouver chaque différence.
   a) 70 − 40 **b)** 700 − 400 **c)** 7 000 − 4 000
3. Trouve 4 résultats différents que tu peux obtenir en faisant tourner l'aiguille 2 fois.
4. Quel est le meilleur résultat que tu peux obtenir si tu fais tourner l'aiguille 2 fois? Explique comment tu as trouvé la réponse.

5 Multiplier un nombre par 10, 100 ou 1 000

Matériel nécessaire

- du matériel de base dix

Attente **Multiplier un nombre par 10, 100 ou 1 000.**

Jean peut multiplier un nombre par 10, 100 ou 1 000.
Il a découvert une régularité qui l'aide à faire sa multiplication.

? Quelle régularité Jean a-t-il utilisée pour multiplier un nombre par 10, 100 ou 1 000?

La régularité de Jean

J'ai utilisé un tableau pour mieux voir les régularités.

J'ai commencé par multiplier des nombres par 10.

2 × 10 correspond à faire 2 groupes de 10.

Il y a 2 dizaines et 0 unité, donc la valeur est 20.

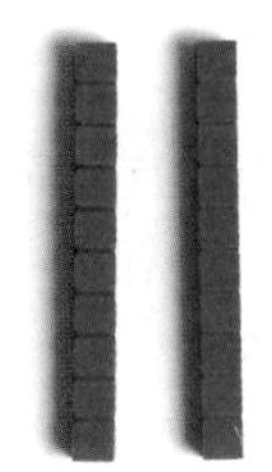

Multiplication par 10	Nombre en chiffres
2 x 10	20
3 x 10	30

A. Choisis 4 nombres. Utilise du matériel de base dix pour multiplier chaque nombre par 10. Inscris tes résultats au tableau.

B. Cherche une régularité dans les produits.

C. Crée un nouveau tableau pour multiplier des nombres par 100. Multiplie 4 nombres par 100. Cherche une régularité dans les produits.

D. Crée un nouveau tableau pour trouver une régularité pour la multiplication par 1 000.

Réflexion

1. Quelle régularité vois-tu dans une multiplication par chaque nombre?
   a) 10 b) 100 c) 1 000
2. Pourquoi est-ce vraisemblable de ne pas avoir d'unités quand tu multiplies un nombre par 10, 100 ou 1 000?

Vérification

3. Utilise les régularités que tu as trouvées pour ces multiplications.
   a) 14 × 10 b) 61 × 100 c) 2 × 1 000
4. Quel est le nombre manquant?
   a) 2 500 = ■ × 100 b) 2 500 = ■ × 10

Application

5. Fais ces multiplications.
   a) 99 × 10 c) 1 000 × 10 e) 15 × 100
   b) 5 × 1 000 d) 10 × 1 000 f) 100 × 100

6. Pendant 10 années de suite, les parents de David lui ont offert un album de photos pour son anniversaire. Chaque album compte 144 photos. Combien de photos David a-t-il au total?
7. Quel est le nombre manquant?
   a) 5 000 = ■ × 1 000 d) 8 000 = ■ × 100
   b) 5 000 = ■ × 100 e) 10 000 = ■ × 1 000
   c) 8 000 = ■ × 1 000 f) 10 000 = ■ × 100
8. Quel est le nombre manquant?
   a) 2 090 = ■ × 10 c) 5 000 = ■ × 10
   b) 1 100 = ■ × 10 d) 4 780 = ■ × 10
9. La famille de Keiko a acheté une automobile usagée avec 45 billets de 100 dollars. Combien a coûté l'automobile?

Révision

LEÇON

1

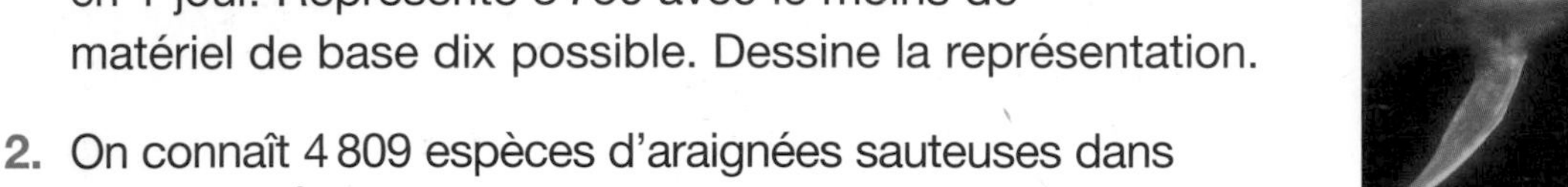

1. Une baleine bleue peut manger 3 750 kg de plancton en 1 jour. Représente 3 750 avec le moins de matériel de base dix possible. Dessine la représentation.

2

2. On connaît 4 809 espèces d'araignées sauteuses dans le monde. Écris 4 809 sous forme décomposée en utilisant d'abord des mots, puis des nombres.

3. Écris chaque nombre en chiffres.
   a) 2 000 + 80 + 5
   b) 6 unités de mille + 2 centaines + 5 dizaines + 6 unités

3

4. Utilise des mots pour écrire le nombre qui correspond à 100 de moins que 566.

5. Utilise des chiffres pour écrire le nombre qui correspond à trois mille de plus que mille vingt-neuf. Montre ton travail.

6. Complète chaque phrase mathématique à l'aide des symboles <, = ou >. Explique ton raisonnement.
   a) 654 ■ 7 843
   b) 9 823 ■ 9 832
   c) 5 478 ■ 8 962

7. Ce tableau montre le nombre de chiens de race différente que possèdent les Canadiens. Ordonne les nombres du plus petit au plus grand.

Chien	Nombre
caniche	2 817
yorkshire	2 185
boxer	1 444
golden retriever	6 047
berger allemand	4 576

4

8. Complète ces suites numériques en maintenant la régularité.
   a) 5, ■, 500, 5 000
   b) 8 unités, 8 dizaines, ■, 8 unités de mille
   c) 4 281, 4 381, 4 481, ■
   d) 1, 10, ■, 1 000, ■

5

9. Quel est le nombre manquant?
   a) 2 000 = ■ × 100
   b) 2 000 = ■ × 10
   c) 5 600 = ■ × 100
   d) 5 600 = ■ × 10
   e) 10 000 = ■ × 100
   f) 10 000 = ■ × 10

Objectif 10 000!

Nombre de joueurs : 2 ou plus
Règles du jeu : Le but du jeu consiste à s'approcher le plus près possible de 10 000 sans le dépasser!

Étape nº 1 Lance un dé et note le nombre obtenu sur ta feuille de match.

Étape nº 2 Détermine si tu multiplieras le nombre obtenu par 1, 10, 100 ou 1 000.
Note ton choix sur la feuille de match.

Étape nº 3 Multiplie le nombre obtenu, puis inscris le produit.

Étape nº 4 Utilise une calculatrice pour additionner le produit à ton total obtenu auparavant. Note le nouveau total de points sur ta feuille de match.

Après 10 lancers de dés par chaque joueur, le joueur qui gagne est celui qui s'approche le plus de 10 000, mais ne le dépasse pas.

Matériel nécessaire

- un dé
- une feuille de match

Objectif 10 000!

Lancer	Nombre obtenu

- une calculatrice

Le jeu de Sarah

À mes 3 premiers lancers, j'ai obtenu 5, puis 6 et encore 5.

Objectif 10 000!

Lancer	Nombre obtenu	× 1, × 10, × 100 ou × 1 000	Produit	Total à reporter
1	5	x 1 000	5 000	5 000
2	6	x 100	600	5 600
3	5	x 100	500	6 100

6 Arrondir à la dizaine, à la centaine ou à l'unité de mille près

Arrondir des nombres à la dizaine, à la centaine ou à l'unité de mille près.

Alice, Carl et Pedro préparent un compte rendu sur les sports à l'école pour le journal local.
La journée d'athlétisme a attiré 2 943 spectateurs.
Pour la manchette du journal, les élèves ont décidé d'arrondir le nombre de spectateurs.

? Comment Alice, Carl et Pedro vont-ils arrondir le nombre 2 943?

Voici comment Alice a arrondi ce nombre

J'arrondis 2 943 à l'unité de mille près.

2 943 se trouve entre 2 000 et 3 000.

2 943 est plus près de 3 000, donc je l'arrondis à 3 000.

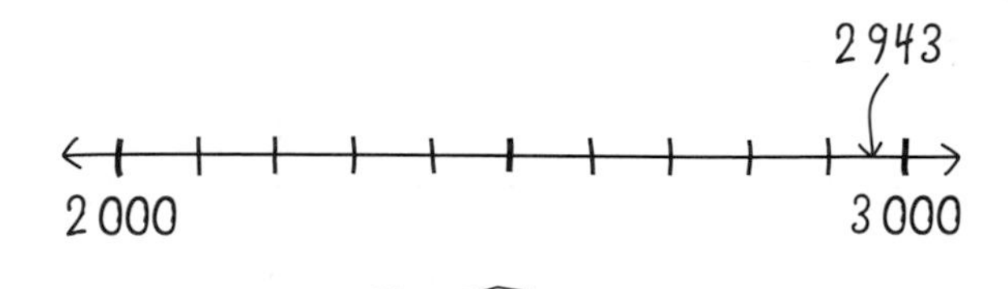

La journée d'athlétisme attire 3 000 spectateurs

Voici comment Carl a arrondi ce nombre

J'arrondis 2 943 à la centaine près.

2 943 se trouve entre 2 900 et 3 000.

2 943 est plus près de 2 900, donc je l'arrondis à 2 900.

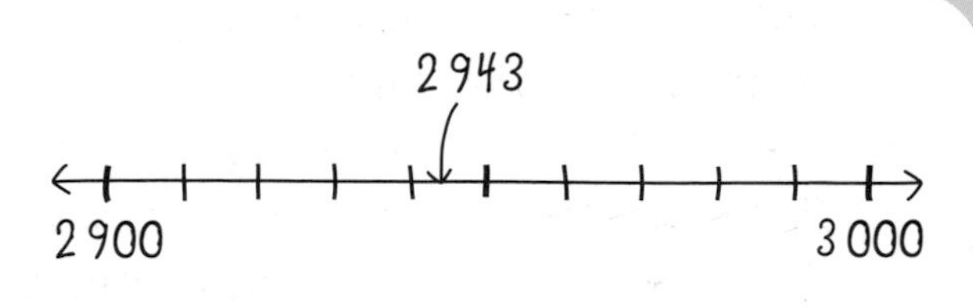

La journée d'athlétisme attire 2 900 spectateurs

Voici comment Pedro a arrondi ce nombre

J'arrondis 2943 à la dizaine près.
2 943 se trouve entre 2940 et 2950.
2943 est plus près de 2940,
donc je l'arrondis à 2940.

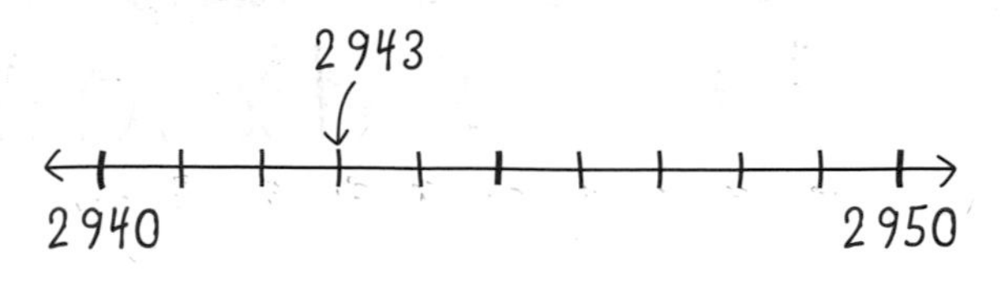

La journée d'athlétisme attire 2940 spectateurs

Réflexion

1. Lequel des 3 nombres arrondis convient le mieux à une manchette de journal? Pourquoi?
2. Dans un nombre de 4 chiffres comme 1729, en quoi arrondir à l'unité de mille près est-il différent d'arrondir à la centaine près?

Vérification

3. Il y avait 4 365 spectateurs à un championnat provincial de balle-molle. Arrondis 4 365 à l'unité de mille, à la centaine et à la dizaine près.

Application

4. a) Dessine une droite numérique pour montrer comment arrondir la population de Fergus à l'unité de mille près.
   b) Quelle est la population de Pelée arrondie à la centaine près? Quelle est la population de Pelée arrondie à la dizaine près?
   c) Quelle ville a environ 3 000 habitants?
   d) Explique pourquoi les populations de Mount Forest, Petrolia et Gananoque sont d'environ 5 000 quand elles sont arrondies à l'unité de mille près.

Ville	Population
Fergus	8 884
Pelée	283
Kincardine	2 954
Mount Forest	4 580
Petrolia	4 908
Gananoque	5 210

7 Expliquer comment ordonner des nombres

Expliquer comment ordonner une série de nombres de manière complète, précise et organisée.

Miki a organisé un concours de jeux informatiques pour les amis de sa sœur.
Quand elle a attribué les 1er, 2e, 3e et 4e prix, les joueurs ont demandé à Miki dans quel ordre elle avait classé les résultats.

Meilleurs résultats	
909	9 009
9 909	999

? Comment Miki expliquera-t-elle sa démarche pour ordonner les nombres?

Le brouillon de Miki

J'ai écrit les nombres de 4 chiffres en premier lieu.

J'ai écrit les nombres de 3 chiffres en dernier lieu.

J'ai comparé les chiffres pour les mettre en ordre.

La copie au propre de Miki

Les résultats gagnants étaient : 909, 9 009, 999 et 9 909.

J'ai écrit les nombres de 4 chiffres en premier lieu. Ensuite, j'ai écrit les nombres de 3 chiffres, parce que les nombres de 4 chiffres sont plus grands que ceux de 3 chiffres.

9 009 9 909 909 999

J'ai comparé les chiffres des centaines dans les nombres de 4 chiffres pour voir quel nombre était le plus grand.

9 909 9 009 909 999

J'ai comparé les chiffres des dizaines dans les nombres de 3 chiffres pour voir quel nombre était le plus grand.

9 909 9 009 999 909

Réflexion

1. Trouve et décris les différences entre le brouillon de Miki et sa copie au propre.
   Utilise la Liste de contrôle des communications.

Liste de contrôle des communications

- ☑ As-tu montré toutes les étapes?
- ☑ As-tu expliqué ton raisonnement?

Vérification

2. On a demandé à Rami d'ordonner les résultats du plus grand au plus petit.
   865 1876 1540 86 1000
   Voici le brouillon qui explique sa démarche.
   Utilise la Liste de contrôle des communications pour écrire une copie au propre.

Le brouillon de Rami

J'ai écrit 1000 au centre.

J'ai écrit les nombres de 4 chiffres en premier lieu.

J'ai écrit les nombres inférieurs à 1000 en dernier lieu.

1876 1540 1000 86 865

Ils étaient tous en ordre à l'exception des nombres 86 et 865; alors, je les ai inversés.

1876 1540 1000 865 86

Application

3. a) Ordonne ces nombres du plus grand au plus petit.
   3867 3869 392 473 450
   b) Explique par écrit comment tu as ordonné les nombres. Ce sera ton brouillon.
   c) Utilise la Liste de contrôle des communications pour trouver des façons d'améliorer ton brouillon. Ensuite, transcris ta copie au propre.

8 Compter des sommes d'argent

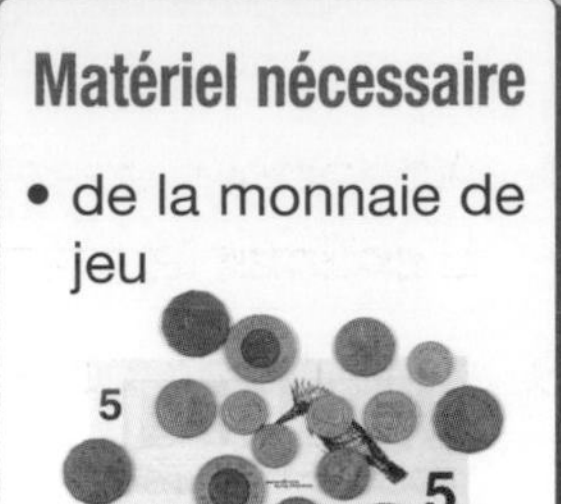

Matériel nécessaire

- de la monnaie de jeu

Estimer, compter et écrire des sommes d'argent jusqu'à 50,00 $.

Une classe mène une collecte de fonds pour organiser un voyage de camping.
Paulette est la trésorière de la classe.
Elle note l'argent recueilli chaque jour.

1er jour	2e jour	3e jour	4e jour
3 billets de cinq dollars	1 deux dollars	1 billet de cinq dollars	1 billet de cinq dollars
5 dollars	2 vingt-cinq cents	2 deux dollars	1 deux dollars
3 vingt-cinq cents	10 dix cents	4 vingt-cinq cents	5 dollars
5 dix cents	3 cinq cents	5 dix cents	18 cinq cents
2 cinq cents	10 cents	2 cinq cents	50 cents
5 cents		80 cents	

? Combien d'argent la classe de Paulette a-t-elle recueilli?

L'estimation de Paulette

D'abord, j'estime le total pour chaque jour.

Quand j'écris des valeurs numériques, les chiffres placés devant la virgule sont des dollars.
Les cents sont placés derrière la virgule.

Jour	Estimation
1	21,00 $
2	4,00 $
3	11,00 $
4	13,00 $

A. Additionne ensemble les estimations de chaque jour afin d'estimer la somme totale recueillie.

B. Calcule le total exact.

Réflexion

1. Compare ton estimation avec ton total exact. Est-ce que ton estimation était vraisemblable?
2. Partage avec des camarades ta démarche pour trouver le total exact. Pourquoi y a-t-il des démarches différentes?

Vérification

3. Le 5e jour de la collecte, la classe de Paulette a recueilli cette somme d'argent.
   a) Estime la somme d'argent recueillie par la classe.
   b) Calcule le total exact de cette journée.

4. Utilise des billets et des pièces de monnaie pour représenter 10,00 $ de 3 manières différentes.

Application

5. Estime chaque total. Calcule le total exact.
   a) 2 billets de vingt dollars, 1 vingt-cinq cents, 2 dix cents, 4 cinq cents, 4 cents
   b) 1 billet de cinq dollars, 2 deux dollars, 1 dollar, 5 cents
   c) 4 billets de dix dollars, 4 dollars, 4 vingt-cinq cents, 4 dix cents, 4 cinq cents, 4 cents

6. Comment représenterais-tu chaque somme avec le moins de billets et de pièces de monnaie possible?
   a) 20,75 $ b) 32,30 $

7. Jeff a 25 vingt-cinq cents, 10 dix cents, 5 cinq cents et 1 cent dans sa tirelire.
   Combien Jeff a-t-il d'argent?

LEÇON

Acquisition des compétences

1

1. Écris le nombre correspondant.

a)

c)

b)

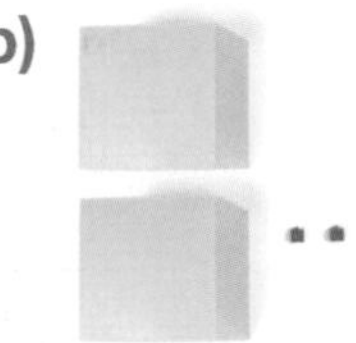

d)

2. Représente chaque nombre avec le moins de matériel de base dix possible. Dessine chaque représentation.

   a) 1 873 c) 6 037 e) 4 000 g) 621
   b) 3 604 d) 2 080 f) 1 004 h) 9 999

3. En supposant que tu n'utilises que des planchettes de centaine pour représenter chaque nombre, combien de planchettes te faudra-t-il pour chaque nombre?

   a) 1 000 b) 6 000 c) 7 500 d) 8 300

2

4. Écris chaque nombre sous forme décomposée en utilisant des nombres.

   a) 9 803 c) 1 030 e) 7 777 g) 573
   b) 7 007 d) 9 999 f) 9 876 h) 7 500

5. Écris chaque nombre sous forme décomposée en utilisant des mots.

   a) 6 791 b) 893 c) 1 023 d) 1 100

6. Écris chaque nombre en chiffres.

   a) mille six cent quinze
   b) 7 unités de mille, 8 centaines, 3 unités
   c) 8 000 + 300 + 50 + 4
   d) 5 000 + 200 + 7

3

7. Complète chaque phrase mathématique à l'aide des symboles <, = ou >.
   a) 986 ■ 953
   b) 2 234 ■ 2 432
   c) 7 629 ■ 983
   d) 10 000 ■ 1 000
   e) 9 909 ■ 9 990
   f) 7 685 ■ 7 658
   g) 559 ■ 5 590
   h) 1 342 ■ 1 351
   i) 3 980 ■ 4 995

8. Ordonne ces nombres du plus petit au plus grand.
   a) 8 561, 7 982, 8 642, 693
   b) 9 805, 3 248, 653, 3 379, 3 241
   c) 7 982, 7 984, 7 992, 7 899
   d) 543, 5 672, 9 870, 5 070, 9 930

9. Utilise chaque série de chiffres pour écrire 4 nombres de 4 chiffres. Ordonne les nombres du plus petit au plus grand.
   a) 7, 9, 9, 0
   b) 2, 4, 4, 8
   c) 1, 3, 5, 0

10. Ce tableau montre le nombre de personnes parlant différentes langues maternelles dans la région d'Ottawa-Hull.
   a) Quelle langue est parlée par le plus grand nombre de personnes?
   b) Quelle langue est parlée par le moins de personnes?
   c) Ordonne les nombres du plus grand au plus petit.

Langue maternelle	**Nombre de personnes**
hollandais	3 055
allemand	7 455
grec	2 325
polonais	6 495
portugais	6 345
espagnol	9 020

4

11. Complète chaque suite numérique.
   a) 7, ■, 700, 7 000
   b) 4 997, 4 998, 4 999, ■, ■
   c) 8 719, 8 723, 8 727, ■, ■
   d) 4 682, 5 682, 6 682, ■, ■
   e) 683, 783, 883, ■, ■
   f) 8 970, 8 980, 8 990, ■, ■

12. Écris une suite numérique croissante avec 4 nombres dans chaque suite.
   a) Commence à 4 098 et augmente de 1 à la fois.
   b) Commence à 3 286 et augmente de 10 à la fois.
   c) Commence à 5 709 et augmente de 100 à la fois.

5

13. Trouve chaque produit.
   a) 12×100
   b) 25×100
   c) 6×100
   d) $8 \times 1\,000$
   e) $3 \times 1\,000$
   f) $4 \times 1\,000$
   g) 10×10
   h) 10×100

5 **14.** La famille de Gabrielle a acheté un meuble audio-vidéo avec 14 billets de 100 dollars. Combien a coûté le meuble? Montre ton travail.

15. La mère d'Amit a acheté un appareil photo numérique avec 50 billets de 10 dollars. Combien a coûté l'appareil? Montre ton travail.

6 **16.** Arrondis chaque nombre à l'unité de mille près.

a) 8 245	**c)** 789	**e)** 3 333	**g)** 2 954
b) 9 079	**d)** 6 378	**f)** 7 690	**h)** 6 193

17. Arrondis à la centaine près chaque nombre de la question n° 16.

18. Arrondis à la dizaine près chaque nombre de la question n° 16.

8 **19.** Estime chaque total. Ensuite, calcule le total exact.

a)

c)

b)

d)

20. Comment représenterais-tu chaque montant avec le moins de billets et de pièces de monnaie possible?

a) 16,00 $	**c)** 18,52 $	**e)** 5,75 $	**g)** 24,98 $
b) 24,90 $	**d)** 46,63 $	**f)** 49,99 $	**h)** 35,79 $

LEÇON

Problèmes de tous les jours

1

1. Ravi veut représenter le nombre 2 232.
Il a ce matériel de base dix. Ravi peut-il faire cette représentation? Utilise des dessins, des chiffres et des mots pour expliquer ta réponse.

2. Un nombre est représenté par 10 planchettes de centaine et quelques réglettes de dizaine.
Quel peut être ce nombre?

3

3. Écris en chiffres le nombre qui correspond à 100 de moins que le plus petit nombre de 5 chiffres.

4. Écris 2 nombres qui correspondent à cette description.
Le 1er nombre est plus petit que le 2e.
Dans le 1er nombre, il y a un 4 à la position des unités de mille.
Dans le 2e nombre, il y a un 4 à la position des centaines.

5. a) Écris autant de nombres de 4 chiffres que tu peux en utilisant les chiffres 7, 9, 7 et 0.
   b) Lequel de tes nombres de 4 chiffres est le plus grand? Lequel est le plus petit?

5

6. Il y a 100 trous dans un panneau de plafond. Combien de panneaux te faut-il pour arriver à un total de 1 000 trous?

6

7. Trois villes ont chacune une population d'environ 8 000 habitants. Utilise les chiffres 2, 3, 7 et 8 pour inventer des populations pour les 3 villes.

8

8. Lily a 42,60 $ dans sa poche.
Elle a 2 billets et 8 pièces de monnaie.
Quels billets et pièces de monnaie a-t-elle en main?

9. a) Prédis le montant qui a le plus de valeur :
   160 vingt-cinq cents, 480 dix cents ou 3 999 cents.
   b) Utilise une calculatrice pour trouver la réponse.

Révision du chapitre

LEÇON

2

1. Il y a 2 230 fermes biologiques au Canada.
   a) Représente 2 230 avec le moins de matériel de base dix possible. Dessine les blocs.
   b) Utilise des mots pour écrire 2 230.
   c) Écris 2 230 sous forme décomposée, en utilisant d'abord des nombres, puis des mots.

2. Écris chaque nombre en chiffres.
   a) 1000 + 90 + 6
   b) 4 unités de mille + 2 centaines + 6 unités
   c) six mille cent vingt-neuf

3

3. Quel nombre correspond à 200 de moins que neuf mille cent vingt-quatre? Écris le nombre en chiffres.

4. Utilise des mots pour écrire le nombre qui correspond à 300 de plus que 649.

5. Complète chaque phrase mathématique à l'aide des symboles >, = ou <. Explique ton raisonnement.
   a) 1082 ■ 9 781 b) 9 891 ■ 9 981 c) 1 683 ■ 1 683

6. Trouve 3 façons de t'assurer que cette phrase mathématique est vraie. Explique ton raisonnement.
   ■ 295 > 1 5 ■ 4

7. Ce tableau montre le nombre de représentations de certains spectacles à New York.
   a) Quel spectacle a été présenté entre 2 000 et 4 000 fois?
   b) Ordonne les nombres de représentations du plus petit au plus grand.

Spectacle	Nombre de représentations
Chicago	1 891
Grease	3 388
Cats	7 485
La Belle et la Bête	2 887
Le Fantôme de l'Opéra	5 566

4 **8.** Prolonge chaque suite en maintenant la régularité.

a) 2, 20, 200, ■ **b)** 5 481, 6 481, 7 481, ■ **c)** 9 920, 9 940, 9 960, ■

5 **9.** La famille de Marc a acheté un bateau avec 25 billets de 100 dollars. Combien a coûté le bateau?

10. Un sac de 14 g de raisins secs contient 40 raisins secs. Combien de raisins secs trouveras-tu dans un sac de 140 g? Explique ton raisonnement.

11. Fais ces multiplications.

a) 10×10 **b)** 25×10 **c)** 65×100

12. Quel est le nombre manquant?

a) $6\,000 = ■ \times 100$ **c)** $4\,700 = ■ \times 100$ **e)** $9\,900 = ■ \times 100$

b) $6\,000 = ■ \times 10$ **d)** $4\,700 = ■ \times 10$ **f)** $9\,900 = ■ \times 10$

6 **13.** En 1 an, il s'est produit 6 478 tremblements de terre dans le monde entier. Quel est le nombre de tremblements de terre arrondi à l'unité de mille près?

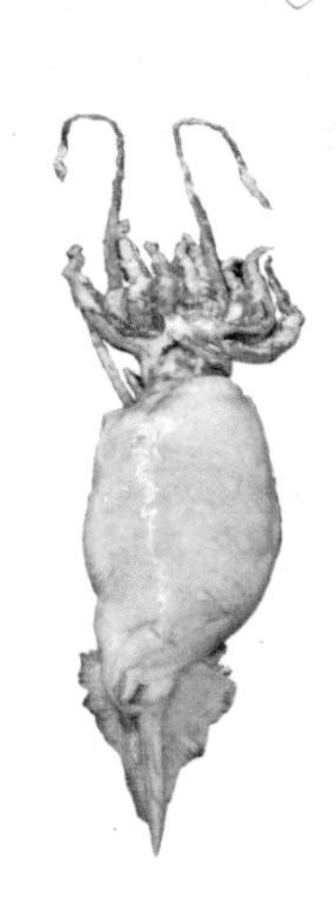

14. Un calmar géant pesait 2 946 kg. Combien pesait-il, au millier de kilogrammes près, à la centaine près et à la dizaine près?

15. À quoi correspond 895 arrondi à la centaine près? Écris le nombre en mots.

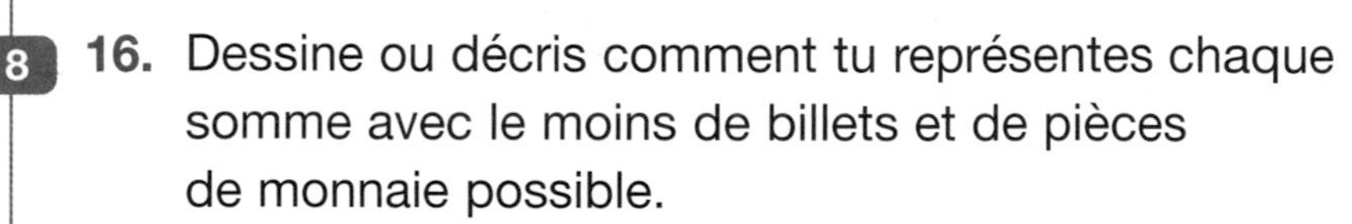

8 **16.** Dessine ou décris comment tu représentes chaque somme avec le moins de billets et de pièces de monnaie possible.

a) 6,50 $ **b)** 12,75 $ **c)** 45,30 $ **d)** 36,65 $

17. Estime la somme d'argent illustrée. Ensuite, calcule le total exact.

a)

b)

Tâche du chapitre

Inventer un casse-tête

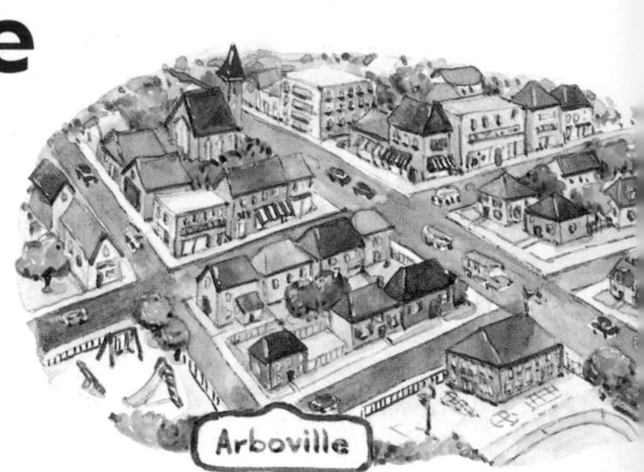

Carmen a inventé un casse-tête.
Elle a créé 6 villes imaginaires.

- Toutes les villes ont une population de 4 chiffres.
- Chaque population peut être représentée en utilisant exactement 16 blocs de matériel de base dix.

? Quelle est la population de chaque ville?

A. Utilise les indices de Carmen pour trouver la population de chaque ville. Explique ton raisonnement pour chaque réponse.

Égalville
La population est représentée par un nombre égal de chaque sorte de blocs.

Centiville
La population n'est représentée que par des planchettes de centaine.

Miniville
La population correspond au plus petit nombre que tu peux représenter.

Arboville
La population s'élève à environ 8 000. Tu n'utilises que des cubes de mille et des réglettes de dizaine.

Estimauville
Il y a entre 1 200 et 1 300 habitants. Tu n'utilises que des planchettes de centaine et des réglettes de dizaine.

Mégaville
La population est le plus grand nombre inférieur à 10 000 que tu peux représenter.

B. Mets les populations de ces villes en ordre. Explique comment tu as ordonné les populations.

Liste de contrôle de la tâche

- ☑ As-tu expliqué comment tu as déterminé chaque population?
- ☑ Quand tu as expliqué l'ordre choisi, as-tu montré toutes les étapes?

CHAPITRE 3

Traitement des données

Attentes

Tu pourras

- **recueillir et organiser des données;**
- **construire à la main des pictogrammes et des diagrammes à bandes;**
- **construire à l'ordinateur des diagrammes circulaires et à bandes;**
- **lire et interpréter des tableaux et des diagrammes;**
- **expliquer comment utiliser des données.**

Planifier une cour de récréation

CHAPITRE 3

Premiers pas

Classer des trésors de la mer

Matériel nécessaire

- un tableau de corrélation

Catégorie	Nombre d'objets

- du papier quadrillé

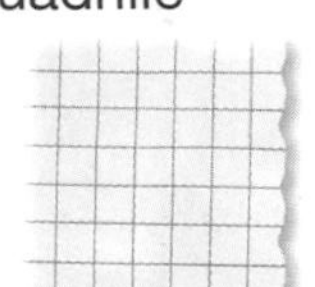

? Comment construirais-tu un diagramme qui représenterait les objets de l'illustration ci-dessus?

A. Énumère des catégories qui te serviront à trier les objets de l'illustration.

B. Crée un **tableau de corrélation** pour montrer combien d'objets appartiennent à chaque catégorie.

C. Sers-toi des **données** de ton tableau de corrélation pour construire un **diagramme à bandes**. Utilise des échelles par intervalles de 2 ou de 5. Identifie les **axes**.

D. Y a-t-il des bandes de ton diagramme qui ne se terminent pas exactement sur une ligne? Explique comment tu as choisi de terminer chaque bande.

E. Peux-tu utiliser ton diagramme pour trouver le nombre total des objets de l'illustration? Explique ta réponse.

Rappelle-toi!

1. Écris 2 conclusions que tu peux tirer de chaque diagramme ou tableau de données.

a) diagramme à bandes

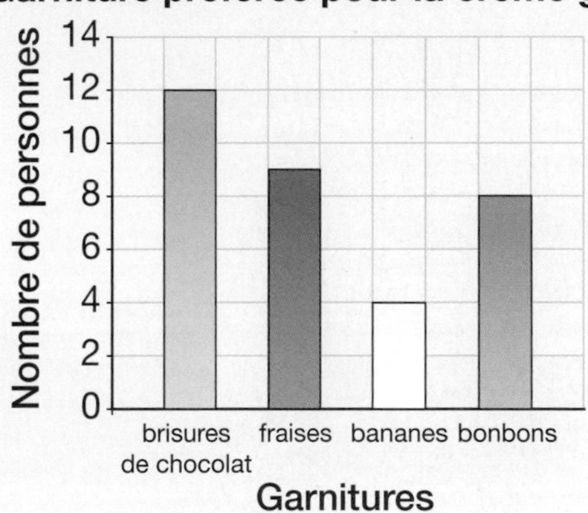

b) diagramme de Venn

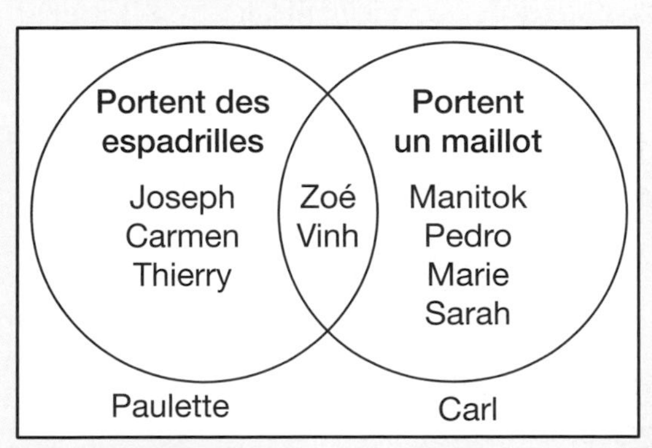

c) tableau

Combien d'animaux de compagnie as-tu?

Nom	Animaux
Carmen	5
Manitok	2
Vinh	1
Sarah	7
Zoé	0
Thierry	2

d) pictogramme

Quel âge as-tu?

7 ☺ ☺ ☺ ☺
8 ☺ ☺ ☺ ☺ ☺ ☺ ☺ ☺
9 ☺ ☺ ☺ ☺ ☺ ☺ ☺
10 ☺ ☺ ☺

Chaque ☺ correspond à 5 personnes.

1 Construire un pictogramme

Matériel nécessaire

- un cadre schématique

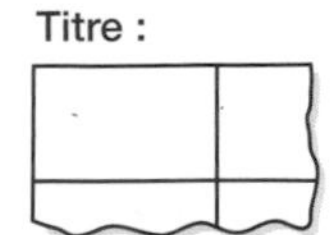

- un logiciel de graphisme
- un ordinateur

Construire et interpréter des pictogrammes.

Je cherche un os

Je cherche un os, une empreinte ou une dent.
Pour confirmer ce qu'on entend
Sur ces géants morts depuis longtemps.
Notre savoir vient d'un os, d'une empreinte ou d'une dent.

JEFF MOSS

Les données de Pedro

J'ai demandé à des gens quel dinosaure ils préféraient. Je construirai un pictogramme pour représenter les résultats de mon enquête.

Quel est votre dinosaure préféré?

Dinosaure	Nombre de personnes
tyrannosaure	60
tricératops	45
brachiosaure	25
vélociraptor	50
autre	20

? Comment Pedro doit-il représenter ses données dans un pictogramme?

Le pictogramme de Pedro

J'ai choisi un symbole d'empreinte pour représenter le nombre de personnes qui aiment chaque dinosaure.

Mon **échelle** est la suivante : « Chaque [empreinte] correspond à 10 personnes. »

J'ai dessiné 6 empreintes pour le tyrannosaure, mais je ne sais pas combien en dessiner pour le tricératops.

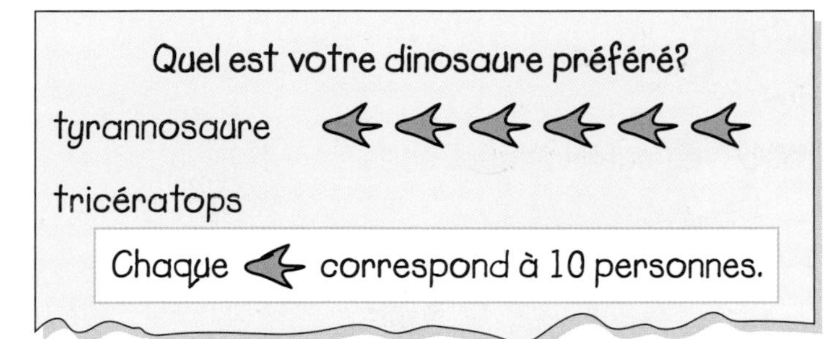

A. Combien de symboles faut-il pour le tricératops? Explique.

B. Une empreinte est-elle le meilleur symbole à utiliser? Serait-il préférable de se servir d'un os, d'une dent ou d'un autre symbole? Explique.

C. Construis un pictogramme pour représenter les données sur les dinosaures. Utilise une autre échelle que celle de Pedro. Écris le titre et montre ton échelle.

Réflexion

1. Quelle échelle as-tu utilisée pour ton pictogramme? Explique ton raisonnement.
2. Combien de symboles as-tu utilisés pour le brachiosaure? Pourquoi?
3. Que dois-tu savoir sur les données avant de choisir une échelle pour un pictogramme?

Vérification

4. Le tableau montre des données que tu dois représenter sur un pictogramme.
   a) Quel symbole utiliseras-tu pour représenter le nombre de visiteurs? Pourquoi?
   b) Dans ton pictogramme, combien de personnes sont représentées par 1 seul symbole?
   Explique ton choix d'échelle.
   c) Construis le pictogramme.
   Inscris le titre et l'échelle.

Visiteurs à l'exposition Dinosaures

Jour	Nombre de visiteurs
lundi	150
mardi	300
mercredi	200
jeudi	225
vendredi	450

Application

5. Des os de dinosaures ont été retrouvés sur plusieurs sites archéologiques.
   Utilise ce pictogramme pour répondre aux questions.

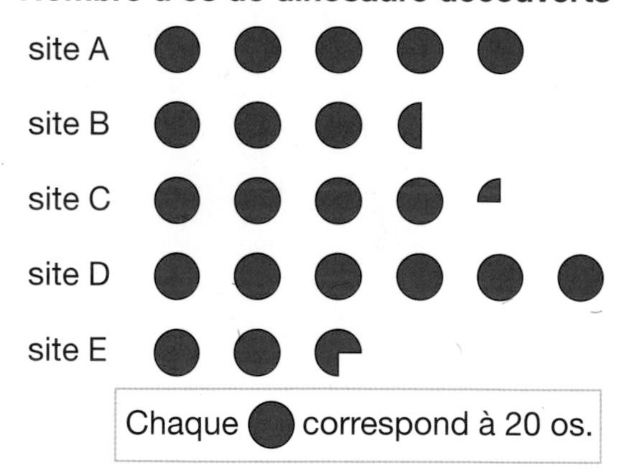

   a) Sur quel site a-t-on retrouvé le plus grand nombre d'os? Le plus petit nombre d'os?
   b) Crée un tableau pour montrer combien d'os ont été découverts sur chaque site archéologique.
   c) Combien d'os ont été découverts sur le site E? Comment le sais-tu?
   d) Pourquoi l'auteur du diagramme a-t-il utilisé un cercle plutôt qu'un os comme symbole?
   e) Construis un autre pictogramme qui utilisera une échelle différente.

Diagrammes sur du papier à points

Matériel nécessaire

- du papier à points

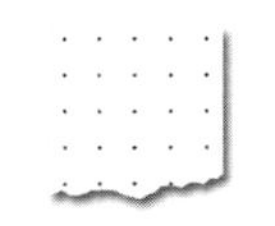

Les côtés de ce rectangle passent par 6 points.
Il y a 0 point à l'intérieur du rectangle.

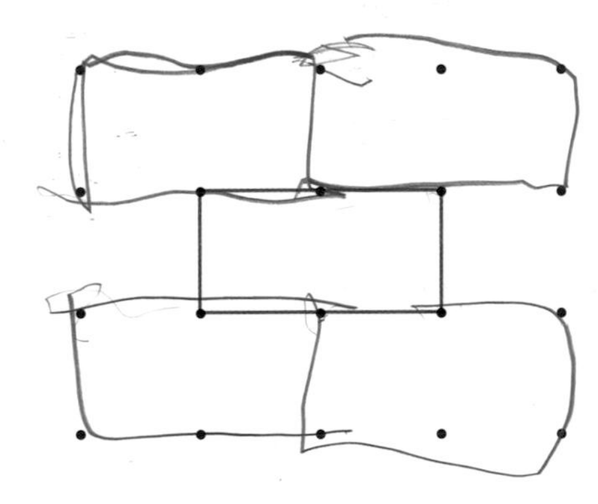

A. Quels autres rectangles peux-tu dessiner qui ne contiennent aucun point à l'intérieur?

B. Quel triangle peux-tu dessiner qui passe par 6 points et ne contient aucun point à l'intérieur?

À ton tour!

1. Dessine chaque forme sur du papier à points.
   a) Les côtés d'un rectangle passent par 6 points.
   Il y a 2 points à l'intérieur.
   b) Les côtés d'un carré passent par 4 points.
   Il y a 1 point à l'intérieur.
   c) Les côtés d'un carré passent par 4 points.
   Il y a 4 points à l'intérieur.

2. Trouve toutes les formes dont les côtés passent par 4 points et qui contiennent 1 point à l'intérieur.

2 Choisir une échelle pour un diagramme à bandes

Attente **Expliquer comment choisir un diagramme et une échelle pour représenter des données.**

Matériel nécessaire

- 3 dés

- du papier quadrillé

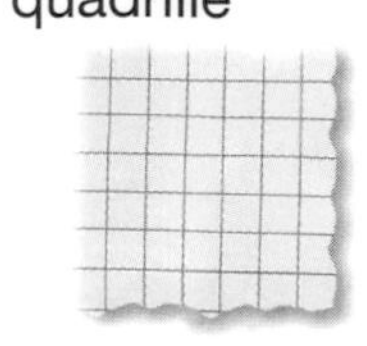

L'expérience de Marie

Quand je lance des dés, j'ai l'impression d'obtenir un 5 à chaque coup ou presque.

Pour vérifier, je vais lancer 3 dés et voir si j'obtiens au moins un 5.

Je lancerai les dés 50 fois.

? Comment Marie peut-elle trouver le meilleur type de diagramme pour représenter les résultats de son expérience?

A. Vérifie l'expérience de Marie.
Crée un tableau de corrélation pour noter combien de fois tu as obtenu un 5 à chacun de tes 50 lancers.
Ne fais que 1 crochet par lancer, même si tu as obtenu plus d'un 5.

B. Ce diagramme à bandes représente les résultats de Marie.
Combien de fois environ a-t-elle obtenu au moins un 5?

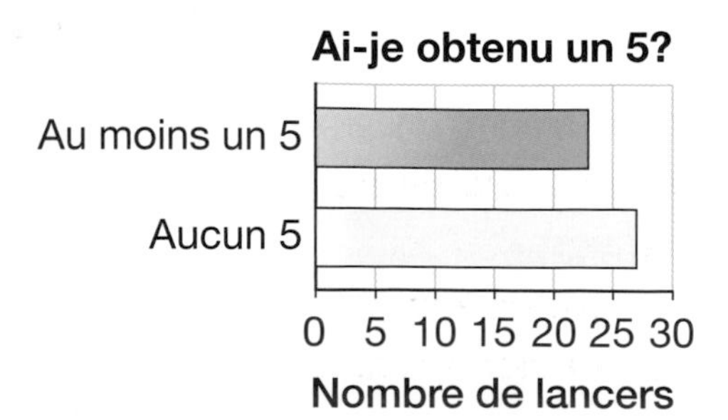

C. Construis un diagramme à bandes pour représenter les résultats de ton expérience. Utilise la même échelle que Marie.

D. Qu'est-ce que ton diagramme montre au sujet du nombre de fois que tu as obtenu un 5 par rapport au nombre de fois que tu n'en as pas obtenu? Explique ta réponse.

E. Crée un tableau qui représentera les résultats combinés de toute ta classe. Inscris les résultats dans un diagramme à bandes. Utilise une autre échelle que celle de Marie.

Réflexion

1. Quelle échelle as-tu utilisée pour le tableau de la classe? Pourquoi as-tu utilisé cette échelle?

2. Comment as-tu décidé où inscrire un nombre qui arrivait entre les degrés de l'échelle? À l'aide d'un exemple, décris ce que tu as fait.

Vérification

3. Rami a fait une expérience avec 2 dés. À chaque lancer, il a fait la somme des 2 dés. Il a lancé les dés 500 fois et a représenté les résultats dans un diagramme.

a) Explique combien de lancers chaque bande peut représenter.

b) Pourquoi la partie a) comporte-t-elle plus de 1 réponse?

c) Si tu additionnes les nombres que les bandes représentent, quelle devrait être la somme? Pourquoi?

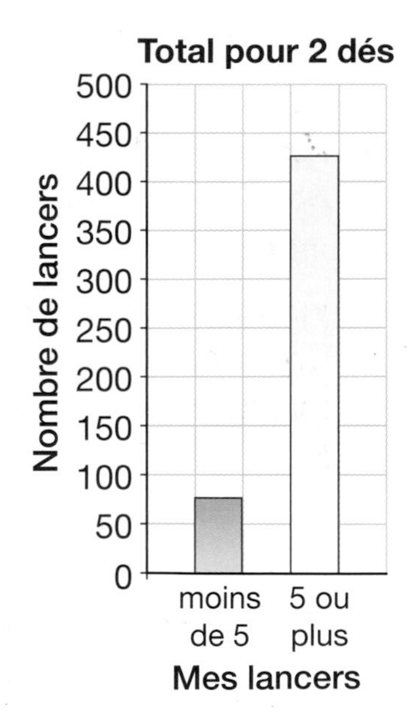

Application

4. a) Fais une expérience comme celle de Rami. Lance 2 dés et compte si la somme est « inférieure à 5 » ou « de 5 ou plus ». Recommence 100 fois.

b) Construis un diagramme à bandes pour représenter les résultats. Choisis une échelle qui conviendra aux données obtenues.

c) Explique comment tu as choisi ton échelle.

3 Recueillir des données

Prédire des résultats, recueillir et organiser des données et trouver l'étendue.

Matériel nécessaire

- des trombones

- une horloge

? Combien de trombones peux-tu attacher ensemble en 2 minutes?

A. Prédis combien de trombones tu peux attacher en 2 minutes. Note ta prédiction.

B. Fais une chaîne de trombones pendant que ton ou ta partenaire chronomètre 2 minutes.

C. Compte et note le nombre de trombones dans ta chaîne. Compare le nombre avec ta prédiction. Ensuite, ce sera au tour de ton ou ta partenaire de faire une chaîne.

Élève	Nombre de trombones attachés ensemble
1	
2	

D. Crée un tableau qui montre les chaînes de toute la classe. Quel est *le plus petit* nombre de trombones dans une chaîne? Quel est *le plus grand* nombre de trombones dans une chaîne?

E. Quelle est l'**étendue** des données sur les chaînes faites par la classe?

F. Comment peux-tu organiser les nombres en groupes pour faciliter la compréhension des données? Travaille avec un ou une camarade. Ensemble, créez un tableau pour inscrire les groupes. Présentez chaque nombre dans le groupe qui lui correspond. Notez chaque nombre, y compris ceux qui sont revenus à plus d'une reprise.

étendue
Différence entre la plus grande valeur et la plus petite valeur dans un ensemble de données.

Si la plus petite valeur est 14 et que la plus grande est 46, alors l'étendue correspond à 46 – 14, soit 32.

Réflexion

1. Quels groupes as-tu utilisés pour organiser les nombres dans ton tableau? Explique ton raisonnement.
2. Quelle information les nombres organisés fournissent-ils plus facilement que ceux du tableau original?

Diagrammes à tiges et à feuilles

Matériel nécessaire
- le tableau des trombones de la leçon 3
- du papier quadrillé

Les tableaux de données de Joseph

Alice et moi avons créé ce tableau pour organiser nos données sur les chaînes de trombones.

Je peux représenter les mêmes données sur un **diagramme à tiges et à feuilles**.

Dizaines	Unités
40	43
30	30 31 31 33 35 35 36 38
20	21 22 22 23 24 26 26 28 28 28
10	12 12 14 16 17 17 19

Tiges	Feuilles
4	3
3	0 1 1 3 5 5 6 8
2	1 2 2 3 4 6 6 8 8 8
1	2 2 4 6 7 7 9

1 Regarde le diagramme à tiges et à feuilles de Joseph et Alice.

a) Combien d'élèves ont attaché 31 trombones ensemble?

b) Quelle valeur revient le plus souvent? Combien de fois cette valeur revient-elle?

2 Construis un diagramme à tiges et à feuilles pour montrer les longueurs des chaînes faites par ta classe.

a) Quelle tige compte le plus de feuilles? Qu'est-ce que cela t'apprend sur les chaînes?

b) En quoi ce genre de diagramme de données est-il semblable à d'autres diagrammes que tu connais? En quoi est-il différent?

diagramme à tiges et à feuilles
Représentation schématique d'un ensemble de données. Les feuilles représentent les chiffres à la position des unités. Les tiges représentent tous les autres nombres.

4 Construire un diagramme à bandes à intervalles

Matériel nécessaire

- le tableau des trombones de la leçon 3
- du papier quadrillé

Attente **Construire un diagramme à bandes à intervalles pour représenter l'étendue des données.**

? Comment peux-tu construire un diagramme à bandes pour montrer combien de trombones peuvent être attachés ensemble en 2 minutes?

Le diagramme à bandes de Nathalie

Combien de trombones peut-on attacher ensemble en 2 minutes?

12 12 14 16 17 17 19 21 22 22 23
24 26 26 28 28 28 30 31 31 33 35
35 36 38 43

Notre classe a énuméré toutes les longueurs de chaînes de trombones.

Pour un diagramme avec une bande pour chaque valeur, il faudrait 18 bandes! C'est trop.

Afin d'avoir seulement 3 ou 4 bandes, j'ai décidé de regrouper les nombres par **intervalles**.

Nombre de trombones	Nombre d'élèves
12-21	8
22-31	12
32-41	5
42-51	1

L'**étendue** des nombres varie d'environ 30 unités. Un intervalle de 2 donnerait environ 15 bandes. Un intervalle de 5 donnerait environ 6 bandes. Je vais utiliser un intervalle de 10 pour avoir environ 3 bandes.

Mes bandes vont de 12 à 21, de 22 à 31 et de 32 à 41.

J'ai dû ajouter une 4e bande — de 42 à 51 — parce que quelqu'un a réussi à attacher 43 trombones.

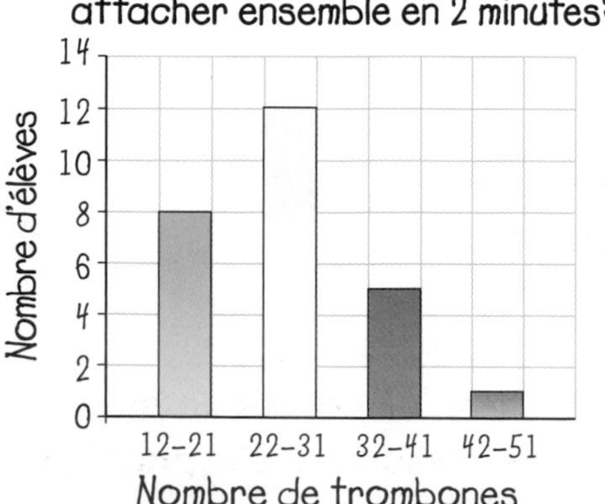

intervalle
Distance entre 2 extrêmes sur l'échelle d'un diagramme. Les intervalles d'un diagramme doivent être égaux.

Exemple : 12–21 et 22–31 sont des intervalles de 10.

Réflexion

1. Dans le diagramme de Nathalie, quelle bande inclut les élèves qui ont attaché 28 trombones? Comment le sais-tu?
2. Comment Nathalie a-t-elle utilisé l'étendue des longueurs de chaîne pour construire son diagramme à bandes?
3. Écris une question à laquelle tu peux répondre à l'aide du diagramme à bandes de Nathalie. Trouve la réponse à ta question. Explique comment tu as trouvé la réponse.

Vérification

4. Cette liste montre le nombre de petits trombones que certains élèves ont pu attacher à un gros trombone en 2 minutes.
   a) Quelle est l'étendue des données?
   b) Choisis des intervalles et organise les données en tableau.
   c) Explique comment tu as choisi les intervalles pour ton tableau.

Nombre de trombones attachés ensemble

16	18	19	20	21
21	22	24	24	24
25	26	26	26	27
28	29	29	30	32
32	35	36	36	37

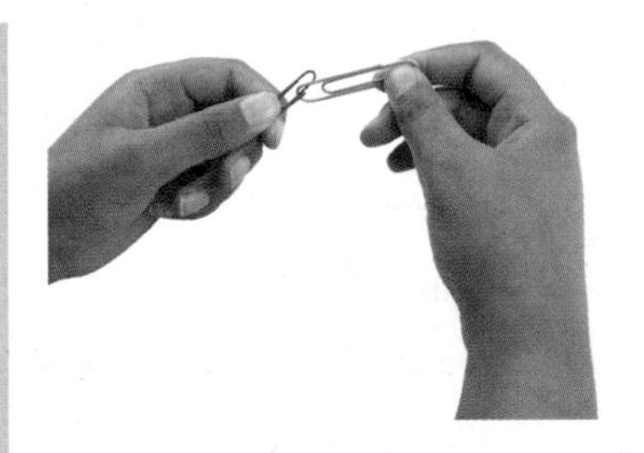

Application

5. Cette liste représente le nombre d'élastiques que certains élèves ont pu attacher ensemble en 4 minutes.
   a) Crée un tableau et construis un diagramme à bandes avec des intervalles appropriés.
   b) Explique comment tu as choisi les intervalles pour ton diagramme. Dans ton explication, utilise le mot *étendue*.
   c) Explique comment tu as choisi l'échelle pour l'axe qui représente le nombre d'élèves.

Nombre d'élastiques attachés ensemble

31	32	32	33	35
36	36	36	37	37
37	39	39	41	41
41	42	42	42	42
43	43	44	44	45
45	45	47	48	48
49	49	49	50	50

5 Lire et interpréter des diagrammes

Attente **Lire et interpréter des diagrammes et identifier leurs propriétés.**

Les données de Manitok

J'ai recueilli ces données sur les activités préférées des élèves à l'heure du dîner.

Activités préférées à l'heure du dîner

Activité	Nombre d'élèves
échecs	40
ringuette	75
ballon-volant	20
artisanat	60
chorale	25

Les 3 diagrammes suivants sont censés représenter les données de Manitok.

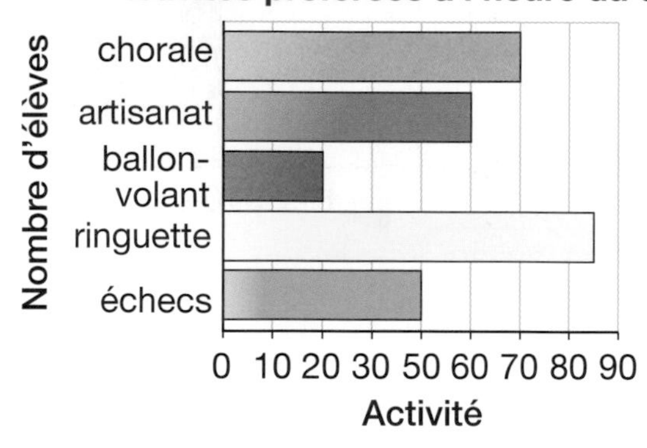

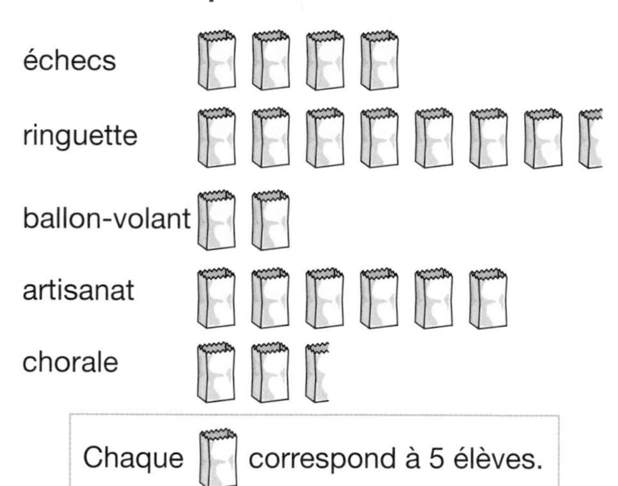

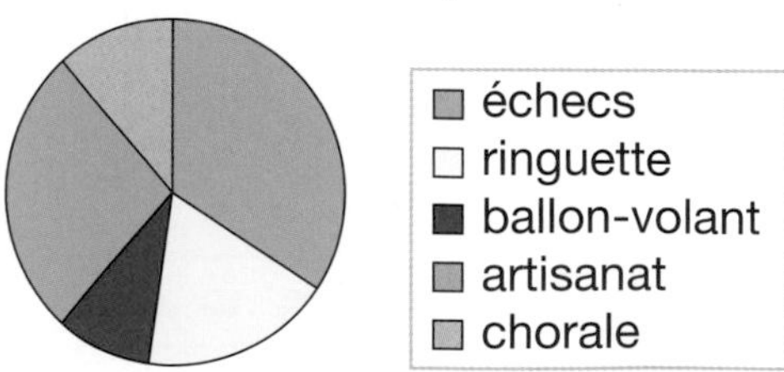

légende
Texte qui accompagne une illustration et qui explique la signification des couleurs ou des symboles.

? Quelles erreurs peux-tu identifier dans chaque diagramme?

A. Décris les erreurs que tu as trouvées dans chaque diagramme. Utilise des mots tels que *titre, axe, catégorie, échelle* et **légende**.

Réflexion

1. Que t'apprendra un bon diagramme à bandes sur les activités préférées des élèves à l'heure du dîner?
2. Explique comment chaque type de diagramme t'aide à comparer des données.
3. Comment Manitok peut-il utiliser les données recueillies?

Vérification

4. Quelles erreurs peux-tu identifier dans chaque diagramme?

a) **Matchs gagnés par chaque équipe de ringuette**

Aigles
Pumas
Dauphins
Ours polaires

b)

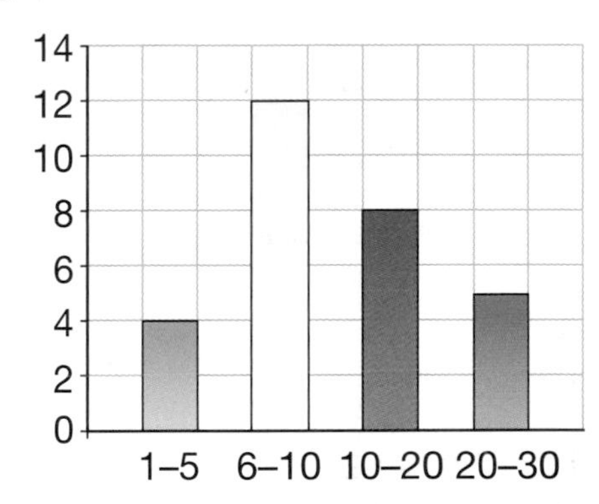

Application

5. Où est l'erreur dans ce diagramme à bandes?

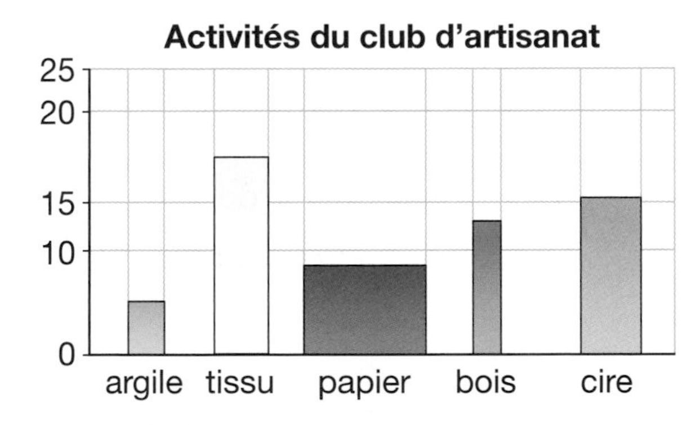

6. Ces 2 diagrammes sont censés représenter la même information sur le nombre de matchs qu'une équipe de ringuette a gagnés ou perdus. Les 2 diagrammes représentent-ils la même information? Explique ton raisonnement.

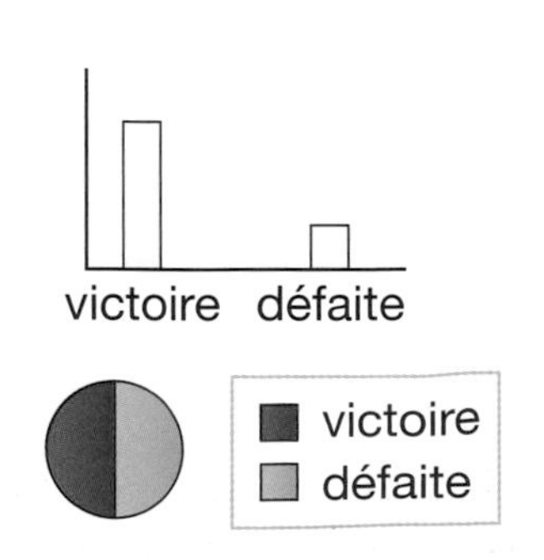

LEÇON

Révision

1 **1.** Le pictogramme représente les données sur les choix de lecture des élèves à la bibliothèque.

a) Combien d'élèves ont choisi des bandes dessinées?

b) Construis un nouveau pictogramme des données. Utilise une échelle différente.

c) Explique ton choix d'échelle.

Choix de lecture des élèves

livres

journaux

magazines

bandes dessinées

Chaque correspond à 8 élèves.

2 **2.** Pour savoir quels sandwichs sont les plus populaires, les Sous-marins de Merlin ont suivi les ventes pendant 1 semaine.

Sandwich	à la dinde	végétarien	au rôti de bœuf	au thon	aux boulettes
Sandwichs vendus	168	137	206	155	124

a) Construis un diagramme à bandes pour représenter les données. Rappelle-toi d'inclure le titre et les catégories des axes.

b) Quelle échelle as-tu utilisée sur l'axe des Sandwichs vendus? Pourquoi as-tu choisi cette échelle?

c) Quel sandwich est le plus populaire? Quel sandwich est le moins populaire?

3 **3.** Christian a créé un tableau pour représenter le nombre d'animaux de compagnie que possèdent 10 personnes. L'étendue est de 6. Quel peut être le nombre total d'animaux de compagnie? Explique.

5 **4.** **a)** Énumère 3 choses que le diagramme t'apprend sur les commandes de frites des élèves.

b) Quelle bande représente les élèves qui ont commandé 18 frites?

c) Environ combien d'élèves ont commandé des frites cette année? Comment le sais-tu?

5. Écris une question à laquelle tu peux répondre à l'aide du diagramme des frites. Écris la réponse à ta question.

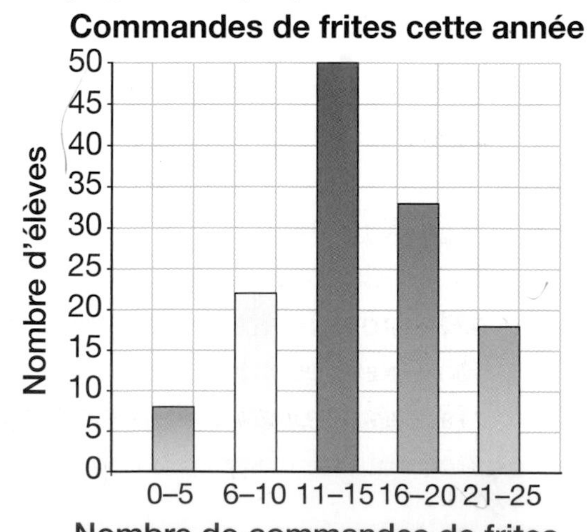

DUV

6 Construire des diagrammes à l'ordinateur

Utiliser un tableur pour organiser et représenter les données.

Matériel nécessaire
- des bonbons de couleur

- un **tableur**
- un ordinateur

? Quelle couleur trouveras-tu le plus souvent dans un paquet de bonbons de couleur?

A. Prédis la couleur que tu trouveras le plus souvent.

B. Ouvre un paquet de bonbons. Trie-les par couleur. Inscris les résultats sur une feuille de calcul.

C. Utilise le grapheur de ton tableur pour construire un diagramme à bandes à partir de tes données.

D. Change les données sur ta feuille de calcul en doublant le nombre de bonbons pour 1 couleur. Qu'est-il arrivé à tes résultats? Explique ta réponse.

A9 =

	A	B	C
1	bleu	5	
2	brun	12	
3	vert	4	
4	orange	5	
5	rose	8	
6	violet	6	
7	rouge	7	
8	jaune	9	
9			

Feuille n° 1 / Feuille n° 2

E. Construis un diagramme circulaire de tes données. Pourquoi est-ce important d'inclure une légende?

Réflexion

1. Nomme certains avantages de l'utilisation d'un logiciel pour construire un diagramme. Nomme certains désavantages.

7 Expliquer comment recueillir des données

Décrire les étapes de la collecte des données d'une manière précise et organisée.

Matériel nécessaire

- des fiches pour un sondage

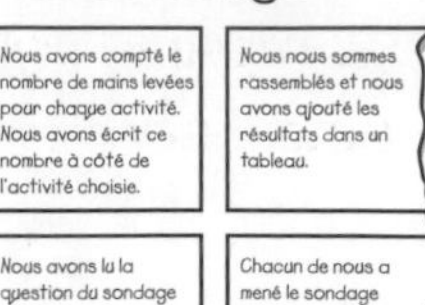

- des ciseaux

Le sondage de Miki

Notre groupe a fait un sondage dans 4 classes de 4e année pour connaître les activités préférées des élèves pendant la récréation à l'intérieur.

Nous avons rédigé des fiches qui présentent les étapes suivies pour recueillir nos données, mais les fiches ont été mêlées.

Question de sondage

Quelle est ton activité préférée pendant la récréation à l'intérieur?

- jeux de cartes et de société
- sports au gymnase
- lecture à la bibliothèque
- autre activité

? Comment Miki peut-elle remettre les étapes dans l'ordre?

Nous avons compté le nombre de mains levées pour chaque activité. Nous avons écrit ce nombre à côté de l'activité choisie.	Nous nous sommes rassemblés et nous avons ajouté les résultats dans un tableau.	Nous avons écrit une question de sondage avec 3 activités et 1 réponse « autre activité ».	Nous avons relu la question aux élèves. Nous leur avons demandé d'indiquer leur choix en levant la main.
Nous avons lu la question du sondage à la classe.	Chacun de nous a mené le sondage dans 1 des 4 classes.	Mon ami Christian a choisi les sports parce qu'il aime le ballon-panier.	Nous avons dit aux élèves de ne lever la main qu'une seule fois.

A. Par quelle étape le groupe de Miki a-t-il commencé? Quelle a été l'étape suivante?

B. Mets le reste des étapes dans l'ordre.

C. Lis la Liste de contrôle des communications.
Comment le groupe de Miki répondrait-il à la 3e question?

D. Compare l'ordre de tes étapes avec celui d'un ou une autre élève. Y a-t-il des différences? Si oui, lesquelles?

Liste de contrôle des communications

- ☑ As-tu montré toutes les étapes?
- ☑ As-tu mis les étapes dans l'ordre?
- ☑ As-tu inclus seulement les renseignements essentiels?

Réflexion

1. Comment as-tu déterminé l'ordre des étapes?

Vérification

2. Le groupe d'Alice a recueilli des données sur les jeux de cartes et de société favoris. Mets les étapes du groupe dans l'ordre.

Nous avons préparé un formulaire de sondage pour chaque personne. Nous avons inscrit notre question de sondage sur le formulaire.	Nous avons visité chaque classe et nous avons donné à chaque élève un formulaire de sondage.	Nous avons demandé à chacun d'écrire une seule réponse sur le formulaire.	Nous avons écrit la question du sondage : « Quel est ton jeu de cartes ou de société favori? »	Nous avons trié les formulaires pour savoir combien d'élèves aimaient chaque jeu.

Application

3. Le groupe de Sarah a recueilli des données sur les sports préférés des élèves.
   a) Mets les étapes du groupe dans l'ordre.
   b) Quelle étape n'est pas essentielle? Explique ton raisonnement.

Nous avons demandé aux élèves qui aiment les sports de mettre 1 cube dans 1 des 3 seaux. Nous avions 1 seau par sport.	Nous avons décidé de poser la question suivante : « Quel sport préfères-tu : le ballon-panier, la ringuette ou le ballon-volant? »	Les cubes étaient tous de la même couleur.	Nous avons visité chaque classe et nous avons demandé aux élèves qui aiment les sports de lever la main.	Nous avons compté les cubes de chaque seau pour voir quel sport les élèves préfèrent.

8 Faire un sondage

Faire un sondage et construire un diagramme pour représenter les données.

Matériel nécessaire

- du papier quadrillé

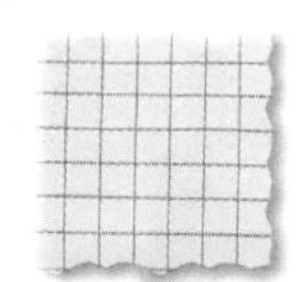

- des crayons de couleur

? Comment peux-tu faire un sondage et représenter les données obtenues?

A. Élabore un plan pour la collecte des données.
- Que veux-tu savoir?
- Qui interrogeras-tu?
- Où et quand feras-tu ton **sondage**?

B. Écris la question de ton sondage.

C. Quelles réponses espères-tu recevoir le plus souvent? Le moins souvent? Justifie tes prédictions.

D. Fais ton sondage. Note tes données sur un tableau de corrélation.

E. Construis un diagramme pour représenter les données recueillies. Choisis le meilleur type de diagramme pour représenter tes données. Détermine si tu utiliseras une feuille de calcul ou si tu construiras ton diagramme à la main. Explique ton choix.

Réflexion

1. Comment ton diagramme, une fois terminé, t'a-t-il aidé à répondre à la question du sondage? As-tu obtenu les réponses que tu attendais? Pourquoi ou pourquoi pas?
2. Comment peux-tu utiliser les données recueillies?
3. Écris 2 questions sur les données de ton diagramme. Explique comment tu répondrais à chaque question.

La Course au sommet

Nombre de joueurs : 2
Règles du jeu : Il faut trouver la somme de tes cartes et placer une tuile sur la bonne bande du diagramme. Le but du jeu consiste à remplir une bande du diagramme.

Étape n° 1 Brasse les cartes et passes-en 2 à chaque élève. Dépose le reste des cartes à l'envers.

Étape n° 2 Trouve la somme de tes 2 cartes.

Étape n° 3 Prends ou non une autre carte dans la pile de cartes. Additionne la valeur de ta nouvelle carte à ta somme.

Étape n° 4 Mets une tuile sur la bande qui convient pour représenter ta somme. Le donneur joue en premier.

Étape n° 5 Un nouveau donneur passe ensuite les cartes.

Le premier joueur à remplir le dernier carré d'une bande gagne la partie.

Matériel nécessaire

- un diagramme à bandes de la Course au sommet

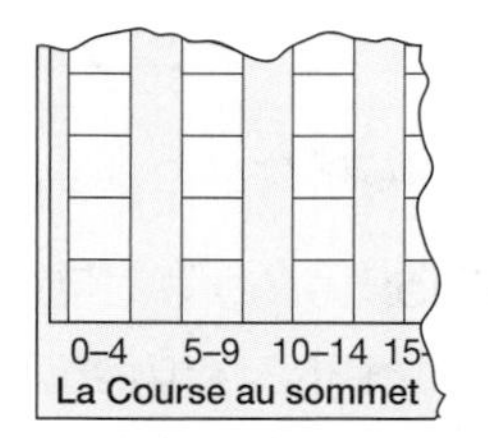

- 4 jeux de cartes numérotées (de 1 à 10)

- des tuiles

Le jeu de Carl

On m'a donné un 2 et un 6.
J'ai tiré un 9.

Ma somme est la suivante :
$2 + 6 + 9 = 17$.

Je place une tuile sur la bande 15–19.

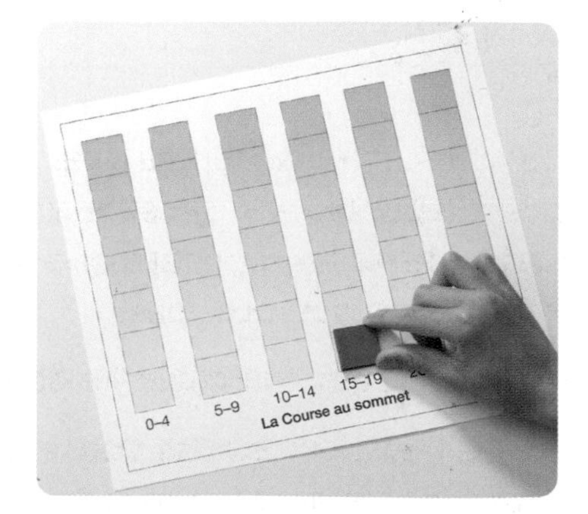

LEÇON

Acquisition des compétences

1

1. Ce pictogramme représente le nombre d'élèves qui voyagent par autobus.

a) Quel autobus transporte le plus d'élèves? Le moins d'élèves?

b) Crée un tableau pour représenter le nombre d'élèves par autobus.

c) Crée un autre tableau pour représenter le nombre d'élèves par autobus après ces changements :

- Un élève de l'autobus n° 4 monte dans l'autobus n° 1.
- Deux élèves de l'autobus n° 2 montent dans l'autobus n° 3.

d) Construis un nouveau pictogramme pour représenter les données de la partie c). Utilise une échelle différente.

Les élèves qui voyagent par autobus

autobus n° 1

autobus n° 2

autobus n° 3

autobus n° 4

Chaque ☺ correspond à 10 passagers.

2

2. Ce tableau représente le prix de certains aliments dans un restaurant en 1950.

a) Construis un diagramme à bandes pour représenter les données. Choisis une échelle appropriée.

b) Énumère 3 choses que le diagramme représente au sujet du prix des aliments.

Prix de certains aliments en 1950

Aliment	Prix
hamburger	45 ¢
soupe	25 ¢
lait	15 ¢
sandwich au fromage	40 ¢
banana split	60 ¢
tarte aux pommes	30 ¢

3

3. Trouve chaque valeur dans le pictogramme de la question n° 1.

a) le plus petit nombre possible d'élèves dans un autobus

b) le plus grand nombre d'élèves dans un autobus

c) l'étendue de l'ensemble des élèves qui voyagent en autobus

4. Trouve le coût le plus élevé et l'étendue des prix pour les données du tableau à la question n° 2.

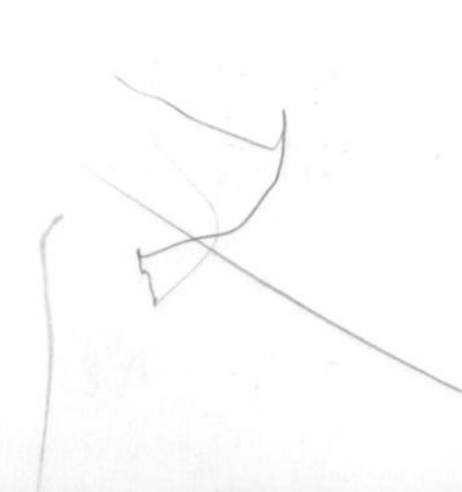

4

5. Cette liste montre l'âge de 48 clientes dans un restaurant.
   a) Quelle est l'étendue des données?
   b) Ordonne les données dans un tableau comme le suivant.

Âge des clientes

2	5	6	7	7	8
11	15	16	16	16	19
20	21	21	21	21	23
24	27	28	29	29	30
31	32	32	35	36	36
37	37	37	38	41	45
46	48	50	51	51	52
54	56	60	62	73	81

Âge de la cliente	Nombre de clientes
1–10	
11–20	
21–30	
31–40	
41–50	
51–60	
61–70	
71–80	
81–90	

   c) Construis 1 diagramme à bandes pour représenter les données tirées de ton tableau.
   d) Écris au moins 1 question à laquelle tu peux répondre à l'aide de ton diagramme de la partie c).

5

6. Décris les erreurs de chaque diagramme.
   Utilise des mots tels que *titre*, *axe*, *catégorie*, *échelle* et *légende*.

   a)
   pomme
   orange
   raisin
   jus de fruits

   Chaque ◯ correspond à 20 bouteilles.

   b)
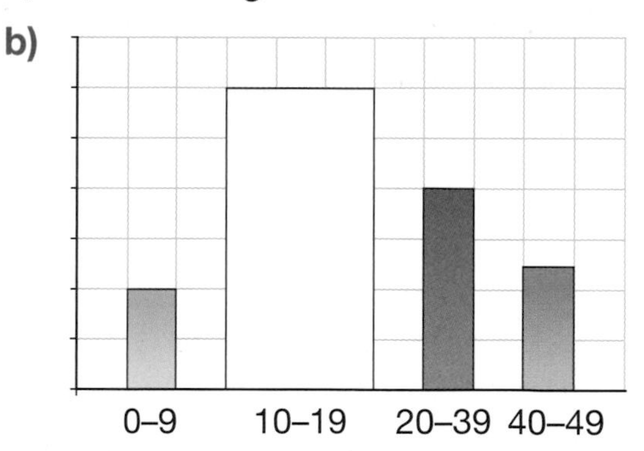

7. Associe chaque élément d'un diagramme avec son but.

a)	titre	V.	indique à quoi correspondent les couleurs ou les symboles
b)	axe	W.	indique à quoi sert le diagramme
c)	échelle	X.	indique la valeur de chaque symbole du pictogramme
d)	légende	Y.	dit ce que représente chaque bande
e)	catégorie	Z.	où on montre l'échelle dans un diagramme à bandes

LEÇON

Problèmes de tous les jours

1

1. Le pictogramme représente le nombre de cartons de lait que certains élèves de 4e année ont achetés à l'école en octobre.
Au total, les élèves ont acheté 84 cartons.
À combien de cartons chaque [carton] correspond-il?
Explique ta réponse.

Ventes de lait en octobre

Tom
Rosie
Aputik
Kelvin

Chaque [carton] correspond à ■ cartons.

2

2. Utilise le diagramme pour résoudre le problème.
La température dans une ville a été de 7 °C supérieure à celle d'une autre ville.
Quelles étaient les 2 villes?
Explique ton raisonnement.

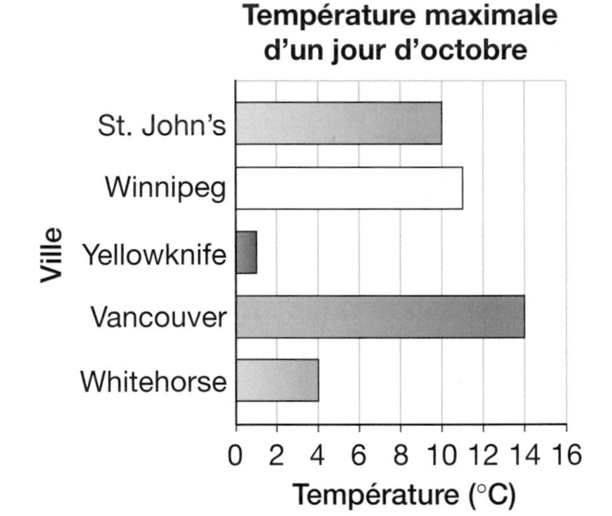

3. Il y a 12 familles de plus qui font des achats dans le magasin E que dans le magasin D.
Combien de familles font leurs achats au magasin A?
Comment le sais-tu?

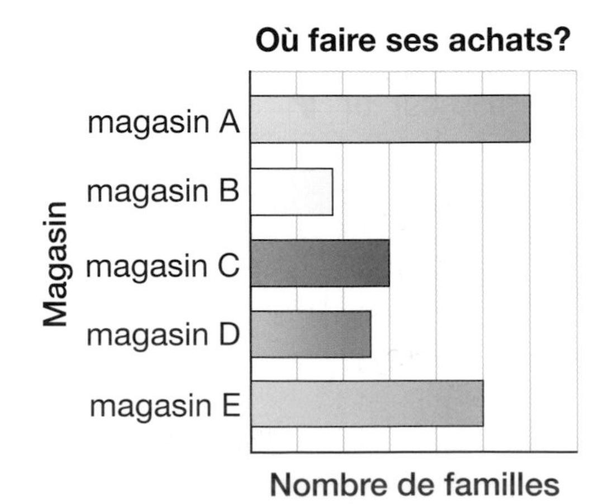

DUV

4 **4.** Grégoire a fait un sondage auprès de 50 élèves pour savoir combien de disques compacts ils possèdent. Il y avait 2 fois plus d'élèves qui possédaient entre 11 et 15 disques compacts que d'élèves possédant 6 disques compacts ou moins. Combien d'élèves possédaient 6 disques compacts ou moins? Explique ton raisonnement.

Nombre de disques compacts	Nombre d'élèves
moins de 6	
6–10	8
11–15	
plus de 15	18

5 **5.** Il y a 45 poissons dans l'aquarium de Charles. Il y a 2 fois plus de mollys noirs que de tétras néons. Il y a 15 poissons rouges dans l'aquarium. Combien de poissons de chaque espèce y a-t-il dans l'aquarium de Charles? Explique ton raisonnement.

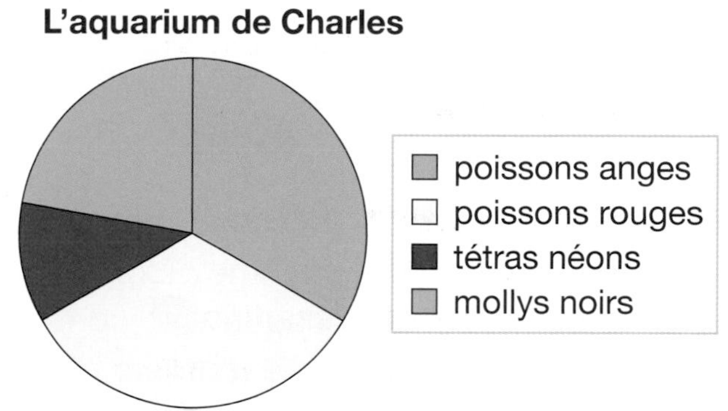

6. Invente un problème qui comportera une addition, une soustraction ou les 2 opérations et que quelqu'un pourra résoudre à l'aide d'un diagramme sur les saisons préférées. Écris la réponse à ton problème. Montre ta démarche pour résoudre ton problème.

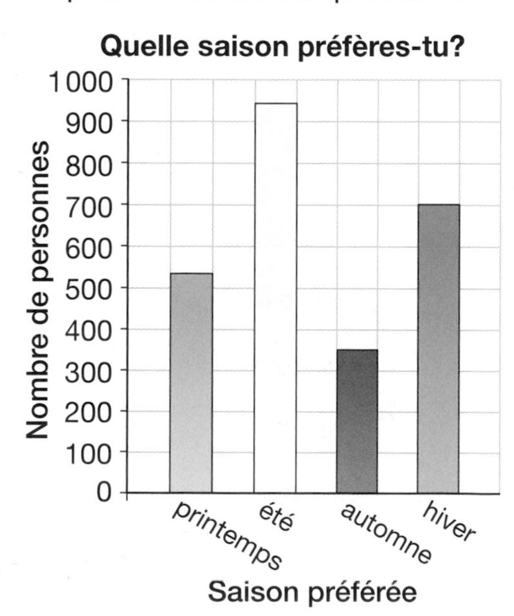

LEÇON

Révision du chapitre

1

1. Utilise le pictogramme pour répondre aux questions qui suivent.

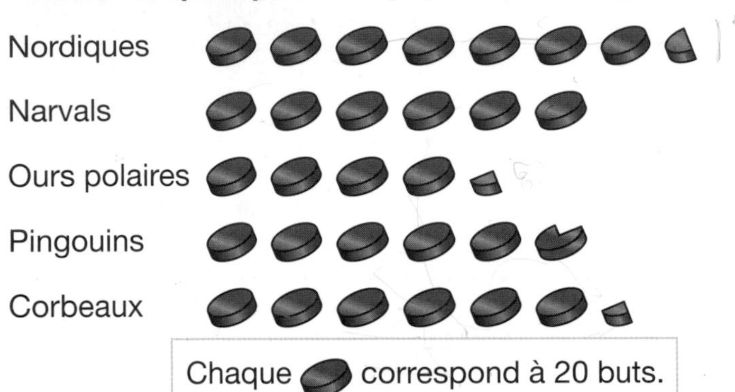

a) Une rondelle de hockey est-elle un bon symbole à utiliser pour ce pictogramme? Explique ta réponse.

b) Est-ce que « chaque [rondelle] correspond à 20 buts » représente une bonne échelle à utiliser pour ce pictogramme? Quelles autres échelles peut-on utiliser? Explique ta réponse.

c) Crée un tableau de données pour représenter le nombre de buts comptés par chaque équipe. Trouve l'étendue des données.

2

2. Utilise le diagramme à bandes pour répondre à ces questions.

a) Environ combien de personnes de plus préfèrent la navigation aux jeux?

b) Au total, environ combien de personnes sont représentées dans le diagramme?

c) Quelle échelle a été utilisée pour construire le diagramme?

d) Énumère certains avantages et désavantages de cette échelle. Une échelle différente serait-elle préférable? Explique ta réponse.

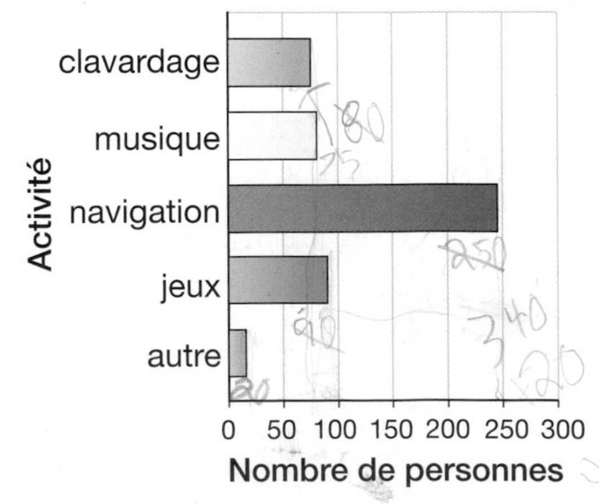

4

3. Ces données montrent combien de temps certains élèves de 4e année ont pu se tenir sur 1 pied.

Secondes sur 1 pied

12 19 20 21 21 21
22 28 29 32 34 36
37 37 37 41 41 42
43 45 46 48 50 51
57 58 59 60 63 64
65 67 70 72 78 80

Secondes	Nombre d'élèves
1–10	
11–20	
21–30	
31–40	
41–50	
51–60	
61–70	
71–80	

a) Remplis le tableau.

b) Construis un diagramme à bandes à intervalles pour représenter les données.

5

4. Le pictogramme est censé représenter les données tirées du tableau du marathon de lecture. Vois-tu des erreurs?

Pages lues pendant le marathon de lecture

Miki

Vinh

Zoé

Alice

Jean

Livres lus pour le marathon de lecture

Nom	Nombre de livres
Miki	13
Vinh	21
Alice	25
Zoé	11
Jean	18

8

5. Écris un sondage qui permettra de trouver combien de familles font des biscuits à la maison.

a) Écris une question de sondage.

b) Où, quand et comment feras-tu ton sondage?

c) Comment organiseras-tu les données recueillies par ton sondage? Explique avec des mots et un dessin.

d) Essaie de prédire les résultats de l'enquête. Explique tes prédictions.

Tâche du chapitre

La planification d'une cour de récréation

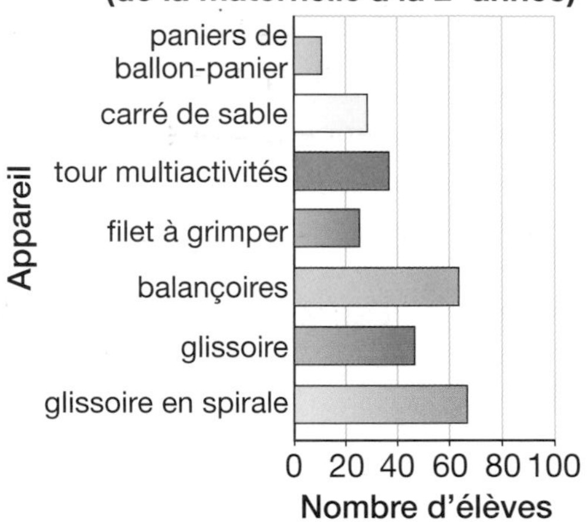

L'école de La Forêt achètera 4 nouveaux appareils pour la cour de récréation. Des élèves ont fait un sondage auprès de tous les élèves pour avoir leur avis sur ce que devrait acheter l'école.

? Quels sont les 4 appareils que l'école devrait acheter?

Partie nº 1

Justin a vu les résultats du sondage. Il a dit que l'école devrait acheter la glissoire en spirale, la glissoire, les balançoires et le filet à grimper.

A. Crois-tu que Justin a regardé le diagramme ou le tableau? Explique.

B. Pourquoi les données du diagramme sont-elles différentes de celles du tableau?

C. Construis un diagramme à bandes pour représenter les données du tableau. Explique comment tu as choisi ton échelle.

Matériel souhaité pour une cour de récréation (de la 3e à la 6e année)

Appareil	Nombre d'élèves
paniers de ballon-panier	58
carré de sable	2
tour multiactivités	34
filet à grimper	15
balançoires	51
glissoire	16
glissoire en spirale	37

Partie nº 2

D. Énumère les 4 appareils que l'école devrait acheter, selon toi. Justifie ta décision.

Liste de contrôle de la tâche

- ☑ As-tu utilisé le vocabulaire mathématique?
- ☑ As-tu expliqué ton raisonnement?

Révision cumulative

Choix associés aux domaines d'étude

Automobiles	Roues
1	4
2	8
3	12
4	16
5	20

1. Quelle règle définit la suite numérique de la colonne Roues?
   A. Commence à 4 et est multiplié chaque fois par 2.
   B. Commence à 4 et est multiplié chaque fois par 4.
   C. Commence à 4 et augmente chaque fois de 1.
   D. Commence à 4 et augmente chaque fois de 4.

2. Choisis la suite qui maintiendra la régularité.
   $2 + 6 - 5, 3 + 7 - 5, 4 + 8 - 5,$ ▬
   E. $5 + 9 - 5$ **G.** $5 + 9 - 7$
   F. $5 + 8 - 7$ **H.** $5 + 8 - 5$

3. Quelle série de nombres va du plus petit au plus grand?
   A. 3 508, 5 081, 7 125, 7 095, 9 091
   B. 9 109, 9 108, 9 107, 9 105, 9 103
   C. 8 236, 8 335, 8 434, 8 533, 8 632
   D. 3 919, 3 818, 3 717, 3 616, 3 515

4. Quelle est la forme décomposée de 8 205?
   E. $8\,200 + 200 + 5$ **G.** $8\,000 + 200 + 5$
   F. $8\,000 + 20 + 5$ **H.** $8\,200 + 5$

5. Quelle partie du diagramme à bandes te renseigne sur l'étendue des données?
   A. le titre
   B. l'échelle du nombre d'objets
   C. les bandes
   D. les intervalles du nombre de roues par objet

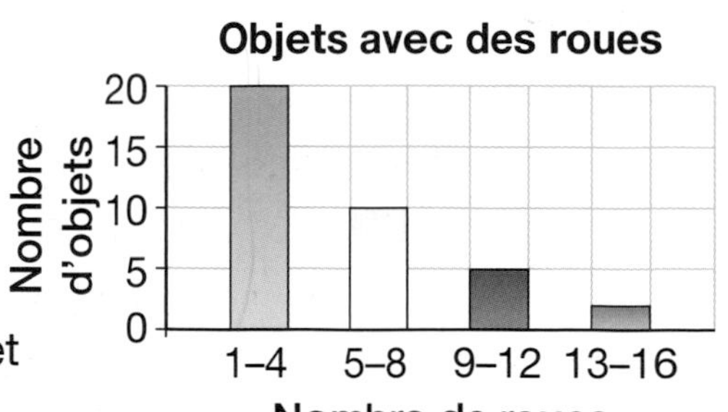

6. Quelle est la différence entre le nombre d'objets ayant moins de 5 roues et le nombre d'objets ayant plus de 12 roues?

Enquête associée aux domaines d'étude

Les roues dans notre vie

7. Certains élèves ont choisi le jouet à roues qu'ils aiment le plus.
   a) Construis un diagramme à bandes pour les données.
   b) Comment les données ont-elles été recueillies?
   c) Décris les données. Utilise le vocabulaire mathématique.
   d) Les roues de bicyclette peuvent être pleines ou à rayons. Voici un choix de roues chez un marchand de vélos.

Jouet à roues préféré

Jouet préféré	Nombre d'élèves
planche à roulettes	30
bicyclette	25
patins à roues alignées	15
trottinette	20
autre	15

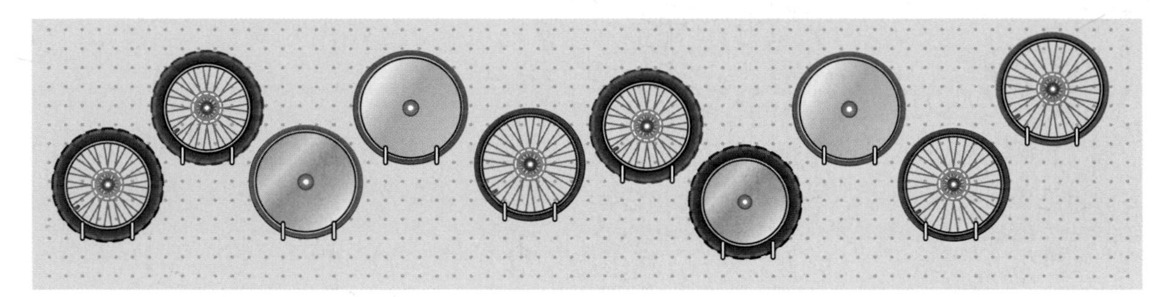

      i) Quels attributs changent dans la suite?
      ii) Décris de quelle manière chaque attribut change.
   e) Imagine une autre suite de roues.
      i) Énumère les attributs qui pourraient changer dans ta suite.
      ii) Crée une suite comportant au moins 2 attributs qui changent.
      iii) Décris la régularité dans ta suite.

8. Des automobiles sont stationnées dans un garage.
   a) Décris les suites numériques du tableau.
   b) Quelle est la relation entre la suite numérique de la colonne Automobiles et celle de la colonne Nombre de roues?
   c) Quel sera le nombre de roues au niveau 2? Montre ton travail.
   d) Comment as-tu trouvé la réponse à la partie c)? Décris ta démarche.

Niveau	Automobiles	Nombre de roues
7	130	520
6	170	680
5	210	840

CHAPITRE 4

Additionner et soustraire des nombres

Attentes

Tu pourras

- **estimer des sommes et des différences;**
- **additionner et soustraire des nombres de 4 chiffres;**
- **additionner et soustraire mentalement des nombres;**
- **inventer et résoudre des problèmes d'addition et de soustraction.**

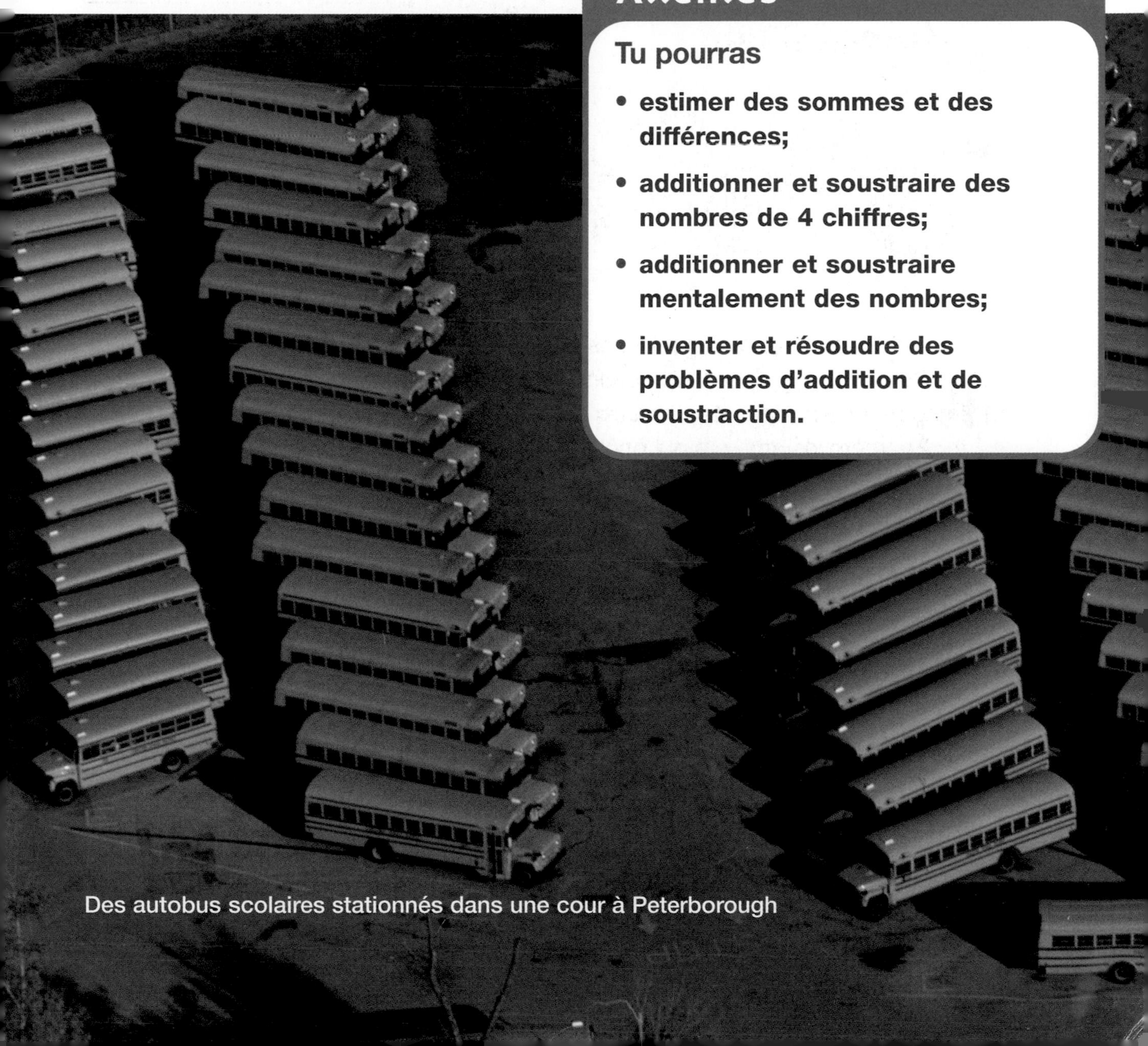

Des autobus scolaires stationnés dans une cour à Peterborough

Premiers pas

Compter les élèves

Ce diagramme circulaire montre le nombre d'élèves qui fréquentent 3 écoles différentes.

? Environ combien d'élèves fréquentent les 3 écoles?

A. Quel est le nombre total d'élèves qui fréquentent les écoles du Sud et du Nord?
Comment le sais-tu?

B. Estime le nombre d'élèves qui fréquentent l'école de La Forêt. Explique comment tu as estimé le total.

C. Estime le nombre total d'élèves qui fréquentent les 3 écoles.

Rappelle-toi!

1. Explique comment utiliser une **phrase mathématique** pour compléter une équation.
   a) Utilise $18 + 20 = 38$ pour trouver $18 + 19 = ■$.
   b) Utilise $11 + 19 = 30$ pour trouver $30 - 19 = ■$.

2. **Arrondis** les nombres pour estimer les résultats.
   Montre tes nombres arrondis.
   a) $185 + 188$ b) $435 + 75$ c) $811 - 378$ d) $456 - 378$

3. Calcule chaque **somme** ou **différence**.
   Explique ton raisonnement.
   a) $150 + 150$ b) $456 - 200$ c) $418 + 99$ d) $456 - 66$

4. a) Trouve le coût total des 2 casquettes.
   b) Décris ou dessine les pièces de monnaie et les billets que tu utiliseras pour payer le prix exact de chaque casquette.

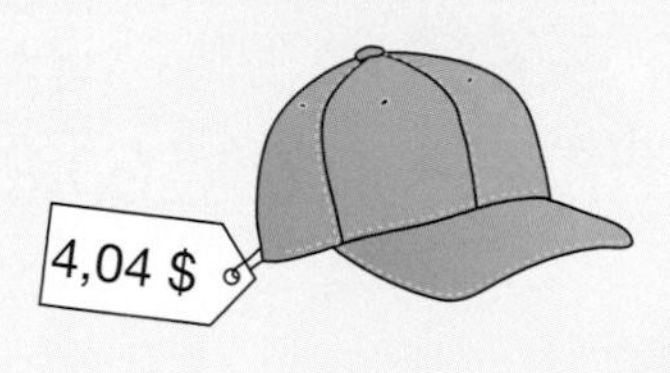

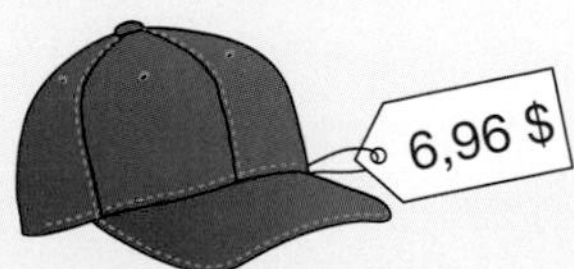

1 Additionner mentalement des nombres

Utiliser des démarches de calcul mental pour additionner des nombres de 2 chiffres.

Il y a 28 personnes dans la section supérieure du centre sportif.
Il y a 22 personnes dans la section inférieure du centre sportif.

? Quel est le nombre total de personnes dans le centre sportif?

La démarche de Marie

J'imagine des rangées de 10 personnes.

Quand je pense à déplacer des personnes dans d'autres rangées, c'est plus facile d'estimer le nombre de personnes.

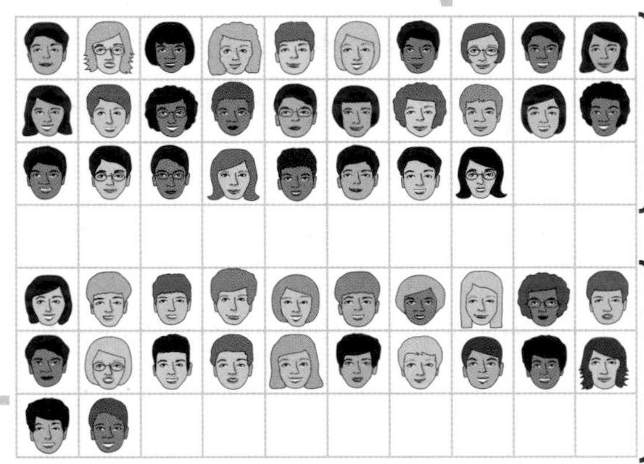

A. Quelles personnes Marie pourrait-elle déplacer? Pourquoi?

B. Quel est le nombre total de personnes dans le centre sportif? Montre tes calculs.

La démarche de Vinh

J'ai utilisé une autre méthode pour additionner 28 et 22.

J'ai dessiné une droite numérique et j'ai calculé mentalement la somme.

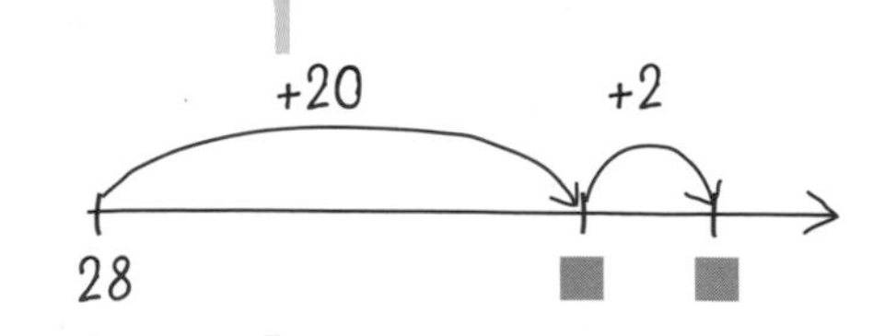

DUV

C. Quels nombres manquent dans la droite numérique de Vinh?

D. Explique comment Vinh a utilisé une droite numérique et le calcul mental pour additionner 28 et 22.

Réflexion

1. Utilise les méthodes de Marie et de Vinh pour additionner 47 et 23. Explique ton raisonnement.

2. Quels noms donnerais-tu à chacune des méthodes, celle de Marie et celle de Vinh?
Explique ton raisonnement.

Vérification

3. Dans la section supérieure d'un centre sportif, il y a 49 personnes, tandis qu'il y en a 21 dans la section inférieure. Montre 2 façons de calculer dans ta tête pour trouver le nombre total de personnes dans le centre sportif.

Application

4. Calcule dans ta tête le nombre total de personnes dans chaque section du centre sportif.
Choisis une méthode qui convient à chaque situation.
Explique ce que tu as fait.

a)

Section supérieure	Section inférieure
18	42

c)

Section supérieure	Section inférieure
37	23

b)

Section supérieure	Section inférieure
49	39

d)

Section supérieure	Section inférieure
25	45

5. Comment peux-tu utiliser $40 + 40 = 80$ pour calculer chaque somme?
Montre ton travail.

a) $39 + 41$
b) $38 + 42$
c) $39 + 39$
d) $45 + 45$

2 Estimer des sommes

- une calculatrice

Arrondir des nombres pour estimer des sommes.

? Quelle distance y a-t-il entre Vancouver et Toronto?

La droite numérique de Manitok

J'ai utilisé une calculatrice pour calculer la distance entre Vancouver et Toronto.

4387.

Dessiner une droite numérique peut m'aider à estimer si 4 387 km est une réponse vraisemblable.

0 km Vancouver — 2 000 km Winnipeg — ■ Toronto

A. Pourquoi Manitok a-t-il arrondi 1 869 km à 2 000 km plutôt qu'à 1 000 km?

B. De quel nombre arrondi Manitok peut-il se servir pour estimer la distance entre Winnipeg et Toronto?

C. Estime la distance totale entre Vancouver et Toronto. Utilise des nombres arrondis.

D. La réponse de la calculatrice de Manitok est-elle vraisemblable? Explique ton raisonnement.

E. Utilise une calculatrice pour trouver la distance entre Vancouver et Toronto.

DUV

Réflexion

1. Comment la droite numérique aide-t-elle Manitok à faire une estimation?
2. Quand tu fais une estimation, peux-tu dire si le résultat sera plus grand ou plus petit que celui de la calculatrice?
   Explique ta réponse à l'aide d'exemples.

Vérification

3. Estime ces distances aériennes.
   Montre tes nombres arrondis.

   a)

   1 208 km
   1 518 km
   Calgary
   Winnipeg
   Toronto

   b)

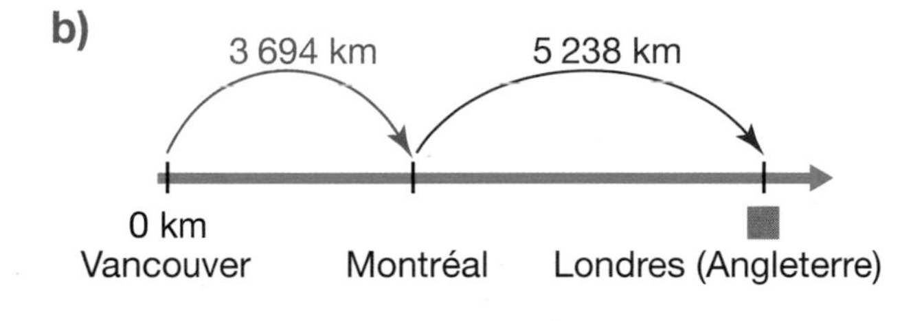

Application

4. Fais une estimation. Montre tes nombres arrondis.
   a) 1 567 + 813 b) 2 611 + 1 489 c) 4 156 + 1 722

5. Choisis un trajet que tu peux faire en combinant au moins 2 vols. Estime la distance totale.
   Montre ton travail.

Vol	Distance aérienne
Toronto ➤ St. John's	2 112 km
St. John's ➤ Londres (Angleterre)	3 774 km
Londres (Angleterre) ➤ Le Caire (Égypte)	3 530 km
Le Caire (Égypte) ➤ Athènes (Grèce)	1 130 km
Athènes (Grèce) ➤ St. John's	6 106 km

6. Joseph estime que la somme de 1 437 + 1 498 s'arrondit à 2 000.
   Alice croit que la somme correspond à environ 3 000.
   Ces 2 estimations sont-elles vraisemblables? Explique.

3 Expliquer des concepts de numération et des démarches

Matériel nécessaire

- une calculatrice

Attente **Expliquer le raisonnement suivi quand on estime une somme.**

Il y a 9 000 sièges dans le centre sportif local. Lors d'un match de hockey, 3 488 billets de sièges bleus et 4 834 billets de sièges verts ont été vendus.

? La réponse de Richard est-elle vraisemblable? Comment le sais-tu?

La somme de Richard

J'ai utilisé une calculatrice pour trouver le nombre de billets vendus.

J'ai appuyé sur les touches 3 488 [+] 4 834 [=], et le résultat a été 8 322.

L'explication de Rami

Il y a 9 000 sièges, donc la vente de 8 322 billets semble être vraisemblable.

Pour vérifier, je vais faire une estimation. J'arrondirai les nombres parce que des nombres arrondis sont plus faciles à additionner.

Le nombre 3 488 s'arrondit à 3 000 parce qu'il est plus près de 3 000 que de 4 000.

Le nombre 4 834 s'arrondit à 5 000.

Je commencerai à 3 000, puis je ferai 5 bonds de 1 000.

+1 000 +1 000 +1 000 +1 000 +1 000

3 000 4 000 5 000 6 000 7 000 8 000

Comme la réponse doit correspondre à environ 8 000, je pense que 8 322 est un nombre vraisemblable.

L'explication d'Alice

Je vais utiliser des nombres arrondis parce que c'est plus facile à compter.

Le nombre 3 488 s'arrondit à 3 000; 4 834 s'arrondit à 5 000.

Il faut donc additionner 3 000 + 5 000.

Je sais que 3 + 5 = 8; alors, je peux additionner les unités de mille.

```
  3 mille
+ 5 mille
---------
  8 mille
```

Le nombre 8 322 est près de 8 000; donc la réponse est vraisemblable.

Réflexion

1. Lis la Liste de contrôle des communications. Comment Rami et Alice répondraient-ils à chaque question? Explique ton raisonnement à partir du travail de chaque personne.
2. Comment la droite numérique de Rami t'aide-t-elle à comprendre sa façon de raisonner?

Liste de contrôle des communications

- ☑ As-tu fourni suffisamment de détails?
- ☑ As-tu expliqué ton raisonnement?

Vérification

3. Pour la visite d'un cirque, un centre sportif offre 6 000 sièges. On a vendu 1 631 billets pour adultes et 3 712 billets pour enfants. En tout, combien de billets ont été vendus? Utilise une calculatrice. Explique pourquoi ta réponse est vraisemblable.

Application

4. Le centre sportif offre 7 500 sièges pour un match de ballon-panier. On a vendu 2 815 billets de sièges bleus et 3 947 billets de sièges verts. Au total, combien de billets ont été vendus? Utilise une calculatrice. Explique pourquoi ta réponse est vraisemblable.

5. La somme est-elle vraisemblable? Explique ton raisonnement.

```
  4 829
+ 2 301
-------
  6 130
```

4 Additionner des nombres de 4 chiffres

Matériel nécessaire

- un tableau de valeurs de position

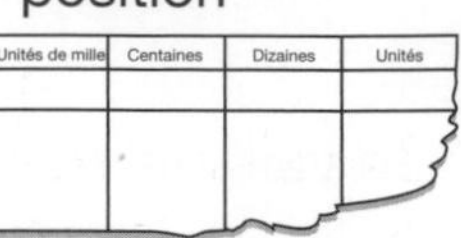

Attente **Résoudre des problèmes d'addition en regroupant des nombres.**

? Au total, combien les régions du Niagara et du Centre-de-l'Ontario comptent-elles de guides?

Membres du mouvement des guides

Région	Nombre de guides
Centre	2 539
Hamilton	1 172
Niagara	1 509
Ottawa	1 728
Toronto	2 621

L'addition de Nathalie

Il y a 2 539 guides dans le Centre-de-l'Ontario.

Il y a 1 509 guides dans la région du Niagara.

Le nombre 2 539 se situe entre 2 000 et 3 000.

Le nombre 1 509 se situe entre 1 000 et 2 000.

Cela signifie qu'il doit y avoir de 3 000 à 5 000 guides en tout.

$$\begin{array}{r} 2000 \\ +1000 \\ \hline 3000 \end{array} \longleftarrow \begin{array}{r} 2539 \\ +1509 \\ \hline \end{array} \longrightarrow \begin{array}{r} 3000 \\ +2000 \\ \hline 5000 \end{array}$$

Je peux trouver le nombre exact de guides en faisant une addition dans un tableau de valeurs de position.

regroupement
Représentation d'un nombre en unités plus grandes.
33 = 2 dizaines + 13 unités

Étape n° 1 J'ai additionné les unités. Ensuite, j'ai fait un **regroupement**.

9 unités + 9 unités = 18 unités
18 unités = 1 dizaine et 8 unités

$$\begin{array}{r} 1 \\ 2539 \\ +1509 \\ \hline 8 \end{array}$$

Unités de mille	Centaines	Dizaines	Unités
		1	
2	5	3	9
1	5	0	9
			8

DUV

Étape nº 2 J'ai additionné les dizaines.

1 dizaine + 3 dizaines + 0 dizaine = 4 dizaines

```
    1
 2539
+1509
   48
```

Unités de mille	Centaines	Dizaines	Unités
		1	
2	5	3	9
1	5	0	9
		4	8

Étape nº 3 J'ai additionné les centaines. Ensuite, je les ai regroupées.

5 centaines + 5 centaines = 10 centaines

10 centaines = 1 unité de mille + 0 centaine

```
 1 1
 2539
+1509
  048
```

Unités de mille	Centaines	Dizaines	Unités
1		1	
2	5	3	9
1	5	0	9
	0	4	8

Étape nº 4 J'ai additionné les unités de mille.

1 unité de mille + 2 unités de mille + 1 unité de mille = 4 unités de mille

```
 1 1
 2539
+1509
 4048
```

Unités de mille	Centaines	Dizaines	Unités
1		1	
2	5	3	9
1	5	0	9
4	0	4	8

Il y a 4 048 guides dans les régions du Niagara et du Centre-de-l'Ontario. J'avais estimé qu'il y avait entre 3 000 et 5 000 guides; donc 4 048 me paraît vraisemblable.

Réflexion

1. À l'étape nº 1, pourquoi Nathalie a-t-elle regroupé 18 unités en 1 dizaine et 8 unités?
2. Est-ce possible d'additionner 2 nombres de 4 chiffres sans regrouper les nombres? Donne un exemple pour appuyer ta réponse.

Vérification

3. a) Il y a 2539 guides dans le Centre-de-l'Ontario et 1172 guides dans la région de Hamilton. Quel est le nombre total des guides dans les régions de Hamilton et du Centre-de-l'Ontario?
   b) Explique pourquoi tu sais que ta réponse est vraisemblable.

Application

4. Il y a 2867 louveteaux dans le Grand Toronto et 3301 louveteaux dans la région du Voyageur. Estime, puis calcule le nombre total de louveteaux dans les régions du Voyageur et du Grand Toronto.

5. Estime chaque somme. Fais les calculs si la somme approximative des nombres se situe entre 4 000 et 6 000. Montre tes nombres arrondis.

   a) $\begin{array}{r} 2987 \\ +\ 2145 \\ \hline \end{array}$ b) $\begin{array}{r} 3254 \\ +\ 162 \\ \hline \end{array}$ c) $\begin{array}{r} 2311 \\ +\ 2499 \\ \hline \end{array}$ d) $\begin{array}{r} 1300 \\ 2253 \\ +\ 1701 \\ \hline \end{array}$

6. Ces réponses sont-elles vraisemblables? Comment le sais-tu?
   a) 4566 + 2869 = 9435
   b) 1859 + 2899 = 3758
   c) 3532 + 4499 = 8031

7. Invente ton propre problème d'addition au sujet des données sur les guides. Montre comment tu l'as résolu.

8. Écris 2 nombres de 4 chiffres dont la somme restera toujours tout juste inférieure à 10000. Montre ton travail.

9. Ferais-tu ces additions en les calculant dans ta tête, avec un crayon et du papier ou avec une calculatrice? Donne une raison pour chaque façon de faire.
   a) 26 + 24 b) 3456 + 239 c) 18 264 + 11 495

10. Calcule chaque somme de la question n° 9 suivant la méthode que tu as choisie. Montre ton travail.

Objectif : 150

Nombre de joueurs : 2
Règles du jeu : Le but du jeu consiste à barrer 2 nombres et à en trouver la somme.

Étape n° 1 Transcris ce tableau de nombres.

5	10	15	20	25	30
5	10	15	20	25	30
5	10	15	20	25	30
5	10	15	20	25	30

Étape n° 2 Le joueur n° 1 barre un nombre.

Étape n° 3 Le joueur n° 2 barre un autre nombre qu'il additionne au précédent pour obtenir le total des nombres barrés.

Étape n° 4 À tour de rôle, chaque joueur barre un nombre qu'il additionne au total précédent.

Le joueur qui atteint exactement 150 gagne la partie.

C'est au tour de Christian

Shani et moi avons maintenant atteint un total de 120.
Je gagne si je barre un 30!

5	~~10~~	15	20	25	~~30~~
5	~~10~~	~~15~~	20	25	30
5	10	15	20	~~25~~	~~30~~
5	10	15	20	25	30

LEÇON

Révision

1

1. Calcule ces sommes dans ta tête.
Explique ta démarche pour 2 de ces sommes.

a) 46 + 18
b) 38 + 22
c) 29 + 31
d) 19 + 46
e) 39 + 56
f) 75 + 25

2

2. Estime chaque somme.
Explique ta démarche pour 2 de ces cas.

a) 6 455 + 2 876
b) 999 + 1 786
c) 3 658 + 4 444
d) 5 110 + 3 459

3

3. Ces réponses sont-elles vraisemblables?
Explique ton raisonnement.

a) 4 579 + 518 = 5 097
b) 2 367 + 2 710 = 6 077
c) 5 145 + 4 145 = 9 290
d) 4 821 + 2 197 = 6 018

4

4. Estime chaque somme. Ensuite, fais l'addition.

a) 4 217 + 3 572
b) 746 + 615
c) 3 169 + 825
d) 7 394 + 2 527
e) 3 876 + 5 678
f) 1 750 + 5 250

5. Dans la même journée, un avion a parcouru 5 456 km pour se rendre dans une première ville, puis 3 567 km pour atteindre une autre ville.
Calcule la distance totale parcourue par l'avion ce jour-là.
Explique comment tu sais que ta réponse est vraisemblable.

6. Pedro estime que la somme de 2 nombres est près de 5 000.
L'un des nombres est 2 878. Quel peut être l'autre nombre?
Explique comment tu sais que ta réponse est vraisemblable.

Additionner des nombres pour mieux les soustraire

Tu peux faire une soustraction en pensant à faire une addition.
Pour soustraire 26 de 40, pense à 26 + ■ = 40.

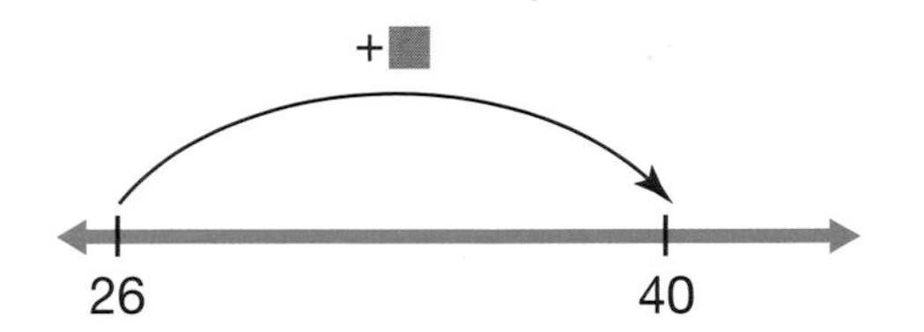

La démarche de Chantal

J'ai fait un bond de 4 et un autre de 10.

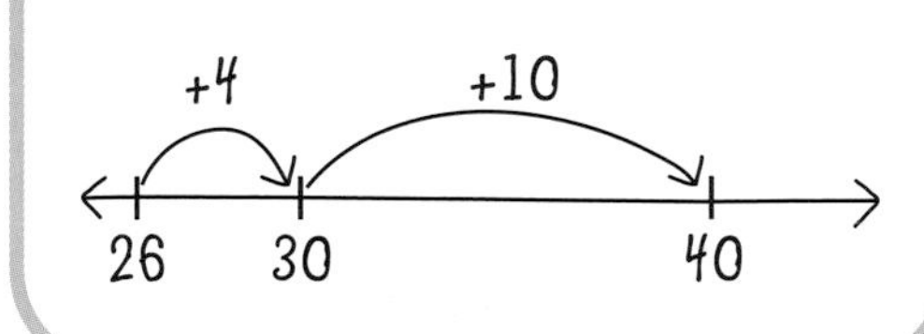

La démarche de Carmen

J'ai fait un bond de 10 et un autre de 4.

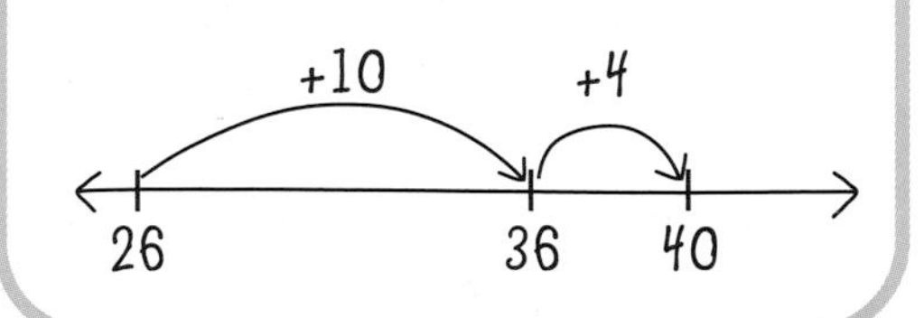

A. Combien font 40 − 26? Comment le sais-tu?

B. Comment utiliserais-tu ta réponse à la partie A pour trouver la réponse à 40 − 27?

C. Écris une autre paire de nombres que tu peux additionner pour mieux les soustraire. Dessine une droite numérique pour représenter les bonds que tu peux faire pour trouver la réponse.

À ton tour!

1. Additionne les nombres pour mieux les soustraire.
Utilise une droite numérique pour montrer ta démarche.

a) 30 − 12 **c)** 50 − 12 **e)** 30 − 19 **g)** 40 − 25
b) 30 − 11 **d)** 80 − 45 **f)** 45 − 15 **h)** 55 − 35

5 Soustraire mentalement des nombres

Adopter diverses démarches de calcul mental pour soustraire des nombres de 2 chiffres.

Le frère de Pedro a 19 ans et son père a 45 ans.

? De combien d'années le père de Pedro est-il plus âgé que son frère?

La solution de Pedro

Je peux illustrer le problème sur une droite numérique.

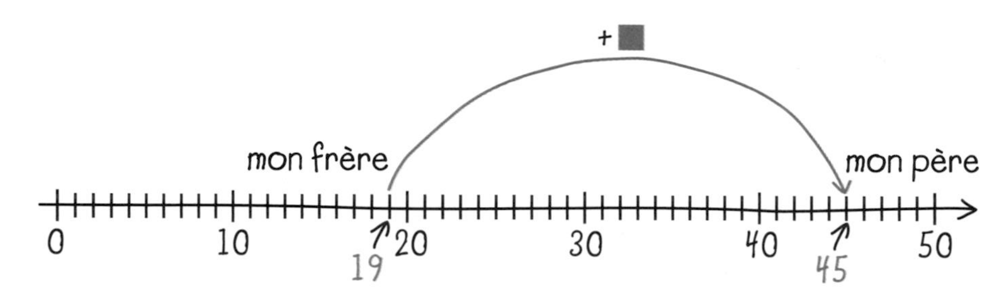

Si j'ajoute 1 année à chaque âge, la différence d'âge restera la même, mais les nombres seront plus faciles à soustraire.

Ainsi, 45 − 19 = ■ devient 46 − 20 = ■.

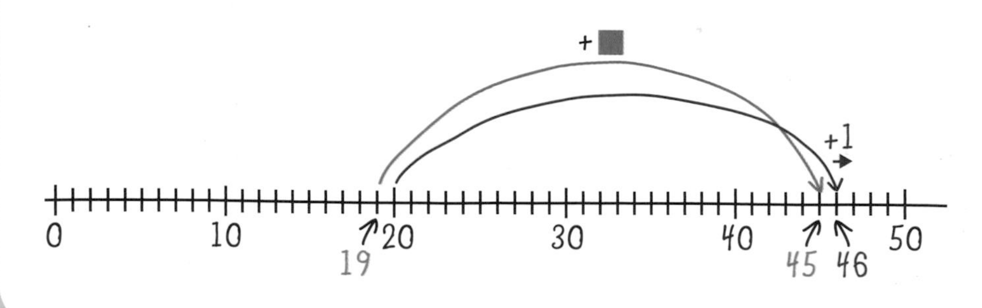

A. Quelle est la différence d'âge entre le père de Pedro et son frère? Comment le sais-tu?

B. As-tu fait la soustraction en enlevant ou en ajoutant des unités? Explique ta démarche.

Réflexion

1. Explique pourquoi la flèche rouge et la flèche bleue illustrent la même grandeur de bond sur la droite numérique.
2. Pourquoi est-ce facile de calculer mentalement 46 − 20?

Vérification

3. La sœur de Sarah a 28 ans et sa mère a 51 ans.
   Quelle est la différence d'âge entre la mère de Sarah et sa sœur?
   Calcule la différence dans ta tête.
   Explique ta démarche.

Application

4. Calcule mentalement chaque différence d'âge.
   Utilise une technique différente pour vérifier tes réponses.
   a) 28 ans et 53 ans
   b) 49 ans et 81 ans

5. Calcule ces différences dans ta tête.
   Explique ta démarche.
   a) 33 − 19
   b) 66 − 18
   c) 67 − 29
   d) 81 − 69

6. Écris 2 âges différents entre 20 et 100.
   Montre comment tu utilises le calcul mental pour trouver la différence entre les âges.

6 Estimer des différences

Attente **Arrondir des nombres pour estimer des différences.**

La crête d'Ishpatina, en Ontario, s'élève à 693 m.
Les collines Cypress, en Saskatchewan, s'élèvent à 1 468 m.

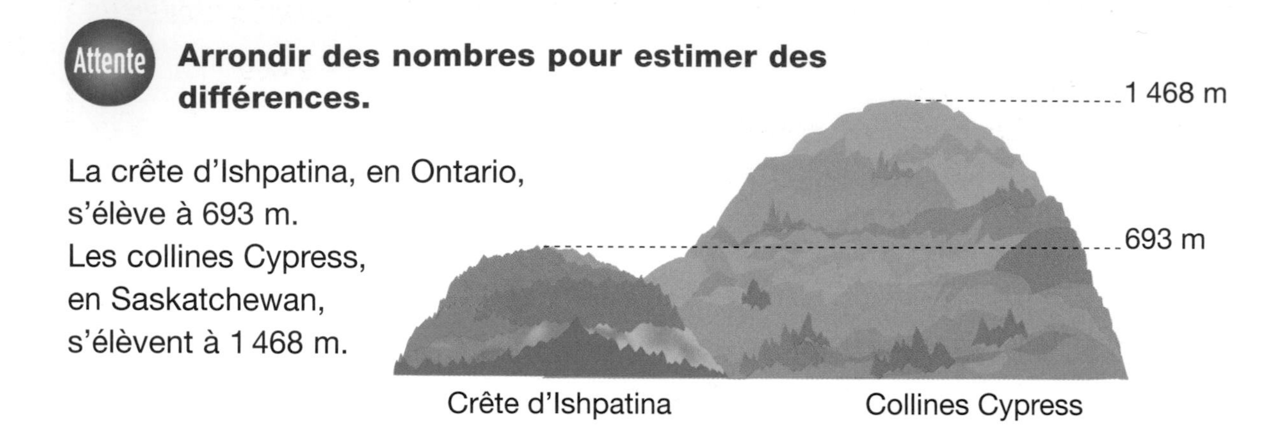

? Comment peux-tu estimer la différence d'altitude entre les collines Cypress et la crête d'Ishpatina?

A. Comment peux-tu utiliser l'arrondissement pour faire une estimation? Montre 2 façons différentes.

B. Comment peux-tu utiliser le dessin ci-dessus pour faire une estimation?

C. Par quels autres moyens peux-tu faire une estimation? Montre au moins 2 façons.

Réflexion

1. Pour estimer la différence d'altitude, Carmen explique qu'elle a soustrait 1 468 − 693 et a arrondi le résultat à l'unité de mille près. Est-ce une bonne façon de faire une estimation? Explique.
2. Pour son estimation, Manitok dit qu'il a compté par bonds de 100 à partir de 700 jusqu'à 1400. Est-ce une bonne façon de faire une estimation? Explique.
3. Trouve l'étendue des estimations pour ta classe. Pourquoi existe-t-il plusieurs estimations différentes possibles?

La Traversée du ruisseau

Nombre de joueurs : 2
Règles du jeu : Le but du jeu consiste à obtenir le maximum de points lors de la traversée du ruisseau.

Matériel nécessaire

- 2 dés

- le jeu La Traversée du ruisseau

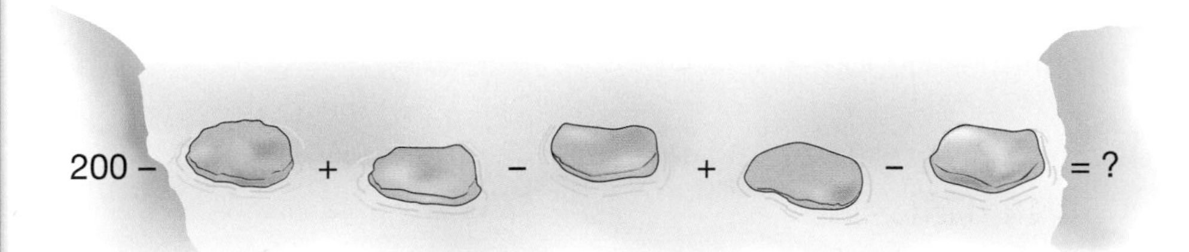

Étape n° 1 Le joueur n° 1 lance les 2 dés afin d'obtenir un nombre de 2 chiffres. Il écrit ensuite ce nombre sur la 1re pierre du ruisseau.

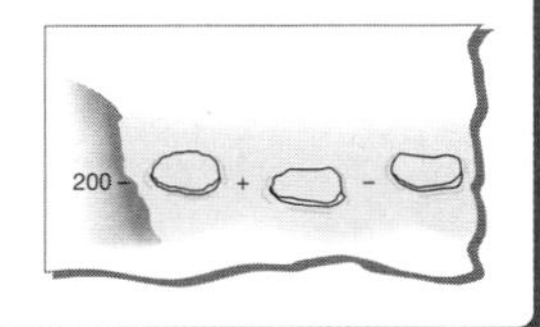

Étape n° 2 Les 2 joueurs lancent les dés à tour de rôle, puis ils écrivent les nombres obtenus sur les pierres jusqu'à ce que le ruisseau soit traversé.

Étape n° 3 Une fois le ruisseau traversé, calcule ton résultat en utilisant des additions et des soustractions. Sers-toi des étendues suivantes pour trouver ton résultat.

0 à 50	51 à 100	101 à 150	151 à 200	201 à 250	251 à 300
Attention aux alligators!	J'espère que tu as des vêtements secs!	Bravo! Tu as traversé sans tomber!	C'est beau! Refais-le maintenant!	Ne faisais-tu pas des cascades dans un film de rafting?	Aimerais-tu travailler comme guide de la nature?

7 Faire une soustraction à partir d'un nombre de 4 chiffres

Utiliser un crayon et du papier pour faire une soustraction à partir d'un nombre de 4 chiffres.

Un vidéoclub a 1 257 disques numériques en magasin. Il y a déjà 848 disques numériques de loués.

? Combien de disques numériques reste-t-il au vidéoclub?

La soustraction de Jean

Je crois que 1 257 − 848 s'arrondit à 400 parce que

12 centaines − 8 centaines = 4 centaines.

Je peux faire la soustraction pour obtenir la différence exacte.

Étape n° 1 Je compare les nombres colonne par colonne. Il me faut plus de centaines et d'unités avant de pouvoir soustraire 8 **centaines**, 4 **dizaines** et 8 **unités**.

```
  1257
-  848
```

Unités de mille	Centaines	Dizaines	Unités

Étape n° 2 Si je décompose 1 **unité de mille** en 10 **centaines**, j'obtiendrai 12 **centaines** en tout. Mais j'ai besoin de plus d'unités avant de pouvoir faire la soustraction.

```
  012
  1257
-  848
```

Unités de mille	Centaines	Dizaines	Unités

DUV

Étape nº 3 Je décompose 1 **dizaine** en 10 **unités**.
J'ai maintenant 0 **unité de mille**,
12 **centaines**,
4 **dizaines** et
17 **unités**.

```
 012417
 1257
- 848
```

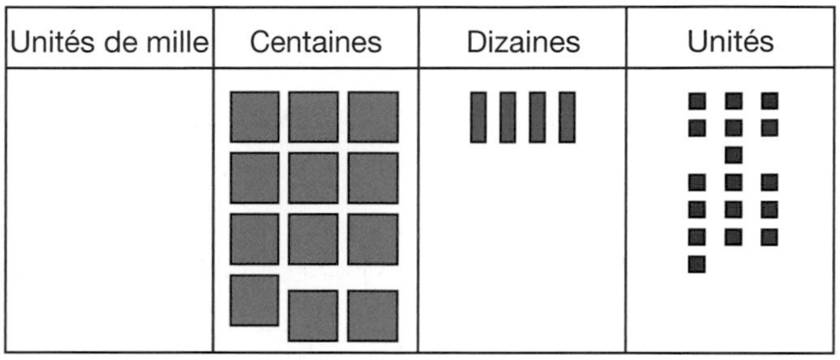

Unités de mille	Centaines	Dizaines	Unités

Étape nº 4 Je peux faire la soustraction puisque j'ai maintenant assez d'unités dans chaque colonne du tableau de valeurs de position.

```
 012417
 1257
- 848
  409
```

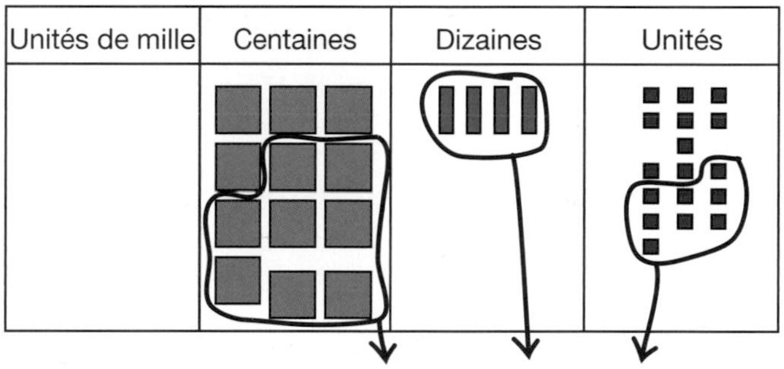

Unités de mille	Centaines	Dizaines	Unités

Il reste 409 disques numériques au vidéoclub.

Cette réponse semble vraisemblable parce que j'avais estimé 400.

Réflexion

1. À l'étape nº 1, comment Jean a-t-il su qu'il lui faudrait d'autres centaines et d'autres unités avant de pouvoir soustraire les nombres?
2. Comment l'étape nº 4 illustre-t-elle que 1 257 a été décomposé ainsi : 1 200 + 40 + 17?
3. Explique comment Jean pouvait additionner les nombres pour s'assurer de les avoir soustrait correctement.

Vérification

4. Un samedi, 788 des 1 257 disques numériques sont loués.
   a) Combien de disques numériques reste-t-il au vidéoclub?
   b) Montre comment faire une addition pour vérifier ta réponse.

Application

5. Un vidéoclub a donné des billets pour le tirage d'un gros lot.
   Dès le mercredi, 571 des 4 325 billets de gros lot avaient été donnés.
   Combien reste-t-il de billets de gros lot?

6. Estime chaque différence.
   Fais la soustraction si la différence estimée est plus grande que 2 000.
   a) 2 348 − 999   b) 3 649 − 682   c) 4 567 − 768

7. Fais une estimation avant de soustraire les nombres.
   Montre ton travail.
   a) $\begin{array}{r} 1\,234 \\ -\ 621 \\ \hline \end{array}$ b) $\begin{array}{r} 5\,045 \\ -\ 347 \\ \hline \end{array}$ c) $\begin{array}{r} 8\,129 \\ -\ 518 \\ \hline \end{array}$ d) $\begin{array}{r} 1\,000 \\ -\ 235 \\ \hline \end{array}$

8. La réponse est-elle vraisemblable?
   Comment le sais-tu?
   a) 6 434 − 178 = 6 256   c) 4 533 − 751 = 3 782
   b) 2 257 − 388 = 1 689   d) 5 624 − 591 = 6 215

9. Tu veux louer des disques numériques dans un vidéoclub.
   Utilise un nombre de 3 chiffres et un autre de 4 chiffres pour formuler un problème au sujet des disques numériques.
   Trouve la solution à ton problème. Montre ton travail.

10. Quelle est la plus grande différence que tu peux obtenir quand tu soustrais un nombre de 3 chiffres d'un nombre de 4 chiffres?
    Comment le sais-tu?

Les chiffres cachés

Quelqu'un a répandu de l'encre sur le cahier de Paulette. Peux-tu l'aider à trouver les chiffres cachés par l'encre?

Lorsque tu remplaceras les taches d'encre, assure-toi de calculer correctement la somme ou la différence.

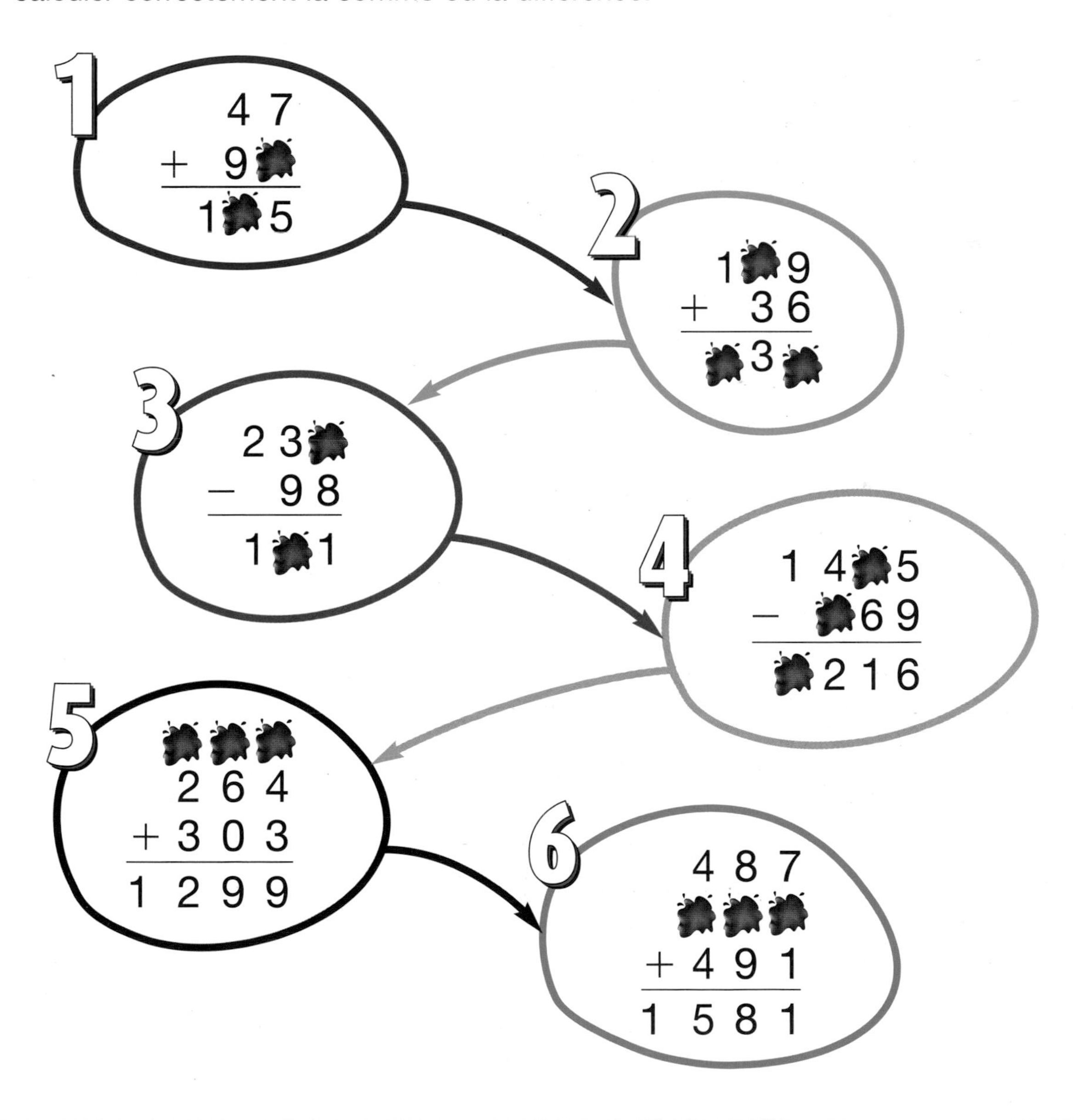

8 Soustraire des nombres d'une autre façon

Décomposer des nombres pour rendre plus facile la soustraction.

Un sondage récent nous a appris que Sault-Sainte-Marie compte 1 000 enfants de 9 ans et 855 enfants de 4 ans.

? Combien y a-t-il d'enfants de 9 ans de plus que d'enfants de 4 ans à Sault-Sainte-Marie?

La soustraction de Paulette

La réponse se situe entre 100 et 200 parce que 855 est entre 800 et 900. Je sais que $1\,000 - 800 = 200$ et que $1\,000 - 900 = 100$.

Je vais décomposer les unités de mille parce que c'est plus facile de soustraire 8 centaines, 5 dizaines et 5 unités.

Étape nº 1 Si 1 000 correspond pour moi à 999 + 1, alors je peux faire toutes les décompositions en 1 seule étape.

$$\begin{array}{r} 999 + 1 \\ \not{1\,000} \\ -\ 855 \\ \hline \end{array}$$

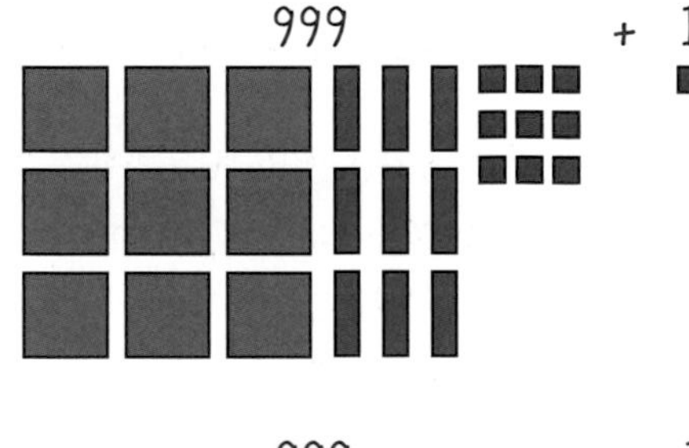

Étape nº 2 Maintenant, je soustrais 855.

$$\begin{array}{r} 999 + 1 \\ \not{1\,000} \\ -\ 855 \\ \hline 144 + 1 = 145 \end{array}$$

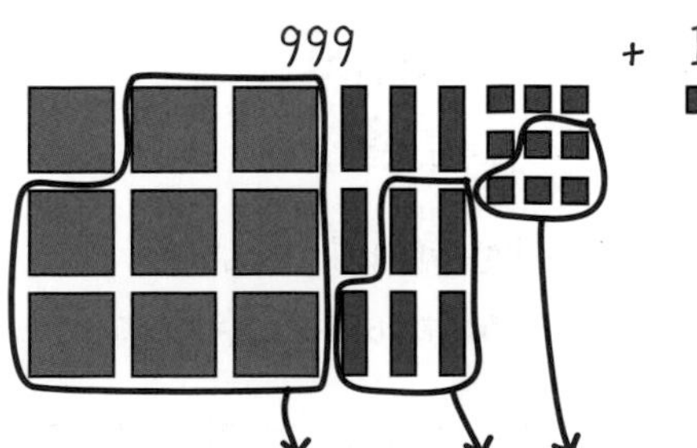

Il y a 145 enfants de 9 ans de plus que d'enfants de 4 ans.

Ma réponse semble vraisemblable parce que j'avais estimé le résultat entre 100 et 200.

DUV

Réflexion

1. Pourquoi Paulette a-t-elle ajouté 1 à 144 à l'étape n° 2?
2. Utiliserais-tu la méthode de Paulette pour faire ces soustractions? Explique ton raisonnement.
   a) 6 588 − 699 b) 5 000 − 467
3. En quoi la méthode de Paulette est-elle semblable à celle de Jean à la leçon 7?
   En quoi est-elle différente?

Vérification

4. Dans un village de 2 000 habitants, 598 sont des enfants.
   Combien d'adultes habitent ce village?
   Montre ton travail.
   Utilise une addition pour vérifier ta réponse.

Application

5. Dans un village de 3 000 habitants, 965 sont des enfants.
   Combien d'adultes habitent ce village?
   Montre ton travail.
   Utilise une addition pour vérifier ta réponse.
6. Estime chaque différence, puis effectue la soustraction.
   Utilise une addition pour vérifier ta réponse.
   a) 1 000 − 435 c) 3 000 − 278
   b) 2 000 − 849 d) 6 000 − 332
7. Pourquoi n'est-ce pas nécessaire de décomposer le nombre 4 467 avant de lui soustraire 235?
8. Montre 2 façons différentes de calculer 1 000 − 250.
   De quelle façon est-ce plus facile pour toi?
   Explique ton raisonnement.

9 Rendre la monnaie

Savoir faire des achats et rendre la monnaie.

Carl a un billet de 20,00 $. Il a l'intention d'acheter une planche à roulettes à une vente-débarras.

? Combien de monnaie remettra-t-on à Carl?

La solution de Carl

On me remettra moins de 2,00 $ parce que 18,00 $ + 2,00 $ = 20,00 $.

Je peux compter de 18,35 $ à 20,00 $ pour trouver le montant exact.

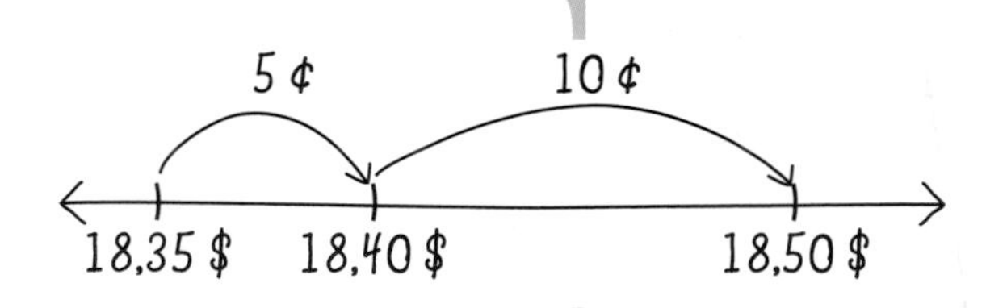

A. Utilise une droite numérique pour illustrer comment Carl peut continuer à compter.

B. Utilise ta droite numérique pour savoir combien Carl recevra de monnaie.
Comment le sais-tu?

Réflexion

1. Dessine une autre droite numérique pour illustrer comment Carl peut calculer la monnaie rendue. Commence par un bond de 1,00 $.
2. Propose une 3e façon que Carl peut utiliser pour calculer sa monnaie.
3. Des gens disent que « compter » correspond à une addition, tandis que d'autres disent que c'est une soustraction. Qu'en penses-tu? Explique ton raisonnement.

Vérification

4. Tamika veut utiliser des 

pour acheter un 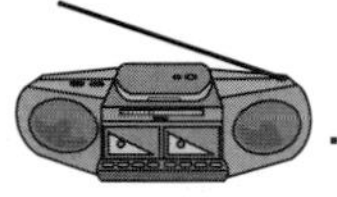 .

   a) Estime combien de monnaie on lui rendra. Montre ton travail.

   b) Calcule la monnaie qu'elle recevra.

Application

5. Estime les résultats. Ensuite, calcule la monnaie rendue.

a) 

c) 

b) 

d) 

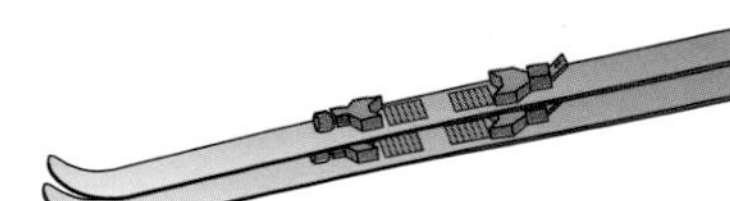

6. Tu as à dépenser à une vente-débarras. Choisis un article que tu peux acheter. Quel billet ou quels billets utiliseras-tu pour payer cet article? Montre comment calculer la monnaie rendue.

7. Décris 2 façons différentes de calculer la monnaie rendue. Donne un exemple de chaque façon.

10 Additionner et soustraire des sommes d'argent

Utiliser des démarches différentes pour additionner et soustraire des sommes d'argent.

La classe a recueilli 50,00 $ pour acheter un cadeau au directeur de l'école qui prend sa retraite.
Thierry et Shani achèteront le cadeau.
Thierry veut acheter une plaque qui coûte 24,99 $.
Shani veut acheter une plante qui coûte 14,99 $.
Ils décident d'acheter les 2.

? S'ils donnent 50,00 $, combien de monnaie recevront-ils?

Pour savoir la réponse, Thierry a calculé dans sa tête.
Shani, elle, a utilisé un crayon et du papier.

La démarche de Thierry

D'abord, j'ajoute 1 ¢ à chaque prix pour que ce soit plus facile à additionner.

25,00 $ + 15,00 $ = 40,00 $

Ensuite, je soustrais 2 ¢ de la réponse pour obtenir la somme exacte.

40,00 $ – 2 ¢ = 39,98 $

Le cadeau coûte au total 39,98 $.

La démarche de Shani

J'additionne 24,99 $ + 14,99 $.

```
  1 1
  24,99 $
+ 14,99
  39,98 $
```

La réponse est en dollars et en cents; donc, il me faudra ajouter une virgule décimale et un signe de dollar.

Le cadeau coûte au total 39,98 $.

A. Décris comment Thierry a additionné dans sa tête.

B. Décris une méthode différente de calcul mental que Thierry pouvait utiliser.

C. Trouve la réponse en calculant la monnaie rendue sur 50 $.
Montre ton travail.

D. Montre comment calculer la monnaie rendue d'une autre façon.

Réflexion

1. a) Donne un exemple d'addition de sommes d'argent qui est plus facile à faire par calcul mental qu'avec un crayon et du papier. Explique pourquoi.
   b) Donne un exemple d'une addition de sommes d'argent qui te semble plus facile à faire avec un crayon et du papier.

Vérification

2. Tu as [billet de 50 $] à dépenser à cette vente-débarras.
   a) Choisis 2 articles que tu peux acheter.
   Calcule le coût total. Montre ton travail.
   b) Calcule la somme d'argent qui te reste.
   Montre ton travail.

Application

3. En Ontario, une chemise coûte 9,95 $ plus 1,49 $ de taxes.
   Combien coûte la chemise au total? Montre ton travail.

4. Fais ces calculs. Montre ton travail.
   a) 10,99 $ + 5,67 $ c) 35,00 $ − 17,03 $
   b) 42,08 $ − 3,99 $ d) 23,97 $ + 11,03 $ + 6,50 $

5. Ferais-tu ces additions en les calculant dans ta tête, avec un crayon et du papier ou avec une calculatrice?
   Donne une raison pour chaque façon de faire.
   a) 17,66 $ + 4,59 $
   b) 2,40 $ + 2,99 $
   c) 235,97 $ + 145,88 $ + 4,56 $

6. Calcule chaque somme de la question n° 5 en suivant la méthode que tu as choisie. Montre ton travail.

LEÇON

Acquisition des compétences

1

1. Fais ces additions dans ta tête.
   a) 73 + 21   c) 71 + 29   e) 54 + 19   g) 43 + 27
   b) 32 + 28   d) 49 + 33   f) 39 + 49   h) 67 + 14

2. Utilise 20 + 20 = 40 pour calculer chaque somme.
   a) 19 + 21   b) 19 + 19   c) 22 + 21   d) 19 + 23

3. Il y a 59 élèves en 3e année.
   Il y a 36 élèves en 4e année.
   Calcule mentalement le nombre total des élèves des 2 années.

2

4. Estime chaque somme. Montre tes nombres arrondis.
   a) 2 035 + 915   c) 1 392 + 1 429   e) 3 436 + 2 602
   b) 3 942 + 495   d) 2 688 + 1 975   f) 3 725 + 4 983

5. Estime la distance totale entre Vancouver et Montréal.
   Montre ton travail.

Vol	Distance
Vancouver → Regina	1 722 km
Regina → Montréal	3 320 km

4

6. Estime chaque somme. Ensuite, fais les calculs.

   a) 1 651 + 1 237   c) 2 627 + 3 148   e) 4 488 + 2 369   g) 6 450 + 1 762

   b) 2 453 + 1 832   d) 4 255 + 3 694   f) 1 876 + 3 547   h) 4 139 + 5 367

7. Il y a 3 301 louveteaux dans la région du Voyageur.
   Il y a 3 048 louveteaux dans la région du White Pine.
   Quel est le nombre total de louveteaux dans les régions du White Pine et du Voyageur? Montre ton travail.

5

8. Fais ces soustractions dans ta tête.

a) 23 − 9 c) 75 − 45 e) 67 − 25 g) 93 − 47
b) 40 − 18 d) 58 − 29 f) 92 − 39 h) 86 − 78

9. Le frère de Rashad a 22 ans.
La mère de Rashad a 51 ans.
Calcule dans ta tête la différence d'âge entre la mère et le frère de Rashad.

6

10. Estime ces différences.
Montre tes nombres arrondis.

a) 1 597 − 483 c) 4 788 − 826 e) 2 678 − 413
b) 2 037 − 545 d) 3 615 − 389 f) 5 092 − 478

11. Utilise le tableau pour estimer chaque différence d'altitude.
Montre ton travail.

a) Entre le mont Carleton et le mont Fairweather
b) Entre les collines Cypress et le mont Fairweather
c) Entre les collines Cypress et le mont Carleton

Sommet	**Province**	**Altitude ou point culminant**
Mont Fairweather	Colombie-Britannique	4 663 m
Mont Carleton	Nouveau-Brunswick	817 m
Collines Cypress	Saskatchewan	1 468 m

7

12. Estime ces différences. Ensuite, calcule-les.

a) 4 376 − 254
c) 2 371 − 640
e) 7 256 − 431
g) 6 223 − 475
b) 1 687 − 536
d) 3 695 − 287
f) 8 170 − 962
h) 5 018 − 766

13. Parmi les 2 416 disques numériques d'un magasin, 508 sont loués.
Combien de disques numériques reste-t-il dans le magasin?
Montre ton travail.

8 **14.** Fais ces soustractions.
Utilise une addition pour vérifier ta réponse.

a) $\begin{array}{r} 1\,000 \\ -\ 145 \\ \hline \end{array}$ c) $\begin{array}{r} 4\,000 \\ -\ 817 \\ \hline \end{array}$ e) $\begin{array}{r} 6\,000 \\ -\ 695 \\ \hline \end{array}$ g) $\begin{array}{r} 8\,000 \\ -\ 999 \\ \hline \end{array}$

b) $\begin{array}{r} 5\,000 \\ -\ 275 \\ \hline \end{array}$ d) $\begin{array}{r} 2\,000 \\ -\ 458 \\ \hline \end{array}$ f) $\begin{array}{r} 9\,000 \\ -\ 918 \\ \hline \end{array}$ h) $\begin{array}{r} 3\,000 \\ -\ 699 \\ \hline \end{array}$

15. Dans une ville de 7 000 habitants, 914 ont 6 ans ou moins.
Combien d'habitants ont plus de 6 ans?
Montre ton travail.

9 **16.** Estime les résultats. Ensuite, calcule la monnaie.

a) Une lampe de poche coûte 7,60 $.
Tu paies avec 1 billet de 10 $.

b) Une planche à roulettes coûte 28,75 $.
Tu paies avec 2 billets de 20 $.

c) Un livre coûte 14,98 $.
Tu paies avec 1 billet de 20 $.

d) Un sac à dos coûte 32,69 $.
Tu paies avec 1 billet de 50 $.

10 **17.** Fais ces calculs.
Montre ton travail.

a) 12,50 $ + 26,25 $
b) 17,99 $ + 25,99 $
c) 27,35 $ + 30,90 $
d) 16,42 $ + 23,39 $
e) 36,50 $ − 4,30 $
f) 42,05 $ − 24,95 $
g) 42,00 $ − 39,98 $
h) 38,55 $ − 17,95 $
i) 75,99 $ − 50,98 $

18. Calcule le coût total. Ensuite, calcule la monnaie rendue.

a)

b)

Problèmes de tous les jours

1

1. Pierre a 48 ¢. Rami a 29 ¢.
Calcule la réponse à chaque question dans ta tête.
a) Combien Pierre a-t-il d'argent de plus que Rami?
b) Combien d'argent ont-ils ensemble?

2. Trouve le plus petit nombre possible pour confirmer cette phrase.

53 + ■ est plus grand que 100.

Calcule dans ta tête. Explique ton raisonnement.

2

3. Montre 2 façons différentes de compléter cette phrase pour qu'elle soit vraie.

■500 + ●500 = 8 000

4. Richard a estimé une somme en arrondissant 2 nombres à l'unité de mille près.
La réponse à son estimation était 7 000.
Quels peuvent être ces nombres?
Trouve plus d'une réponse.

6

5. Trouve des nombres qui correspondent à chaque devinette.
Essaie de trouver plus d'une réponse.
a) Il y a 2 nombres de 2 chiffres.
Un nombre est plus grand que 50 et se termine par un 0.
Si tu soustrais un nombre de l'autre,
la différence est de 29.
b) Il y a 2 nombres sans 0.
Quand tu soustrais les nombres,
la différence est d'environ 3 000.

8

6. La masse totale d'un camion qui transporte 2 caisses est de 8 341 kg.
La 1re caisse a une masse de 1 499 kg.
Le camion a une masse de 5 443 kg.
Quelle est la masse de la 2e caisse?

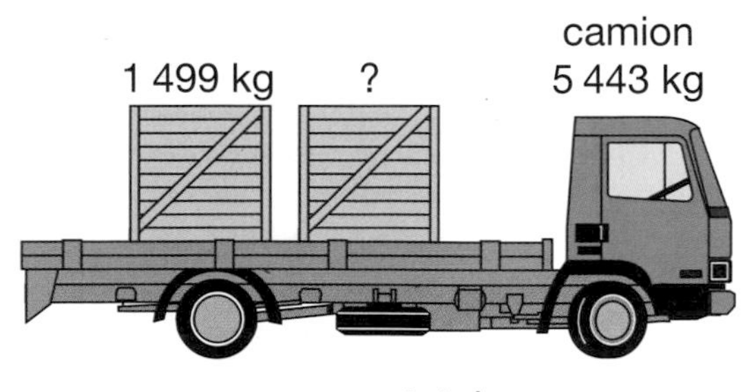

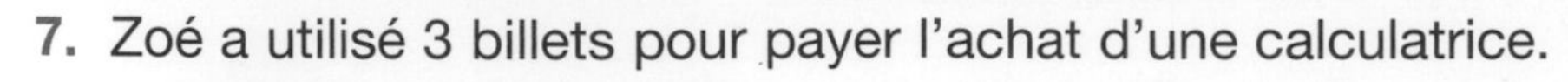

9

7. Zoé a utilisé 3 billets pour payer l'achat d'une calculatrice.

La monnaie remise à Zoé

En ajoutant 75 ¢, on obtient 19,00 $ et, en ajoutant 1,00 $ de plus, on arrive à 20,00 $.

a) Combien a coûté la calculatrice?
b) Combien de monnaie a-t-on rendu à Zoé?
c) Quels billets Zoé a-t-elle utilisés pour acheter la calculatrice?

8. Le repas de Miki a coûté 5,56 $. Elle a payé avec  .
a) Combien de monnaie a-t-on remis à Miki?
b) Pourquoi Miki a-t-elle payé de cette façon plutôt qu'en donnant [billet de 5 $] ?

10

9. Change 1 chiffre dans chaque prix de façon à ce que le coût total atteigne exactement 50,00 $.
Essaie de trouver plus d'une solution.
Montre ton travail.

10. Ensemble, 2 téléviseurs coûtent 1 000 $.
Un téléviseur coûte 280 $ de plus que l'autre.
Quel est le prix de chaque téléviseur?

11. Utilise le calcul mental ou une calculatrice pour trouver chaque somme.
a) 9 + 99 = ■ b) 9 + 99 + 999 = ■ c) 9 + 99 + 999 + 9 999 = ■

12. Prédis la somme.
9 + 99 + 999 + 9 999 + 99 999 + 999 999 + 9 999 999 = ■

DUV

Révision du chapitre

1. Parmi ces nombres, trouve toutes les paires dont la somme s'élève à 100.
   64, 72, 18, 9, 91, 36, 51, 82, 28

2. En additionnant 6 524 + 1 208, Marie est arrivée à un total de 7 732. Explique comment tu peux dire si sa réponse est vraisemblable.

3. Estime chaque somme ou différence. Quelles réponses dépassent 3 000? Montre ton travail.

   A. 1 868 + 2 487   **B.** 1 276 + 1 367   **C.** 5 000 − 2 675   **D.** 4 000 − 264

4. Fais une estimation pour savoir quelle réponse est la plus proche de 6 000. Montre ton travail.

   A. 1 756 + 2 855   **B.** 5 200 − 857   **C.** 7 000 − 845   **D.** 3 599 + 2 001

5. Explique pourquoi tu peux additionner des nombres pour vérifier des réponses de soustraction. Donne un exemple.

6. Un magasin télématique a vendu 3 435 livres un samedi et 3 675 livres un dimanche.
   a) Explique comment tu sais que le magasin a vendu plus de 7 000 livres au total.
   b) Combien de livres ont été vendus exactement? Montre ton travail.
   c) Le magasin a aussi vendu 745 disques numériques le samedi. Le samedi, combien a-t-on vendu de livres de plus que de disques?

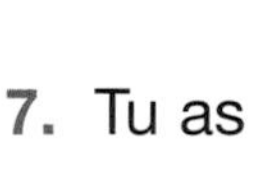

7. Tu as  .
   a) Quels sont les 2 articles que tu pourrais acheter pendant les soldes?
   b) Quels billets et pièces de monnaie utiliserais-tu pour payer les 2 articles?
   c) Combien de monnaie te rendra-t-on?

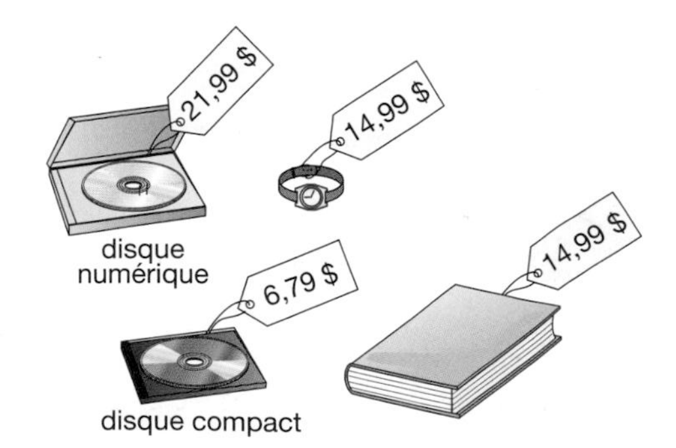

Tâche du chapitre

On déménage

Toutes les 3 semaines, environ 7 500 personnes déménagent en Ontario.

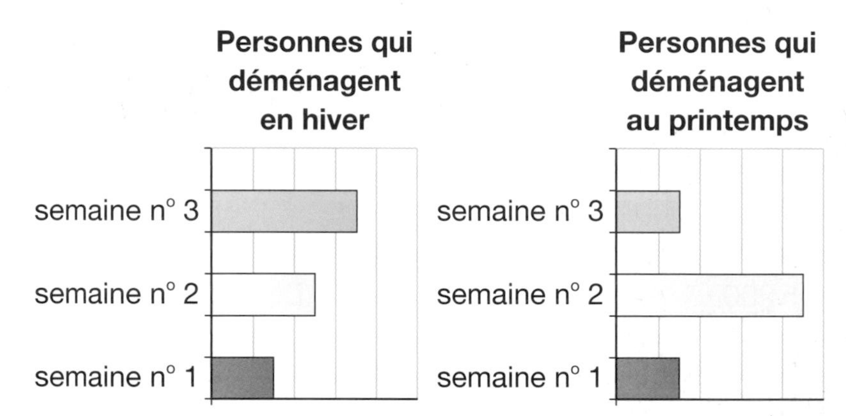

? Combien de personnes déménagent chaque semaine? Donne quelques nombres possibles.

Partie n° 1

A. Dans chaque diagramme, détermine combien de gens peuvent déménager pendant les semaines n°s 1, 2 et 3. Montre ton travail. Explique ton raisonnement.

Partie n° 2

B. Construis un diagramme à bandes correspondant à 3 semaines pendant une autre saison. Indique le nombre possible de personnes qui déménagent en Ontario chaque semaine.

C. Explique comment tu as construit ton diagramme.

Liste de contrôle de la tâche

- ☑ Les additions et les soustractions ont-elles été faites correctement?
- ☑ As-tu vérifié si tes résultats correspondent aux renseignements fournis?
- ☑ As-tu montré ta démarche?
- ☑ As-tu expliqué ton raisonnement?

CHAPITRE 5

Mesurer la longueur et le temps

Attentes

Tu pourras

- **utiliser diverses unités de longueur et décrire la relation entre elles;**
- **utiliser diverses unités de temps et décrire la relation entre elles;**
- **établir la relation entre le périmètre d'un rectangle et sa longueur et sa largeur;**
- **mesurer la longueur et le temps avec précision;**
- **résoudre des problèmes de longueur à l'aide de réseaux.**

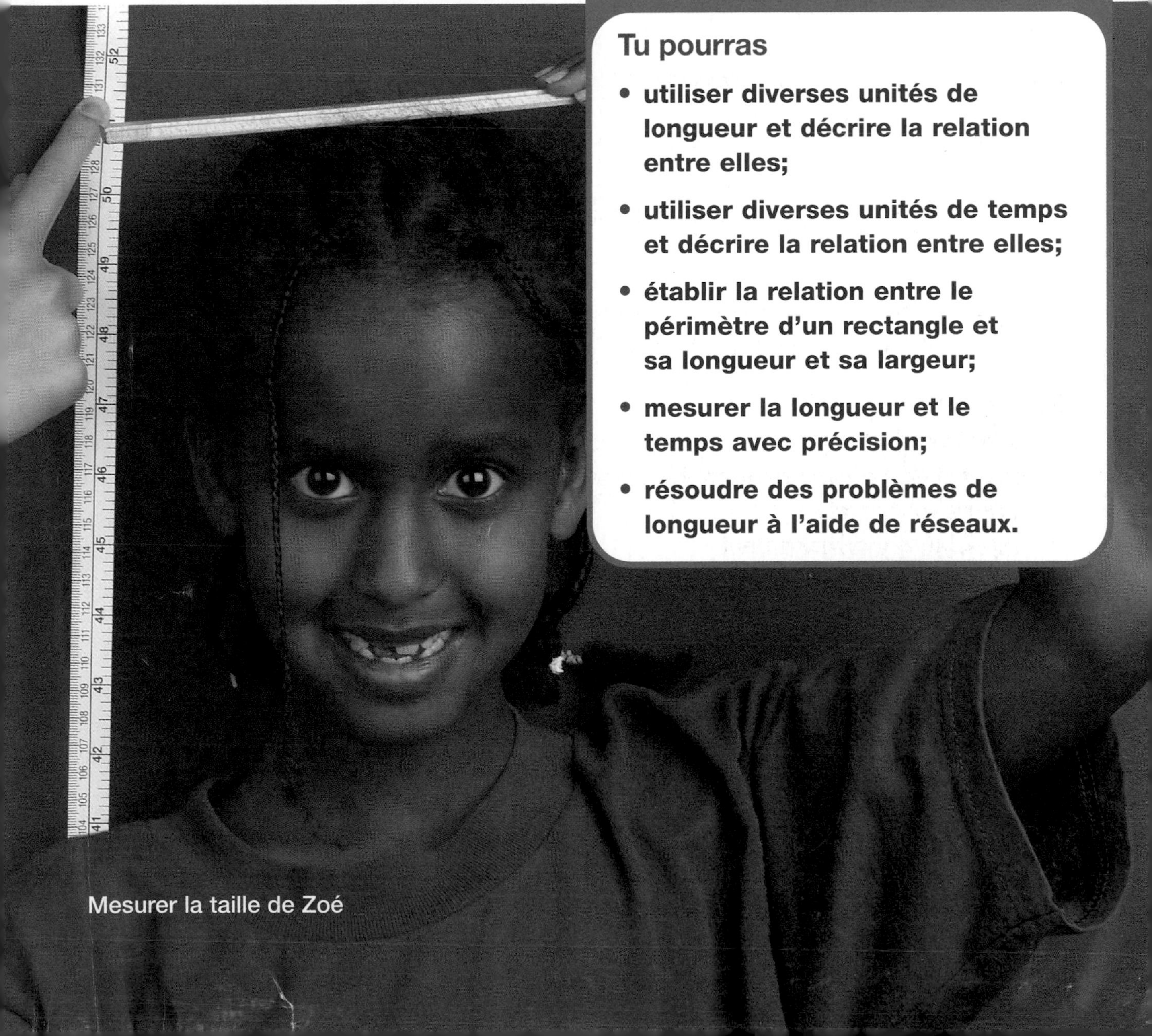

Mesurer la taille de Zoé

Premiers pas

Mesurer des formes liées à la vie quotidienne

Carmen fabrique un plateau en collant ensemble des morceaux de verre coloré.

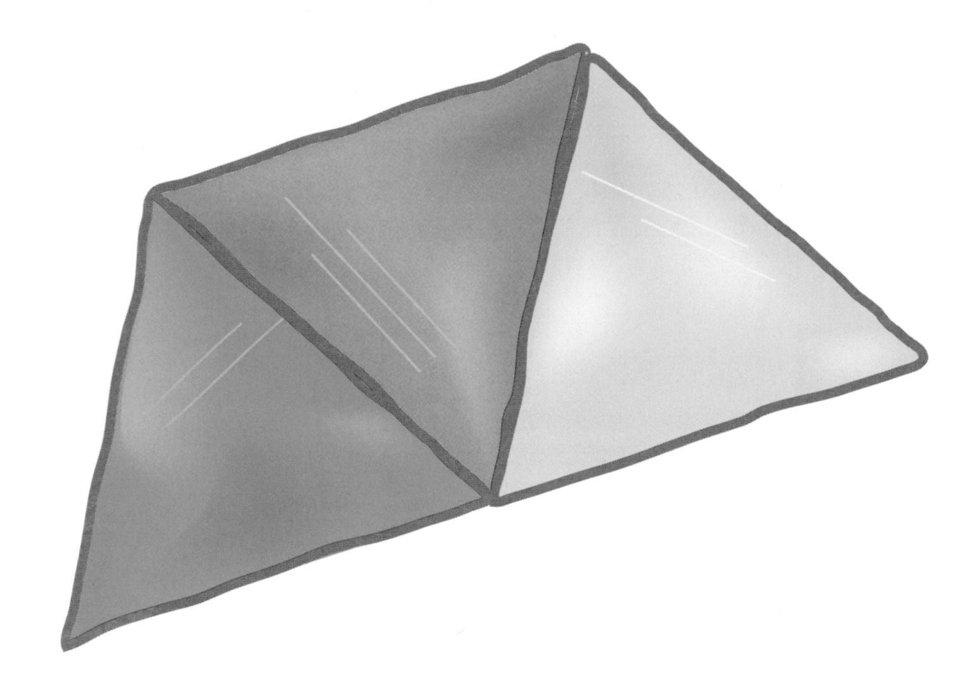

? Comment peux-tu dessiner une figure ayant le même périmètre qu'un des triangles de Carmen?

A. Estime la longueur du filet de colle appliqué autour d'un triangle de verre. Explique comment tu as fait cette estimation.

B. Pourquoi penses-tu que cette longueur s'appelle le **périmètre** du triangle?

C. Mesure le périmètre du triangle.

D. Utilise de la ficelle pour faire un autre triangle qui aura le même périmètre que le triangle original.
Dessine ou décris ton nouveau triangle.

E. Crée une figure à 4 côtés qui aura le même périmètre que le triangle original.
Dessine ou décris ta nouvelle figure.

F. Selon toi, est-ce que tous les élèves ont créé les mêmes figures aux parties D et E? Explique ton raisonnement.

Rappelle-toi!

1. Ordonne ces unités de longueur de la plus courte à la plus longue.
kilomètre   mètre   centimètre

2. Associe chaque unité à son symbole.

a) 1 centimètre   **X.** 1 m
b) 1 mètre   **Y.** 1 km
c) 1 kilomètre   **Z.** 1 cm

3. Imagine que tu vois ces heures à l'horloge de ton école.

A

B

a) Quelle heure indique chaque horloge?
b) L'heure indiquée par chaque horloge marque-t-elle l'avant-midi ou l'après-midi?
Comment le sais-tu?

4. En quelle année serons-nous dans 5 ans?
Montre ton travail.

1 Mesurer en décimètres

Mesurer en décimètres et établir la relation entre les décimètres, les centimètres et les mètres.

Un cheveu humain pousse d'environ 10 cm chaque année. Dix centimètres égalent aussi 1 **décimètre** ou 1 dm.

? Quelle sera la longueur de tes cheveux dans 5 ans, si tu ne les coupes pas?

A. Examine une règle de 1 mètre.
Combien de décimètres y a-t-il dans 1 mètre?

B. Coupe un bout de ficelle de 1 dm.

C. Utilise une règle de 30 cm et un bout de ficelle de 1 dm pour répondre à ces questions.
  a) Combien de centimètres y a-t-il dans 1 décimètre?
  b) Combien de décimètres y a-t-il dans une règle de 30 cm?

D. **a)** De quelle longueur sont tes cheveux en centimètres?
  b) Est-il possible de mesurer la longueur exacte de tes cheveux en décimètres?
  Explique pourquoi ou pourquoi pas.
  c) Quelle est la longueur de tes cheveux au décimètre entier près?

E. Coupe un bout de ficelle pour représenter la longueur de tes cheveux dans 5 ans.
De quelle longueur est la ficelle?

Matériel nécessaire

- une règle
- une règle de 1 mètre

- de la ficelle

- des ciseaux

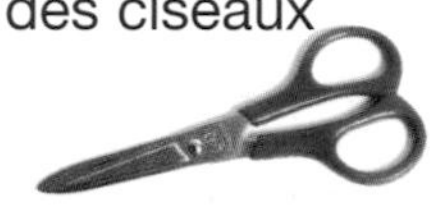

décimètre
Unité de mesure plus longue qu'un centimètre et plus courte qu'un mètre.

1 dm = 10 cm
10 dm = 1 m

DUV

Réflexion

1. Que signifie « mesurer quelque chose au décimètre entier près »?
2. a) Quand dois-tu utiliser des décimètres plutôt que des mètres?
   b) Quand dois-tu utiliser des décimètres plutôt que des centimètres?

Vérification

3. Trouve un objet de chacune des longueurs suivantes dans ta classe.
   Ensuite, mesure l'objet en centimètres.
   a) plus court que 1 dm
   b) entre 1 dm et 2 dm
   c) plus long que 2 dm

Application

4. Trouve un objet de chacune des longueurs suivantes.
   Ensuite, mesure l'objet au décimètre entier près.
   a) environ 3 dm
   b) plus long que 5 dm
   c) entre 10 dm et 20 dm

5. Dessine une ligne de 2 dm de longueur.
   a) De quelle longueur est la ligne en centimètres?
   Comment le sais-tu?
   b) Quel est le nombre le plus grand : celui en décimètres ou celui en centimètres?
   Explique comment tu aurais pu prédire la réponse.

6. Environ combien d'années faudra-t-il pour que tes cheveux poussent jusqu'aux 2 longueurs ci-dessous?
   Comment le sais-tu?
   a) 2 m   b) 25 cm

2 Mesurer en millimètres

Matériel nécessaire
- du papier d'impression
- du papier de bricolage
- une règle

Utiliser les millimètres pour obtenir une mesure précise.

Chantal veut savoir quel papier est plus épais : le papier d'impression ou le papier de bricolage.

Le calcul de Chantal

J'ai fait une pile de 50 feuilles de papier d'impression.

J'ai fait une autre pile de 50 feuilles de papier de bricolage.

J'ai mesuré les piles pour savoir de combien la pile de papier de bricolage est plus épaisse.

La pile de papier d'impression a environ 1 cm d'épaisseur.

La pile de papier de bricolage a entre 1 cm et 2 cm d'épaisseur.

? Comment Chantal peut-elle mesurer plus précisément pour comparer les piles?

A. Utilise une règle graduée en **millimètres** pour répondre à ces questions.

a) Combien de millimètres y a-t-il entre 50 mm et 70 mm?

b) Combien de centimètres y a-t-il entre 50 mm et 70 mm?

c) La longueur d'un objet correspond à près de la mi-distance entre 2 cm et 3 cm. Combien mesure cet objet en millimètres?

d) Combien de millimètres y a-t-il dans 1 dm? Comment le sais-tu?

millimètre

Unité de longueur plus courte qu'un centimètre.

10 mm = 1 cm

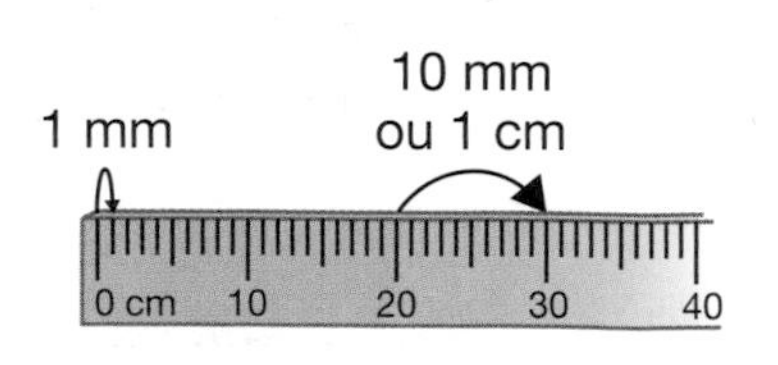

L'espace entre les petites marques est de 1 mm.

L'espace entre 20 mm et 30 mm mesure 10 mm ou 1 cm.

DUV

B. Fais 2 piles de papier comme celles de Chantal.

C. Mesure et note l'épaisseur de chaque pile de papier en millimètres.

D. Combien la pile de papier de bricolage mesure-t-elle de plus que l'autre pile?

Réflexion

1. Combien de millimètres y a-t-il dans 1 m? Comment le sais-tu?
2. Pourquoi ne mesure-t-on pas les distances longues en millimètres?
3. Pourquoi une mesure en millimètres est-elle plus précise qu'en centimètres?

Vérification

4. Compare 25 feuilles de papier de bricolage avec 25 feuilles de papier d'impression. De combien de millimètres ou centimètres la pile de papier de bricolage est-elle plus épaisse?

Application

5. Estime la dimension en millimètres. Ensuite, mesure l'objet pour vérifier ton estimation.
   a) l'épaisseur d'un boîtier de disque compact
   b) la longueur d'un trombone
   c) la largeur de ton pouce
   d) l'épaisseur du tissu de ta chemise

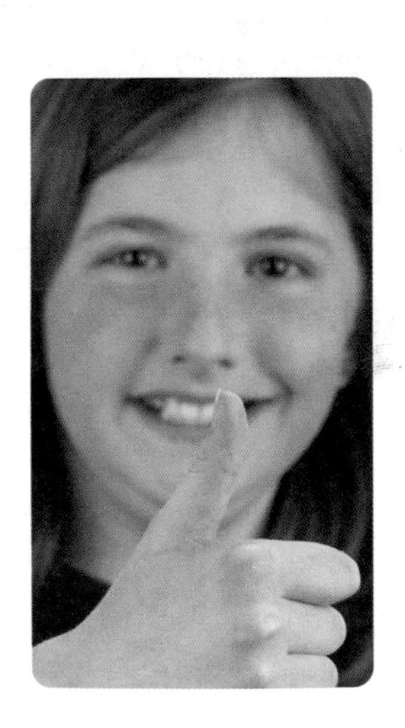

6. Observe cette ligne.

   ____

   a) Estime combien de millimètres tu devrais ajouter pour que la ligne mesure 1 dm de longueur.
   b) Mesure la ligne pour vérifier ton estimation. Avais-tu estimé correctement la longueur?

3 Noter des mesures à l'aide d'unités multiples

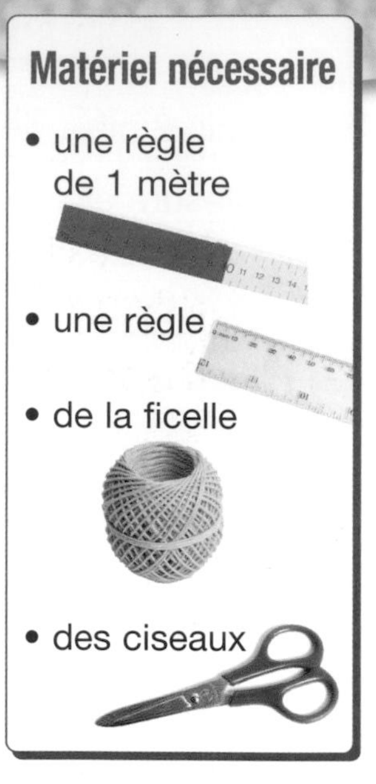

Noter des mesures à l'aide d'une combinaison d'unités.

Pedro et Manitok sont concurrents au saut en longueur. Les 2 garçons ont fait des sauts entre 3 m et 4 m. Manitok a gagné par 3 cm.

Miki et Alice font courir leurs escargots. Les 2 escargots ont avancé d'environ 10 cm. L'escargot d'Alice a gagné par 3 mm.

? Comment peux-tu noter les résultats de chaque gagnant?

A. Coupe 2 longueurs de ficelle pour représenter 2 distances que Pedro et Manitok auraient pu sauter.
Chaque ficelle devrait mesurer entre 3 m et 4 m de long.
L'une des ficelles devrait mesurer 3 cm de plus que l'autre.

B. Mesure la ficelle qui correspond au saut le plus long.
a) Utilise des mètres et des centimètres : ■ m ■ cm.
b) Utilise seulement des centimètres : ■ cm.

C. Dessine 2 lignes pour représenter 2 distances que les escargots de Miki et d'Alice auraient pu parcourir.
Chaque ligne devrait mesurer environ 10 cm de long.
L'une des lignes devrait mesurer 3 mm de plus que l'autre.

D. Mesure la ligne qui correspond à la distance parcourue par l'escargot gagnant.
a) Utilise des centimètres et des millimètres : ■ cm ■ mm.
b) Utilise seulement des millimètres : ■ mm.

Réflexion

1. Pourquoi écrit-on 3 m 4 cm pour noter une mesure telle que 304 cm?
2. Comment peux-tu rendre plus précise une mesure telle que 3 m 4 cm?

Vérification

3. Quelle mesure est plus précise que l'autre?
   a) 3 m ou 2 m 25 cm
   b) 121 mm ou 12 cm

4. Complète chaque mesure.
   a) 316 cm = 3 m ■ cm
   b) 56 mm = ■ cm 6 mm
   c) 175 mm = 17 cm ■ mm
   d) 3 m 15 cm = ■ cm
   e) 6 cm 3 mm = ■ mm
   f) 14 cm 8 mm = ■ mm

Application

5. a) Mesure la longueur totale de cette ligne en utilisant des centimètres et des millimètres : ■ cm ■ mm.
   b) Mesure la ligne en utilisant seulement des millimètres : ■ mm.

6. Complète chaque mesure.
   a) 37 mm = ■ cm 7 mm
   b) 4 m 8 cm = ■ cm
   c) 217 cm = ■ m ■ cm
   d) 15 cm 6 mm = ■ mm

7. Estime chaque longueur. Travaille avec un ou une partenaire pour mesurer la longueur avec toute la précision possible.
   a) la longueur de ton bras
   b) l'empan de ta main

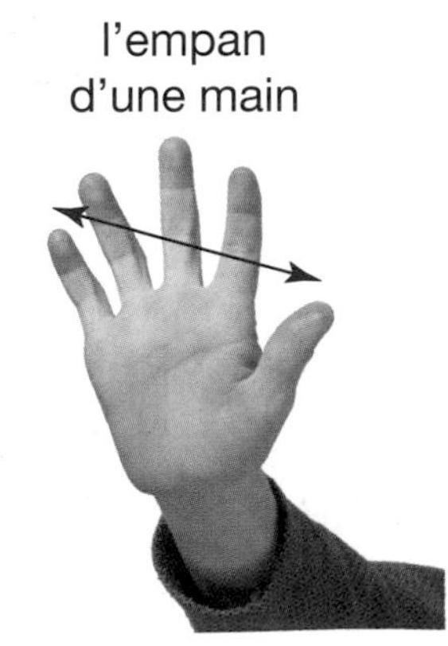

8. Décris une situation dans laquelle tu utiliseras plus de 1 unité de mesure pour calculer une longueur. Explique ton travail.

4 Résoudre des problèmes à l'aide de réseaux

Matériel nécessaire

- du papier quadrillé

Attente **Utiliser des réseaux pour résoudre des problèmes.**

L'équipe de Paulette participe à un tournoi de soccer près de chez elle.
Sa maison se situe près de ce panneau de direction.
Paulette et sa mère doivent emmener des joueurs de Madoc et de Norwood jusqu'au stade où se déroule le tournoi.

Quelle distance parcourra Paulette?

La solution de Paulette

Comprendre le problème

Mon trajet se déroule en 4 étapes.

① de la maison à Madoc
② de Madoc à la maison
③ de la maison à Norwood
④ de Norwood au stade

Élaborer un plan

Je vais construire un réseau pour représenter les étapes de mon trajet.

Ensuite, je vais ajouter les distances pour obtenir la distance totale à parcourir.

Mettre le plan en œuvre

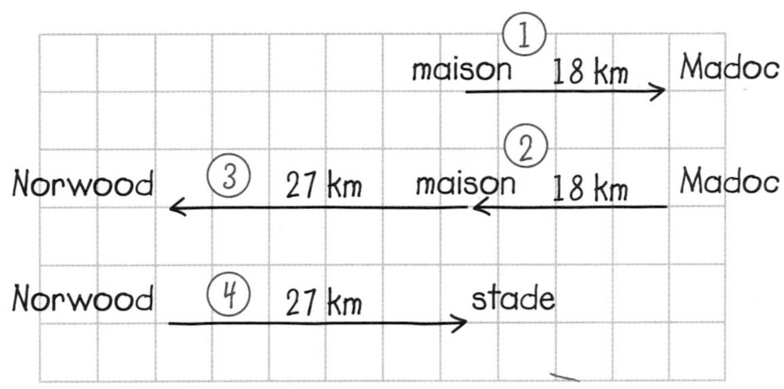

18 km + 18 km + 27 km + 27 km = 90 km

En tout, je parcourrai 90 km.

Réflexion

1. Comment le réseau de Paulette l'a-t-il aidée à décrire le problème?
2. Construire un réseau était-il le seul moyen de résoudre le problème? Explique ton raisonnement.

Vérification

3. Bobby voit ce panneau dans un stationnement. Quelle distance doit-il marcher pour aller chercher de l'eau, voir la chute et revenir au stationnement?

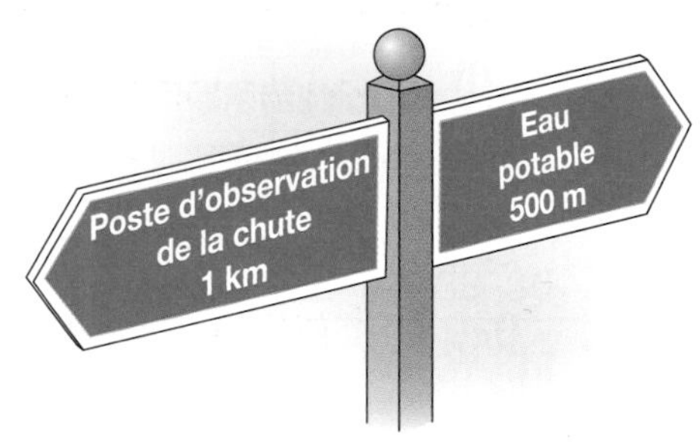

Application

4. Maria habite à 27 km à l'est de Jeff. Zacharie habite à 18 km à l'est de Jeff. À quelle distance Maria et Zacharie habitent-ils l'un de l'autre?

5. Invente un problème qui peut être résolu à l'aide d'un réseau. Montre ta solution.

Révision

LEÇON

2

1. Quelle unité utiliserais-tu pour chaque mesure? Explique ton raisonnement.
   a) la largeur d'une punaise
   b) la longueur d'un doigt
   c) la largeur d'un grand cadre de peinture

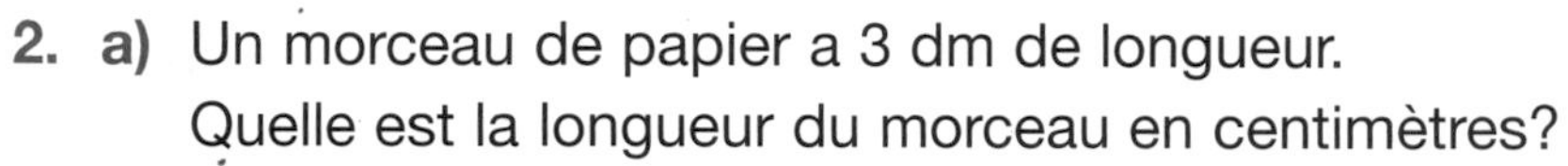

2. a) Un morceau de papier a 3 dm de longueur. Quelle est la longueur du morceau en centimètres?
   b) Une fiche de recette a 8 cm de largeur. Quelle est la largeur de la fiche en millimètres?

3

3. Estime le périmètre de ton bureau ou de ta table pour savoir s'il mesure plus ou moins de 20 dm. Mesure le périmètre pour vérifier ton estimation.

4. Cinq enfants de 9 ans se sont mesurés et ont noté leur taille. Lesquelles des mesures suivantes sont probablement fausses? Explique ton raisonnement.

Lisa	123 m
Michel	1 m 3 cm
Yuka	132 cm
Angie	182 cm
Carlos	1 m 28 mm

5. Calcule chaque mesure.
   a) Une chambre de 487 cm de long mesure ■ m ■ cm de long.
   b) Une fenêtre de 39 cm de large mesure ■ dm ■ cm de large.
   c) Un crayon de 89 mm de long mesure ■ cm ■ mm de long.
   d) Une table de 503 mm de large mesure ■ cm ■ mm de large.

6. Mesure chaque objet avec toute la précision possible.
   a) un stylo b) un étui à crayons

4

7. Emma a un sac à main qui mesure 15 cm de long sur 10 cm de large.
   a) Est-ce qu'un crayon de 120 mm de long peut être posé à plat dans son sac à main? Explique ton raisonnement.
   b) Est-ce qu'un signet de 1 dm 90 mm de long peut être posé à plat dans son sac à main? Explique ton raisonnement.

DUV

Découper et mesurer

Matériel nécessaire

- du ruban

- des ciseaux

1

Un ruban mesure 100 cm ou 1 m de longueur. Si tu plies le ruban à la moitié de sa longueur et si tu le coupes dans le pli, tu obtiendras 2 bouts de ruban. Chaque bout aura 50 cm de longueur.

Plie 1 autre mètre de ruban en 2. Coupe le ruban 1 fois au centre. Tu obtiendras : 1 premier bout de 50 cm de longueur et 2 autres de 25 cm chacun.

Combien de bouts de ruban obtiendras-tu si tu plies 1 m de ruban 2 fois et qu'ensuite tu le coupes 1 seule fois au centre? De quelle longueur seront les bouts de ruban? Explique ton raisonnement.

2

Certaines unités sont encore plus courtes que les millimètres. Fais des recherches pour savoir ce que sont les **nanomètres**. Quelles choses ou quels objets mesure-t-on en nanomètres?

3

Tu as sans doute entendu des gens mesurer des longueurs en pieds. Une longueur de 3 pieds correspond à un peu moins de 1 m. À environ combien de mètres correspondent les longueurs suivantes?

a) 6 pieds
b) 15 pieds
c) 30 pieds
d) 10 pieds

5 Mesurer le périmètre d'un rectangle

Matériel nécessaire

- un géoplan

- des élastiques

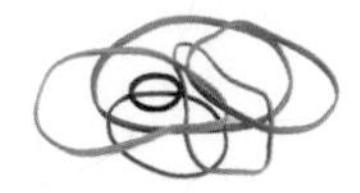

Attente **Se servir de la longueur et de la largeur d'un rectangle pour trouver son périmètre.**

Shani fabrique une bordure pour recouvrir un tableau d'affichage rectangulaire.
Le tableau d'affichage mesure 1 m de haut sur 2 m de large.

? Comment Shani peut-elle trouver la longueur de bordure qu'il lui faut?

A. Sur un géoplan, construis des rectangles en utilisant les longueurs et les largeurs indiquées dans le tableau. Trouve le périmètre de chaque rectangle. Toutes les dimensions sont en unités de géoplan.

Longueur	Largeur	Somme de la longueur et la largeur	Périmètre
3	2		
4	2		
5	2		
3	3		
4	3		
5	3		

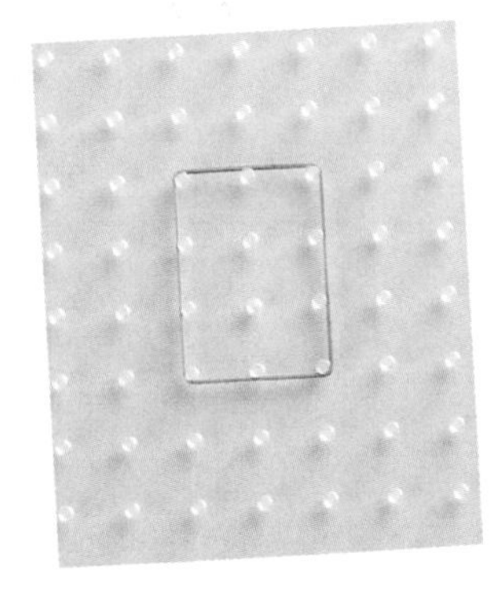

B. Si la longueur augmente de 1 unité, dans quelle mesure le périmètre changera-t-il?

C. Si la largeur augmente de 1 unité, dans quelle mesure le périmètre changera-t-il?

D. Quel est la relation entre le périmètre et la somme de la longueur et la largeur?

E. Quelle longueur de bordure faudra-t-il à Shani pour recouvrir le périmètre du tableau d'affichage? Comment le sais-tu?

Réflexion

1. Explique comment le périmètre d'une figure augmente quand sa longueur ou sa largeur augmente.
2. Comment le fait de connaître la longueur et la largeur d'un rectangle t'aide-t-il à trouver son périmètre?

Vérification

3. Utilise les mesures de longueur et de largeur pour calculer le périmètre de chaque rectangle. Mesure les périmètres pour vérifier tes calculs.

a)

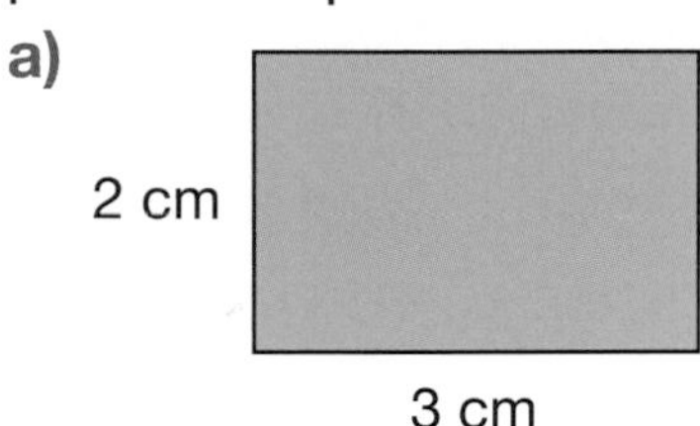

b)

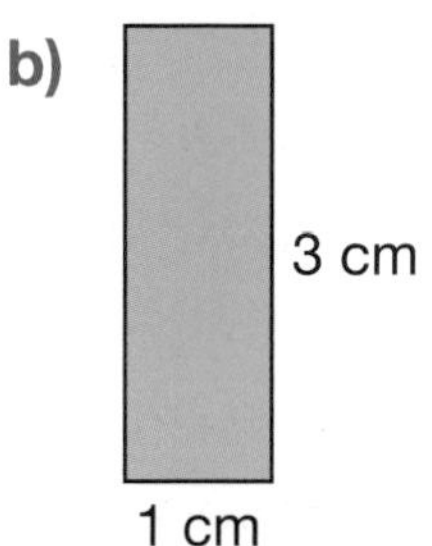

Application

4. Calcule le périmètre de chaque rectangle.
   a) 5 m de long sur 6 m de large
   b) 21 cm de long sur 13 cm de large
   c) 14 cm de long sur 8 cm de large

5. Un rectangle mesure 5 cm de large sur 8 cm de long. Qu'arriverait-il au périmètre si chacun des changements suivants se produisait?
   a) La largeur augmente de 1 cm.
   b) La longueur augmente de 1 cm.
   c) La largeur et la longueur augmentent de 1 cm.
   d) La largeur augmente de 1 cm et la longueur décroît de 1 cm.

6. Combien de côtés d'un carré faut-il pour mesurer son périmètre?
   Explique ta réponse.

6 Décrire les relations entre les décennies, les siècles et les millénaires

Matériel nécessaire
- du matériel de base dix

- des règles de 1 mètre

Établir les relations entre les décennies, les siècles et les millénaires.

? Comment peux-tu utiliser des unités de longueur pour représenter des années, des décennies, des siècles et des millénaires?

décennie
10 ans

siècle
100 ans

millénaire
1 000 ans

A. En quelle année sommes-nous? Utilise du matériel de base dix pour représenter ce nombre.

B. Dessine une ligne droite de 10 cm de longueur pour représenter l'âge d'une personne de 10 ans.
Cette longueur représente 1 **décennie**.
À quoi correspond 1 décennie par rapport à ton âge?

C. Le réseau Internet est devenu populaire il y a environ 1 décennie. Il y a 1 décennie, en quelle année étions-nous?

D. Utilise une règle de 1 mètre pour représenter l'âge d'une personne de 100 ans.
Cette longueur représente 1 **siècle**.
Combien de décennies y a-t-il dans 1 siècle?

E. Le cornet de crème glacée a été inventé il y a environ 1 siècle. Il y a 1 siècle, en quelle année étions-nous?

F. Utilise une ligne droite de 10 règles de 1 mètre pour représenter 1 000 ans.
Cette longueur représente un **millénaire**.
Combien de siècles y a-t-il dans 1 millénaire?
À combien de décennies cela correspond-il?

G. Les cartes à jouer ont été inventées il y a environ 1 millénaire.
Il y a 1 millénaire, en quelle année étions-nous?

H. Utilise une ligne du temps comme celle-ci. Estime à quel moment chaque événement est arrivé. Écris la lettre de chaque événement à l'endroit où il correspond sur la ligne du temps.

a) Établissement des Vikings à Terre-Neuve.
b) Première conserverie de saumon en Colombie-Britannique.
c) La planche à neige devient populaire.
d) Invention des premières fenêtres vitrées.
e) La fermeture à glissière devient populaire.
f) Le port de la ceinture de sécurité devient obligatoire.

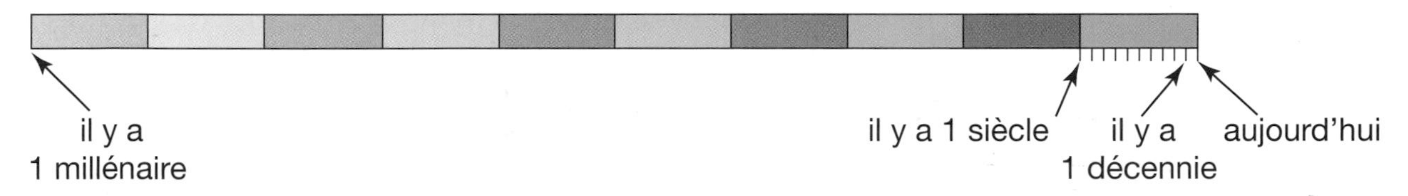

Réflexion

1. a) Quelles choses étaient différentes il y a 1 décennie? Quelles choses étaient semblables?
   b) Quelles choses étaient différentes il y a 1 siècle? Quelles choses étaient semblables?
   c) Quelles choses étaient différentes il y a 1 millénaire? Quelles choses étaient semblables?

Images mentales

Estimer la longueur

Cette ligne a 40 mm de longueur et 1 mm d'épaisseur.

À ton tour!

1. Estime la longueur et l'épaisseur de chaque ligne. Mesure les lignes pour vérifier tes estimations.

a)
b)
c)
d)
e)

7 Mesurer des intervalles de temps en minutes

Savoir mesurer la durée d'une activité.

Thierry et Carl vont au cinéma.

? Combien de minutes dure le film?

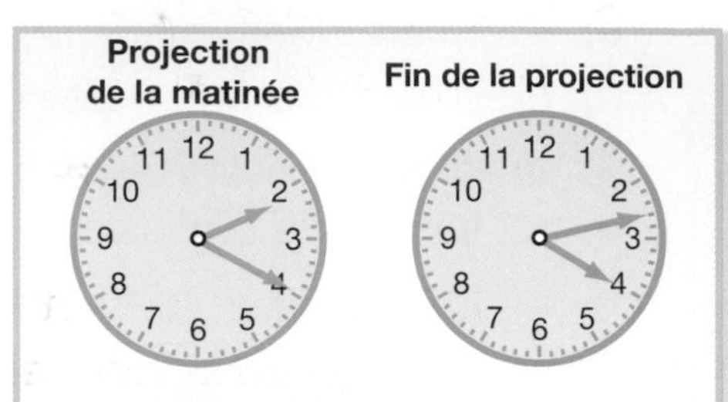

La démarche de Thierry

Je compte de 2 h 20 à 4 h 13.

De 2 h 20 à 3 h 20, il y a 1 heure ou 60 minutes.

De 3 h 20 à 4 h 00, il y a 40 minutes.

De 4 h 00 à 4 h 13, il y a 13 minutes.

60 minutes + 40 minutes + 13 minutes = 113 minutes

Le film dure 113 minutes.

La démarche de Carl

Je compterai les heures, puis je soustrairai les minutes.

De 2 h 20 à 4 h 20 il y a 2 heures.

Cela correspond à $60 + 60 = 120$ minutes.

Puisque le film se termine à 4 h 13 et non à 4 h 20,
je soustrais 7 minutes.

Le film dure 113 minutes.

Réflexion

1. Quelle démarche préfères-tu? Explique pourquoi.
2. Si le film s'était terminé à 3 h 45, aurais-tu utilisé la technique de Carl? Explique pourquoi ou pourquoi pas.
3. a) À combien d'heures environ correspondent 113 minutes?
   b) Quand devrais-tu être précis, à la minute près, au sujet de la longueur d'un film?
   c) Quand te faudrait-il seulement une estimation à l'heure près?

Vérification

4. Vanessa joue au hockey dans la cour avec ses amis. Les horloges indiquent l'heure de son départ et de son retour à la maison.
   a) À quelle heure Vanessa a-t-elle quitté la maison?
   b) À quelle heure est-elle rentrée?
   c) Combien de temps a-t-elle joué?

départ de la maison

retour à la maison

Application

5. Combien de temps dure chaque activité?
   a) promenade du chien

début

fin

   b) conversation téléphonique

début

fin

6. Invente ton propre problème au sujet d'une durée en minutes. Donne ton problème à résoudre à un ou une partenaire.

LEÇON

Acquisition des compétences

1. De quelle longueur est chaque mesure en centimètres?
   - a) 3 dm
   - b) 5 dm
   - c) 7 dm
   - d) 10 dm
   - e) 12 dm
   - f) 15 dm
   - g) 20 dm
   - h) 25 dm

2. Tes cheveux poussent d'environ 1 dm en 1 année. Environ combien d'années faudra-t-il pour que tes cheveux poussent jusqu'aux longueurs suivantes?
   - a) 20 cm
   - b) 30 cm
   - c) 1 m
   - d) 60 cm
   - e) 3 m
   - f) 4 m
   - g) 35 cm
   - h) 45 cm

2

3. Estime la dimension en millimètres. Ensuite, mesure l'objet pour vérifier ton estimation.
   - a) l'épaisseur d'une calculatrice
   - b) l'épaisseur d'un étui à crayons vide
   - c) l'épaisseur d'une gomme à effacer
   - d) la largeur de ton petit doigt
   - e) la longueur de ton petit doigt
   - f) la longueur d'un boîtier de disque compact

4. Une ligne mesure 63 mm de longueur. Combien de millimètres dois-tu ajouter à la ligne pour obtenir d'autres lignes des longueurs suivantes?
   - a) 7 cm
   - b) 1 dm
   - c) 12 cm

3

5. Mesure chaque longueur totale en utilisant des centimètres et des millimètres.
   - a) 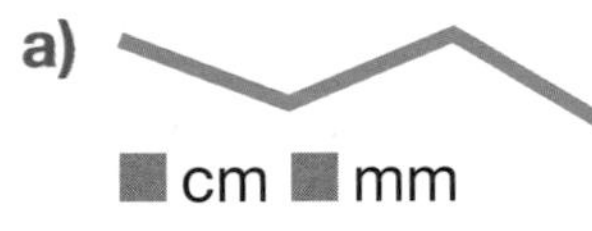
     ■ cm ■ mm
   - b) 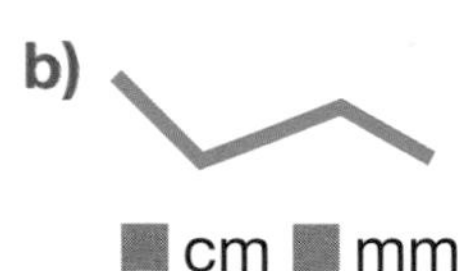
     ■ cm ■ mm
   - c) 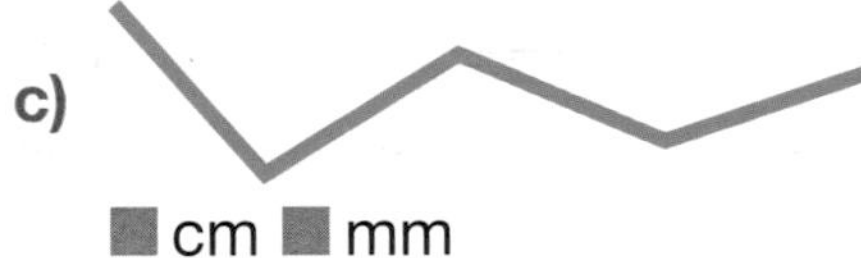
     ■ cm ■ mm
   - d) 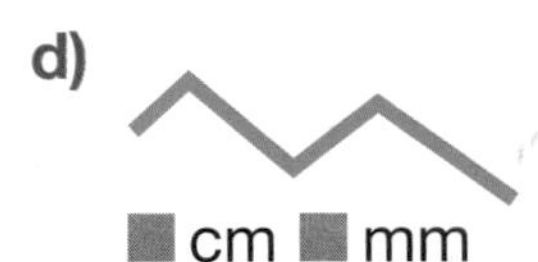
     ■ cm ■ mm

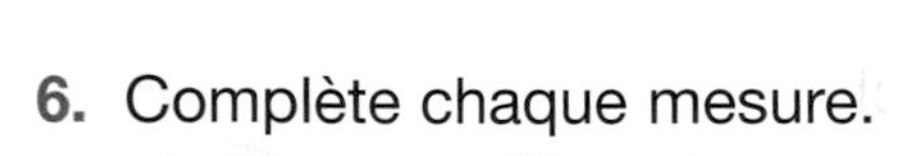

6. Complète chaque mesure.
   - a) 32 mm = ■ cm 2 mm
   - b) 47 mm = ■ cm 7 mm
   - c) 3 m 5 cm = ■ cm
   - d) 4 m 38 cm = ■ cm
   - e) 318 cm = ■ m ■ cm
   - f) 167 cm = ■ m ■ cm
   - g) 16 cm 15 mm = ■ mm
   - h) 21 cm 12 mm = ■ mm

5

7. Mesure la longueur et la largeur de chaque rectangle.
Ensuite, calcule le périmètre.

a)

b)

8. Calcule le périmètre de chaque rectangle.

a)

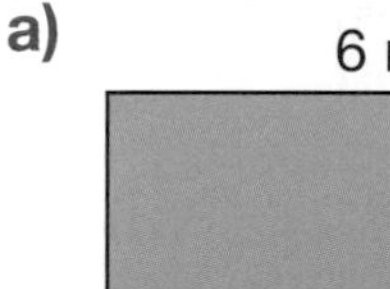

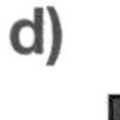

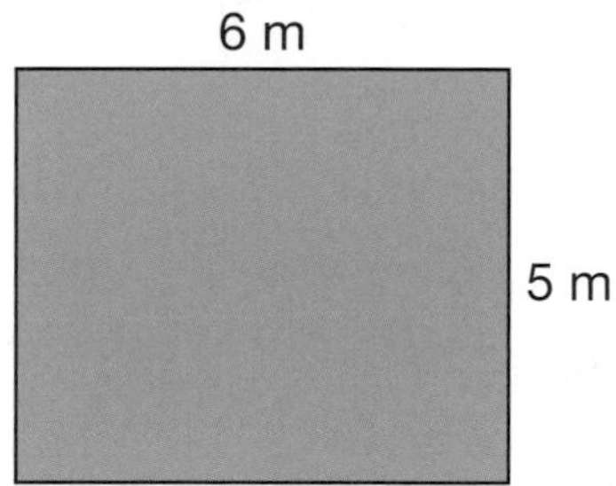

d)

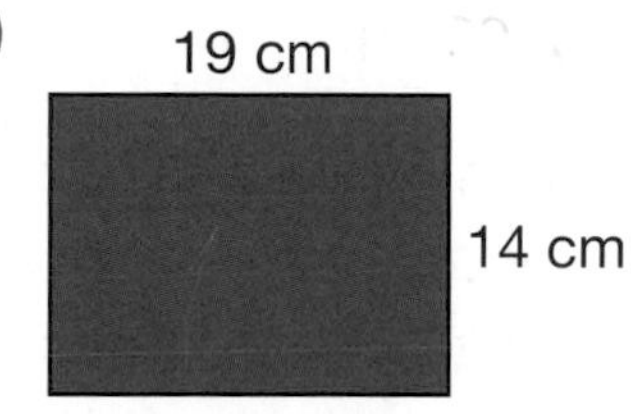

b) 14 m de long et 1 m de large

c) 8 m de long et 3 m de large

e) 7 cm de long et 9 cm de large

f) 11 cm de long et 10 cm de large

6

9. Pour chacune des années suivantes, écris l'année qui correspond à 1 décennie auparavant.

a) 2050 **b)** 2000 **c)** 1995 **d)** 1967

10. Pour chacune des années de la question n° 9,
écris l'année qui correspond à 1 siècle auparavant.

11. Complète ces égalités.

a) 7 décennies = ■ années

b) 2 millénaires = ■ années

c) 3 siècles = ■ années

d) 20 décennies = ■ siècles

7

12. Combien de temps dure chaque activité?

a) une pièce de théâtre

début

fin

b) un match de soccer

début

fin

LEÇON

Problèmes de tous les jours

1 1. Une plante pousse d'environ 1 dm tous les 2 ans.
Combien de temps faudra-t-il à la plante pour pousser de 32 cm?

2 2. Tes cheveux poussent d'environ 1 dm chaque année.
   a) Environ combien de temps faut-il pour que tes cheveux poussent de 1 cm?
   b) Environ combien de temps faut-il pour que tes cheveux poussent de 1 mm?

3 3. Un hexagone régulier a 6 côtés de longueur égale. Chaque côté de cet hexagone mesure 2 m 6 cm de long. Supposons que tu as arrondi la longueur de chaque côté à 2 m pour connaître le périmètre. Quelle différence y aurait-il entre ton estimation et le périmètre exact?

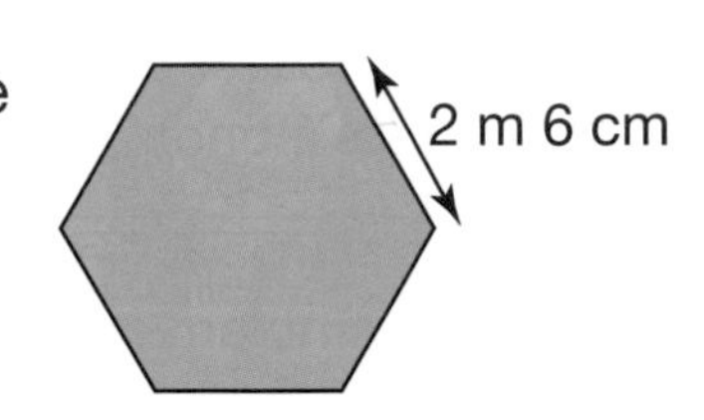

4. Une figure à 6 côtés a un périmètre de 82 mm.
Dessine 2 figures possibles qui répondent à cette description.
Indique toutes les dimensions des côtés sur la figure.

4 5. Kingston est située à 260 km à l'est de Toronto.
Belleville est située à 70 km à l'ouest de Kingston.
Kitchener-Waterloo est située à 105 km à l'ouest de Toronto.
Quelle distance y a-t-il entre Belleville et Kitchener-Waterloo?

6 6. Quelle date sommes-nous aujourd'hui?
Quelle date étions-nous ou serons-nous à chacune de ces époques?
   a) il y a 2 décennies
   b) dans 2 décennies
   c) il y a 3 siècles
   d) dans 3 siècles

7 7. Ravi lit 17 pages d'un livre en 25 minutes.
Environ combien de temps lui faut-il pour lire 100 pages?

8. Supposons que la mesure du temps se fait en décijours et en centijours plutôt qu'en heures et en minutes.
Il y aurait donc 10 décijours ou 100 centijours dans une journée.
   a) Environ combien d'heures y aurait-il dans 1 décijour?
   b) Environ combien de minutes y aurait-il dans 1 centijour?

LEÇON

Révision du chapitre

2

1. Nomme un objet qui pourrait avoir à peu près cette longueur.
   a) 50 cm b) 12 mm c) 3 m

3

2. a) Dessine une ligne de 2 dm 1 cm de long.
   b) Dessine une ligne de 47 mm de long.

3. Calcule chaque mesure.
   a) 165 mm = ■ cm ■ mm
   b) 4 m 82 cm = ■ cm

4. Lee se rend au magasin. Elle dit avoir marché 3 km.
   Penses-tu que c'était une mesure exacte ou une estimation?
   Explique ta réponse.

5

5. Victoria veut mesurer son lit pour savoir la dimension de la douillette qu'elle a envie d'acheter.
   Quelle unité ou quelles unités de mesure doit-elle utiliser?
   Explique ta réponse.

6. Une peinture rectangulaire est placée dans un cadre métallique de 92 cm de long. Énumère 2 paires possibles de longueurs et de largeurs pour le cadre.

7. a) Tous les côtés de cette figure sont de longueur égale. Estime son périmètre.
   b) Dessine une figure différente ayant le même périmètre et ajoute les inscriptions pertinentes.

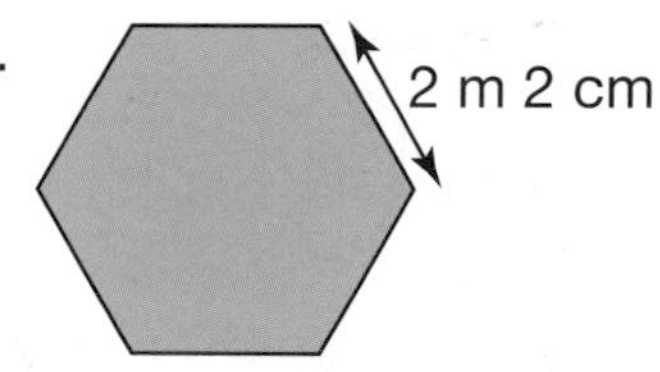

6

8. Combien y a-t-il d'années de plus dans 2 millénaires que dans 2 siècles?

7

9. Un soir, Amit a décidé de lire. Il a noté à quelle heure il a commencé à lire et à quelle heure il a arrêté. Combien de temps a-t-il lu?

début de la lecture

fin de la lecture

Tâche du chapitre

Vitraux à suspendre

Beth veut coller un ruban tout autour de ces 2 vitraux à suspendre. Elle veut aussi les suspendre par un bout de ruban qui aura 10 cm de longueur. Elle a un ruban rouge qui mesure 80 cm de long.

? Beth a-t-elle assez de ruban pour les 2 vitraux à suspendre?

Comprendre le problème

A. Qu'est-ce qu'il te faut pour résoudre le problème?

Élaborer un plan

B. Quelle stratégie utiliseras-tu pour résoudre le problème?

Mettre le plan en œuvre

C. Mesure le ruban avec précision. Prends note de tes mesures.

D. Fais les calculs qu'il faut.

Faire une vérification des résultats

E. Vérifie si ta solution répond au problème.

Communiquer

F. Explique pourquoi tes mesures doivent être précises.

Liste de vérification de la tâche
☑ As-tu vérifié toutes tes mesures?
☑ As-tu vérifié tes calculs?
☑ As-tu montré toutes les étapes?
☑ As-tu utilisé le vocabulaire mathématique?

CHAPITRE 6

Multiplication et division

Reflets sur le mur d'un édifice

Attentes

Tu pourras

- **utiliser des stratégies de numération pour multiplier et diviser des nombres;**
- **établir la relation entre la multiplication et la division;**
- **mettre en pratique la définition de la multiplication et de la division;**
- **résoudre des problèmes à l'aide de modèles.**

Premiers pas

Trouver des régularités dans une table de multiplication

Matériel nécessaire

- une table de multiplication

×	1	2	3
1	1	2	3
2	2	4	6
3	3	6	9

? Quelles régularités peux-tu trouver dans une table de multiplication?

diagonale

colonne

rangée

×	1	2	3	4	5	6	7
1	1	2	3	4	5	6	7
2	2	4		8		12	14
3	3	6	9		15	18	
4	4	8	12	16		24	28
5	5	10		20	25		35
6		12	18	24		36	42
7	7	14			35		49

Une table de multiplication comprend plusieurs sortes de régularités. Parmi celles-ci, on trouve :

- des régularités d'addition;
- des régularités de soustraction;
- des régularités de nombres.

La régularité de Miki

J'ai trouvé une régularité d'addition.

Chaque nombre de la 3e rangée est la somme des 2 nombres au-dessus de lui.

A. Cherche des régularités et utilise-les pour compléter la table de multiplication.

B. Quelles sortes de régularités as-tu utilisées? Énumère des exemples.

C. Compare tes régularités avec celles d'un ou une autre élève. Quelles régularités peux-tu ajouter à ta liste?

D. Écris 5 multiplications à partir de la table de multiplication.

Rappelle-toi!

1. Continue ces suites en maintenant la régularité.

a) 2, 4, 6, 8, ■, ■, ■

b) 10, 20, 30, 40, ■, ■, ■

c) 5, 10, 15, 20, ■, ■, ■

d) 20, 18, 16, 14, ■, ■, ■

2. Fais chaque multiplication ou division.

a) 5×2
b) $10 \div 5$
c) 5×4
d) $20 \div 5$
e) 6×5
f) $30 \div 5$
g) 5×5
h) $25 \div 5$

3. Explique la relation entre les facteurs et le produit.

$$4 \times 6 = 24$$

facteur facteur produit

1 Faire une multiplication en doublant des nombres

Apprendre à multiplier des nombres en utilisant l'addition répétée et en doublant les nombres.

Carmen se sert de triangles verts et jaunes pour fabriquer les 9 carreaux d'une courtepointe pour sa petite sœur.

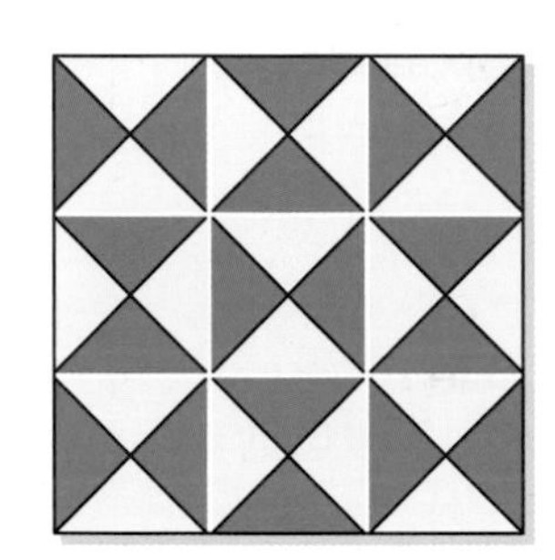

Les carreaux de la courtepointe de Carmen

Je veux calculer le nombre de triangles verts qu'il me faudra.

Il y a 9 carreaux dans ma courtepointe.

Il y a 2 triangles verts dans chaque carreau.

Il me faut 9×2 triangles verts pour fabriquer ma courtepointe.

J'additionne ou je compte par bonds pour trouver le nombre de triangles.

$9 \times 2 = 2 + 2 + 2 + 2 + 2 + 2 + 2 + 2 + 2$

2, 4, 6, 8, 10, 12, 14, 16, 18

? Combien de triangles verts et jaunes Carmen utilisera-t-elle pour sa courtepointe?

A. Écris une multiplication qui correspondra au nombre de triangles verts et jaunes.

B. Quel est le produit de l'équation de la partie A?

Réflexion

1. Comment le fait de savoir multiplier 9×2 t'aide-t-il à trouver la réponse à 9×4?
2. Pourquoi la technique de Carmen s'appelle-t-elle « doubler un nombre »?

Vérification

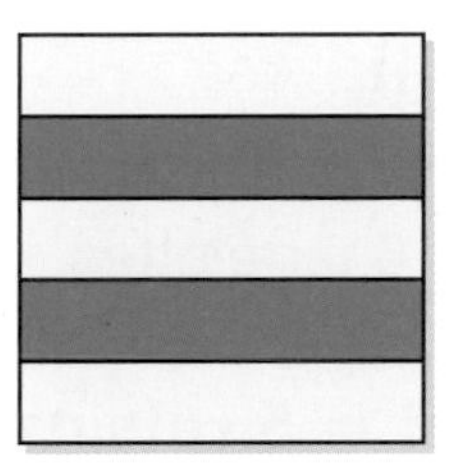

3. Le nouveau motif de Carmen est un carreau formé de rectangles.
   a) Combien de rectangles jaunes Carmen utilisera-t-elle pour faire 4 carreaux?
   b) Double un nombre pour trouver le produit de 8×3.

Application

4. a) Compte par bonds de 4.
   4, 8, 12, ■, ■, ■, ■
   b) Combien de 4 as-tu comptés?
   c) Combien font 7×4?
   d) Combien font 7×8?

5. a) Compte par bonds de 3.
   3, 6, 9, ■, ■, ■, ■
   b) Combien font 7×3?
   c) Combien font 7×6?

6. Fais ces multiplications.
   a) 2×7 b) 4×7 c) 8×7

7. Trouve chaque produit. Explique ta démarche.
   a) 8×4 b) 8×6 c) 5×8

8. a) Invente ton propre motif de courtepointe en combinant au moins 2 figures.
   b) Détermine combien de fois ton motif se répétera dans ta courtepointe.
   Écris des multiplications qui décrivent le nombre de pièces de chaque figure de ta courtepointe.

2 Partager et grouper des nombres

Matériel nécessaire
- des jetons

Utiliser les 2 façons de définir la division pour résoudre des problèmes.

La division se définit de 2 façons.

partage
Tu connais le nombre de **groupes**.
Tu fais 6 tartelettes. Combien de raisins secs devrait contenir chaque tartelette?
30 ÷ 6 = 5 raisins secs
↑
nombre de groupes

groupement
Tu connais le nombre d'éléments **par groupe**. Tu mets 5 raisins secs dans chaque tartelette. Combien de tartelettes peux-tu faire?
30 ÷ 5 = 6 tartelettes
↑
nombre d'éléments par groupe

Rami fait 6 tartelettes au beurre avec 30 raisins secs. Il veut mettre le même nombre de raisins secs dans chaque tartelette.

? Combien chaque tartelette doit-elle contenir de raisins secs?

Les tartelettes de Rami

Je mets 1 raisin sec dans chaque tartelette jusqu'à ce qu'il n'en reste plus.

J'obtiens 6 groupes de 5 raisins secs.

Je peux mettre 5 raisins secs dans chaque tartelette.

Réflexion

1. Quelle définition de la division Rami a-t-il utilisée? Explique ton raisonnement.
2. a) Quand tu divises par le nombre de groupes, que t'apprend le **quotient** ?
   b) Quand tu divises par le nombre d'éléments par groupe, que t'apprend le quotient?

quotient
Résultat d'une division.

$30 \div 6 = 5$

quotient

Vérification

3. a) Écris une division pour fabriquer 8 tartelettes avec 32 raisins secs. Combien chaque tartelette devrait-elle contenir de raisins secs?
   b) Écris une division qui correspondra à 4 raisins secs dans chaque tartelette.

Application

4. Fais un dessin ou utilise des jetons pour illustrer chaque problème. Écris une division pour chaque situation.
   a) Il y a 28 raisins secs. Tu mets 4 raisins secs dans chaque tartelette. Combien de tartelettes peux-tu faire?
   b) Il y a 42 raisins secs. Tu peux faire 6 tartelettes. Combien chaque tartelette devrait-elle contenir de raisins secs?
5. Complète ces équations.
   a) $12 \div 6 =$ ■
   b) $24 \div 3 =$ ■
   c) $18 \div 2 =$ ■
   d) $18 \div 3 =$ ■
6. Rami a 24 raisins secs. Il veut que chaque tartelette contienne plus de 1 raisin sec. Quel est le plus grand nombre de tartelettes que Rami peut faire? Montre ton travail.
7. Utilise l'équation $42 \div 7 =$ ■ pour inventer 2 problèmes.
   Le 1er problème portera sur le groupement.
   Le 2e portera sur le partage.
   Trouve la solution aux 2 problèmes.

3 Multiplier et diviser des nombres

Établir la relation entre la multiplication et la division.

Matériel nécessaire
- des droites numériques ou de la monnaie de jeu

Sarah et ses amis ont reçu 20 $ pour nettoyer la cour d'un voisin. Chacun a reçu 5 $.

? Combien d'amis ont aidé Sarah?

La solution de Richard

Je dois diviser 20 $ par 5 $.

Je soustrais par bonds de 5 $ jusqu'à ce que je n'aie plus d'argent.

C'est comme compter à rebours sur une droite numérique.

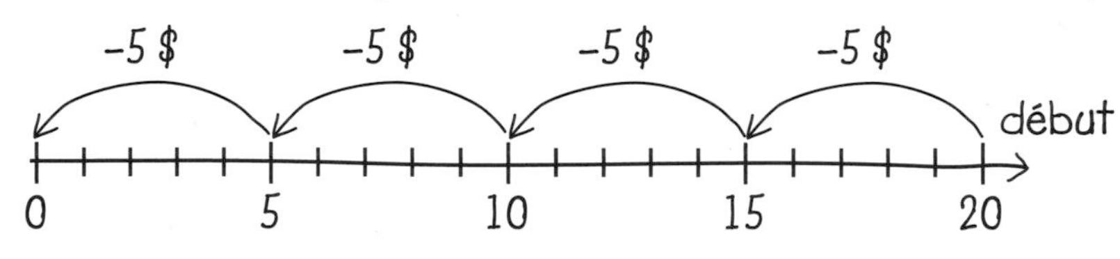

$$20 - 5 - 5 - 5 - 5 = 0$$

De 20, je soustrais 4 fois 5.

$$20 \div 5 = 4$$

Cela veut dire que 4 personnes ont reçu chacune 5 $.

Puisqu'elle a reçu 5 $, Sarah devait avoir 3 aides.

Je peux vérifier en faisant une multiplication.

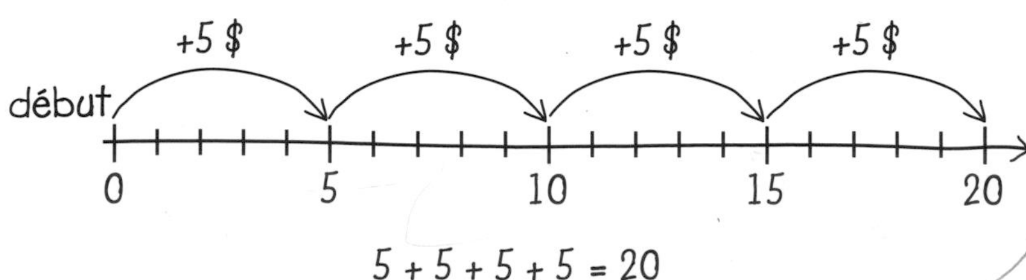

$$5 + 5 + 5 + 5 = 20$$

$$4 \times 5 = 20$$

Réflexion

1. Comment peux-tu utiliser une multiplication pour vérifier la réponse à un problème de division? Utilise un exemple pour t'aider à expliquer l'opération.

Vérification

2. Une équipe d'employés de nettoyage a reçu 16 $. Chaque personne a obtenu 4 $. Combien y a-t-il d'employés?

3. a) Écris une division pour cette droite numérique.

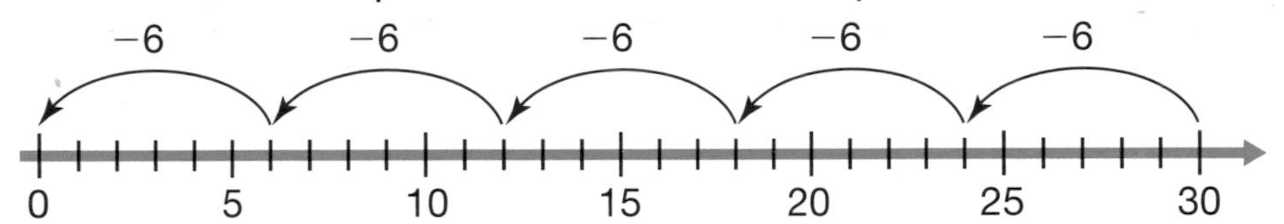

   b) Écris la multiplication correspondante.

4. Fais ces divisions. Ensuite, utilise une multiplication pour vérifier les résultats.
   a) $18 \div 3$ b) $18 \div 6$ c) $28 \div 7$

Application

5. Sarah et ses 3 amis se sont partagés 20 $ à parts égales. Richard et ses 2 amis se sont partagés 18 $ à parts égales. De quel groupe aimerais-tu faire partie? Explique ta réponse.

6. a) Écris une division pour cette droite numérique.

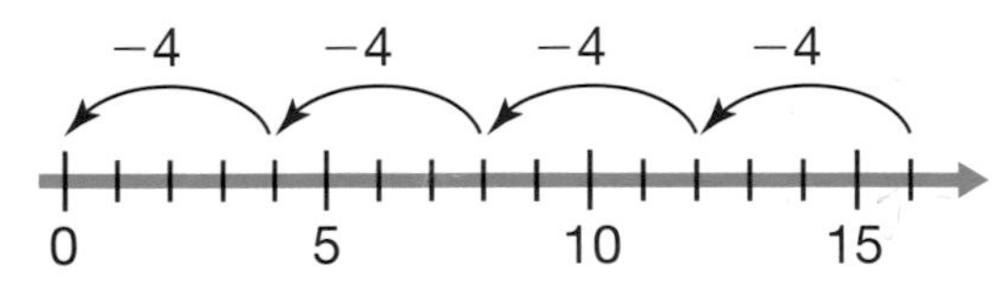

   b) Écris la multiplication correspondante.

7. a) Écris une division pour cette équation.
   $24 - 6 - 6 - 6 - 6 = 0$
   b) Écris la multiplication correspondante.

4 Créer des arrangements pour une famille d'opérations

Matériel nécessaire

- des cartes

Décrire des arrangements à l'aide de familles d'opérations.

arrangement
Disposition d'éléments en rangées et en colonnes.

Dans le jeu Concentration, les cartes servent à faire un **arrangement**.

A. Combien y a-t-il de rangées dans cet arrangement de cartes?

B. Combien y a-t-il de cartes dans chaque rangée?

C. Combien y a-t-il de cartes dans cet arrangement?

Les colonnes sont verticales.

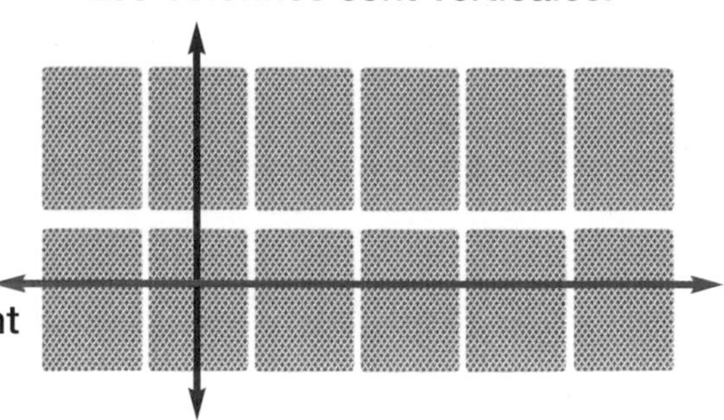

Les rangées sont horizontales.

? Comment peux-tu utiliser la multiplication et la division pour décrire cet arrangement?

D. Complète les multiplications qui représentent l'arrangement de cartes. Remplace chaque symbole par le bon nombre.

a) Lis : ■ rangées de ● cartes par rangée = ◆ cartes en tout
Écris : ■ × ● = ◆

b) Lis : ● colonne de ■ cartes par colonne = ◆ cartes en tout
Écris : ● × ■ = ◆

E. Complète les multiplications qui représentent l'arrangement de cartes.

a) Lis : ◆ cartes divisées par ■ rangées = ● cartes par rangée. Écris : ◆ ÷ ■ = ●

b) Lis : ◆ cartes divisées par ● colonne = ■ cartes par colonne. Écris : ◆ ÷ ● = ■

F. Crée ton propre arrangement avec des cartes. Écris toutes les opérations qui décrivent l'arrangement. Elles forment la **famille d'opérations** pour l'arrangement.

famille d'opérations
Opérations mathématiques qui décrivent un arrangement. Chaque opération fait partie de la famille d'opérations.

3 rangées et 4 colonnes :
3 × 4 = 12 12 ÷ 3 = 4
4 × 3 = 12 12 ÷ 4 = 3

Réflexion

1. Comment le fait de savoir $6 \times 2 = 12$ t'aide-t-il à calculer $2 \times 6 = $ ■?
2. Comment le fait de savoir $6 \times 2 = 12$ t'aide-t-il à calculer $12 \div 6 = $ ■?
3. Une famille d'opérations peut-elle n'inclure que 2 équations? Explique ta réponse.

Vérification

4. Complète cette famille d'opérations.

   3 × ● = ◆　　　2 × ■ = ◆
   6 ÷ ■ = ●　　　6 ÷ ● = ■

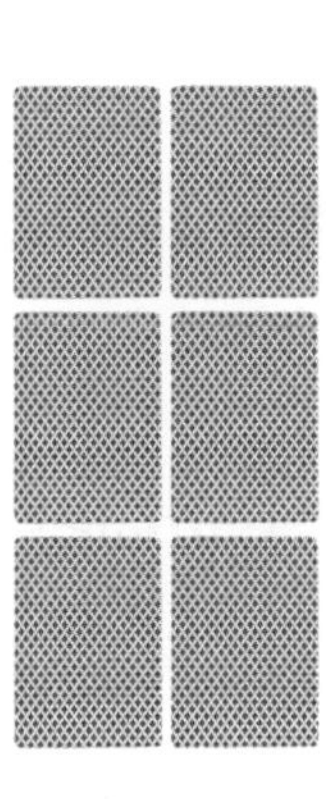

Application

5. Utilise les nombres 6, 7 et 42 pour créer une famille d'opérations.
6. Écris la famille d'opérations qui correspond à l'arrangement présenté à droite. Explique de quelle façon chaque opération décrit l'arrangement.

7. a) Dessine un nouvel arrangement de cartes.
   b) Écris la famille d'opérations qui correspond à tes cartes.
8. Utilise les informations suivantes pour trouver le reste de la famille d'opérations.

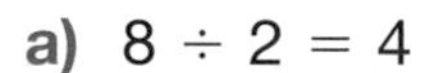

   a) $8 \div 2 = 4$
   b) $3 \times 8 = 24$
   c) $45 \div 9 = 5$

5 Établir diverses stratégies pour multiplier des grands nombres

Utiliser des opérations simples, des suites et le calcul mental pour multiplier des nombres.

Vinh dort environ 8 heures par jour.

? Environ combien d'heures Vinh passera-t-il à dormir en avril?

AVRIL 2004

D	L	M	M	J	V	S
				1	2	3
4	5	6	7	8	9	10
11	12	13	14	15	16	17
18	19	20	21	22	23	24
25	26	27	28	29	30	

La solution de Vinh

Comprendre le problème

Il y a 30 jours en avril.

Je dors environ 8 heures par jour.

Il s'agit d'un problème de multiplication parce qu'il y a 30 groupes de 8.

Élaborer un plan

On écrit ainsi 30 groupes de 8 : 30×8.
Je sais que $30 \times 8 = 8 \times 30$ parce que ces éléments appartiennent à la même famille d'opérations.

Je multiplierai donc 8×30 parce que c'est plus facile pour moi.

Mettre le plan en œuvre

Je sais que 30 = 3 dizaines.

J'imagine 8 groupes de 3 dizaines.

Il y a 24 dizaines.

Je sais que 24 dizaines = 240.

Donc, $8 \times 30 = 240$.

8 x 3 dizaines = 24 dizaines

Je dormirai environ 240 heures en avril.

Réflexion

1. Explique comment le fait de savoir $8 \times 3 = 24$ aide Vinh à calculer 8×30.
2. Explique comment la réponse de Vinh peut l'aider à trouver le nombre d'heures qu'il dormira en mai.
3. Explique comment Vinh pourrait calculer 8×300.

Vérification

4. Montre comment chaque 1re multiplication peut t'aider à faire les suivantes.

a) 3×5
3×50
3×500

b) 7×7
7×70
7×700

c) 5×4
5×40
5×400

Application

5. Trouve ces produits.

a) 6×40 **d)** 2×60 **g)** 6×50
b) 6×400 **e)** 2×600 **h)** 6×500
c) $6 \times 4\,000$ **f)** $2 \times 6\,000$ **i)** $6 \times 5\,000$

6. Explique pourquoi ces produits sont égaux.

a) $4 \times 50 = 5 \times 40$ **b)** $3 \times 500 = 5 \times 300$

7. **a)** Combien de mouchoirs y a-t-il dans 7 boîtes? Montre ton travail.
b) Combien de comprimés y a-t-il dans 5 pots? Montre ton travail.

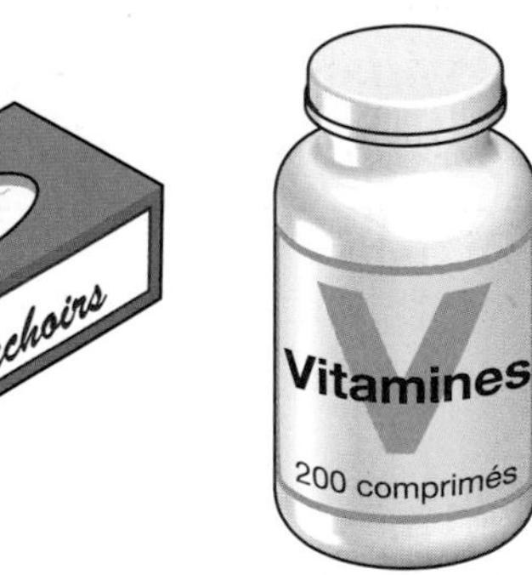

8. Pour estimer le **périmètre** de cet **hexagone** régulier, tu peux **arrondir** 29 cm à 30 cm. Ensuite, multiplie 30 par 6.
Le périmètre mesure environ 6×30 cm, soit 180 cm.
Estime le périmètre des hexagones réguliers suivants à partir de ces longueurs de côté.

a) 68 cm **b)** 42 m **c)** 196 cm

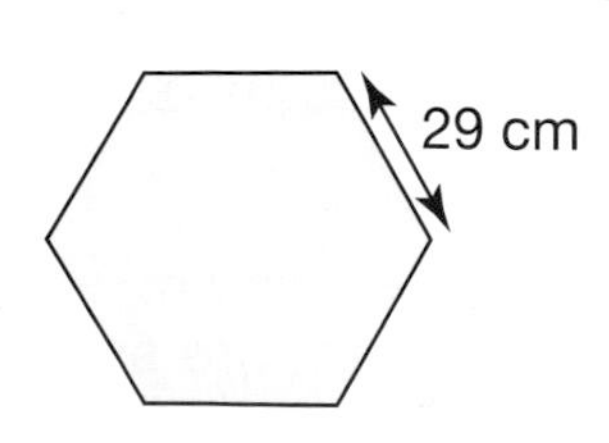

hexagone

Résoudre des problèmes en fabriquant des modèles

Matériel nécessaire

- des cubes emboîtables

Attente **Fabriquer des modèles pour résoudre des problèmes.**

Thierry et sa mère ont fait 8 pots de confiture.
Thierry doit mettre les pots sur une étagère.

? Quel arrangement Thierry peut-il créer pour placer les pots de confiture?

Les arrangements de Thierry

Comprendre le problème

Je dois imaginer divers arrangements pour 8 pots.

Élaborer un plan

Je peux utiliser des cubes emboîtables pour faire des modèles.

Mettre le plan en œuvre

1 sur 8
$1 \times 8 = 8$

2 sur 4
$2 \times 4 = 8$

Je peux placer les pots en 1 rangée de 8 pots ou en 2 rangées de 4 pots.

Réflexion

1. Comment la fabrication d'un modèle a-t-elle aidé Thierry à résoudre son problème?
2. Thierry a-t-il trouvé toutes les façons de placer les pots? Comment le sais-tu?

Vérification

3. Montre toutes les façons de placer 18 pots suivant un certain arrangement.

Application

4. Katie a 15 pommes. Combien de pommes de plus lui faut-il pour faire 5 rangées de 4 pommes? Montre ton travail.

5. Justin emballe des pommes. Dès que 5 pommes sont emballées, il appose une sur la boîte. À combien d'étiquettes correspondent 35 pommes?

6. On a planté 12 arbres fruitiers en rangées égales. Montre tous les arrangements possibles.

7. La surface d'un arrangement de 2 cubes sur 2 cubes est carrée. L'arrangement nécessite 4 cubes. Si tu as 30 cubes, quel est le plus grand carré que tu peux fabriquer? Montre ton travail.

8. Un lot de pots de confiture peut être partagé entre 4 personnes à parts égales. Le même lot peut aussi être partagé entre 3 personnes à parts égales. Combien y a-t-il de pots? Montre ton travail.

9. Au Canada, 2 pommes sur 3 sont consommées fraîches. Par conséquent, 1 pomme sur 3 est préparée pour la conservation sous forme de jus ou de compote. Sur 15 pommes, combien seront vendues fraîches? Montre ton travail.

10. Invente un problème sur la préparation de fruits pour la conservation, puis résous-le. Demande à un ou une autre élève de résoudre ton problème. Vérifie la réponse.

Révision

LEÇON

1

1. a) Compte par bonds de 6.
   6, 12, 18, ■, ■, ■, ■
   b) Combien de 6 as-tu comptés?
   c) Combien font 6×4?
   d) Combien font 6×8?

2

2. Il y a 42 pommes divisées en groupes de 6.
   Combien de groupes y a-t-il en tout?
   Montre ton travail.

3

3. Donne un exemple pour chaque idée.
   a) Tu peux utiliser la division pour trouver le nombre de groupes.
   b) Tu peux utiliser la division pour trouver le nombre d'éléments par groupe.
   c) Il y a une relation entre la multiplication et la division.

4. Explique avec des mots, des dessins ou des nombres.
   a) Quelle relation y a-t-il entre la multiplication et l'addition?
   b) Quelle relation y a-t-il entre la division et la soustraction?

4

5. Utilise un arrangement pour illustrer que $3 \times 4 = 4 \times 3$.

6. Complète ces familles d'opérations.
   a) $3 \times 8 = 24$
   b) $28 \div 7 = 4$

5

7. Complète ces équations.
   a) $7 \times 2 =$ ■
   b) $7 \times 20 =$ ■
   c) $7 \times 40 =$ ■
   d) $7 \times 400 =$ ■
   e) $7 \times 800 =$ ■
   f) $7 \times 8000 =$ ■

6

8. William dispose 6 rangées de 3 chaises pour un spectacle de marionnettes.
   a) Combien de chaises y a-t-il?
   b) Combien de chaises y aura-t-il s'il ajoute une autre rangée?
   Montre ton travail.

Multiplier et diviser des nombres

Matériel nécessaire

- des pièces de 1 cent

- une calculatrice

1

a) Si tu donnes 0 groupe de cents à ton ami, combien de cents ton ami aura-t-il?

b) Explique ce qui arrive quand tu multiplies un nombre par 0.

2

a) Si tu partages 0 cent avec quelques amis, combien de cents chaque ami aura-t-il?

b) Explique ce qui arrive quand tu divises 0 par un autre nombre.

3

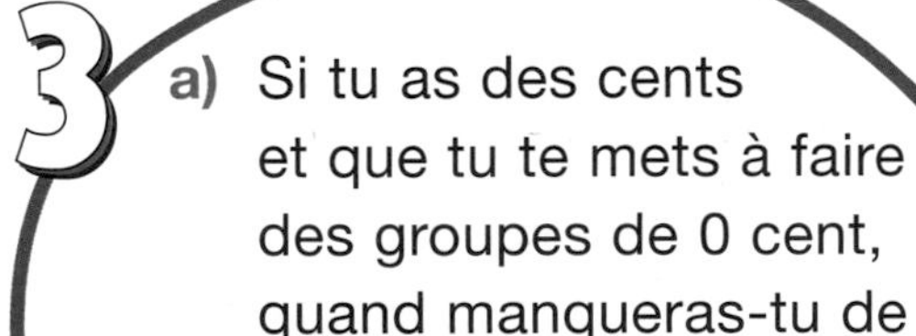

a) Si tu as des cents et que tu te mets à faire des groupes de 0 cent, quand manqueras-tu de cents?

b) Explique pourquoi tu ne peux pas diviser un nombre par 0.

4

Complète ces équations. Lesquelles sont impossibles à compléter?

a) $5 \times 0 = ■$

b) $0 \div 5 = ■$

c) $0 \times 5 = ■$

d) $5 \div 0 = ■$

e) $0 \times 1 = ■$

f) $1 \div 0 = ■$

g) $0 \times 0 = ■$

h) $2 \div 0 = ■$

5

Entre un chiffre dans ta calculatrice. Ensuite, divise-le par 0. Quel résultat donne ta calculatrice?

6

Montre par un exemple combien d'opérations numériques peut contenir une famille d'opérations comportant un 0.

7 Diviser un nombre par 2

Multiplier et diviser un nombre par 5 et par 10

Matériel nécessaire
- des jetons

Attente **Trouver des régularités dans des multiplications et des divisions par 5 et par 10.**

Nathalie a 8 cinq cents. Elle veut savoir combien elle a d'argent, mais elle n'arrive jamais à se rappeler le résultat de l'opération 8×5.

? Quelle stratégie Nathalie peut-elle utiliser pour calculer son argent?

La démarche de Nathalie

J'ai utilisé 5 jetons pour représenter chaque pièce de cinq cents.
Les 8 groupes de 5 jetons correspondent à 4 groupes de 10 jetons.

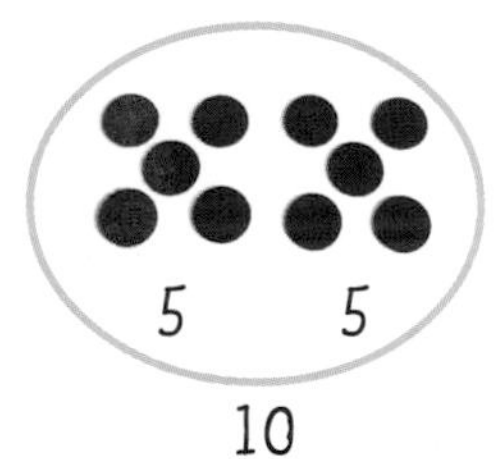

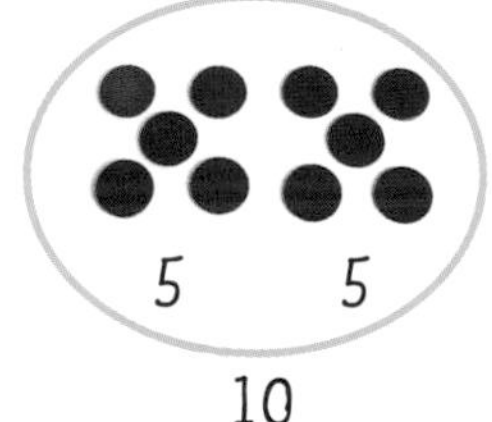

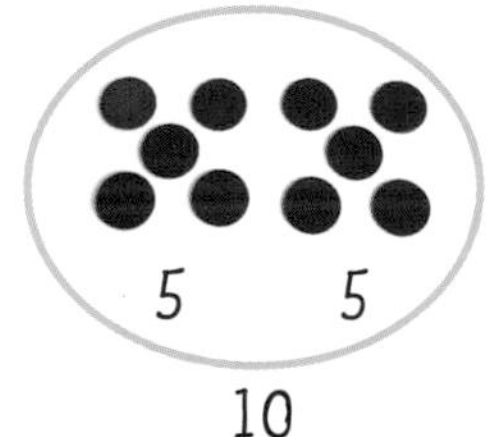

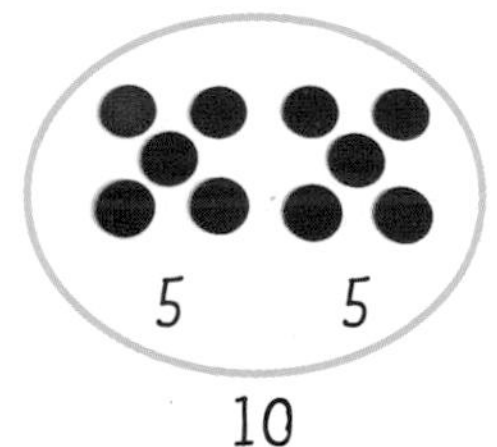

$8 \times 5 = 4 \times 10$

Donc, maintenant, je sais que $8 \times 5 = 40$.

Puisque 4 est la moitié de 8 et que 10 est le double de 5, la stratégie de Nathalie s'appelle **diviser un nombre par 2 et doubler l'autre**.

diviser un nombre par 2
Trouver la moitié d'un nombre.

Table des moitiés et des doubles

Multiplie un nombre pair par 5	Divise le nombre pair par 2 et multiplie-le par 10
2×5	1×10
4×5	2×10
6×5	3×10
8×5	4×10

Réflexion

1. Qu'observes-tu au sujet des produits de chaque rangée de la table des moitiés et des doubles?
2. Quelle est la rangée suivante dans la table des moitiés et des doubles? Explique ta réponse.
3. Comment peux-tu utiliser cette table pour trouver le produit de 7×5?

Vérification

4. Montre comment prolonger la table des moitiés et des doubles pour trouver la valeur de 12 cinq cents.
5. Pour faire ces multiplications, divise un nombre par 2 et double l'autre.
   a) $8 \times 5 = ■ \times 10$
      $8 \times 5 = ◆$
   b) $16 \times 5 = ■ \times 10$
      $16 \times 5 = ◆$

Application

6. Montre comment 4 groupes de 5 correspondent à 2 groupes de 10.
7. a) Qu'observes-tu au sujet des quotients de chaque rangée de cette table?
   b) Explique comment utiliser $40 \div 10$ pour trouver la réponse à $40 \div 5$.

Divise par 10	Divise par 5
$10 \div 10 = 1$	$10 \div 5 = 2$
$20 \div 10 = 2$	$20 \div 5 = 4$
$30 \div 10 = 3$	$30 \div 5 = 6$

8. Calcule ces produits.
   a) $6 \times 5 = ■$
   b) $8 \times 5 = ■$
   c) $2 \times 5 = ■$
   d) $5 \times 4 = ■$
   e) $4 \times 5 = ■$
   f) $5 \times 8 = ■$
   g) $7 \times 5 = ■$
   h) $9 \times 5 = ■$
   i) $5 \times 3 = ■$
9. Calcule ces produits.
   a) $5 \times 4 = ■$
   b) $5 \times 40 = ■$
   c) $5 \times 400 = ■$
   d) $6 \times 5 = ■$
   e) $6 \times 50 = ■$
   f) $6 \times 500 = ■$
   g) $7 \times 50 = ■$
   h) $7 \times 500 = ■$
   i) $7 \times 5000 = ■$

8 Additionner des nombres

Multiplier et diviser un nombre par 3 et par 6

Se servir de diverses techniques d'addition pour multiplier et diviser un nombre par 3 et par 6.

Paulette utilise l'addition pour trouver de nouvelles opérations numériques à partir de celles qu'elle connaît déjà.

Matériel nécessaire

- des jetons

La démarche de Paulette

Je sais que 5 fois 3 font 15.

     $5 \times 3 = 15$

Si je veux savoir la réponse à 6×3, j'ajoute un groupe de 3 unités.

       $6 \times 3 = 18$

Donc, 6 fois 3 font 18.

? Comment te servirais-tu de l'addition pour compléter cette table de multiplication?

×	3	4	5	6	7	8	9	10
5	15							
6	18							

A. Utilise des jetons pour former 5 groupes de 4. Écris $5 \times 4 = ■$.

B. Ajoute 4 jetons pour former 6 groupes de 4. Écris $6 \times 4 = ■$.

C. Remplis la colonne des 4 dans la table de multiplication.

D. Répète les opérations des parties A, B et C pour remplir les autres colonnes.

Réflexion

1. Quelle relation y a-t-il entre la rangée des 5× et celle des 6×?

Vérification

2. a) Remplis une table de multiplication des nombres 2 et 3.
   b) Quelle est la relation entre la rangée des 2× et celle des 3×?

×	3	4	5	10
2	6			
3	9			

Application

3. Montre comment le fait de savoir $6 \times 3 = 18$ peut t'aider à trouver la réponse à 7×3.

4. a) Remplis une table de multiplication des nombres 3 et 4.
   b) Quelle est la relation entre la rangée des 3× et celle des 4×?

×	1	2	3	10
3				
4				

5. Explique comment le premier produit peut t'aider à trouver l'autre.
   a) Si $3 \times 3 = 9$, alors $4 \times 3 = ■$.
   b) Si $6 \times 7 = 42$, alors $7 \times 7 = ■$.
   c) Si $6 \times 5 = 30$, alors $7 \times 5 = ■$.

6. a) Décris une régularité dans ce tableau.
   b) Explique comment utiliser $30 \div 3$ pour trouver la réponse à $30 \div 6$.

Divise par 3	Divise par 6
$6 \div 3 = 2$	$6 \div 6 = 1$
$12 \div 3 = 4$	$12 \div 6 = 2$
$18 \div 3 = 6$	$18 \div 6 = 3$
$24 \div 3 = 8$	$24 \div 6 = 4$

7. Complète ces équations.
   a) $3 \times 4 = ■$
   b) $3 \times 40 = ■$
   c) $3 \times 400 = ■$
   d) $6 \times 7 = ■$
   e) $6 \times 70 = ■$
   f) $6 \times 700 = ■$
   g) $6 \times 5 = ■$
   h) $6 \times 50 = ■$
   i) $6 \times 500 = ■$

9 Soustraire des nombres

Multiplier et diviser un nombre par 9

Attente **Utiliser des régularités de calcul pour multiplier et diviser un nombre par 9.**

Matériel nécessaire

- une grille de 100

1	2	3	4
11	12	13	14
21	22	23	24
31	32	33	34

Le chiffre 9 a une valeur particulière pour les joueurs de base-ball.
Il y a

- 9 positions au champ
- 9 manches par partie

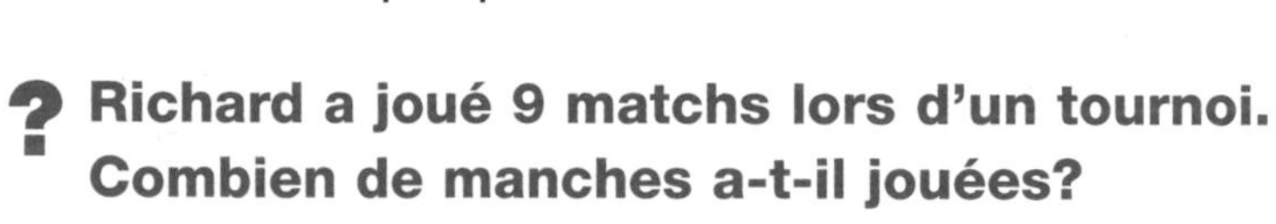

? Richard a joué 9 matchs lors d'un tournoi. Combien de manches a-t-il jouées?

Tu peux répondre à cette question si tu connais la table de 9.

Des régularités peuvent t'aider à connaître la table de 9.

A. Utilise une grille de 100.

B. Colorie chaque 9e nombre en vert et chaque 10e nombre en bleu.

rangée n° 1	1	2	3	4	5	6	7	8	9	10
rangée n° 2	11	12	13	14	15	16	17	18	19	20
rangée n° 3	21	22	23	24	25	26	27	28	29	30

C. Décris la régularité que tu vois en vert dans la grille.

D. Explique la relation qu'il y a entre les nombres dans les carrés en vert et en bleu dans chaque rangée.

E. Décris comment utiliser la relation pour trouver le nombre de manches jouées par Richard.

Réflexion

1. Décris comment se servir de la table de 10 pour trouver une réponse dans la table de 9.

Curiosités mathématiques

Multiplier un nombre par 9

Tableau de produits

9×	Dizaines	Unités
1	0	9
2	1	8
3		
4		
5		
6		
7		
8		
9		

1

a) Complète le tableau.
b) Décris la régularité dans les colonnes des dizaines et des unités.
c) Additionne les chiffres des dizaines et des unités de chaque produit. Que remarques-tu?
d) Décris la relation entre les nombres dans la colonne des 9× et les nombres dans la colonne des dizaines.
e) Explique comment utiliser des régularités pour trouver n'importe quel produit de la table de 9.

Calcul mental

Additionner le nombre du milieu

Il arrive parfois que l'on puisse trouver la somme de 2 nombres en additionnant le nombre du milieu à lui-même.
Voici comment on additionne 47 + 53 :

Le nombre 50 est le nombre du milieu.
50 + 50 = 100
Ainsi, 47 + 53 = 100.

A. Comment sais-tu que 50 est le nombre du milieu?

B. Utiliserais-tu cette méthode pour additionner 37 + 38? Explique pourquoi.

À ton tour!

1. Utilise cette méthode pour trouver chaque somme.

a) 39 + 41 **c)** 66 + 74 **e)** 153 + 147
b) 28 + 32 **d)** 297 + 303 **f)** 496 + 504

10 Identifier des nombres voisins

Multiplier et diviser un nombre par 7 et par 8

Utiliser des multiplications connues pour multiplier et diviser un nombre par 7 et par 8.

La classe de Shani fabrique des coccinelles pour décorer la scène d'une pièce de théâtre.
Shani fabrique 7 coccinelles. Chacune a 6 pattes.

Les coccinelles de Shani

Je dois compter 7×6 pattes. Je ne me rappelle pas du produit de 7×6, mais je connais son voisin, soit $6 \times 6 = 36$.

$6 \times 6 = 36$

6 12 18 24 30 36

Je dois ajouter un autre groupe de 6 unités.

$7 \times 6 = ?$

$36 + 6 = 42$

Donc, $7 \times 6 = 42$.

? Comment peux-tu utiliser d'autres opérations numériques pour montrer que $7 \times 6 = 42$?

A. Utilise $8 \times 6 = 48$.

B. Utilise $5 \times 7 = 35$.

C. Utilise $7 \times 7 = 49$.

Réflexion

1. Énumère les multiplications voisines qui t'aideraient à trouver le produit de 7×8.
   Explique tes réponses.

Vérification

2. a) Complète cette table de multiplication.
   b) Explique la relation entre la rangée des $6\times$ et celle des $7\times$.
   c) Explique la relation entre la rangée des $8\times$ et celle des $9\times$.

×	5	6	7	8	9	10
6	30		42		54	
7		42		56		70
8	40		56		72	
9		54		72		90

Application

3. Montre comment chaque multiplication sert à trouver le produit de 8×8.
   a) $9 \times 8 = 72$ b) $8 \times 7 = 56$ c) $4 \times 8 = 32$

4. Matthieu a suffisamment de cure-pipe pour faire 60 pattes. Peut-il fabriquer 8 araignées? Explique ta réponse.

5. L'Expo-Sciences se tiendra dans 6 semaines exactement. À combien de jours cela correspond-il? Montre ton travail.

6. a) Écris chaque nombre que tu prononces en comptant par bonds de 8 jusqu'à 64.
   b) Additionne les chiffres de chaque nombre jusqu'à ce que tu obtiennes un nombre de 1 chiffre.
   c) Quelle est la régularité?

7. Fais ces multiplications.
   a) 9×80 b) 800×7 c) 8×500

8. Écris la famille d'opérations de chaque équation.
   a) $7 \times 8 = ■$ b) $7 \times 9 = ■$ c) $8 \times 9 = ■$

Des cercles et des chiffres

Matériel nécessaire

- des cercles numériques

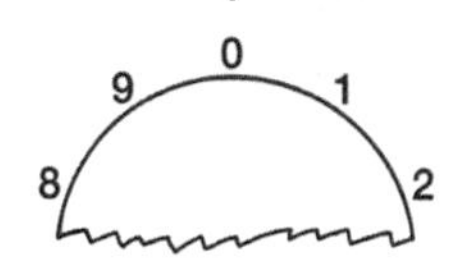

1

Si tu comptes par bonds de 2, de 0 à 20, puis si tu relies les chiffres des unités sur un cercle, le résultat ressemblera à « Compter par bonds de 2 ».

Si tu comptes par bonds de 8, de 0 à 80, le résultat ressemblera à « Compter par bonds de 8 ».

a) Dessine des cercles semblables pour toutes les tables de 1 à 9.

b) Quelles paires de cercles se ressemblent?

c) Qu'est-il arrivé à la table de 5?

Compter par bonds de 2 (2×)

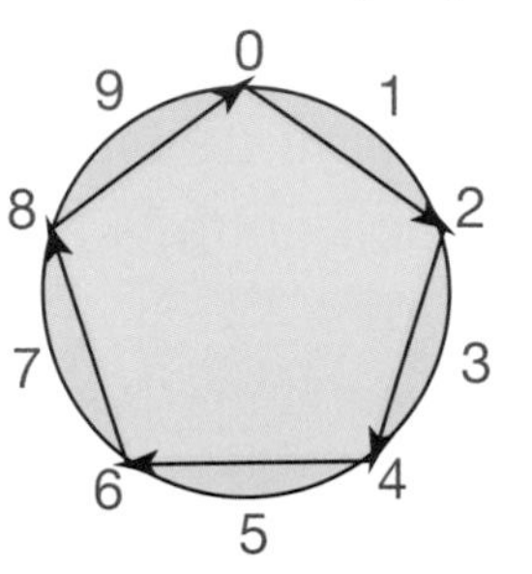

Compter par bonds de 8 (8×)

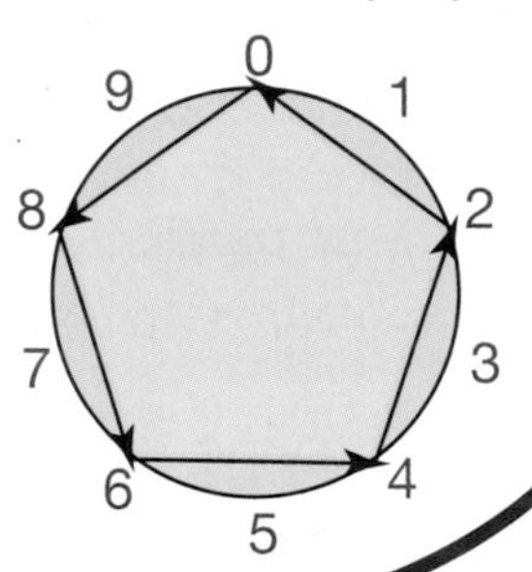

2

Observe les doigts qui se touchent et ceux qui ne se touchent pas. Comment ça fonctionne? Fais l'essai avec d'autres tables.

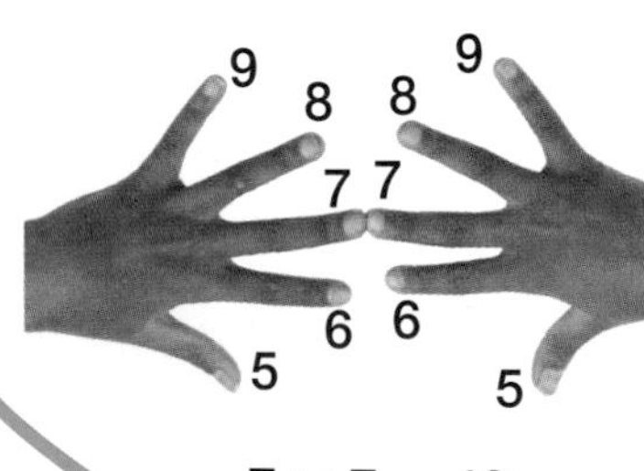

$7 \times 7 = 49$

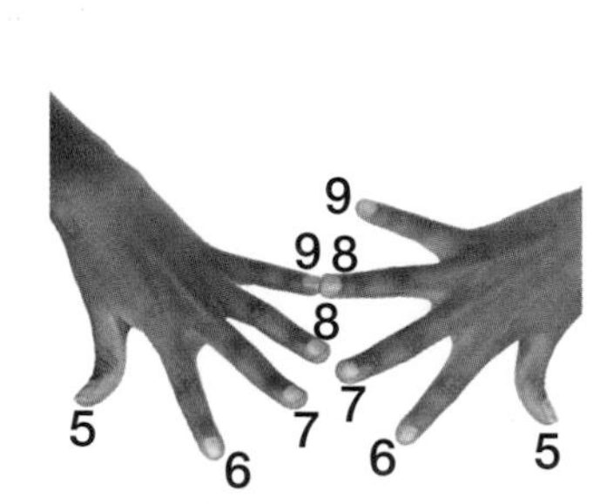

$9 \times 8 = 72$

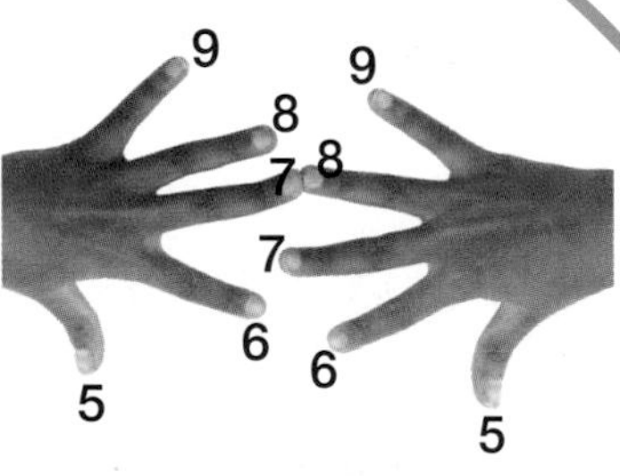

$7 \times 8 = 56$

DUV

Jeu de maths

Le Mathou

Nombre de joueurs : 2
Règles du jeu : Le but du jeu consiste à additionner les **quotients** de tes cartes.

Matériel nécessaire

- des cartes éclair de division

- des jetons

- un Mathou (facultatif)

Étape n° 1 Le donneur passe 6 cartes à chaque joueur.

Étape n° 2 Chaque joueur garde 4 cartes et en rejette 2 qu'il remet à l'envers au Mathou.

Étape n° 3 Chacun additionne les quotients de ses cartes pour connaître ses points. Les joueurs peuvent se servir des suites et des familles d'opérations pour calculer les quotients.

Étape n° 4 Un des joueurs marque les points, y compris ceux du Mathou. L'élève qui obtient le plus de points reçoit 1 jeton.

Alice	Vinh	Mathou
28	30	29

La partie se termine quand un joueur a accumulé 5 jetons.

Le jeu d'Alice

Voici mes quotients : 7, 8, 5 et 8.

Mes cartes valent 7 + 8 + 5 + 8, ou 28 points.

42 ÷ 6	72 ÷ 9
25 ÷ 5	56 ÷ 7

LEÇON

Acquisition des compétences

1

1. Continue ces suites en maintenant la régularité.
Ensuite, fais les multiplications.
   a) 5, 10, 15, ■, ■, ■, ■, ■ $8 \times 5 = $ ■
   b) 7, 14, 21, ■, ■, ■ $6 \times 7 = $ ■

2. Fais ces multiplications.
   a) $5 \times 2 = $ ■ $5 \times 4 = $ ■
   b) $2 \times 8 = $ ■ $4 \times 8 = $ ■
   c) $6 \times 2 = $ ■ $6 \times 4 = $ ■

2

3. Écris une division pour chaque situation.
   a) Il y a 21 biscuits.
   Il y a 3 biscuits dans chaque emballage.
   Combien d'emballages y a-t-il en tout?
   b) Il y a 15 biscuits.
   Il y a 5 emballages en tout.
   Combien de biscuits y a-t-il dans chaque emballage?
   c) Il y a 42 élèves.
   Il y a 6 groupes en tout.
   Combien d'élèves y a-t-il dans chaque groupe?
   d) Il y a 27 élèves.
   Il y a 3 élèves dans chaque groupe.
   Combien de groupes y a-t-il en tout?

3

4. Fais une division et une multiplication pour chaque problème.
   a)

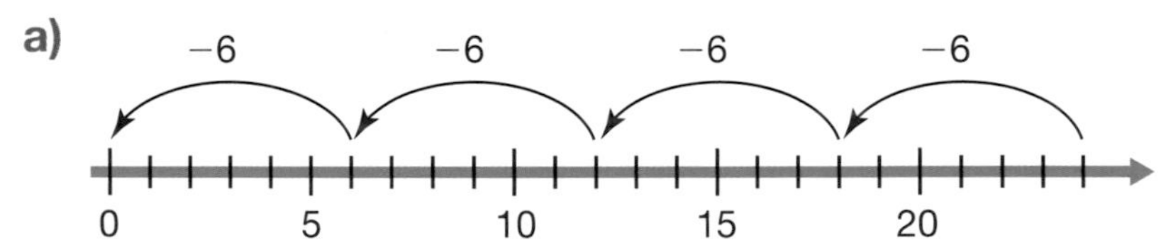

   b)

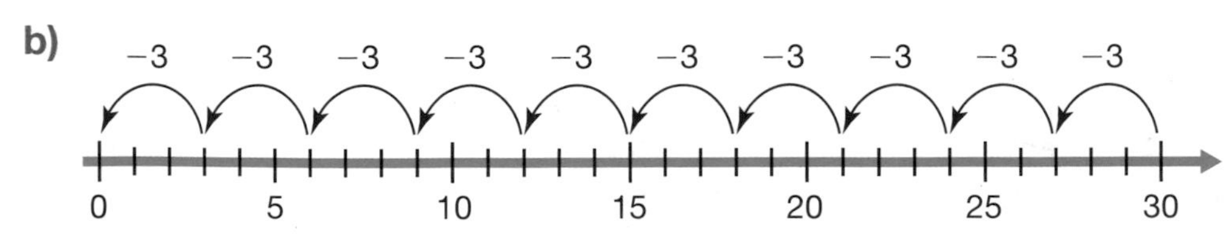

   c) $40 - 5 - 5 - 5 - 5 - 5 - 5 - 5 - 5 = 0$

DUV

3

5. Fais ces divisions. Ensuite, vérifie-les à l'aide d'une multiplication.

a) $18 \div 2$ **c)** $20 \div 4$ **e)** $24 \div 4$

b) $18 \div 3$ **d)** $20 \div 5$ **f)** $24 \div 6$

4

6. Écris la famille d'opérations de chaque opération mathématique.

a) 7, 3, 21

b) $5 \times 6 = $ ■

c)

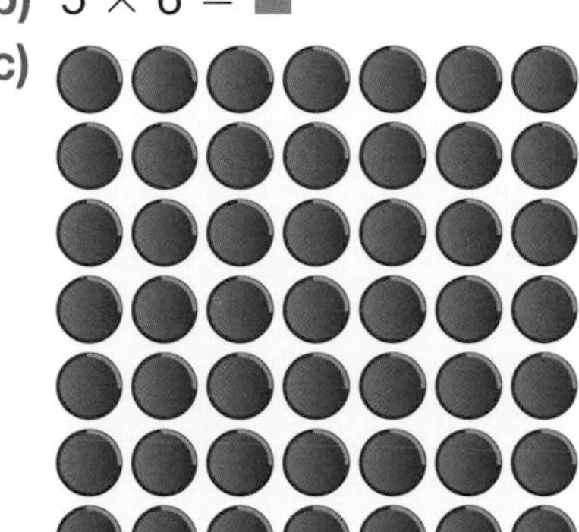

d) $8 \div 4 = $ ■

e) 4, 6, 24

f)

g) $40 \div 5 = $ ■

h) $2 \times 4 = 8$

i)

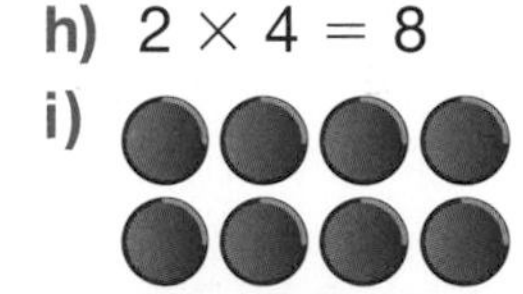

7. Dessine l'arrangement qui correspond à la famille d'opérations de 7, 3 et 21.

5

8. Calcule ces produits.

a) 2×70 **d)** 5×700 **g)** $7 \times 7\,000$

b) 2×700 **e)** 6×50 **h)** 4×60

c) 5×70 **f)** 7×70 **i)** $4 \times 6\,000$

9. Une boîte contient 200 pailles. Combien de pailles y a-t-il dans 4 boîtes?

10. Estime le périmètre d'un carré dont chaque côté mesure 52 cm. Montre ton travail.

6

11. Trouve la solution aux problèmes suivants. Montre ton travail.

a) Il y a 20 tulipes plantées en rangées égales. Montre tous les arrangements possibles.

b) Jérémie a 23 timbres. Combien d'autres timbres lui faut-il pour obtenir 8 rangées de 6 timbres?

c) Un certain nombre de billes peut être partagé par 3 élèves à parts égales. Le même nombre de billes peut aussi être partagé par 5 élèves. Combien de billes y a-t-il?

7 **12.** Calcule ces produits.

a) $4 \times 5 = ■ \times 10$ b) $■ \times 5 = 3 \times 10$ c) $8 \times ■ = 4 \times 10$

13. Calcule ces équations.

a) $4 \times 5 = ■$ d) $5 \times 5 = ■$ g) $8 \times 50 = ■$
b) $6 \times 5 = ■$ e) $7 \times 5 = ■$ h) $20 \div 5 = ■$
c) $8 \times 5 = ■$ f) $6 \times 50 = ■$ i) $40 \div 5 = ■$

8 **14.** Utilise la 1re multiplication pour calculer la 2e.

a) $4 \times 3 = ■$, alors $5 \times 3 = ■$.
b) $7 \times 3 = ■$, alors $8 \times 3 = ■$.
c) $3 \times 6 = ■$, alors $4 \times 6 = ■$.
d) $8 \times 6 = ■$, alors $9 \times 6 = ■$.

15. Calcule ces équations.

a) $9 \times 60 = ■$ b) $36 \div 6 = ■$ c) $21 \div 3 = ■$

9 **16.** Calcule ces équations.

a) $8 \times 9 = ■$ c) $3 \times 9 = ■$ e) $63 \div 9 = ■$
b) $9 \times 9 = ■$ d) $9 \times 20 = ■$ f) $9 \times 300 = ■$

17. Diana gagne 9 $ l'heure quand elle travaille au magasin.
Combien gagne-t-elle en 40 heures de travail?

10 **18.** Montre comment utiliser chaque multiplication pour trouver le produit de 7×8.

a) $7 \times 7 = 49$ b) $8 \times 8 = 64$ c) $7 \times 4 = 28$

19. Calcule ces équations.

a) $56 \div 7 = ■$ c) $7 \times 80 = ■$ e) $800 \times 9 = ■$
b) $7 \times 9 = ■$ d) $8 \times 9 = ■$ f) $64 \div 8 = ■$

20. Le périmètre de cet octogone mesure 50 cm.
Est-ce que chaque côté a plus ou moins que 7 cm de long?
Montre ton travail.

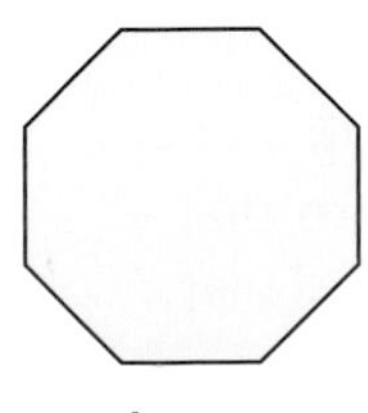

octogone

DUV

LEÇON

Problèmes de tous les jours

2

1. Tous les 4 ans, il y a une année bissextile. Cette année-là comprend un jour supplémentaire, le 29 février. Omar est né un 29 février. Combien de vrais anniversaires aura vécu Omar quand il atteindra 28 ans?

3

2. Utilise ces nombres pour écrire 4 divisions. Utilise chaque nombre une seule fois.

   9, 6, 28, 3, 7, 30, 24, 4, 2, 5, 8, 18

6

3. Quelques amis se partagent 35 \$ à parts égales. Ils reçoivent plus de 5 \$ chacun. Combien d'amis se sont partagé cette somme d'argent? Montre ton travail.

4. Chacun des 50 cartons contient 6 canettes. Combien de canettes y a-t-il au total? Explique ta réponse.

5. En 2 étapes, chaque nombre de Jack peut être changé en un nombre de Julie. Quelles sont les 2 étapes? Explique la démarche en utilisant d'autres exemples.

Jack		Julie
3	→	11
4	→	15
5	→	19
7	→	27
10	→	39

6. Écris une équation pour chaque énoncé.
   a) Il y a ■ côtés dans 8 hexagones.
   b) Il y a 24 côtés dans ■ hexagones.

7

7. Nicole a 3 dix cents et 9 cinq cents. Combien d'argent a-t-elle en tout? Montre ton travail.

8 **8.** **a)** Quel nombre n'appartient pas à ce groupe de nombres?
12, 16, 24, 30, 42

b) Explique pourquoi.

c) Écris un autre nombre qui appartiendra au groupe.

10 **9.** Un nombre entier multiplié par lui-même s'appelle un nombre carré.

1 × 1 **2 × 2** **3 × 3** **4 × 4**

Nombres entiers	**Cercles verts**	**Nombres carrés**
1	1	1
2	3	4
3	5	9
4	7	16
5	9	
6	11	
7	13	
8	15	
9	17	
10	19	

a) Décris la régularité numérique que forment les cercles verts.

b) Que faut-il ajouter à un nombre carré pour obtenir le prochain nombre carré?

c) Continue la régularité pour compléter la colonne des nombres carrés.

d) Quelle est la relation entre les nombres de la colonne des nombres entiers et ceux de la colonne des cercles verts?

e) Si tu sais que $11 \times 11 = 121$, explique comment tu peux trouver le produit de 12×12.

10. Estime le nombre de fois que tu peux multiplier le nombre 2 par lui-même avant d'atteindre le nombre 1 000.
Vérifie ton calcul avec une calculatrice.
$2 \times 2 \times 2 \times 2$ ...

LEÇON

Révision du chapitre

2

1. Tes 5 amis se partagent 20 bonbons à parts égales.
   Combien chacun recevra-t-il de bonbons?

2. Il y a 6 œufs dans 1 boîte.
   Combien d'œufs y a-t-il dans 3 boîtes?

3

3. Quel quotient est le plus élevé : $32 \div 4$ ou $32 \div 8$?
   Explique comment tu peux dire cela sans faire la division.

4

4. Tania a inventé un arrangement avec 36 tuiles.
   a) Montre toutes les façons possibles d'ordonner l'arrangement.
   b) Écris la famille d'opérations de chaque arrangement.

8

5. Calcule chaque résultat. Explique ce que tu as fait.
   a) Utilise $4 \times 6 = 24$ pour trouver le quotient de $24 \div 6$.
   b) Utilise $6 \times 5 = 30$ pour trouver le produit de 3×5.
   c) Utilise $2 \times 5 = 10$ pour trouver le produit de 4×5.
   d) Utilise $10 \times 3 = 30$ pour trouver le produit de 5×6.
   e) Utilise $5 \times 3 = 15$ pour trouver le produit de 10×3.
   f) Utilise $7 \times 8 = 56$ pour trouver le produit de 8×8.

6. Maggie dit : « $5 \times 8 = 40$. Donc 6×8 doit correspondre à $40 + 6$, ou 46. »
   Explique par écrit ce qui est faux dans son raisonnement.

10

7. Toutes ces réponses sont-elles correctes?
   Vérifie en faisant une multiplication.
   Corrige les erreurs.
   a) $12 \div 2 = 8$
   b) $63 \div 7 = 8$
   c) $25 \div 5 = 5$
   d) $24 \div 4 = 4$
   e) $81 \div 9 = 8$
   f) $60 \div 10 = 6$

8. a) Complète la table de multiplication.
   b) Colorie tout carré qui contient un produit qui serait lui-même un nombre impair.
   c) Quelle est la relation entre les produits pairs et impairs et leurs facteurs?

×	6	7	8	9	10
6					
7					
8					
9					
10					

Tâche du chapitre

Les musiciens dans le défilé

Tu dois organiser le passage de la fanfare de l'école dans le défilé annuel de la ville.

- La fanfare comprendra entre 60 et 85 personnes.
- Elle défilera en rangées et en colonnes.
- Chaque rangée comprendra un nombre égal de musiciens.
- Aucune rangée ou colonne ne devra compter plus de 9 musiciens.

? Comment les musiciens de la fanfare seront-ils disposés dans le défilé?

A. Forme tous les arrangements que tu peux afin d'inclure entre 60 et 85 musiciens dans la fanfare.

B. Écris la famille d'opérations de chacun de tes arrangements.

C. Explique comment tu sais que tu as trouvé tous les arrangements possibles demandés dans la partie A.

D. Choisis ton arrangement préféré. Explique comment la famille d'opérations le décrit.

Liste de contrôle de la tâche

- ☑ As-tu trouvé tous les arrangements de rangées et de colonnes possibles n'excédant pas 9 musiciens?
- ☑ As-tu organisé ton travail pour qu'il soit facile à suivre?
- ☑ As-tu expliqué ton raisonnement?
- ☑ As-tu utilisé le vocabulaire mathématique?

CHAPITRE 7

Géométrie à 2 dimensions

Attentes

Tu pourras

- **identifier et classer des figures à 2 dimensions;**
- **identifier et construire des figures congruentes;**
- **identifier et décrire des figures semblables;**
- **mesurer des angles à l'aide d'un rapporteur;**
- **résoudre des problèmes de géométrie en construisant des modèles.**

Un vitrail en forme de figures géométriques

Premiers pas

Explorer la géométrie à l'aide de casse-tête

Ce casse-tête est formé de 8 morceaux à 2 dimensions.

Matériel nécessaire

- des mosaïques géométriques

- un cadre rectangulaire

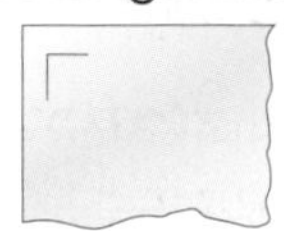

- une règle
- des crayons de couleur

? Comment peux-tu fabriquer un casse-tête qui respecte ces règles?

- Le casse-tête doit être en forme de rectangle.
- Il a 8 morceaux ou plus.
- Au moins 2 morceaux sont **congruents**.
- Au moins 1 morceau est un **parallélogramme**.
- Au moins 1 morceau est un **rectangle**.
- Au moins 1 morceau est un **losange**.

A. Le casse-tête du papillon respecte-t-il ces règles?
Explique ta réponse.

B. Dessine un plan de casse-tête qui respecte ces règles.

C. Utilise une règle pour dessiner les morceaux de ton casse-tête ou trace le contour de mosaïques géométriques.

D. Fabrique un casse-tête.

E. Certains morceaux ont des **angles droits**.
Quel est le plus petit nombre de ces morceaux que peut contenir ton casse-tête?
Explique ta réponse.

F. Montre comment tu peux couper des morceaux de ton casse-tête pour obtenir encore plus de parallélogrammes.

Rappelle-toi!

1. Quelle figure correspond à chaque mot?
   a) rectangle **b)** hexagone **c)** parallélogramme **d)** losange

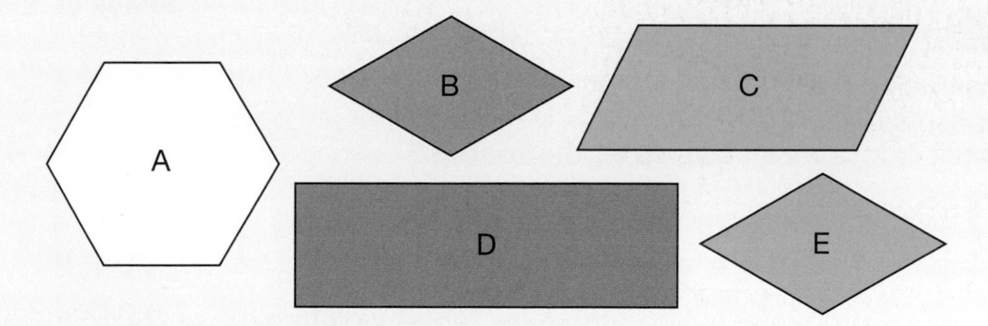

2. Quelles figures ont des angles droits?
3. Classe les 5 figures selon 2 **propriétés**.
   Note ton classement.
4. Nomme les 2 figures congruentes.
   Explique ta réponse.

1 Classer des quadrilatères

Attente Identifier et classer des quadrilatères.

Un magasin de meubles publie un catalogue des tables qu'il vend. Chaque dessus de table dans le catalogue est en forme de **quadrilatère**.

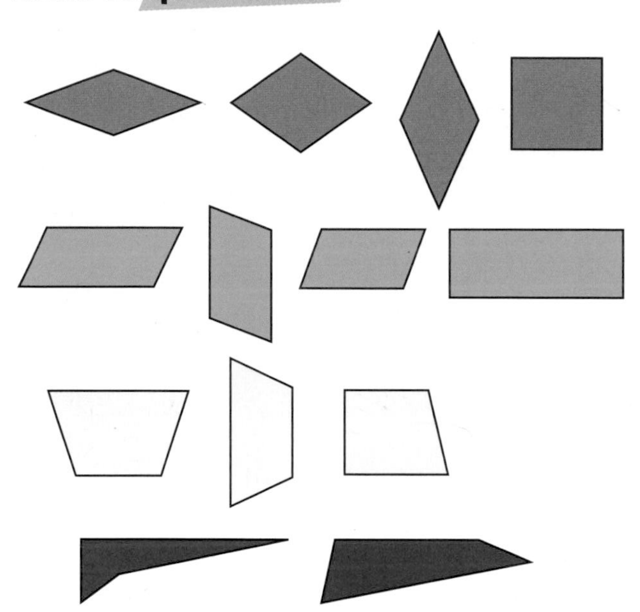

? Comment les tables sont-elles disposées?

Toutes les tables ont une **propriété** en commun : elles ont chacune 4 côtés droits.

A. Quelles autres propriétés se partagent les tables violettes?

B. Il y a une table carrée parmi les tables violettes. Est-ce une erreur? Explique ta réponse.

C. Quelles autres propriétés se partagent les tables bleues?

D. Quelles autres propriétés se partagent les tables jaunes?

E. Les tables rouges se partagent-elles une même propriété? Explique ta réponse.

quadrilatère
Figure géométrique fermée à 4 côtés droits.

parallélogramme
Quadrilatère dont les côtés opposés sont **parallèles** et **congrus**.

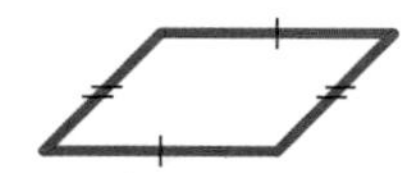

Les lignes congrues (de même longueur) sont identifiées par le même nombre de petites barres.

parallèle
Se dit de 2 lignes toujours séparées par la même distance.

Les lignes parallèles sont identifiées par la même couleur.

F. À quelle partie du diagramme de Venn appartient chaque figure?

a) un **rectangle**

b) un **losange**

c) un **carré**

Classification des quadrilatères

parallélogrammes

tous les côtés sont congrus

G. Quel nom de figure donnerais-tu à chaque groupe de dessus de table?

a) les violets b) les bleus c) les jaunes

Réflexion

1. Dans le mot *quadrilatère*, que signifie *quadri*?
2. Utilise des exemples pour expliquer pourquoi un quadrilatère peut porter plus d'un nom de figure.

Vérification

3. Énumère tous les noms de figure possibles pour chaque dessus de table.

a)

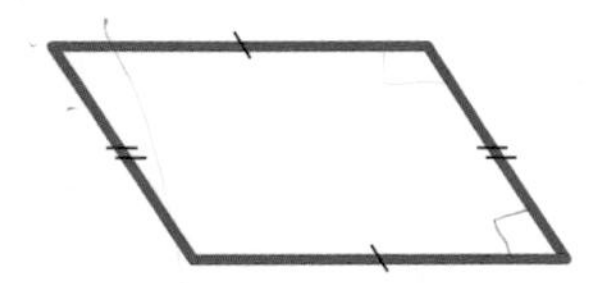

b)

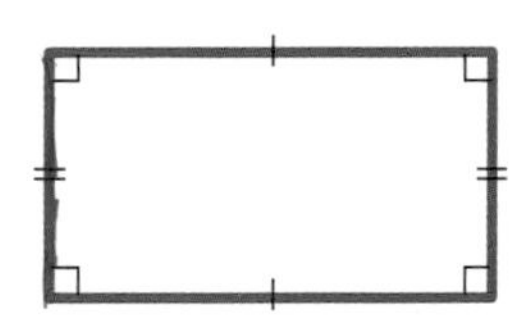

c)

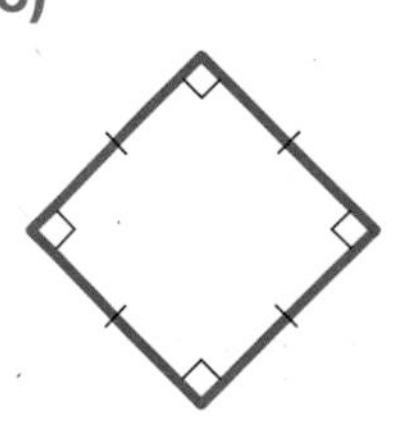

Application

4. Dessine un dessus de table pour montrer chaque figure :
   a) un **trapèze**
   b) un quadrilatère qui n'est ni un **parallélogramme** ni un trapèze
5. Un dessus de table a 4 côtés, mais seulement 2 angles droits. Quel nom de figure peux-tu utiliser pour le décrire?
6. Un dessus de table a 2 paires de côtés **parallèles**. Quelle figure est-ce?

rectangle
Parallélogramme à 4 angles droits.

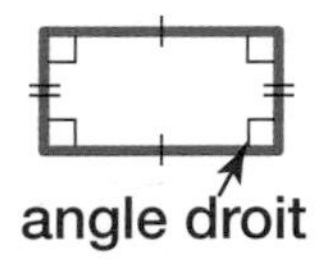

losange
Parallélogramme à 4 côtés congrus.

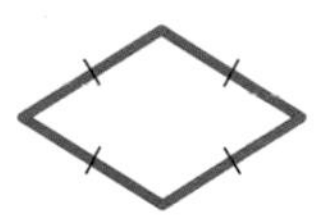

carré
Parallélogramme à 4 côtés congrus et à 4 angles droits.

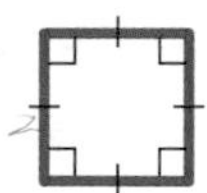

trapèze
Quadrilatère qui n'a que 1 seule paire de côtés parallèles.

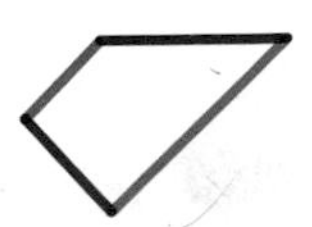

2 Construire des quadrilatères

Matériel nécessaire

- des ensembles de pailles de 10 cm, 15 cm et 20 cm de long

Associer les propriétés des quadrilatères aux longueurs de leurs côtés.

? Quels quadrilatères peux-tu construire avec divers ensembles de pailles?

A. Quels quadrilatères peux-tu construire avec chaque ensemble de pailles?
   a) 4 pailles courtes
   b) 2 pailles courtes et 2 pailles moyennes
   c) 2 pailles courtes, 1 paille moyenne et 1 paille longue

B. Fais un dessin de chaque figure.

C. À chaque dessin, inscris autant de noms de quadrilatères que tu peux.

D. Utilise des pailles pour construire un quadrilatère qui ne sera ni un parallélogramme ni un trapèze.

E. Dessine le quadrilatère de la partie D et énumère les pailles utilisées pour le construire.

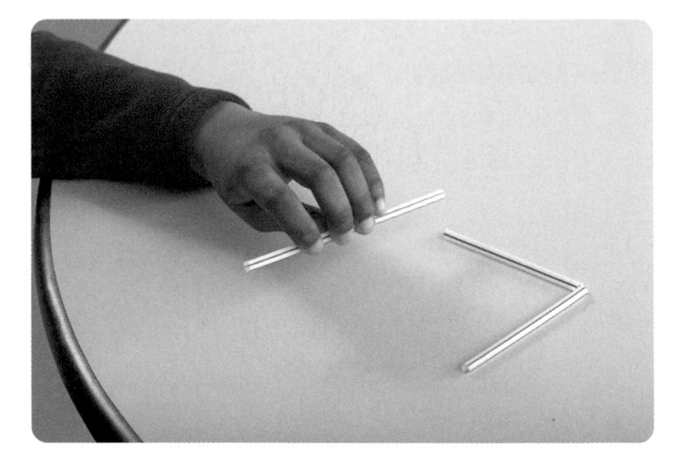

Réflexion

1. Nomme 2 autres figures qui peuvent être construites avec les pailles utilisées à la partie D.
2. Peux-tu construire un parallélogramme puis un trapèze avec le même ensemble de pailles? Explique pourquoi ou pourquoi pas.

Les quadrilatères d'un tangram

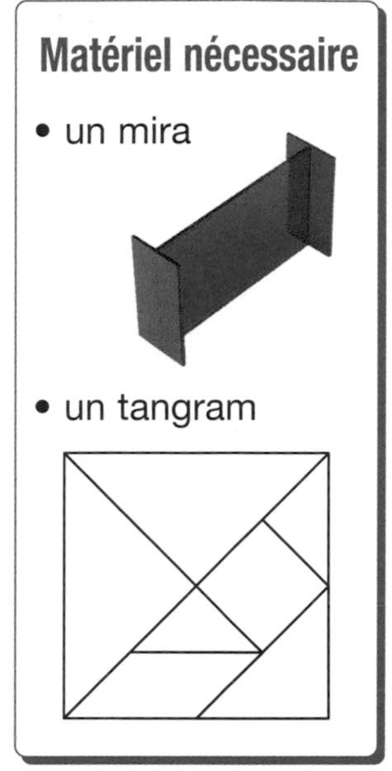

Le tangram est un casse-tête formé de 7 pièces appelées ***tans***.

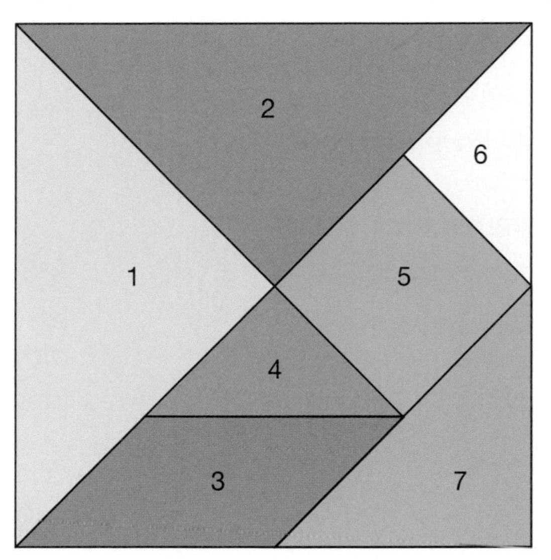

1

a) Identifie quels *tans* sont des quadrilatères.
b) Nomme chaque quadrilatère.

2

Tu peux unir des pièces pour faire d'autres quadrilatères.

a) Dessine des quadrilatères en combinant des *tans* et en traçant le contour de la figure.
b) Nomme chaque sorte de quadrilatère que tu formes.

3

Utilise un mira pour déterminer quels quadrilatères sont symétriques.

a) Nomme les quadrilatères qui ne sont pas symétriques.
b) Nomme les quadrilatères qui ont 1 axe de symétrie.
c) Nomme les quadrilatères qui ont plus de 1 axe de symétrie.

3 Identifier des figures congruentes

Identifier et construire des figures congruentes.

Matériel nécessaire

- une règle
- des géoplans
- du papier à points

? Sais-tu jouer au jeu des figures congruentes?

A. Cache ton géoplan à ton ou ta partenaire.
Construis un quadrilatère dont tous les côtés sont de longueurs différentes.
Explique à ton ou ta partenaire comment construire un quadrilatère **congruent** au tien.

B. Compare la figure de ton partenaire avec la tienne.
Les figures sont-elles congruentes?

C. Explique comment tu peux vérifier si les figures sont congruentes.

congruent
De forme et de dimensions identiques.

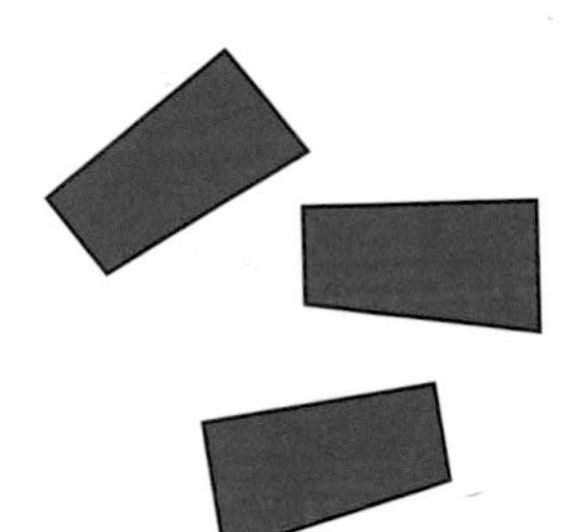

Ces quadrilatères sont congruents.

Réflexion

1. Ces 2 figures ont des côtés de même longueur. Sont-elles congruentes? Explique ta réponse.
2. Si 2 figures sont congruentes, quelles propriétés doivent être observables?

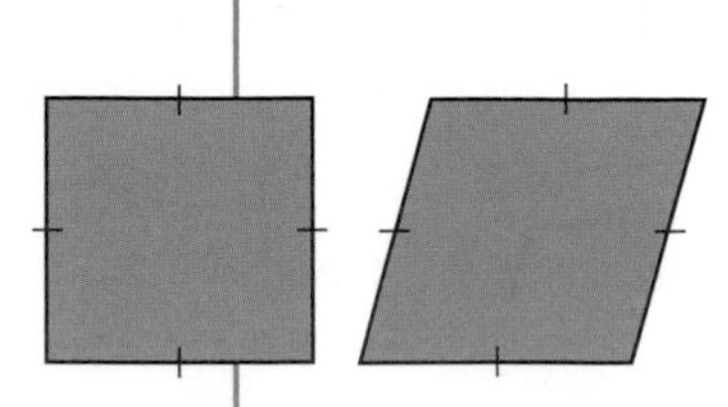

Vérification

3. Lesquelles de ces figures sont congruentes?
   Comment le sais-tu?

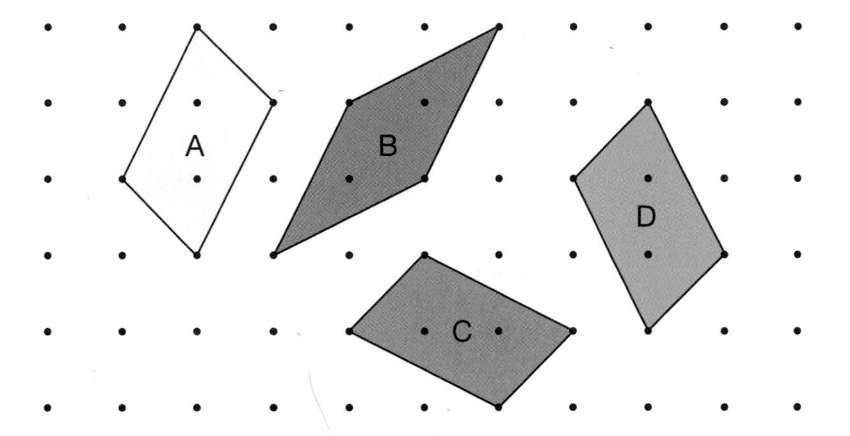

Application

4. Il y a un quadrilatère sur ce géoplan.
   a) Construis un quadrilatère comme celui-ci sur un géoplan. Transcris la figure sur du papier à points.
   b) Tourne le géoplan à l'envers.
      Trace la nouvelle figure sur du papier à points.
   c) Mesure toutes les longueurs des côtés de tes 2 figures en forme de quadrilatère.
      Que remarques-tu?

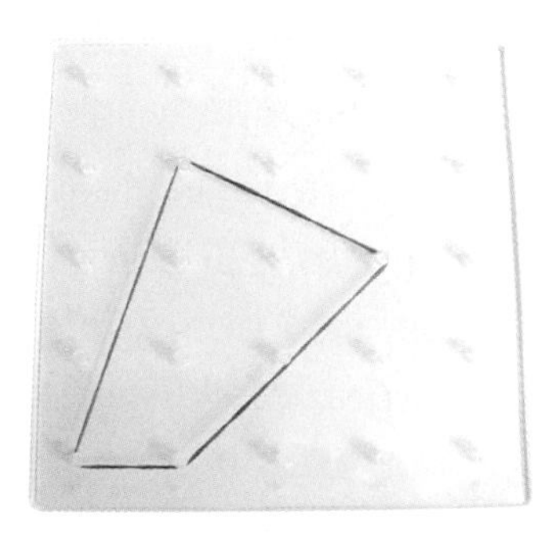

5. Ces 2 quadrilatères sont congruents.
   a) Construis 1 des quadrilatères sur ton géoplan.
      Copie la figure sur du papier à points.
   b) Dessine 5 autres quadrilatères qui seront congruents au 1er quadrilatère.

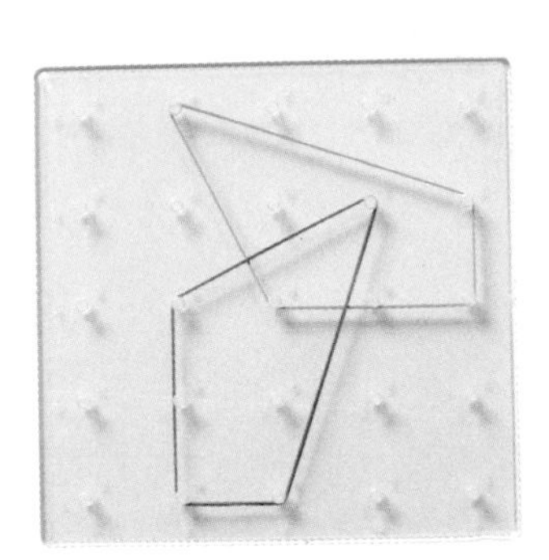

6. Yvan dit que 2 rectangles dont les côtés sont de même longueur doivent être congruents.
   Es-tu d'accord?
   Explique pourquoi ou pourquoi pas.

4 Décrire des figures semblables

Savoir identifier et décrire des figures semblables.

Tu peux utiliser un logiciel de graphisme pour agrandir ou réduire une figure. La nouvelle figure est parfois **semblable** à la première. Il arrive aussi qu'elle n'est pas semblable.

semblable
De forme identique, mais pas nécessairement de même grandeur.

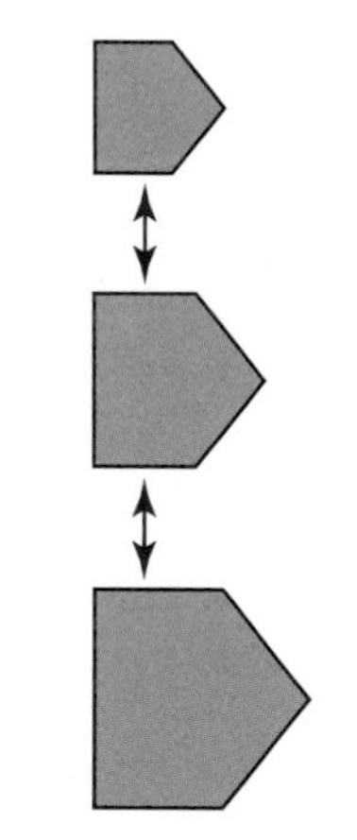

Ces figures sont semblables les unes aux autres.

Nathalie dessine des triangles à l'ordinateur

J'ai commencé par un petit triangle.
J'ai étendu le petit triangle en tous sens de façon égale.
Le grand triangle a la même forme que le petit.
Ces triangles sont donc semblables.

Ensuite, j'ai étendu seulement la base du petit triangle.
Le grand triangle est trop large par rapport au petit.
Ces triangles ne sont pas semblables.

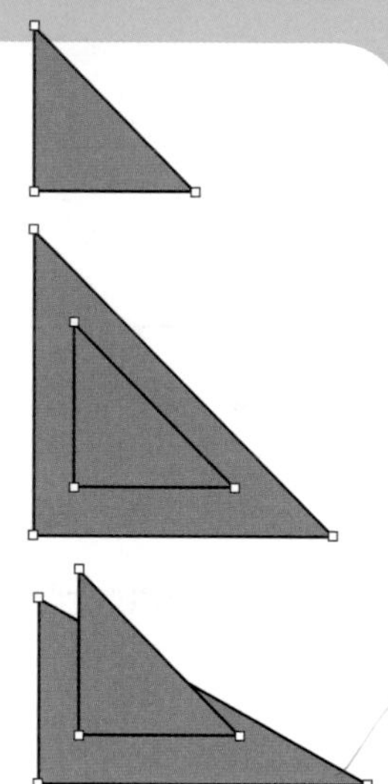

? Comment décrirais-tu une figure qui est semblable à chacune de ces figures?

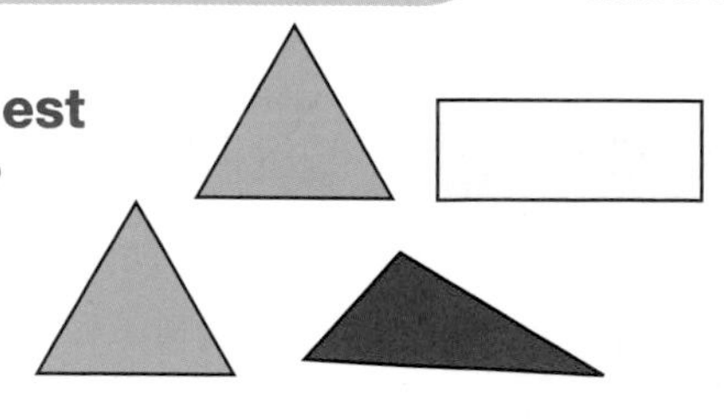

A. Compare ces triangles. Comment sais-tu qu'ils ne sont pas semblables?

B. Compare ces rectangles. Comment sais-tu qu'ils ne sont pas semblables?

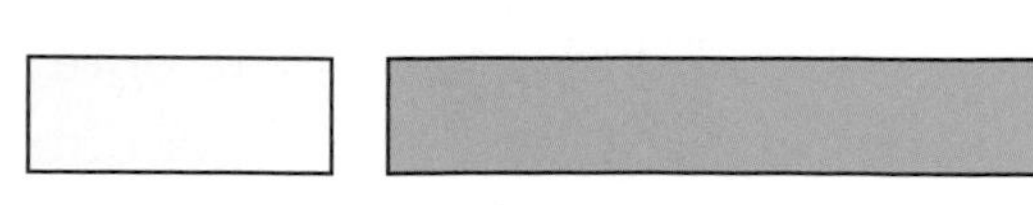

C. Dessine une figure qui sera semblable au triangle bleu. Explique pourquoi la figure est semblable.

D. Dessine une figure qui sera semblable au rectangle jaune. Explique pourquoi la figure est semblable.

Réflexion

1. Un triangle et un carré peuvent-ils être semblables? Explique ta réponse.
2. Tous les carrés sont-ils semblables? Explique ta réponse par des mots et des dessins.

Vérification

3. a) Quelles paires de figures paraissent semblables? Explique ta réponse.
   b) Explique pourquoi les figures D et J ne sont pas semblables.

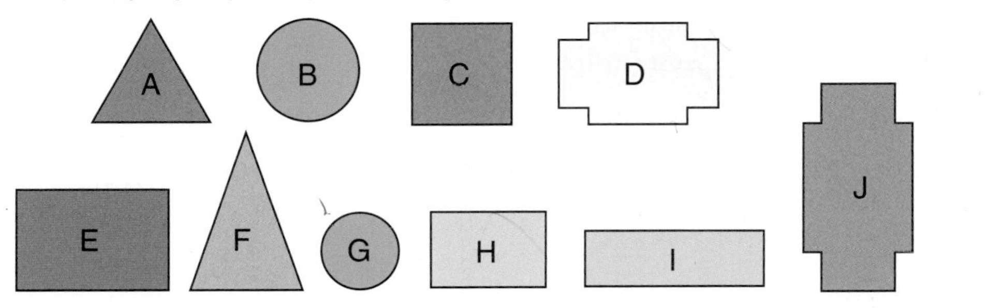

Application

4. Quel rectangle bleu paraît semblable au rectangle rouge? Explique ta réponse.

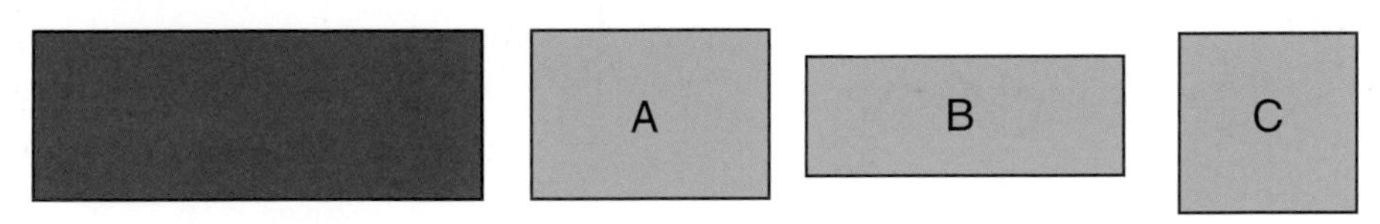

5. Quel hexagone bleu paraît semblable à l'hexagone rouge? Explique ta réponse.

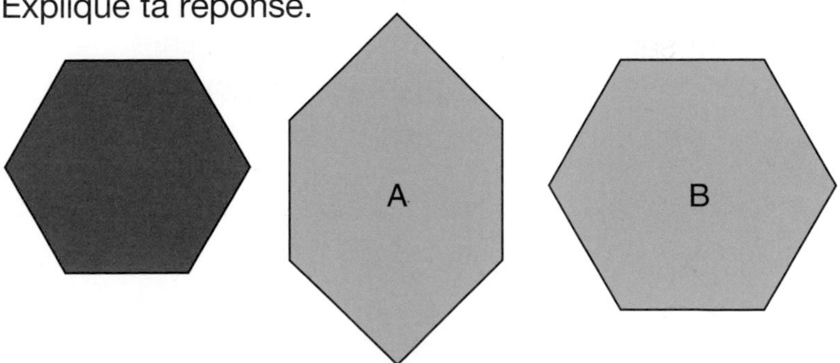

Test de similitude

Matériel nécessaire

- une règle
- des ciseaux

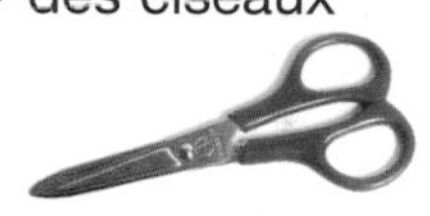

Fais ce test pour déterminer si 2 rectangles sont semblables.

Étape n° 1 Place 1 coin du petit rectangle par-dessus le coin correspondant du grand rectangle.

Étape n° 2 Dessine une diagonale à partir de ce coin jusque dans le coin opposé du grand rectangle.

Si la diagonale passe par le coin opposé du petit rectangle, alors les rectangles sont semblables. Si la diagonale ne passe pas par le coin opposé, les rectangles ne sont pas semblables.

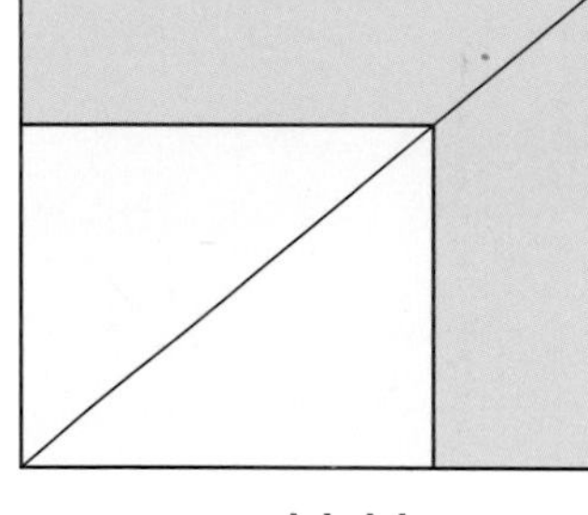

semblable

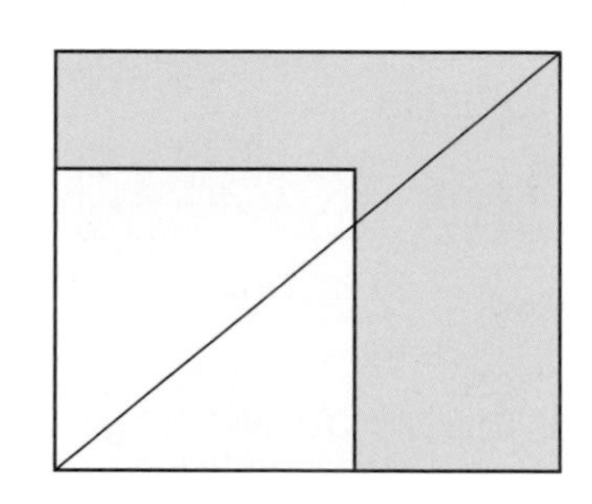

pas semblable

1 Fais le test de similitude pour savoir si tous les carrés sont semblables. Qu'as-tu découvert?

2 Des triangles isocèles ont 2 côtés d'égale longueur. Élabore un test qui te permettra de déterminer si 2 triangles isocèles sont semblables.

LEÇON

Révision

1

1. Utilise chaque nom de figure une seule fois pour confirmer ces phrases.
   - parallélogramme
   - trapèze
   - losange
   - carré
   - rectangle

   a) Un ■ est un ■ spécial.
   b) Un ■ n'est jamais un ■.
   c) Un ■ a toujours 4 angles droits.

3

2. Utilise du papier à points pour montrer que 2 quadrilatères congruents restent encore congruents après une rotation ou une réflexion. Fais des dessins et explique comment tu sais que tes figures sont congruentes.

4

3. Quelles sont les figures de droite qui correspondent aux définitions suivantes?
   a) Les figures sont semblables.
   b) Les figures sont congruentes.

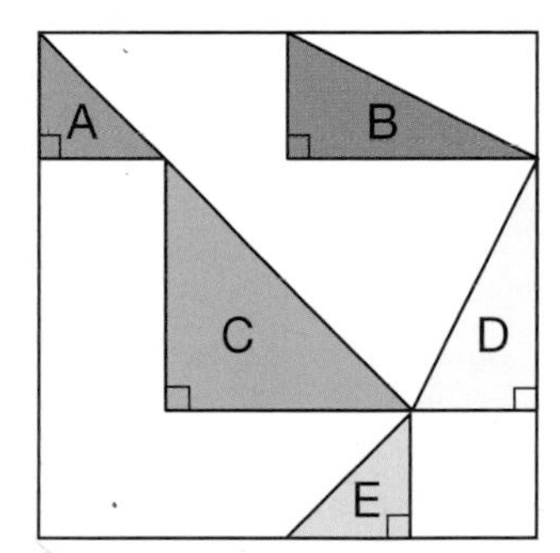

4. Utilise du papier à points pour faire 2 dessins de chaque figure. Les figures ne devraient être ni congruentes ni semblables.
   a) trapèzes
   b) parallélogrammes

5. Brad dit que ces 2 grenouilles sont semblables. Es-tu d'accord? Explique comment tu peux vérifier ce qu'il dit.

5 Mesurer des angles

Matériel nécessaire

- un rapporteur

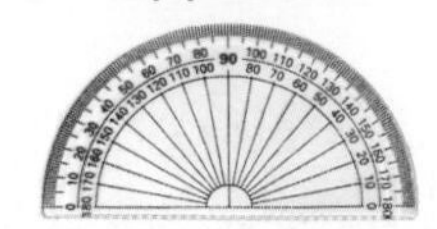

- une règle

Attente **Savoir mesurer des angles à l'aide d'un rapporteur.**

En écartant 2 doigts, tu fais un **angle**.

angle

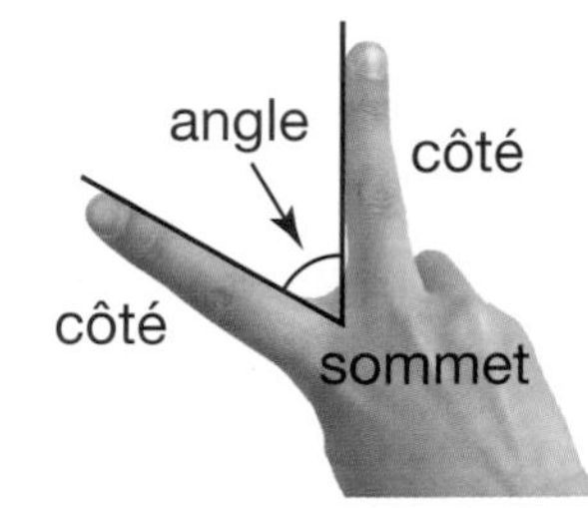

? Quel est le plus grand angle que tu peux former avec ton annulaire et ton majeur?

L'angle de Vinh

J'ai tracé un angle en suivant mon annulaire et mon majeur.

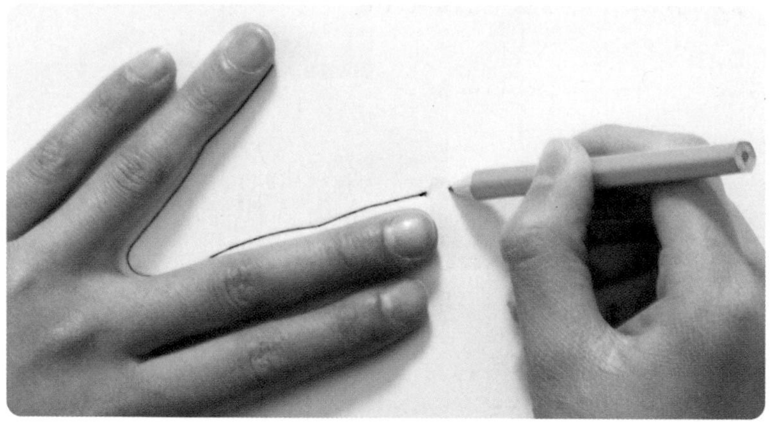

J'ai utilisé une règle pour redresser les côtés de l'angle.

J'ai estimé la mesure de mon angle en le comparant à un angle de 45°.

Mon angle semble mesurer moins de 45°.

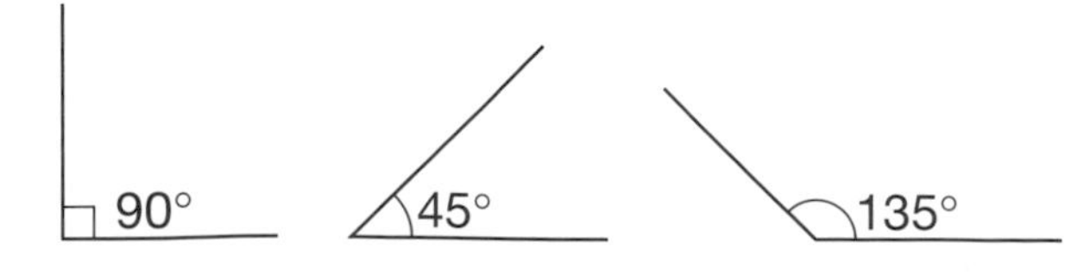

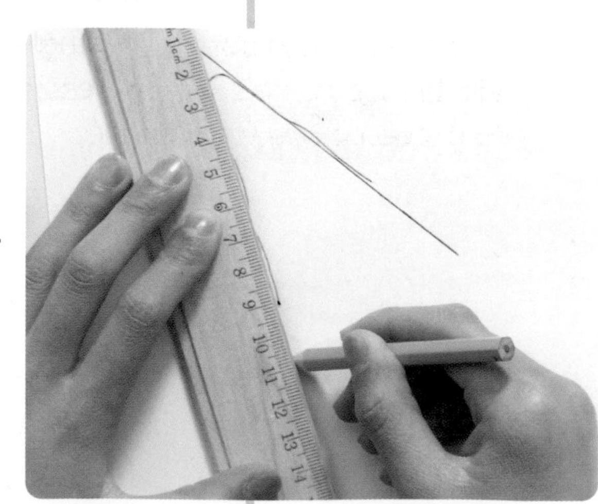

DUV

J'ai mesuré l'angle avec mon **rapporteur**.

J'ai placé la ligne marquée 0° de mon rapporteur par-dessus 1 côté de l'angle.

J'ai lu le nombre de **degrés** à l'endroit où l'autre côté de l'angle arrive sur le rapporteur.

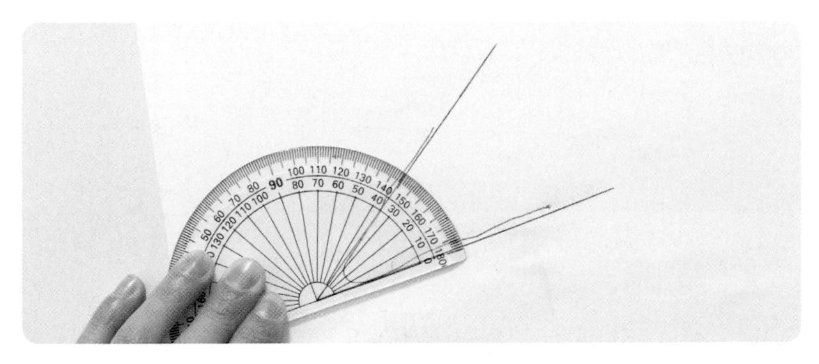

Je peux faire un angle de 35° avec mon annulaire et mon majeur.

rapporteur
Instrument servant à mesurer des angles.

degré
Unité de mesure des angles.

45°

45° se lit « 45 degrés ».

Réflexion

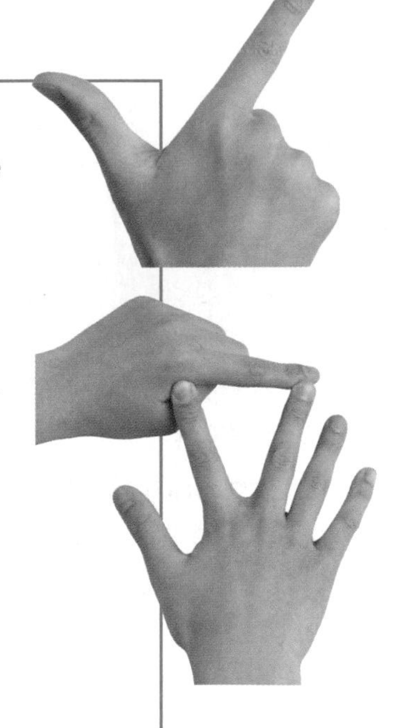

1. Quel est le plus grand angle que tu peux faire avec ton pouce et ton index?
2. Forme un triangle avec tes doigts. Dans ce triangle, combien d'angles peut-on mesurer?
3. La longueur des côtés d'un angle influence-t-elle la mesure de l'angle? Mesure ces angles. Explique ce que tu as trouvé.

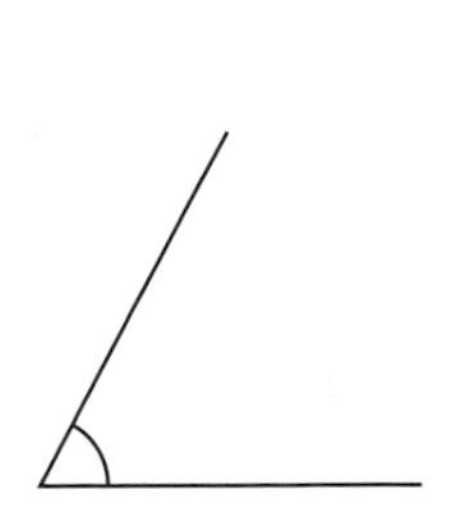

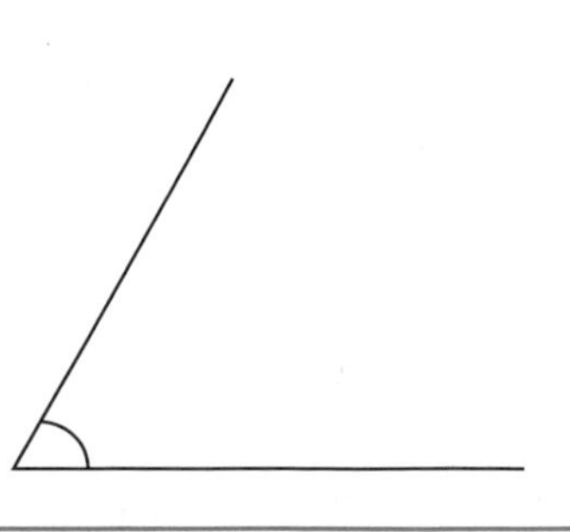

Vérification

4. Mesure chaque angle.

a)

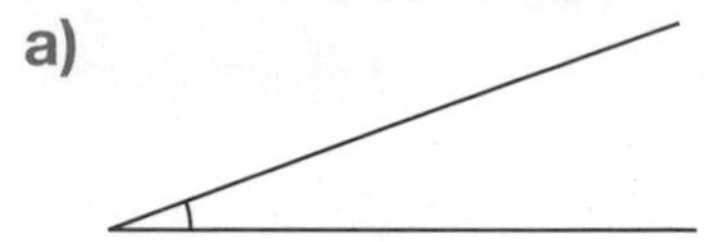

b)

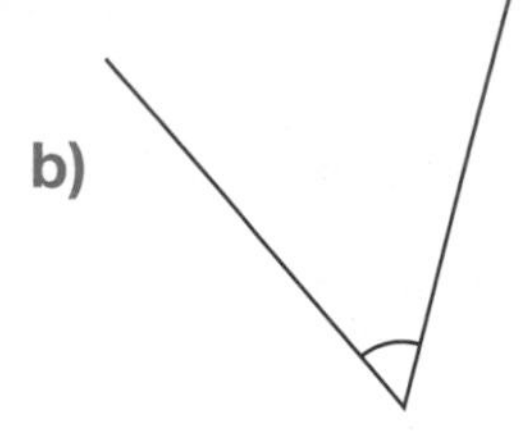

c)

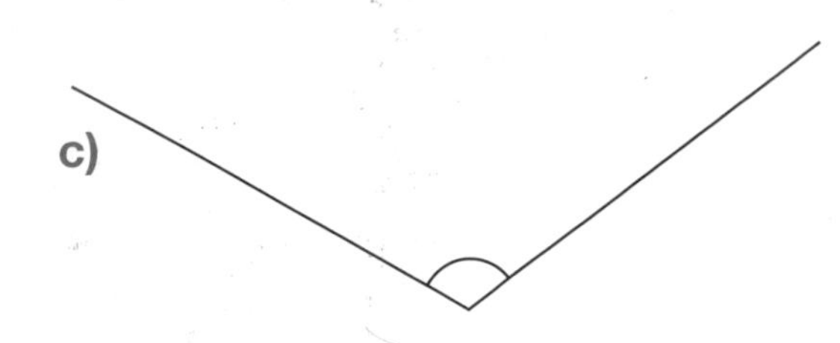

5. Mesure les 3 angles à l'intérieur du triangle.

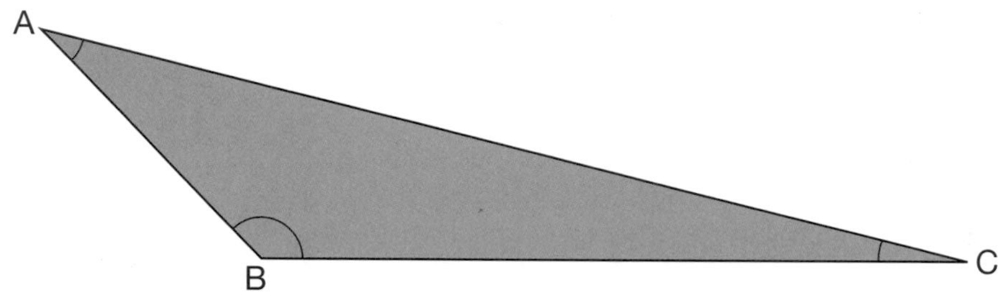

Application

6. Les figures jaunes sont congruentes.
Mesure les angles à l'intérieur de chaque figure.
Qu'est-ce que tu remarques au sujet des angles à l'intérieur des figures congruentes?

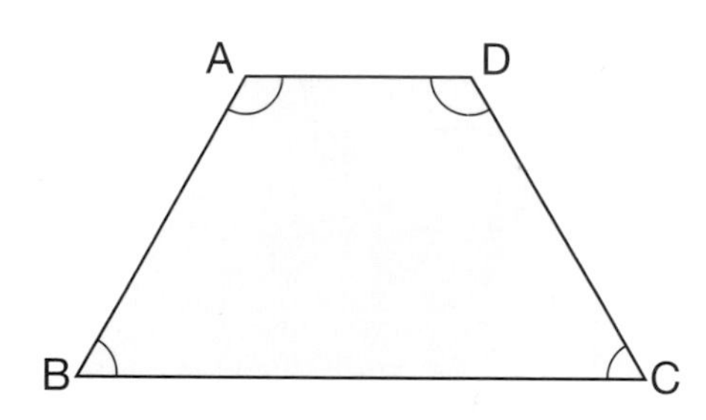

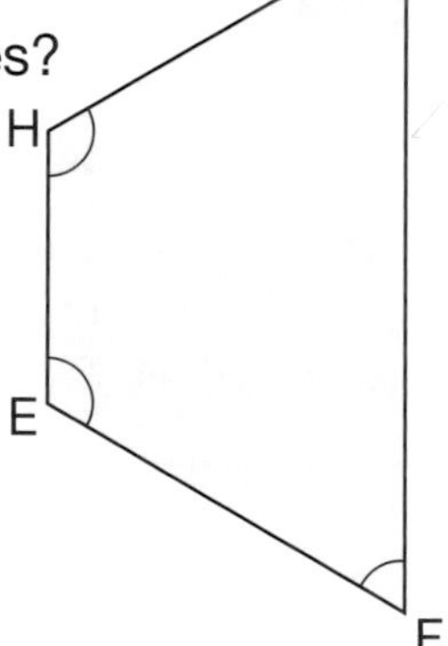

7. Les figures bleues sont semblables.
Mesure les angles à l'intérieur de chaque figure.
Qu'est-ce que tu remarques à propos des angles à l'intérieur des figures semblables?

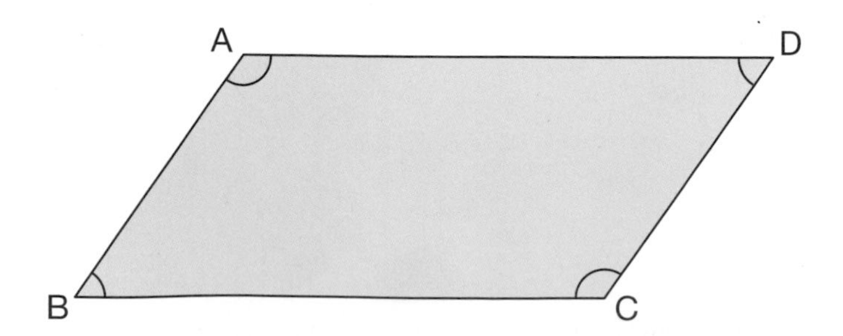

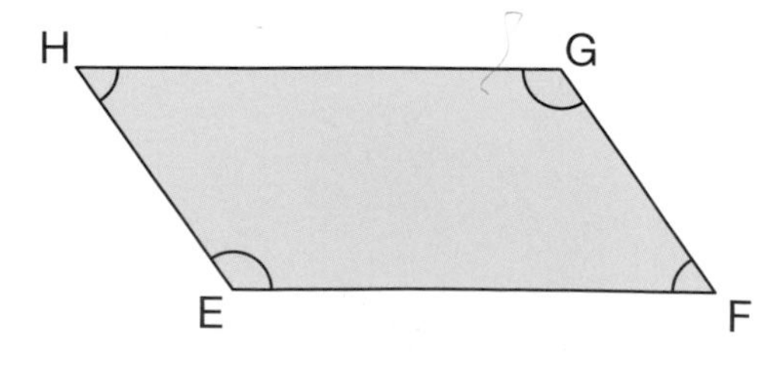

DUV

Former des figures à partir de triangles

Matériel nécessaire
- des mosaïques géométriques en forme de triangle

L'hexagone de Shani

J'ai formé un hexagone avec 6 triangles.

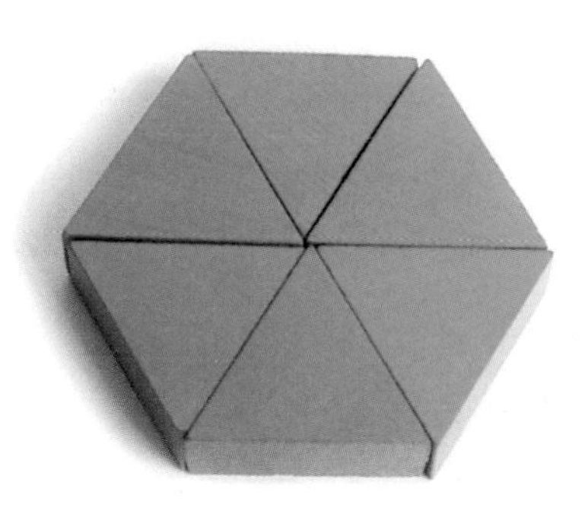

A. Utilise 6 mosaïques géométriques en forme de triangle pour former un hexagone comme celui de Shani.

À ton tour!

1. Combien d'hexagones différents peux-tu construire avec 6 mosaïques géométriques en forme de triangle? Montre ton travail.

2. Construis chacune de ces figures avec 6 mosaïques géométriques en forme de triangle.
   a) un octogone (8 côtés)
   b) un parallélogramme

6 Construire un modèle pour résoudre un problème

Matériel nécessaire

- une règle
- des mosaïques géométriques

Construire un modèle pour résoudre un problème.

Sarah dispose ensemble 20 tables en forme de trapèze pour faire 1 seule rangée de tables.

? Combien de personnes peuvent s'asseoir aux tables si 1 seule personne est assise à chaque place libre?

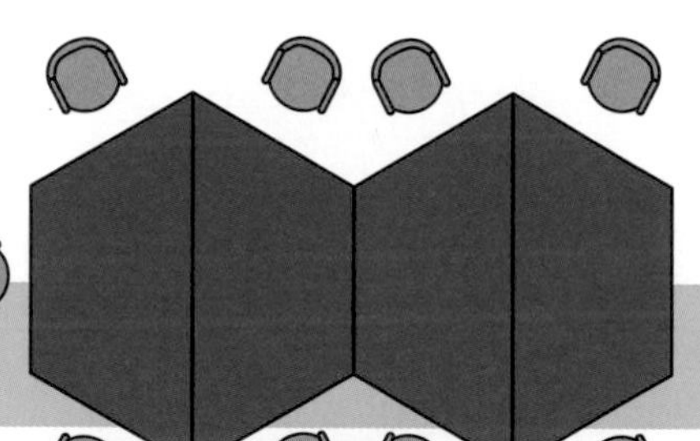

La solution de Sarah

Comprendre le problème

Il est impossible de s'asseoir là où 2 tables sont jointes.
Cela signifie que je ne dois compter que les côtés libres.

Élaborer un plan

Je construirai un modèle à l'aide de blocs en forme de trapèze pour représenter les tables.

Mettre le plan en œuvre

D'abord, je compterai le nombre de places libres du côté haut de la rangée.

1 2 3 4 5 6 7 8 9 10 11 12 13 14 15 16 17 18 19 20

Il y a 20 places libres de ce côté.
Il y a 20 autres places libres du côté bas de la rangée.
Il y a 1 place libre à chaque bout.

20 + 20 + 1 + 1 = 42 places libres

Les tables peuvent donc recevoir 42 personnes.

Réflexion

1. Pourquoi Sarah n'a-t-elle pas eu besoin de compter les places libres du côté bas de la rangée?
2. Si Sarah avait disposé les tables en 2 rangées d'hexagones, y aurait-il eu plus ou moins de places pour s'asseoir?
   Explique ta réponse.
3. Comment le fait de construire un modèle a-t-il aidé Sarah à trouver une solution?

Vérification

4. Rami dispose ensemble 7 tables en forme d'hexagone pour former une longue table.
   Combien de personnes peuvent s'asseoir aux tables si 1 personne s'assoit à chaque place libre?
   Montre ton travail.

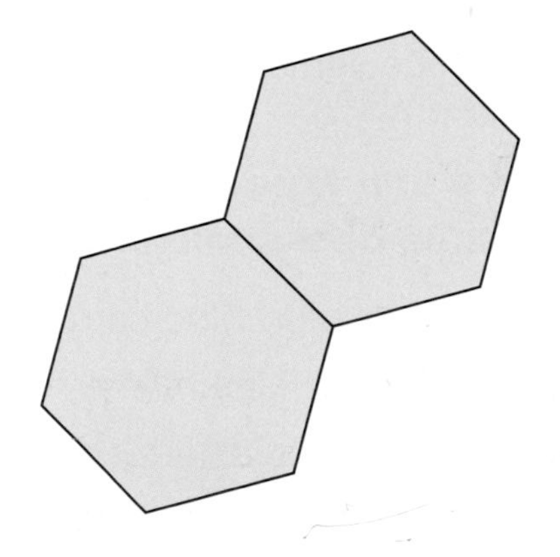

Application

5. Thierry dispose ensemble 9 tables en forme de losange pour former une longue table.
   Combien de personnes peuvent s'asseoir aux tables si 1 personne s'assoit à chaque place libre?
6. Tamara forme une grande table en disposant ensemble 6 petites tables en forme de triangle équilatéral.
   Une personne s'assoit à chaque place libre.
   a) Combien de personnes peuvent s'asseoir à la grande table?
   b) Explique pourquoi il y a plus d'une réponse à ce problème.

7 Déterminer les axes de symétrie

Dessiner des axes de symétrie.

La symétrie aide à reconnaître des motifs et à résoudre des casse-tête. Ces 2 noms sont à moitié couverts. Quel nom est le plus facile à imaginer?

Le nom de gauche est probablement plus facile à trouver parce que chaque lettre du prénom TOM est symétrique de part et d'autre de la droite verticale. C'est différent pour le prénom JEN.

Matériel nécessaire

- un mira

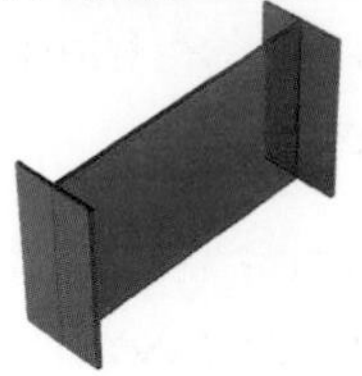

- des mosaïques géométriques

- des ciseaux

- du papier à points

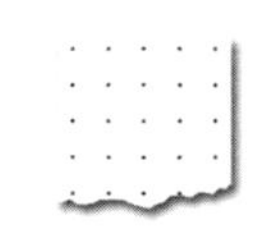

? Si tu plies une figure le long de son axe de symétrie, est-ce facile de visualiser la figure entière?

A. Trace le contour d'un bloc carré ou dessine un carré sur du papier à points.

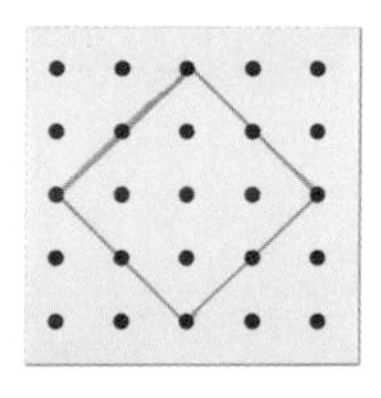

B. Dessine tous les **axes de symétrie** du carré.
Essaie chacune de ces méthodes.

Sers-toi d'un mira.

Mesure avec une règle.

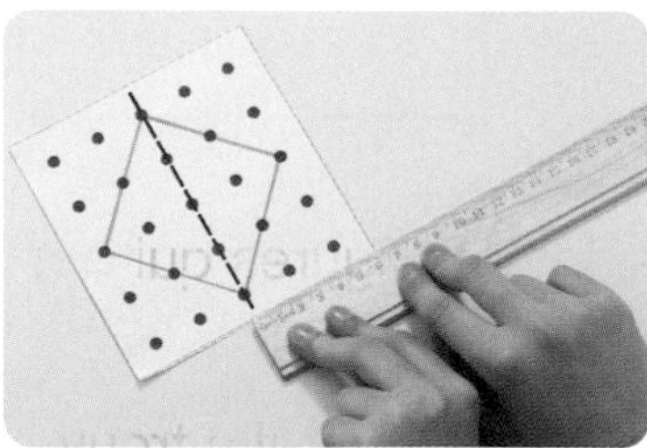

Découpe et plie.

Utilise les points sur le papier à points.

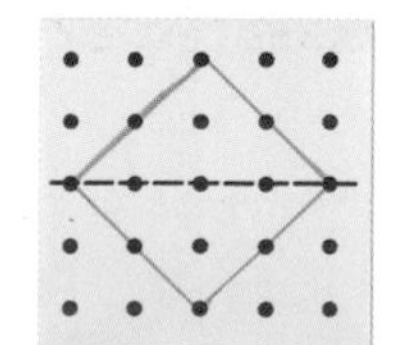

axe de symétrie
Ligne droite qui divise une figure en 2 parties. Quand la figure est pliée suivant la ligne, les 2 moitiés s'appliquent l'une sur l'autre.

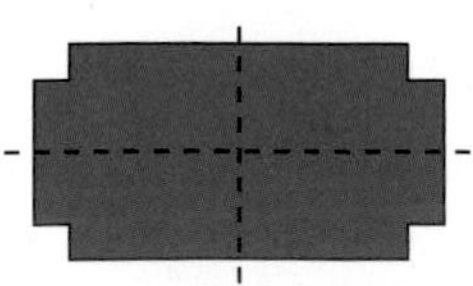

Cette figure a 2 axes de symétrie.

C. Répète les opérations des parties A et B avec un triangle, un hexagone et un losange.

D. Trace le contour d'un bloc en forme de trapèze.
Dessine 1 des axes de symétrie.
Quelle méthode as-tu utilisée pour trouver l'axe? Pourquoi?

E. Plie chacune des figures des parties C et D suivant 1 de ses axes de symétrie. Cache ensuite la moitié de la figure. Est-ce facile de visualiser la figure entière à partir de la moitié visible? Pourquoi ou pourquoi pas?

F. Dessine ces 3 quadrilatères sur du papier à points. Pour chaque quadrilatère, trouve tous les axes de symétrie, s'il y en a.

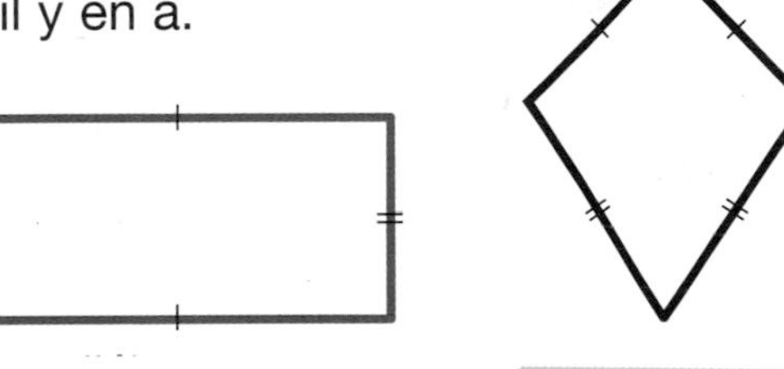

un parallélogramme qui n'est pas un losange

un rectangle qui n'est pas un carré

cerf-volant

cerf-volant
Quadrilatère à 2 paires de côtés congrus sans côtés parallèles.

Réflexion

1. Que remarques-tu au sujet des figures qui ont plus de 1 axe de symétrie?
2. Comment le papier à points t'aide-t-il à trouver des axes de symétrie?
3. Quel est le meilleur instrument pour tracer des axes de symétrie : un mira ou une règle? Explique ton raisonnement.

8 Classer des figures à 2 dimensions

Matériel nécessaire

- des feuilles de figures géométriques

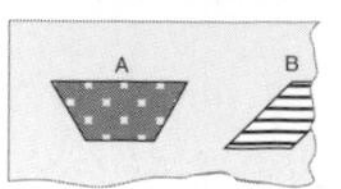

- une règle

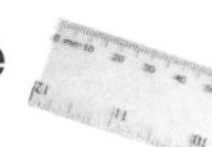

- un rapporteur

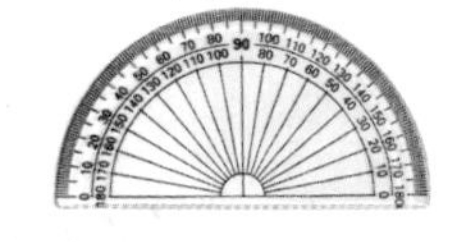

Identifier et classer des figures à 2 dimensions.

Pense aux propriétés de certaines figures à 2 dimensions.

- côtés parallèles
- nombre de côtés
- côtés congrus
- symétrie
- similitude
- congruence
- mesure des angles

? De combien de façons différentes peux-tu classer ces figures?

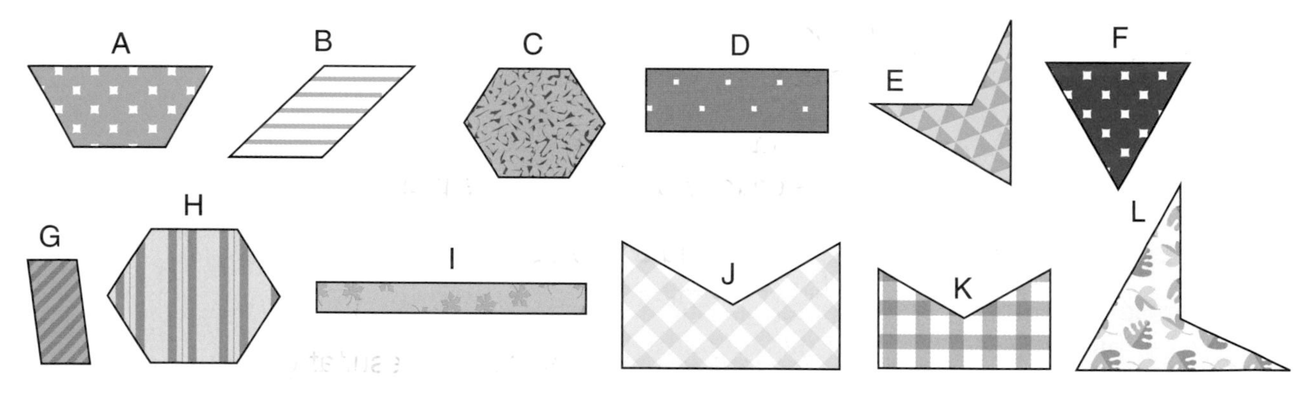

A. Classe les figures selon 2 propriétés ou plus.

B. Montre comment tu as classé les figures. Tu peux utiliser un tableau, une liste ou un diagramme de Venn.

C. Trouve au moins 4 autres façons de classer les figures. Montre comment tu as classé les figures chaque fois.

Réflexion

1. Quelles propriétés la plupart des figures ont-elles?
2. Quelles propriétés un petit nombre seulement de figures ont-elles?

Le Jeu des angles

Matériel nécessaire

- des dés 
- des géoplans 
- des élastiques 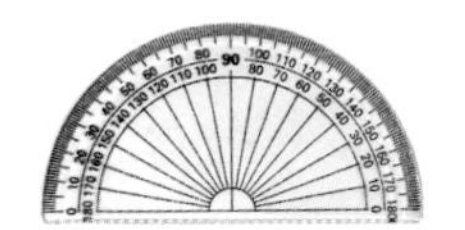
- un rapporteur

Nombre de joueurs : 2

Règles du jeu : Le but du jeu consiste à dessiner le **polygone** qui aura le plus grand angle.

Étape n° 1 Chaque joueur lance un dé. Chacun additionne les chiffres obtenus. Si la somme égale 2, chacun lance son dé une autre fois.

Étape n° 2 Chaque joueur se sert d'élastiques pour former un polygone ayant autant de côtés que la somme des dés lancés.

Étape n° 3 Chaque joueur choisit le plus grand angle de son polygone et il le mesure.

Étape n° 4 Les joueurs comparent les 2 angles. Ils font une soustraction pour trouver la différence entre le plus grand et le plus petit angle.

Étape n° 5 Le joueur qui a le plus grand angle obtient des points égaux à la différence entre les 2 angles.

Les joueurs jouent 5 manches. Celui qui obtient le meilleur résultat gagne.

Les polygones de Thierry et de Chantal

Chantal et moi avons joué un 3 et un 4.

Nous avons fait des **heptagones**.

Mon plus grand angle était de 157°.

Le plus grand angle de Chantal était de 153°.

La différence était de 4°.

J'ai marqué 4 points.

LEÇON

Acquisition des compétences

1

1. Remplis le tableau. Trouve autant de figures que possible pour chaque nom de figure.

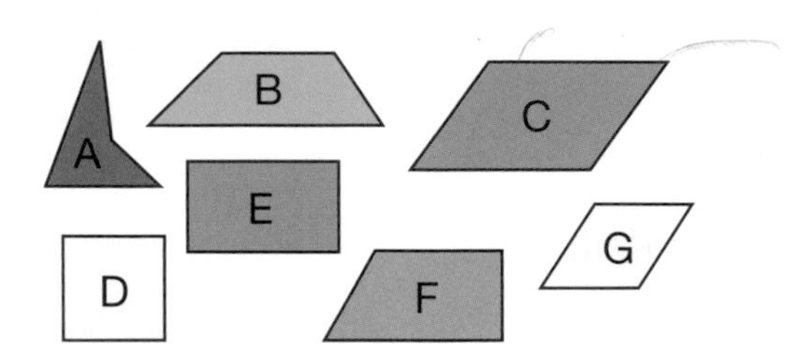

Nom de la figure	Lettre de la figure
parallélogramme	
quadrilatère	
rectangle	
losange	
carré	
trapèze	

3

2. Lesquelles de ces figures sont congruentes?

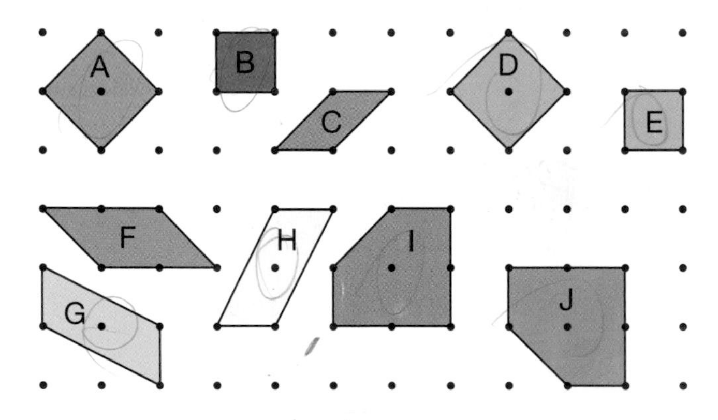

3. Dessine 2 figures qui sont congruentes à cette figure. Utilise du papier à points.

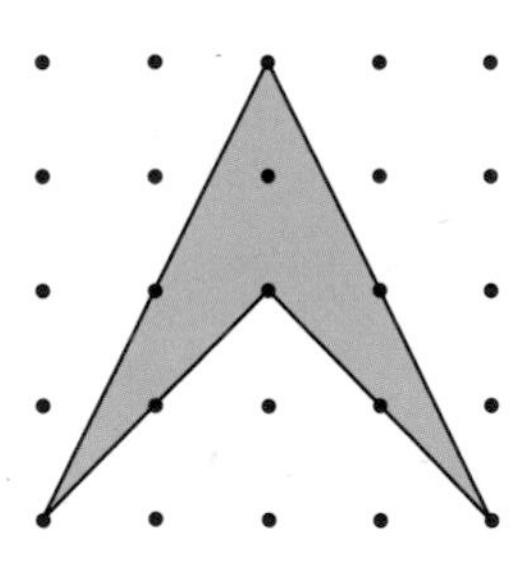

4

4. Quelle figure verte paraît semblable à la figure rouge?

a)

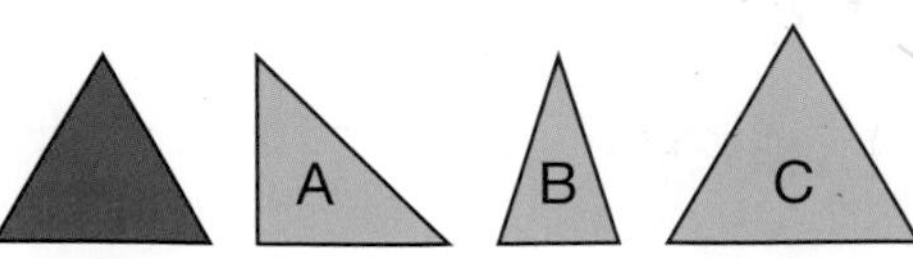

b)

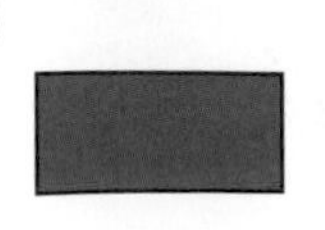

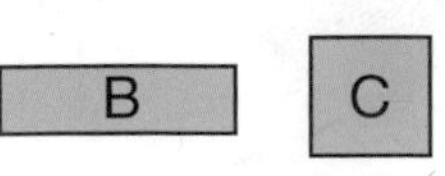

c)

d)

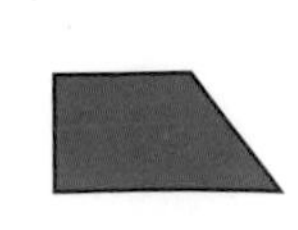

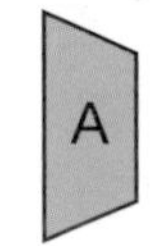

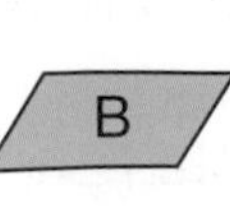

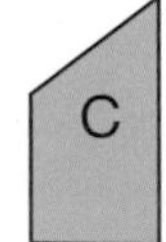

5

5. Mesure tous les angles à l'intérieur de chaque figure.

a)

b) 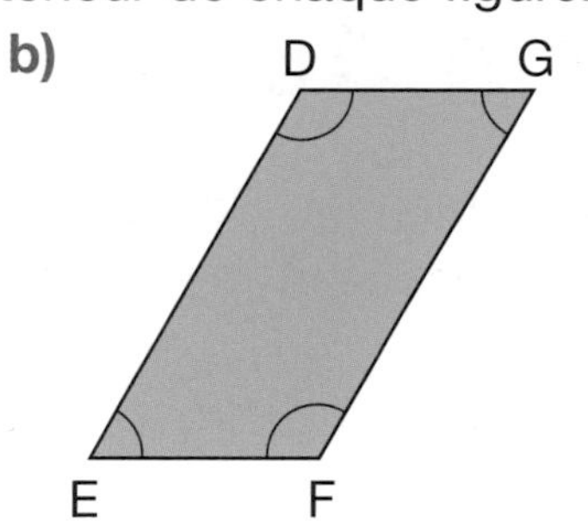

c) 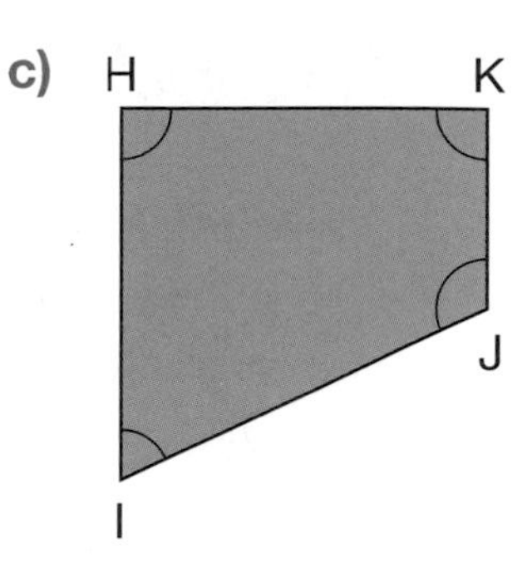

7

6. Dessine chaque figure sur du papier à points.
Dessine tous les axes de symétrie.

a) 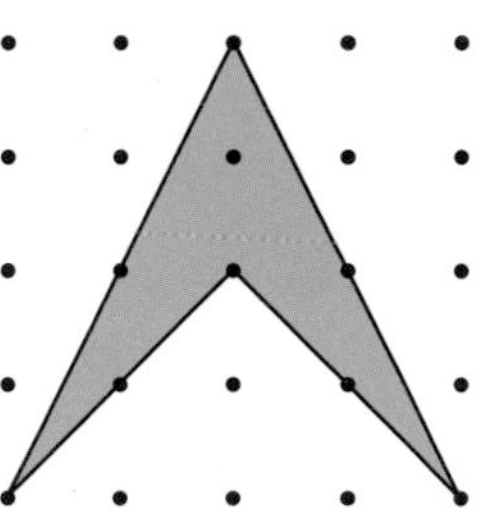

b) 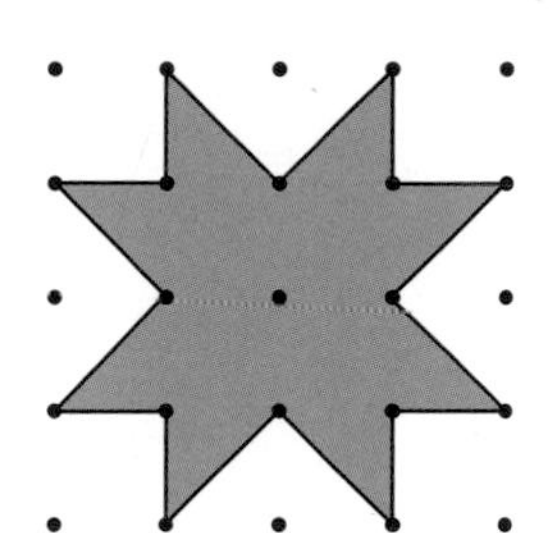

c) 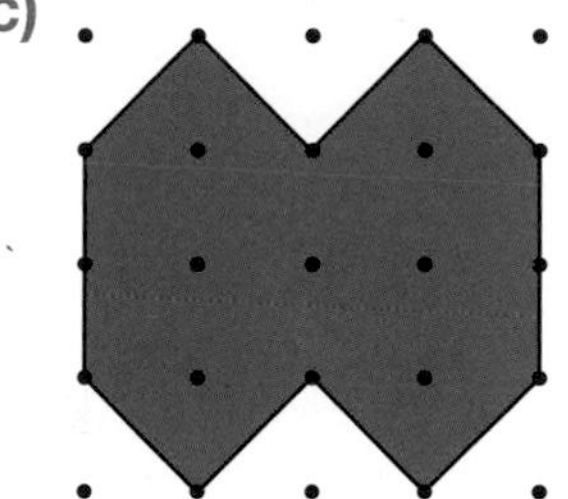

8

7. a) Remplis le diagramme de Venn pour classer les figures.

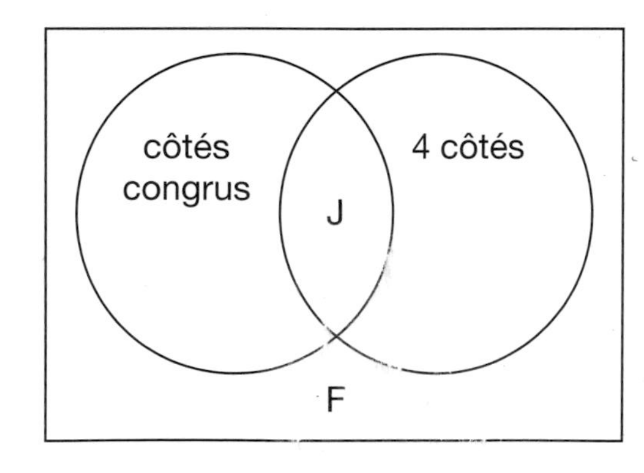

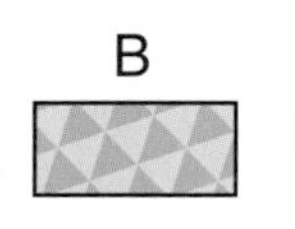

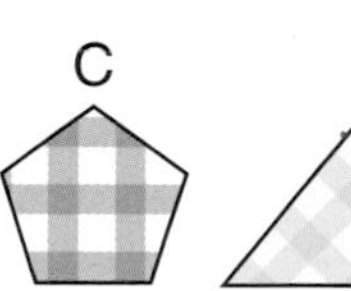

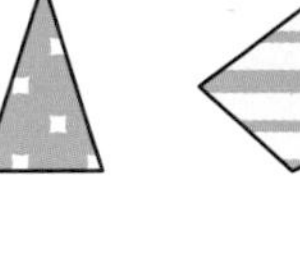

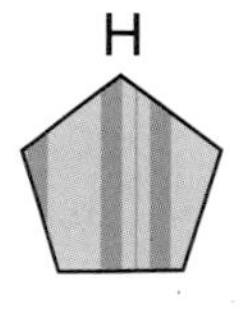

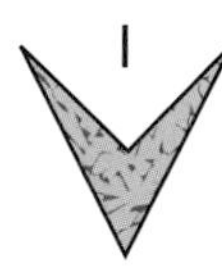

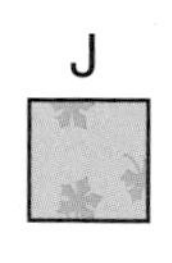

b) Classe les figures d'une autre façon.
Sers-toi d'un diagramme de Venn, d'un tableau ou de listes.
Tu peux utiliser 2 propriétés ou plus parmi les suivantes :

- nombre de côtés
- côtés congrus
- côtés parallèles
- similitude
- congruence
- symétrie
- mesure des angles

Problèmes de tous les jours

1 **1.** Shani a trouvé un panneau découpé en forme de losange. Montre comment elle peut découper le panneau et redisposer les pièces pour faire un rectangle.

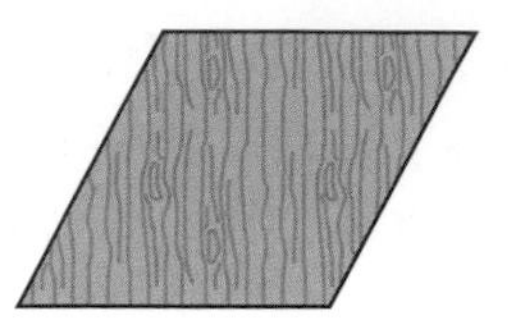

2. Combien de tailles différentes de parallélogrammes peux-tu voir dans cette illustration? Fais des dessins avec des inscriptions pour noter ta réponse.

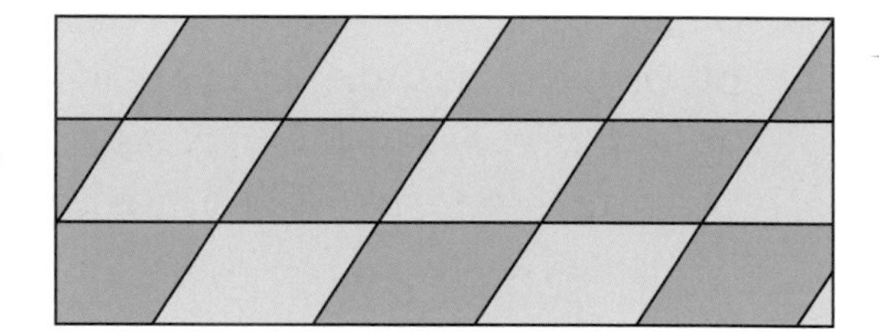

3. Supposons que tu coupes un quadrilatère en 2 morceaux suivant une ligne droite. Combien de côtés les figures obtenues auront-elles? Montre toutes les possibilités que tu peux imaginer.

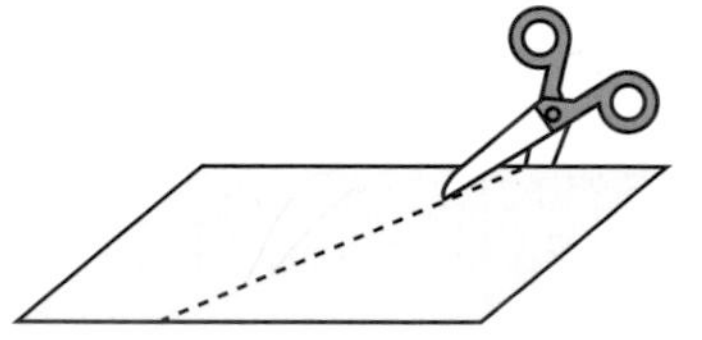

3 **4.** Combien de figures, qui seront congruentes à cette figure, peux-tu dessiner sur du papier quadrillé? Les figures peuvent se chevaucher. Fais des dessins pour montrer ta réponse.

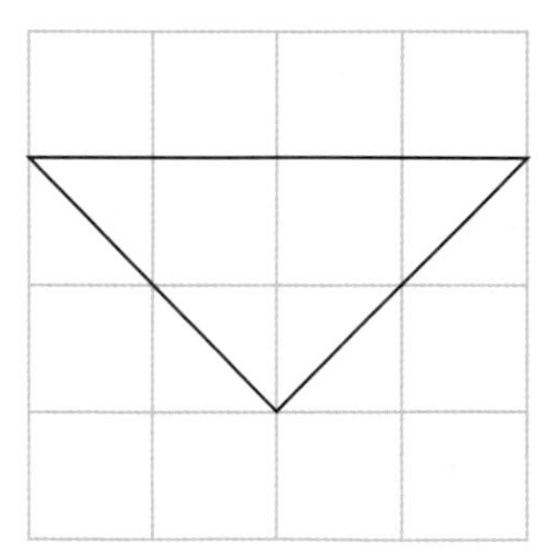

4 **5.** Trace le contour de ces 2 triangles semblables. Explique comment superposer ces triangles pour arriver aux résultats suivants :

a) On ne peut voir que 1 triangle et 1 trapèze.

b) On peut voir 4 triangles congruents.

LEÇON

Révision du chapitre

1 **1.** Lesquelles de ces figures sont des parallélogrammes? Explique ton raisonnement.

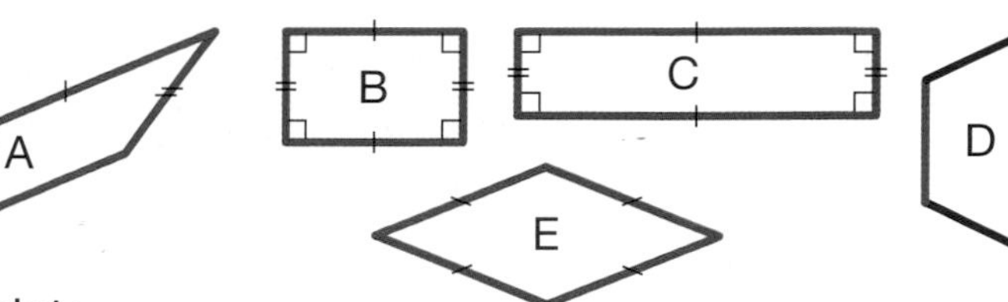

3 **2.** Utilise un géoplan ou du papier à points.

a) Transcris le quadrilatère sur du papier à points.

b) Dessine 2 autres figures qui sont congruentes à cette figure.

c) Cette figure a-t-elle un axe de symétrie? Explique ta réponse.

4 **3.** Identifie les figures qui paraissent semblables. Explique ton raisonnement.

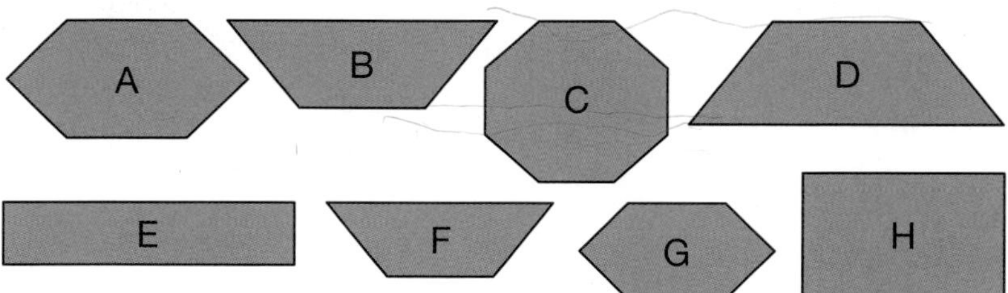

5 **4.** Dessine un trapèze qui a 2 angles congrus. Ensuite, dessine un trapèze qui n'a pas d'angles congrus. Mesure tous les angles et note tes mesures. Vérifie tes prédictions.

6 **5.** Dessine un gâteau comme celui de droite sur du papier à points. Montre comment couper le gâteau en 2 morceaux, d'un seul trait, afin d'arriver aux résultats suivants.

a) Chaque morceau est un parallélogramme.

b) Chaque morceau est un trapèze.

8 **6.** Décris 2 façons de classer les figures de la question n° 3 en utilisant 2 propriétés à la fois. Utilise un diagramme de Venn, un tableau ou une liste.

Tâche du chapitre

Noms des figures

Paule Igone organise une fête. Elle veut donner un macaron à chacun de ses invités, mais elle a établi des critères pour les macarons.

- Plus de la moitié, mais pas tous les macarons sont des quadrilatères.
- Quatre macarons ont un angle supérieur à 90°.
- Seulement 3 macarons sont congruents.
- Il y a 2 macarons semblables.
- Sur les 2 angles d'un macaron, l'un mesure au moins 50° de plus que l'autre.

? Comment peux-tu fabriquer et décrire 10 macarons différents pour la fête de Paule Igone?

A. Fabrique 10 macarons qui répondent aux critères de Paule.

B. Décris en détail chacun des macarons que tu as fabriqués.

Liste de contrôle de la tâche

- ☑ As-tu inclus des diagrammes?
- ☑ As-tu utilisé le vocabulaire mathématique?
- ☑ As-tu vérifié si tes macarons respectent les critères de Paule?
- ☑ As-tu organisé ton travail pour qu'il soit facile à comprendre?

Révision cumulative

Choix associés aux domaines d'étude

1. Quels calculs peuvent t'aider à trouver les chiffres manquants?

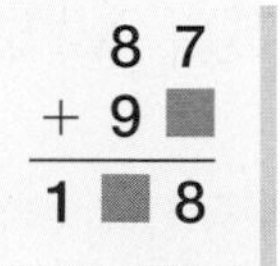

   A. $8 + 9$ et $7 + 8$
   B. $87 + 9$ et $18 - 7$
   C. $80 + 90$ et $70 + 80$
   D. $8 - 7$ et $80 + 90$

2. Josh a payé tous ces articles avec 2 billets de 20 $ et 1 de 10 $. Combien de monnaie lui rendra-t-on?

disques compacts	30,00 $
revue	6,95 $
étiquettes de compacts	8,25 $

   E. 4,80 $ **F.** 4,90 $ **G.** 5,80 $ **H.** 5,87 $

3. Quelles mesures peuvent décrire le périmètre d'une serviette de bain?

   A. 40 mm **B.** 400 cm **C.** 4 m **D.** 4 km

4. Quel calcul ne décrit pas cet arrangement?

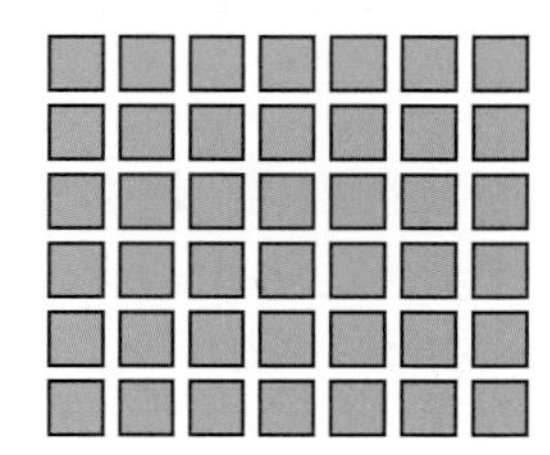

   E. $42 - 7 - 7 - 7 - 7 - 7 - 7$
   F. $6 + 6 + 6 + 6 + 6 + 6$
   G. 6×7
   H. $42 \div 6$

5. Comment pourrais-tu nommer les 2 groupes de figures illustrées sur ce tapis?

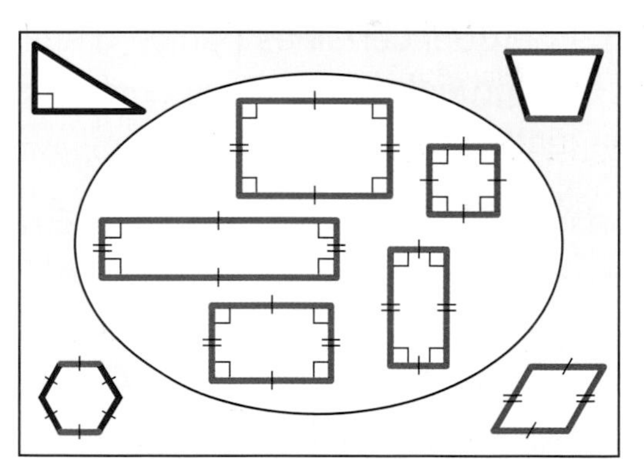

   A. quadrilatères/non quadrilatères
   B. polygones/quadrilatères
   C. rectangles/non rectangles
   D. côtés parallèles/côtés non parallèles

6. Quel angle est le plus grand?

E.

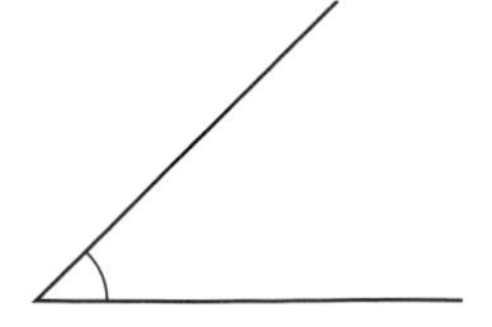

F.

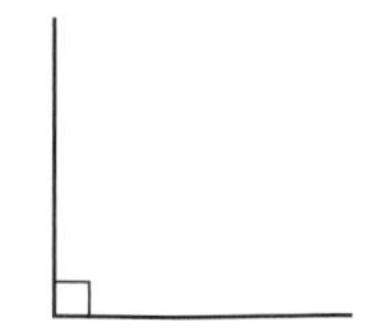

G.

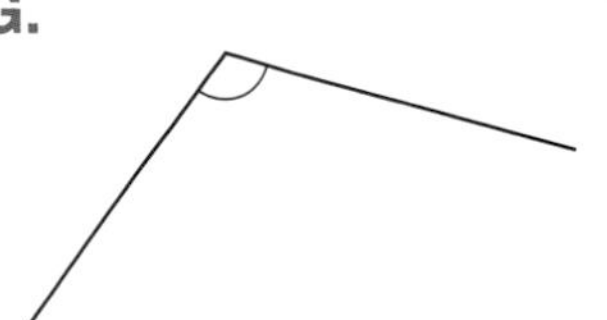

H.

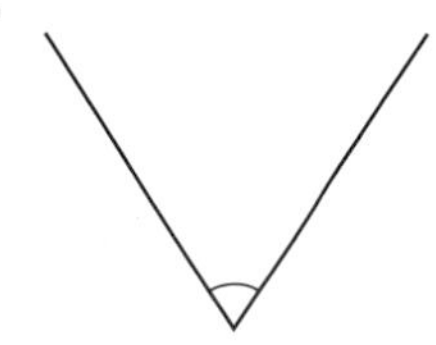

Enquête associée aux domaines d'étude

La Cour suprême du Canada

L'édifice de la Cour suprême, à Ottawa

7. a) Identifie 2 paires de figures congruentes dans l'illustration. Explique comment tu sais que les figures sont congruentes.
   b) Les fenêtres en jaune peuvent-elles être semblables aux fenêtres en bleu au-dessus des portes? Explique ta réponse à l'aide du vocabulaire mathématique et d'un dessin.
   c) Pourquoi certaines parties d'édifices sont-elles souvent congruentes? Explique ta réponse à l'aide du vocabulaire mathématique.

8. Chaque fenêtre éclairée compte 6 rangées de carreaux de verre. Il y a 3 carreaux par rangée. Combien de carreaux a-t-il fallu pour fabriquer toutes les fenêtres éclairées? Résous ce problème à l'aide de 2 méthodes différentes. Explique ta solution.

9. a) La salle d'audience principale est un rectangle de 16 m de long sur 12 m de large. Comment la longueur et la largeur t'aident-elles à trouver le périmètre? Explique ta réponse par un dessin avec des inscriptions.
   b) Dessine un rectangle qui correspondra exactement à l'extérieur de l'édifice représenté ici. Ensuite, dessine un autre rectangle avec le même périmètre. Comment sais-tu que le périmètre est le même?

CHAPITRE 8

Aire et quadrillage

Attentes

Tu pourras

- **mesurer l'aire à l'aide de 2 unités de mesure conventionnelles;**
- **choisir l'unité de mesure conventionnelle la plus appropriée pour mesurer l'aire;**
- **comprendre comment des changements de forme influencent l'aire et le périmètre;**
- **résoudre des problèmes d'aire à l'aide de listes ordonnées.**

Champs labourés en forme de rectangle

CHAPITRE 8

Premiers pas

Matériel nécessaire

- des cubes de 1 centimètre
- du papier quadrillé
- une règle

Comparer des aires

Il arrive que tes yeux te trompent quand tu crois qu'un objet est d'une taille différente de sa dimension réelle.

? Comment peux-tu comparer l'aire des figures rouge et bleue?

DUV

A. Que penses-tu découvrir quand tu compares l'aire des figures rouge et bleue? Explique ta réponse.

B. Mesure l'aire des 2 figures. Qu'as-tu découvert?

C. La figure bleue est à l'intérieur d'un carré.

a) Estime dans quelle mesure l'aire du carré est plus grande que celle de la figure bleue. Mesure les aires pour vérifier ton estimation.

b) Estime dans quelle mesure le périmètre du carré est plus long que celui de la figure bleue. Mesure les périmètres pour vérifier ton estimation.

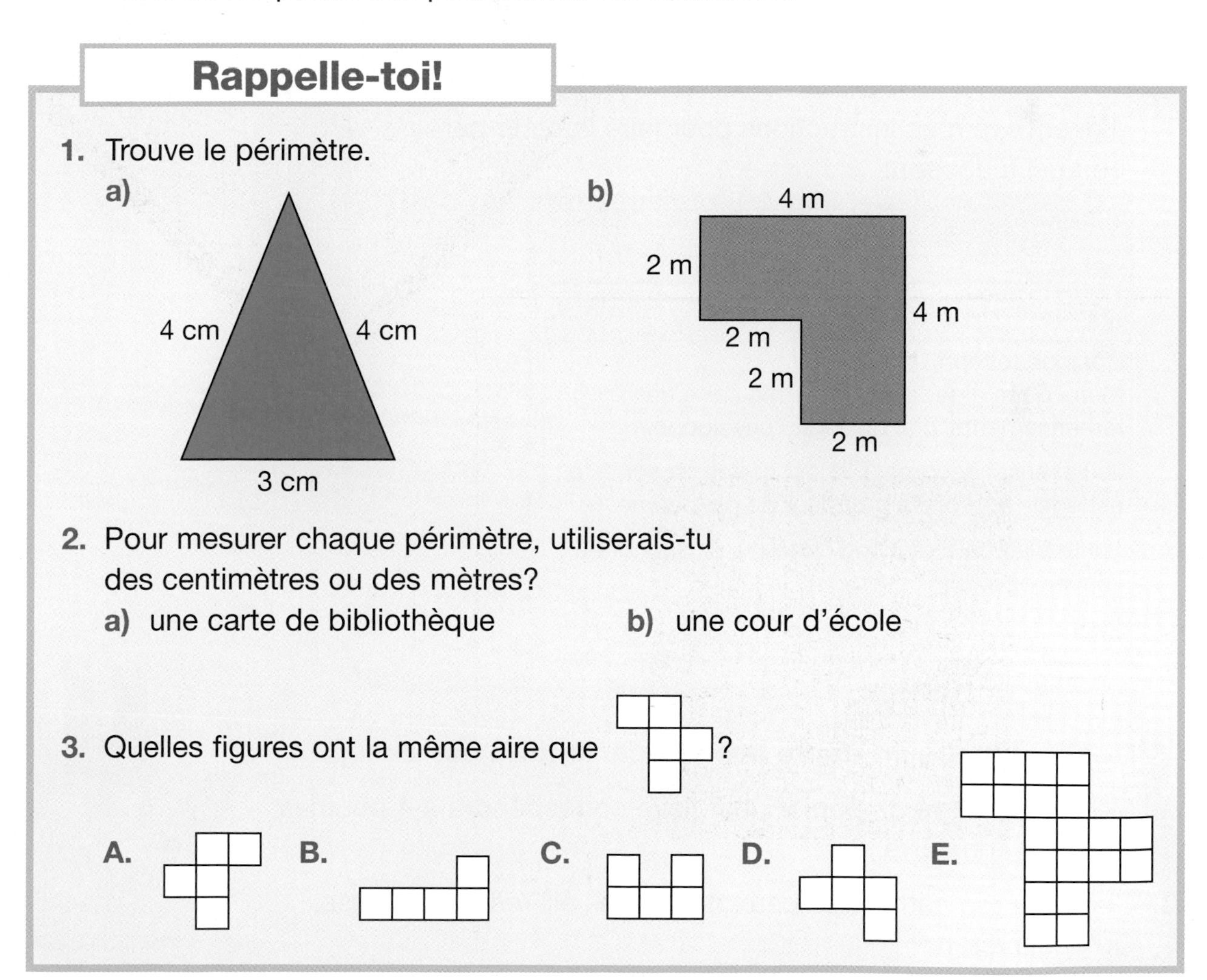

1 Utiliser des unités de mesure conventionnelles

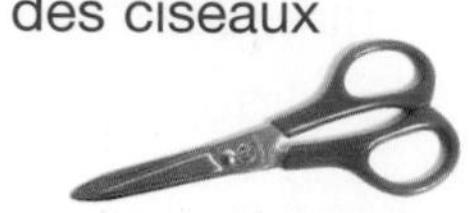

Matériel nécessaire

- du papier
- des ciseaux

Attente **Expliquer pourquoi nous avons des unités de mesure conventionnelles pour mesurer des aires.**

Shani et Joseph travaillent ensemble pour faire une carte et une enveloppe pour la carte.

Les instructions de Shani

J'ai envoyé mes instructions pour faire la carte par courriel à Joseph.

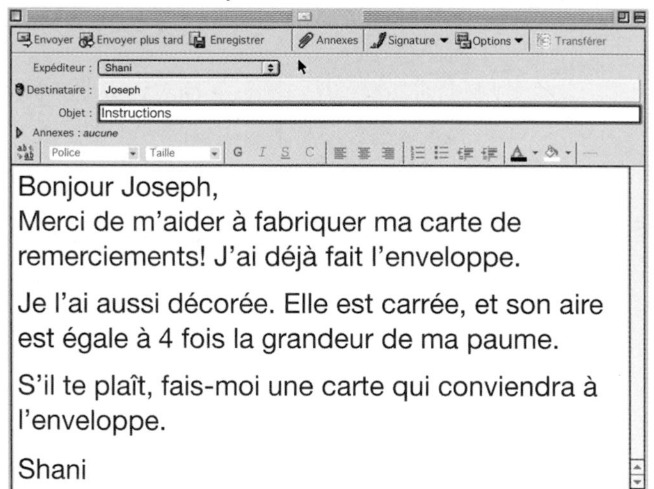

Bonjour Joseph,
Merci de m'aider à fabriquer ma carte de remerciements! J'ai déjà fait l'enveloppe.

Je l'ai aussi décorée. Elle est carrée, et son aire est égale à 4 fois la grandeur de ma paume.

S'il te plaît, fais-moi une carte qui conviendra à l'enveloppe.

Shani

? Quelle dimension devra avoir la carte faite par Joseph?

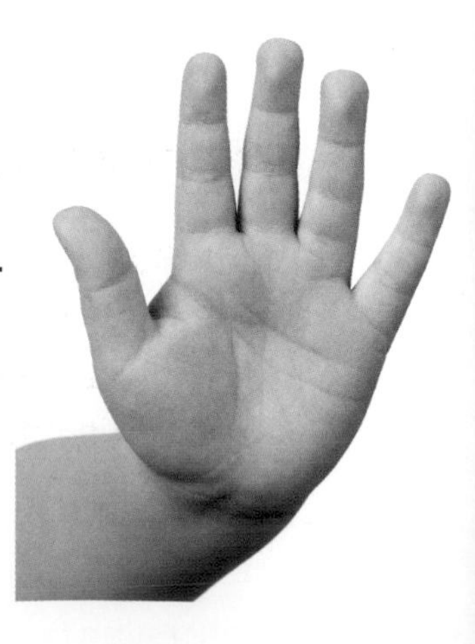

A. Mesure un carré de papier dont l'aire correspondra à 4 paumes. Découpe ton carré.

B. Compare ton carré avec ceux des autres élèves de la classe. Qu'observes-tu?

C. Envoie une note à Shani. Propose une meilleure façon de décrire l'aire de l'enveloppe.

Réflexion

1. Pourquoi ton carré avait-il une aire différente de celle des carrés faits par les autres élèves de la classe?
2. Pourquoi est-ce important de mesurer des aires à l'aide d'unités qui sont les mêmes pour tout le monde?
3. Comment Shani peut-elle utiliser des centimètres ou des millimètres pour décrire la dimension de l'enveloppe?

Images mentales

Découpage et déplacement

Le carré de Zoé

Je découpe ce carré en 4 triangles.

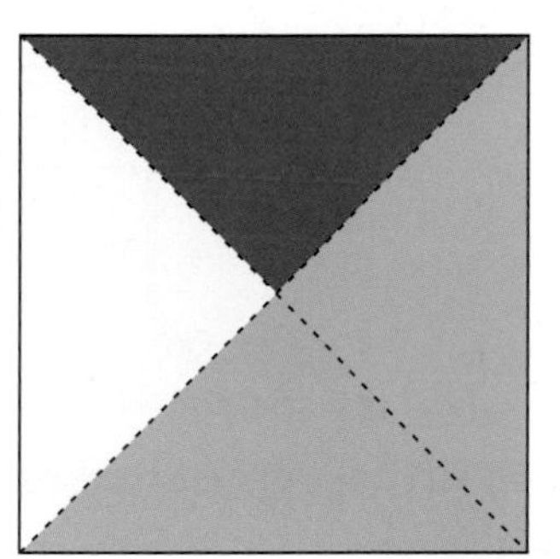

Je place les triangles ensemble pour former une autre figure.

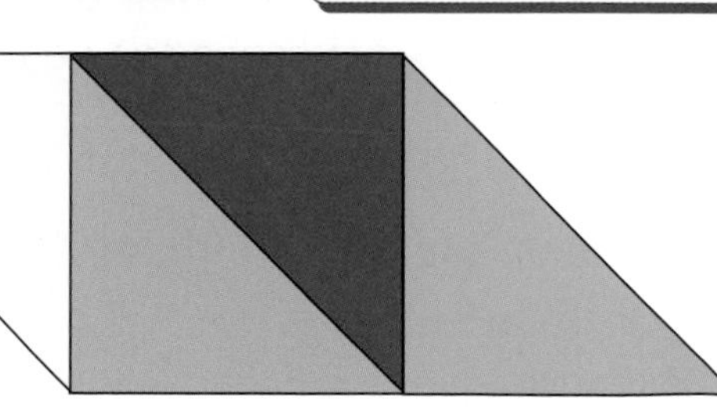

Matériel nécessaire

- du papier quadrillé
- des ciseaux

A. Comment s'appelle la 2e figure de Zoé?

À ton tour!

1. Fais ton propre carré et découpe-le en triangles.
   a) Forme des figures avec les triangles.
   b) Décris chaque figure.

2 Mesurer une aire en centimètres carrés

Matériel nécessaire

- un transparent quadrillé en centimètres

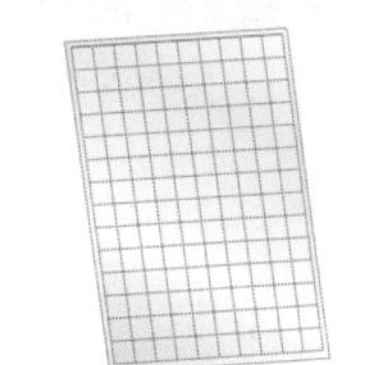

Estimer, mesurer et comparer des aires en centimètres carrés.

Marie et Carl font des étoiles pour le cours d'art.
Ils utilisent des feuilles de papier doré.
Ils ont des feuilles de papier carrées et rectangulaires.

Le carré de Marie

Je crois que l'aire de la feuille carrée est plus grande que celle de la feuille rectangulaire.

Le rectangle de Carl

Je crois que l'aire de la feuille rectangulaire est plus grande que celle de la feuille carrée.

? Comment Marie et Carl peuvent-ils comparer les aires des 2 formes de feuilles?

A. Qui a raison?
Explique ton raisonnement.

B. Pose un transparent quadrillé en centimètres sur chaque figure.
Mesure l'aire en comptant le nombre de **centimètres carrés** qu'il faut pour couvrir chaque figure.

C. Comment les aires se comparent-elles?

centimètre carré
Unité conventionnelle de mesure de l'aire.

1 cm
1 cm

Un carré dont les côtés mesurent 1 cm a une aire de 1 centimètre carré.

Réflexion

1. Pourquoi était-ce difficile de comparer l'aire du carré de Marie et celle du rectangle de Carl sans les mesurer?

2. L'aire est parfois mesurée au centimètre carré entier près. L'aire de ce triangle mesure environ 7 centimètres carrés entiers. Pourquoi cela est-il vraisemblable?

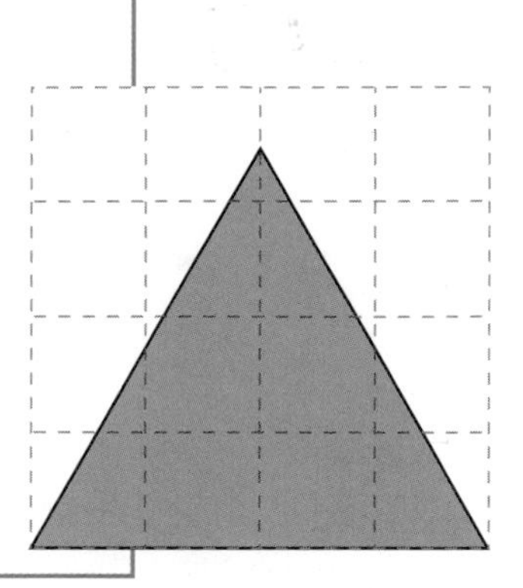

Vérification

3. a) Selon toi, quelle figure a la plus grande aire?
   b) Estime l'aire de chaque figure.

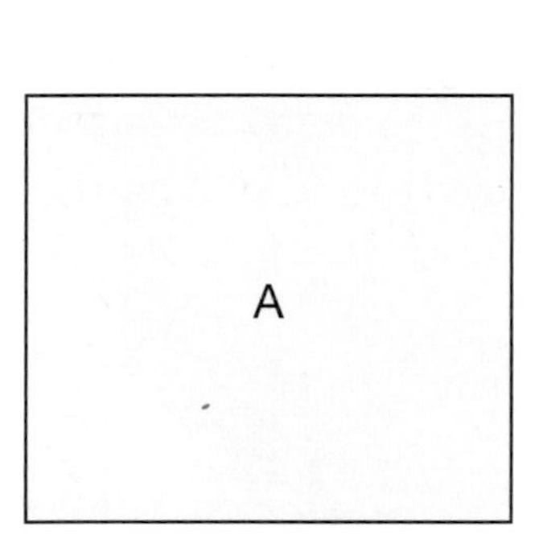

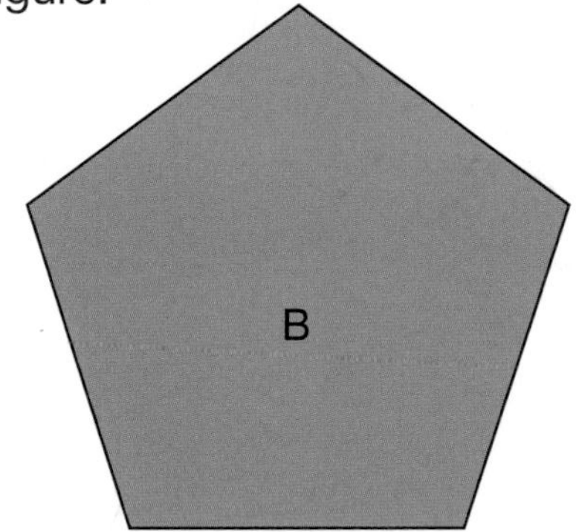

   c) Mesure l'aire de chaque figure au centimètre carré entier près. Utilise un transparent quadrillé en centimètres.

Application

4. Estime l'aire de chaque figure. Mesure l'aire de chacune au centimètre carré entier près.

a) 

b) 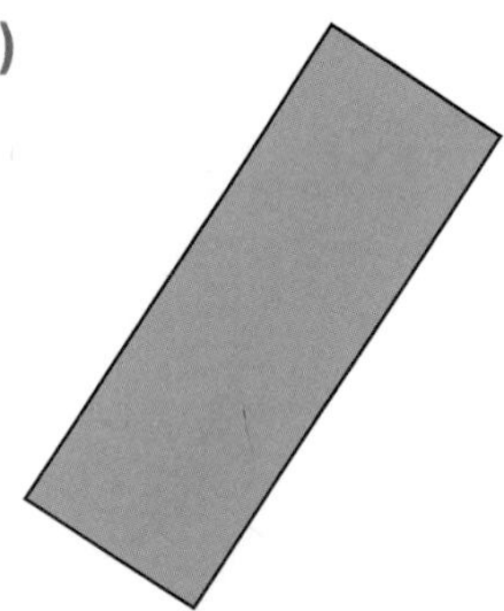

5. Estime l'aire de chaque figure.
Mesure l'aire de chacune au centimètre carré entier près.

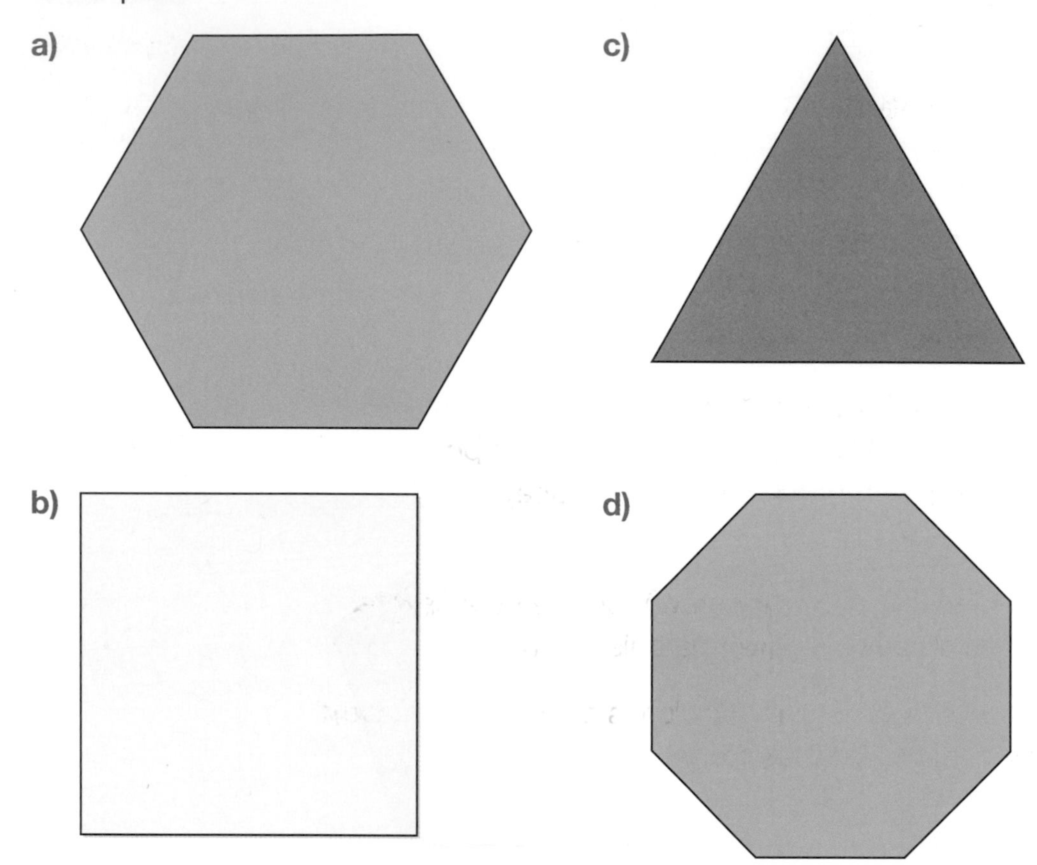

6. Dans ta classe, choisis 3 surfaces planes que tu peux mesurer avec un transparent quadrillé en centimètres.
   a) Estime chaque aire en centimètres carrés.
   b) Mesure chaque aire au centimètre carré entier près.

7. Une figure dont l'aire mesure 1 centimètre carré doit-elle être carrée?
Trouve un exemple pour expliquer ta réponse.

DUV

La logique des aires

Matériel nécessaire

- 2 dés
- du papier quadrillé
- des crayons de couleur

Nombre de joueurs : 2 ou 3
Règles du jeu : Le but du jeu consiste à colorier des aires sur du papier quadrillé.
Chaque joueur utilise un crayon de couleur différente.

Étape n° 1 Un joueur lance 2 dés. Le produit des 2 chiffres lui fournit l'aire d'un rectangle.

Étape n° 2 Le joueur colorie son rectangle sur le papier quadrillé. Si l'espace est insuffisant pour colorier un rectangle de cette aire, il perd son tour.

Étape n° 3 Les joueurs continuent à tour de rôle jusqu'à ce qu'aucun joueur ne puisse jouer.

Les joueurs comptent les carrés coloriés pour connaître celui qui a couvert la plus grande surface.

Le jeu de Paulette

J'ai obtenu un 2 et un 4.

Je dois colorier un rectangle dont l'aire mesure 8 centimètres carrés.

Le rectangle peut mesurer 2 cm sur 4 cm ou 1 cm sur 8 cm.

Je vais colorier un rectangle de 2 cm sur 4 cm.

3 Mesurer une aire en mètres carrés

Matériel nécessaire

- une règle de 1 mètre

- des ciseaux
- du papier grand format
- du ruban

Attente **Estimer des aires à l'aide de l'unité de mesure conventionnelle appropriée.**

Quand tu achètes du papier peint, tu dois savoir combien de mètres carrés de papier il faut pour couvrir les murs.

? Environ combien de mètres carrés de papier peint te faudrait-il pour couvrir un mur de ta classe?

A. Utilise du papier grand format pour dessiner un modèle de 1 **mètre carré**. Chaque côté du carré devrait mesurer 1 m de long.

B. Utilise ton modèle pour estimer l'aire de 1 mur de ta classe.

C. Environ combien de mètres carrés de papier peint te faudra-t-il pour couvrir le mur?

mètre carré
Unité conventionnelle de mesure de l'aire.

1 m

1 m

Un carré dont les côtés mesurent 1 m a une aire de 1 mètre carré.

Réflexion

1. Explique comment tu as estimé l'aire du mur.
2. Supposons que tu as estimé l'aire du mur en centimètres carrés. Est-ce que ton estimation compterait plus ou moins d'unités? Explique ton raisonnement.

Vérification

3. Une moquette se mesure aussi en mètres carrés.
   Utilise ton modèle de 1 mètre carré pour estimer l'aire du plancher de ta salle de classe.
   Environ combien de mètres carrés de moquette te faudra-t-il pour couvrir le plancher?

Application

4. Trouve dans ta classe un objet dont tu estimes l'aire entre 6 et 12 mètres carrés.
   Estime son aire et note-la.

5. Quelle unité utiliserais-tu pour mesurer chacune des aires suivantes : le mètre carré ou le centimètre carré?
   Explique ta réponse.
   a) un terrain de base-ball
   b) une couverture de livre
   c) une cour arrière
   d) une enveloppe

6. Nomme un objet qui peut être fait de chacun de ces matériaux.
   a) environ 1 mètre carré de tissu
   b) environ 1 centimètre carré de métal
   c) environ 1 mètre carré de plastique

7. Georges a découpé son modèle de 1 mètre carré.
   Il a formé une nouvelle figure avec les morceaux.

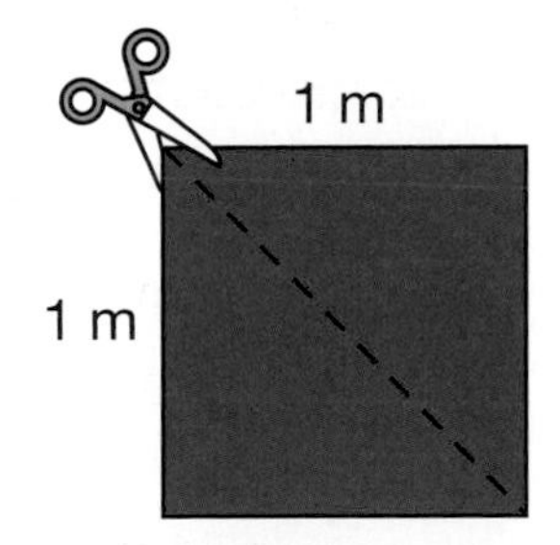

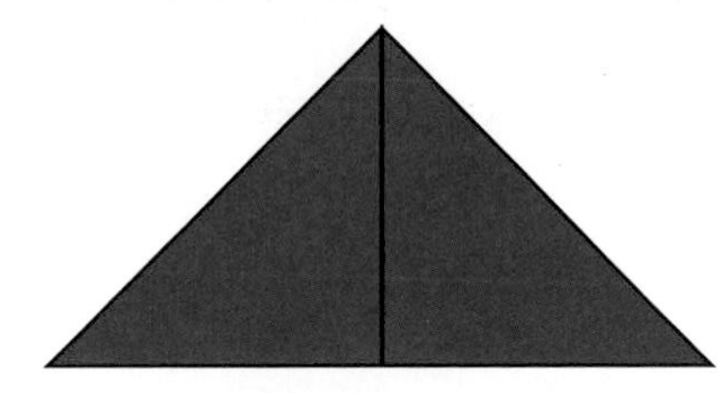

   a) Quelle est l'aire de la nouvelle figure de Georges?
      Comment le sais-tu?
   b) Quelles autres figures peux-tu former avec ton modèle de 1 mètre carré?
      Que sais-tu de l'aire de ces figures?

Révision

1 **1.** Des pièces de monnaie seraient-elles des unités utiles pour mesurer une aire? Explique ton raisonnement.

2 **2.** Quelle figure a la même aire que le carré rouge? Comment le sais-tu?

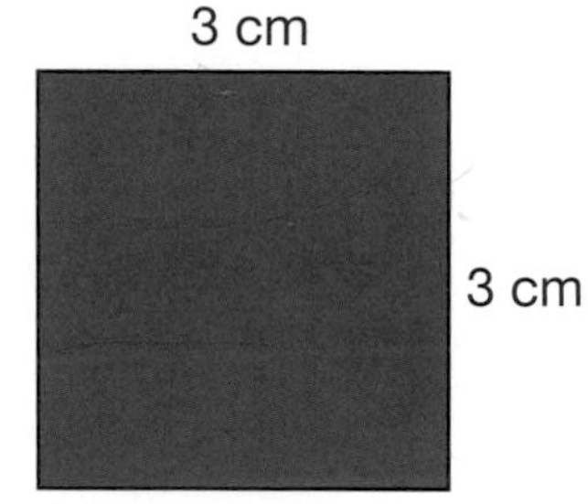

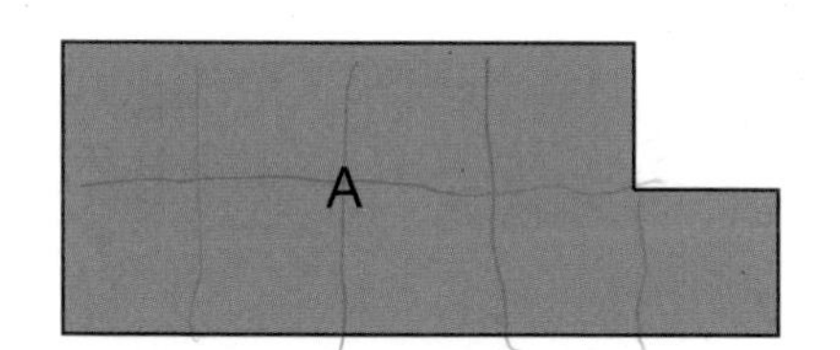

B

3. Mesure chaque aire au centimètre carré entier près. Utilise un transparent quadrillé en centimètres.

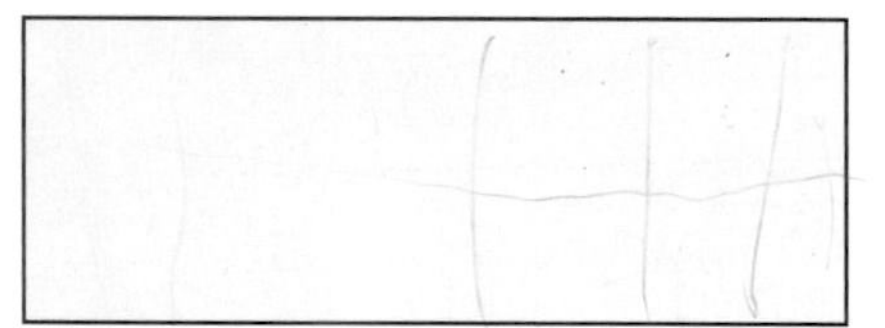

b)

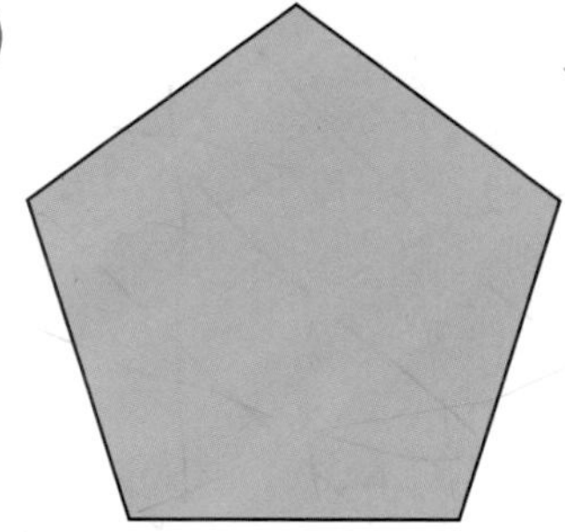

3 **4.** Dans ta classe, identifie 3 surfaces dont l'aire mesure entre 10 centimètres carrés et 1 mètre carré. Estime l'aire de chaque surface.

5. Quelle unité utiliserais-tu pour mesurer chacune des aires suivantes : le centimètre carré ou le mètre carré? Explique chaque réponse.

a) une photographie
b) le plafond de la bibliothèque
c) la surface d'une patinoire
d) la paume de ta main
e) le stationnement de l'école
f) le tableau de la classe

Des aires sur géoplan

Matériel nécessaire

- un géoplan

- des élastiques

1 On divise le géoplan en 2 parties égales.

a) Trouve 5 autres façons de diviser un géoplan de 5 sur 5 en 2 parties égales.

b) Comment sais-tu que les moitiés ont la même aire?

c) Les moitiés sont-elles toujours congruentes?

2 Les aires de ce parallélogramme et de ce rectangle sont-elles semblables? Comment le sais-tu?

3 Fais autant de carrés que tu peux sur un géoplan de 5 sur 5. Combien de carrés ayant une aire différente peux-tu faire?

4 Établir la relation entre les dimensions linéaires et l'aire

Associer l'aire d'un rectangle à sa longueur et sa largeur.

Matériel nécessaire

- un transparent quadrillé en centimètres

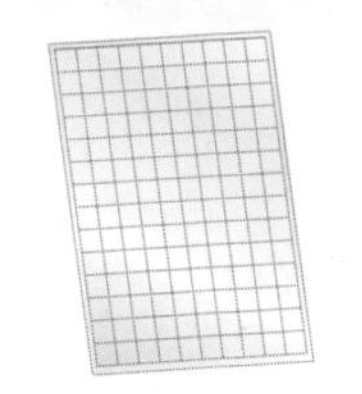

- une règle

Rami fabrique des bases pour ses autos miniatures. Il veut se servir d'une peinture dorée spéciale, mais il craint d'en manquer.

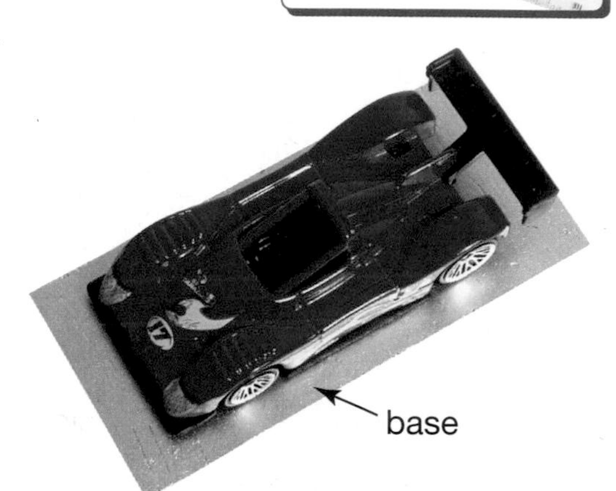

? Rami aura-t-il assez de peinture pour peindre les 3 bases?

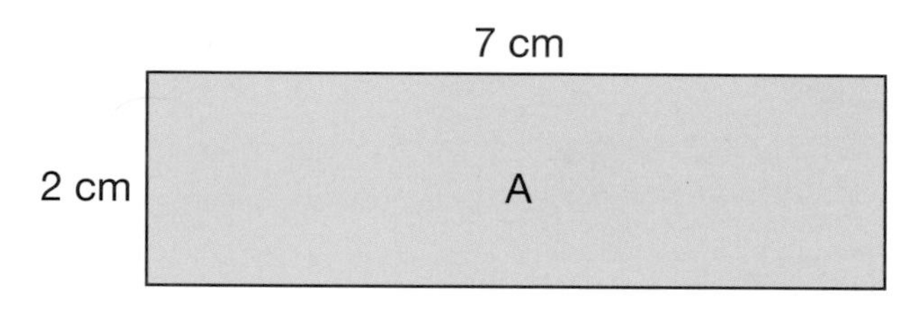

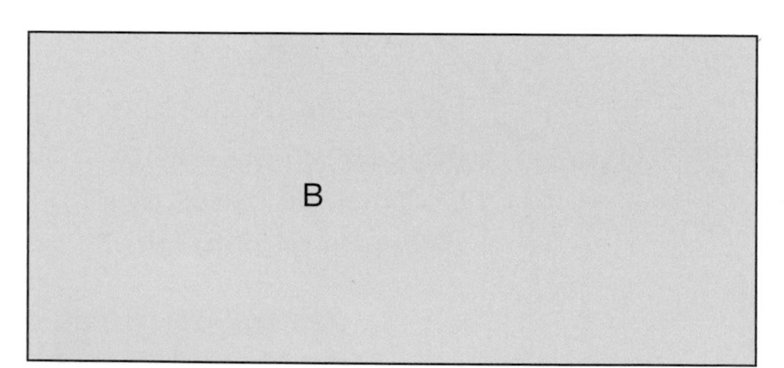

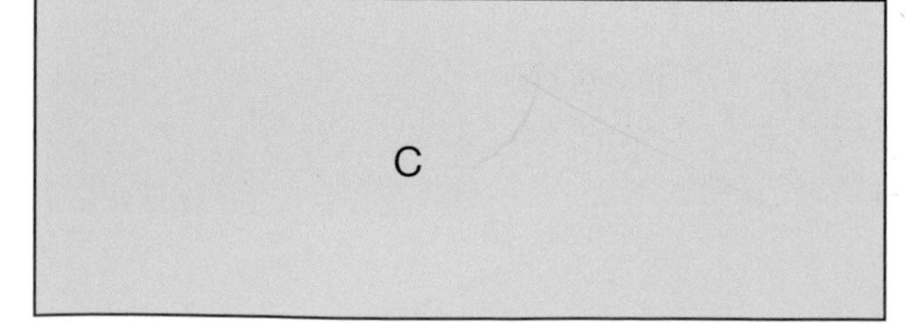

La peinture de Rami

J'ai un petit pot de peinture qui peut couvrir une aire de 75 centimètres carrés.

J'ai utilisé un transparent quadrillé en centimètres pour mesurer l'aire du rectangle A.
L'aire mesure 14 centimètres carrés.

Rectangle	Largeur	Longueur	Aire
A	2 cm	7 cm	14 centimètres carrés
B			
C			

A. Mesure l'aire des rectangles B et C.

B. Remplis le tableau de Rami.

C. Rami aura-t-il assez de peinture?
Explique ta réponse.

D. Quelles relations observes-tu dans le tableau?

E. S'il y a encore de la peinture, en restera-t-il assez pour couvrir un autre rectangle de 3 cm sur 4 cm?
Comment le sais-tu?

Réflexion

1. a) Explique comment tu peux trouver l'aire d'un rectangle en mesurant sa longueur et sa largeur.

b) En quoi trouver l'aire d'un carré et trouver l'aire d'un rectangle sont-ils semblables?
En quoi sont-ils différents?

Vérification

2. Carmen fabrique aussi des bases.
Elle a assez de peinture pour couvrir 50 centimètres carrés. A-t-elle assez de peinture pour couvrir ces 2 rectangles? Calcule l'aire de chaque rectangle. Utilise la relation entre la longueur, la largeur et l'aire d'un rectangle. Montre ton travail.

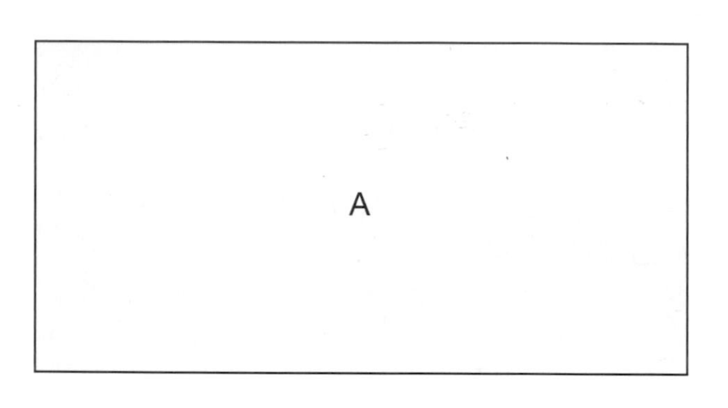

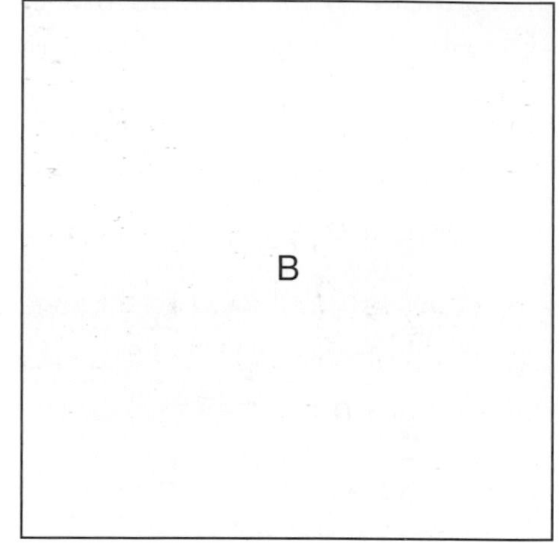

Application

3. Calcule l'aire de chaque rectangle.
Utilise la relation entre la longueur, la largeur et l'aire d'un rectangle. Montre ton travail.

a)

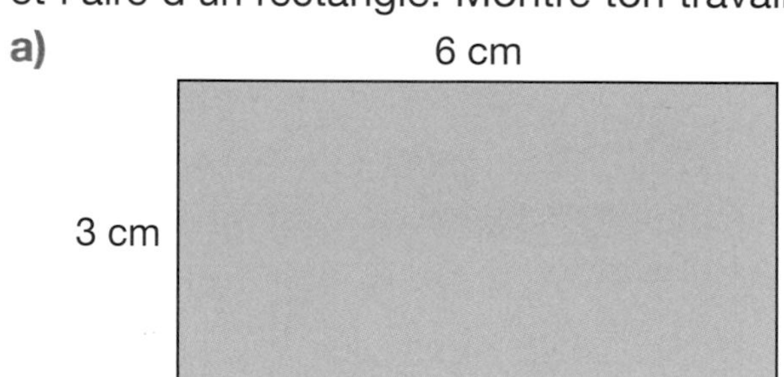

b)

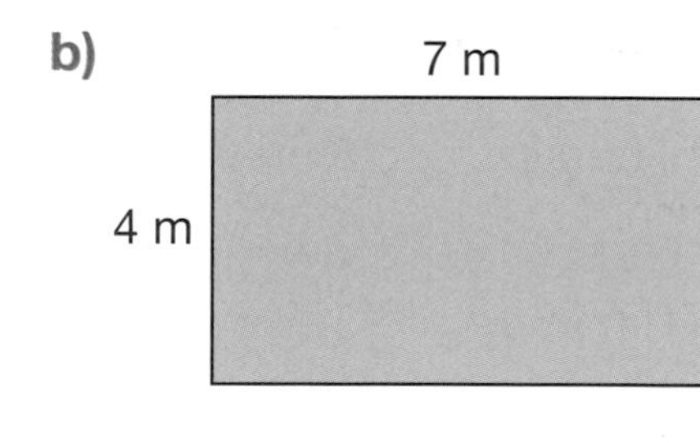

4. Complète le tableau. Montre ton travail.

Rectangle	Largeur	Longueur	Aire
A	4 cm	5 cm	
B	5 m	6 m	
C	5 cm		25 centimètres carrés
D	2 m		20 mètres carrés

5 Établir la relation entre la forme, l'aire et le périmètre

Matériel nécessaire

- des tuiles carrées

- du papier quadrillé

Comprendre comment des changements de forme influencent l'aire et le périmètre.

Un pentamino est formé de 5 tuiles carrées. Chaque tuile partage un de ses côtés avec au moins une autre tuile carrée.

Ces 4 pentaminos sont congruents. Chaque pentamino a une aire de 5 unités carrées et un périmètre de 12 unités.

pentaminos

? Les pentaminos ont-ils tous la même aire et le même périmètre?

A. Forme autant de pentaminos différents que tu peux.

B. Dessine tes pentaminos sur du papier quadrillé.

C. Note l'aire et le périmètre de chaque pentamino.

D. Compare tes résultats avec ceux d'autres groupes. Combien de pentaminos différents as-tu trouvés?

E. Les pentaminos ont-ils tous la même aire et le même périmètre?

Réflexion

1. Est-il possible que 2 figures différentes aient le même périmètre? Comment le sais-tu?

2. Est-il possible que 2 figures différentes aient la même aire? Comment le sais-tu?

3. **a)** Quelle est la différence entre le périmètre et l'aire?
b) Donne un exemple de l'utilisation de l'un et de l'autre.

6 Résoudre des problèmes à l'aide de listes ordonnées

Matériel nécessaire

- des tuiles carrées

Utiliser une liste ordonnée pour résoudre des problèmes d'aire.

? Combien de rectangles différents ayant une aire de 12 tuiles carrées peux-tu former?

La solution de Richard

Comprendre le problème

Je sais que je peux former un rectangle avec 1 rangée de 12 tuiles.

Je peux aussi former un rectangle avec 2 rangées de 6 tuiles.

Élaborer un plan

Si je place différentes rangées en ordre, je devrais pouvoir trouver tous les rectangles possibles.

Je peux suivre mon travail à partir d'une **liste ordonnée**.

liste ordonnée
Démarche qui permet de suivre un certain ordre pour trouver toutes les possibilités.

Mettre le plan en œuvre

J'ai commencé par 1 rangée. Ensuite, j'ai essayé tous les nombres de rangées jusqu'à 12.

J'ai éliminé tous les rectangles qui étaient semblables à un autre rectangle.

Je peux former 3 rectangles différents avec 12 tuiles carrées.

Liste ordonnée de rectangles

1 rangée de 12 ✓

2 rangées de 6 ✓

3 rangées de 4 ✓

~~4 rangées de 3~~ (semblable à 3 rangées de 4)

5 rangées (aucun rectangle possible)

~~6 rangées de 2~~ (semblable à 2 rangées de 6)

7, 8, 9, 10, 11 rangées (aucun rectangle possible)

~~12 rangées de 1~~ (semblable à 1 rangée de 12)

Réflexion

1. Comment la liste ordonnée de Richard l'a-t-elle aidé à trouver tous les rectangles différents?
2. Supposons qu'il y a un motif sur chaque tuile. Y aurait-il encore seulement 3 rectangles différents? Explique ton raisonnement.

Vérification

3. Combien de rectangles différents ayant une aire de 36 tuiles carrées peux-tu former? Montre ton travail.

Application

4. Combien de rectangles différents ayant une aire de 40 centimètres carrés peux-tu dessiner? Montre ton travail.
5. L'aire de ce carré correspond à 16 centimètres carrés. Ce carré cache d'autres carrés dont l'aire est différente. Remplis la liste ordonnée pour connaître le nombre total de carrés.

Dimension du carré	Aire du carré	Nombre de carrés
4 sur 4	16 centimètres carrés	1 carré
3 sur 3	■ centimètres carrés	4 carrés
2 sur 2	■ centimètres carrés	■ carrés
1 sur 1	1 centimètre carré	■ carrés

6. Charlotte a 55 ¢ en vingt-cinq cents, dix cents et cinq cents. Elle a au moins une pièce de chaque unité. Combien de pièces de monnaie peut-elle avoir? Montre ton travail.
7. Invente un problème qui peut être résolu à l'aide d'une liste ordonnée. Donne ton problème à résoudre à un ou une partenaire.

Acquisition des compétences

2

1. Estime l'aire de chaque figure. Ensuite, mesure l'aire au centimètre entier près. Utilise un transparent quadrillé en centimètres.

a)

e)

b)

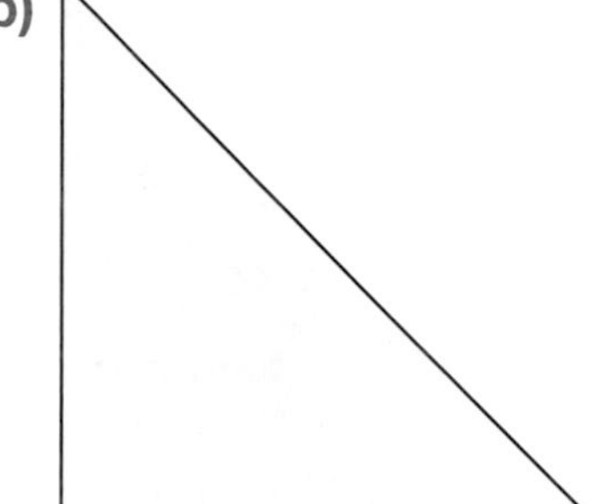

f)

c)

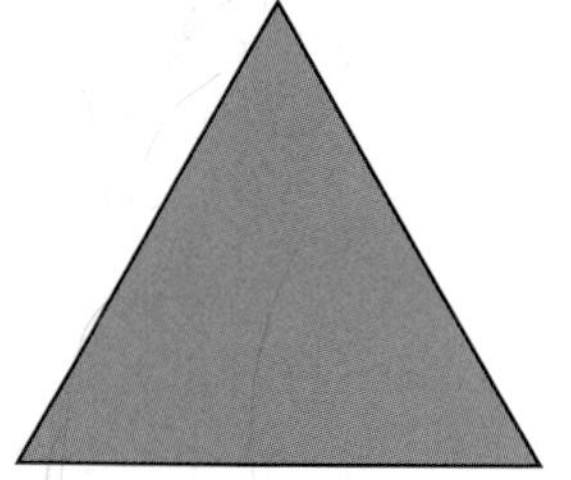

g)

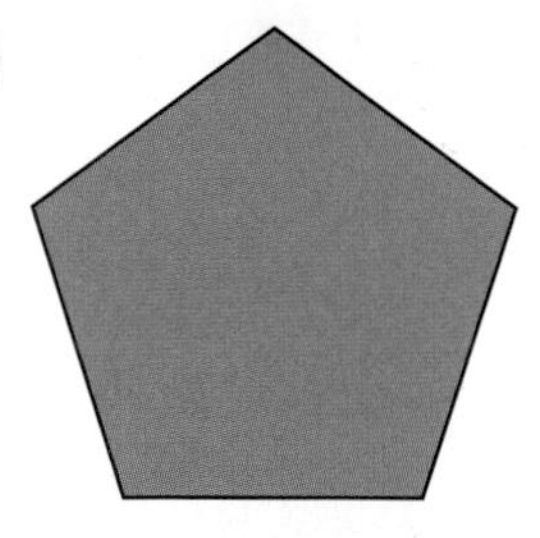

d)

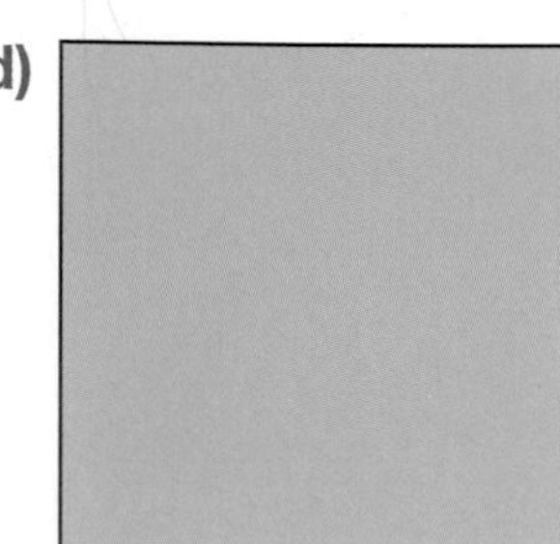

h)

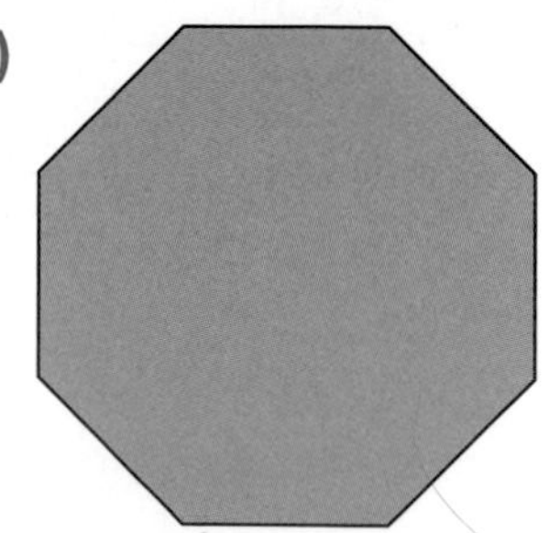

3

2. Trouve un objet dont l'aire estimée correspondra aux dimensions suivantes. Estime son aire et note-la.
   a) entre 1 et 4 mètres carrés
   b) entre 4 et 9 mètres carrés
   c) entre 9 et 16 mètres carrés
   d) plus grand que 16 mètres carrés

3. Nomme au moins 5 choses que tu mesurerais à l'aide de chacune des unités de mesure suivantes.
   a) des mètres carrés
   b) des centimètres carrés

4

4. Mesure la longueur et la largeur de chaque rectangle. Calcule l'aire de chaque rectangle. Montre ton travail.
   a)

   b)

5. Calcule l'aire de chaque rectangle. Montre ton travail.
   a) 5 cm
   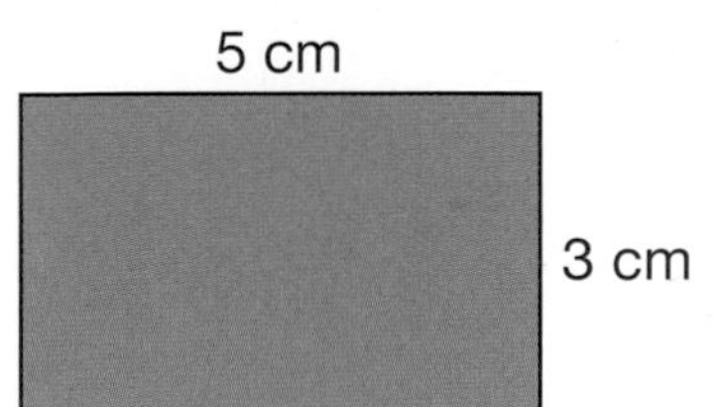
   3 cm
   b) 6 m
   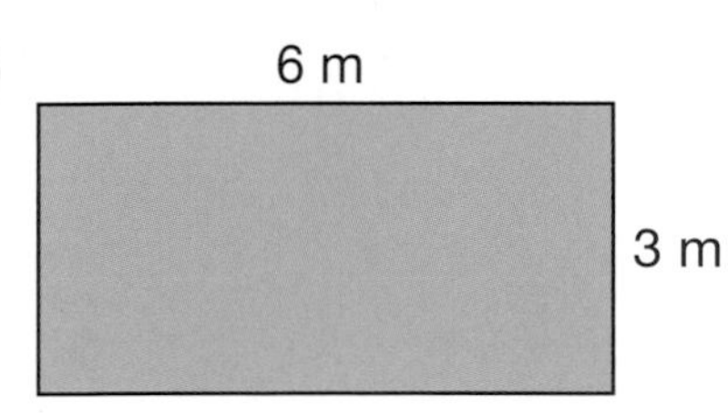
   3 m
   c) 7 cm
   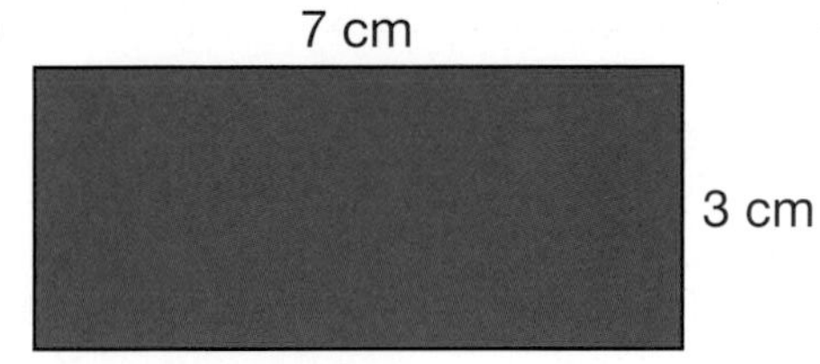
   3 cm
   d) 4 cm
   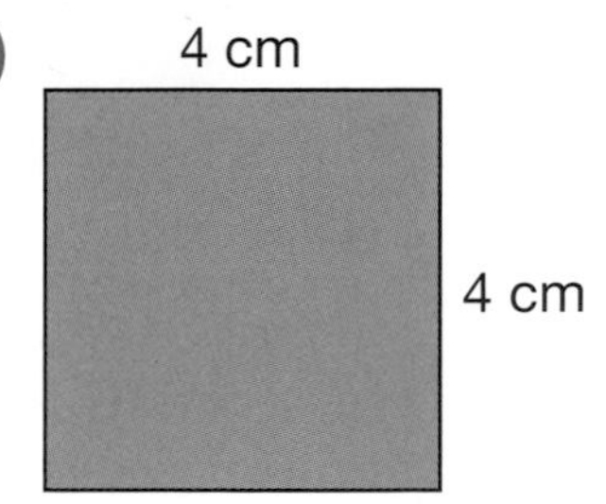
   4 cm

LEÇON

Problèmes de tous les jours

1

1. Justin a dessiné ce carreau sur du papier quadrillé. Son carreau mesure 4 unités sur 4 unités. Il a posé 3 carreaux l'un à côté de l'autre.
   a) Quel est le périmètre des 3 carreaux?
   b) À quelle aire correspond la partie **verte** des 3 carreaux?
   c) À quelle aire correspond la partie **orange** des 3 carreaux?

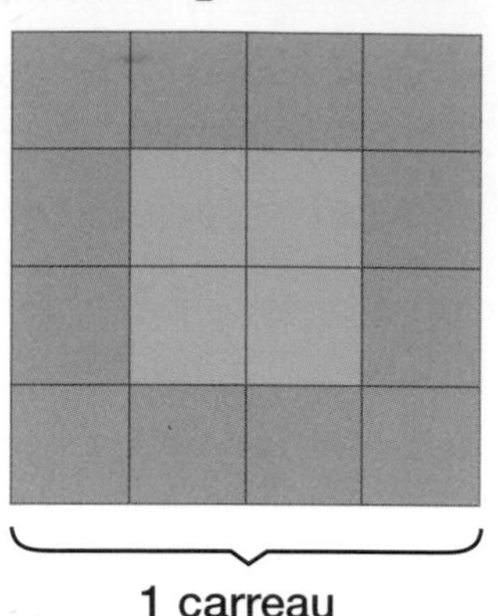

1 carreau

5

2. Une feuille de papier quadrillé rectangulaire, gradué en centimètres, mesure 6 cm de long sur 5 cm de large. La feuille est découpée en suivant une de ses lignes de façon à obtenir 2 rectangles plus petits. Quelle peut être l'aire de chacun des petits rectangles? Donne autant de réponses différentes que possible. Montre ton travail.

3. Un plancher a la forme d'un rectangle. Son périmètre mesure 22 mètres et son aire, 24 mètres carrés.
   a) Quelles sont la longueur et la largeur du plancher? Montre ton travail.
   b) Est-il possible qu'un autre plancher ait le même périmètre mais une aire plus grande? Donne un exemple pour expliquer ta réponse.

6

4. Il y a 5 tétraminos possibles. En voici 2.

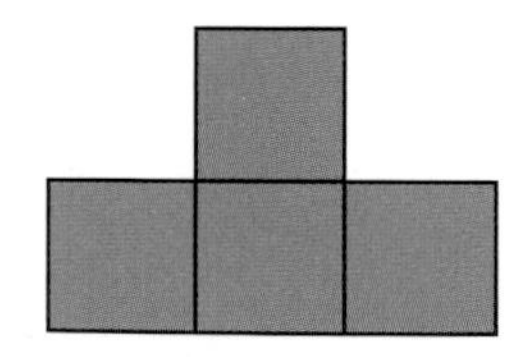

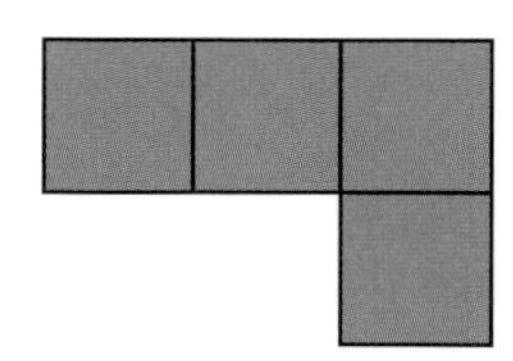

tétraminos (4 carrés)

   a) Dessine les 3 autres tétraminos.
   b) Quelle est l'aire totale des 5 tétraminos?
   c) Les 5 tétraminos peuvent-ils s'insérer les uns dans les autres pour former un rectangle? Montre ton travail.

DUV

LEÇON

Révision du chapitre

2 **1.** Mesure l'aire de chaque figure au centimètre carré entier près.

a)

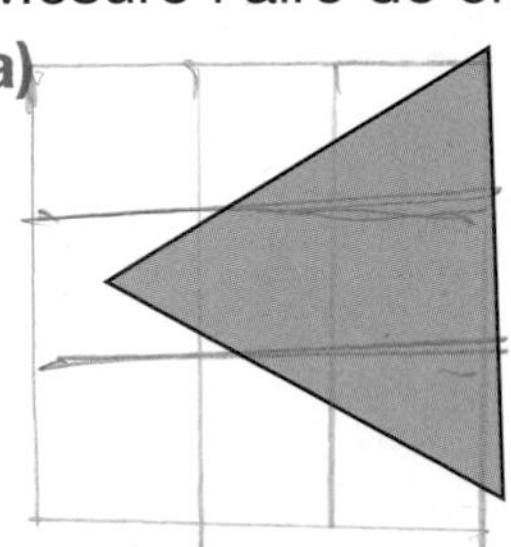

b)

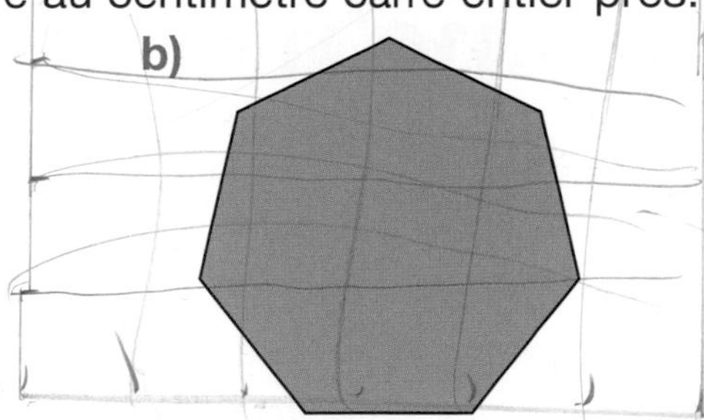

3 **2.** Quelle unité de mesure utiliserais-tu pour chacune des quantités suivantes? Explique ta réponse.

a) la quantité de peinture qu'il faut pour peindre une auto miniature

b) la quantité de moquette nécessaire pour couvrir un plancher

4 **3.** Sur une feuille de papier quadrillé gradué en centimètres, dessine un rectangle qui mesurera 3 cm de large et aura une aire de 12 centimètres carrés.

4. a) Combien de rectangles différents ayant l'aire de 32 tuiles carrées peux-tu former? Montre ton travail.

b) As-tu trouvé tous les rectangles? Comment le sais-tu?

5 **5.** Indique si chaque phrase est vraie ou fausse. Explique ta réponse.

a) Des rectangles qui ne sont pas congruents peuvent avoir la même aire.

b) Si tu connais le périmètre d'un carré, tu peux trouver son aire.

6 **6.** On a utilisé 32 dalles pour former un trottoir autour d'un jardin rectangulaire. Chaque dalle mesure 1 mètre carré.

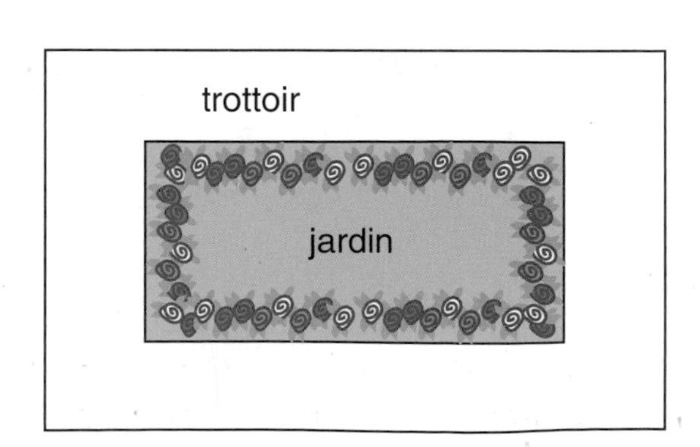

a) Quels sont l'aire et le périmètre du jardin? Montre ton travail.

b) Trouve au moins une réponse de plus.

Tâche du chapitre

Le plan d'une ménagerie pour enfants

Tu dois élaborer le plan d'une ménagerie pour enfants à l'occasion de la Foire du printemps. Chaque espèce d'animal devra avoir son propre enclos. Tu n'as que 80 m de clôture.

- Le poney et le veau ont chacun besoin d'un grand enclos.
- Les poulets et les lapins ont besoin de petits enclos.
- Les agneaux et les cochonnets ont besoin d'enclos moyens.
- Il doit y avoir un peu d'espace entre les enclos.

? Comment peux-tu planifier une ménagerie pour enfants qui n'occupera pas trop d'espace?

Comprendre le problème

A. Combien d'enclos faut-il?

B. Que sais-tu de l'aire et du périmètre des enclos?

Élaborer un plan

C. Utilise des tuiles carrées pour faire un modèle des enclos. Chaque tuile représente 1 mètre carré.

Mettre le plan en œuvre

D. Dessine ton modèle sur du papier quadrillé.

Faire une vérification des résultats

E. Ton plan répond-il aux exigences?

Communiquer

F. Explique pourquoi tu penses que ton plan est bon.

Liste de contrôle de la tâche

- ☑ As-tu utilisé un modèle?
- ☑ As-tu inclus des diagrammes?
- ☑ Ta présentation est-elle assez détaillée?
- ☑ As-tu expliqué ton raisonnement?
- ☑ As-tu utilisé le vocabulaire mathématique?

CHAPITRE 9

Multiplication des grands nombres

Attentes

Tu pourras

- **identifier un ensemble de situations de multiplication;**
- **multiplier des nombres de 2 et de 3 chiffres par des nombres de 1 chiffre;**
- **inventer et résoudre des problèmes de multiplication à l'aide de diverses stratégies.**

Œufs peints d'Ukraine, au Musée canadien de la Civilisation

Premiers pas

Matériel nécessaire

- des dés

- des tuiles carrées

- une table de multiplication

×	1	2	3
1	1	2	3
2	2	4	6
3	3	6	9

Représenter des multiplications

Un arrangement simple représente 2 multiplications. Certains arrangements peuvent être reformés pour montrer d'autres multiplications.

? Combien de multiplications peux-tu trouver en formant ou en reformant des arrangements?

A. Lance 2 dés. Note les résultats.

B. Utilise des tuiles pour former un arrangement. Utilise les chiffres obtenus par les dés comme nombres pour les rangées et les colonnes.

C. Écris 2 multiplications pour l'arrangement. Encercle les produits dans une table de multiplication.

L'arrangement de Joseph et de Pedro

Pedro et moi avons obtenu un 2 et un 6.
Nous avons fait cet arrangement.

Nous avons écrit nos multiplications.

$2 \times 6 = 12$ $6 \times 2 = 12$

Ensuite, nous avons encerclé 12 pour 2×6 et 12 pour 6×2 dans une table de multiplication.

Nous croyons pouvoir former un arrangement différent avec les 12 tuiles carrées.

D. Si tu peux, reforme l'arrangement pour obtenir d'autres arrangements.

E. Écris 2 multiplications pour chaque nouvel arrangement. Encercle les produits dans une table de multiplication.

F. Recommence 6 fois les parties A à E pour savoir combien de multiplications différentes tu peux trouver.

Rappelle-toi!

1. Fais ces multiplications. Explique ta démarche.

a) Utilise $3 \times 4 = 12$ pour trouver 3×8.
b) Utilise $2 \times 10 = 20$ pour trouver 4×5.
c) Utilise $5 \times 3 = 15$ pour trouver 6×3.
d) Utilise $3 \times 5 = 15$ pour trouver 6×5.
e) Utilise $8 \times 9 = 72$ pour trouver 9×8.

2. Fais ces multiplications.

a) 7×8
b) 9×3
c) 6×0
d) 2×8
e) 9×7
f) 6×5
g) 0×0
h) 8×8
i) 1×9

3. Fais ces multiplications.

a) 7×10
b) 3×50
c) 9×100
d) 7×20
e) $2 \times 1\,000$
f) 5×200

4. Écris la famille d'opérations qui correspond à cet arrangement.

1 Explorer la multiplication

Matériel nécessaire

- du matériel de base dix

Attente **Résoudre des problèmes de multiplication à l'aide de modèles.**

Une classe de 4e année planifie un dîner à la pizza.
Il y a 28 élèves dans la classe.
Chacun veut 3 pointes de pizza.

? Combien de pizzas la classe devra-t-elle commander? Combien coûteront les pizzas?

Utilise du matériel de base dix pour illustrer le problème.

A. Combien de pointes de pizza faudra-t-il à la classe?

B. À l'arrivée des pizzas, combien y aura-t-il de pointes?

C. Combien coûteront les pizzas?

Réflexion

1. Comment sais-tu que les parties A, B et C sont des questions de multiplication?
2. Comment le fait de changer 28 groupes de 3 en 3 groupes de 28 t'aide-t-il à illustrer la solution?

La persistance des nombres

Matériel nécessaire

- une calculatrice

Pour connaître la persistance d'un nombre, il faut multiplier chaque chiffre du nombre jusqu'à ce que tu obtiennes un nombre de 1 chiffre.

	Étape n° 1	Étape n° 2
723 →	$7 \times 2 \times 3 = 42$ →	$4 \times 2 = 8$

La persistance de 723 est 2 parce qu'il faut 2 étapes pour obtenir un nombre de 1 chiffre.

1 Utilise une calculatrice pour trouver la persistance de chaque nombre.

a) 54 **c)** 328 **e)** 5 063

b) 12 **d)** 4 528

2 Quel est le plus petit nombre dont la persistance est 2?

Curiosités mathématiques

La somme et le produit

1 Quels sont les 3 nombres dont la somme est égale à leur produit?

■ + ▲ + ● = ■ × ▲ × ●

2 La somme de 5 nombres différents est 15.
Le produit de ces 5 mêmes nombres est 120.
Quels sont ces 5 nombres?

2 Multiplier des nombres à l'aide d'arrangements

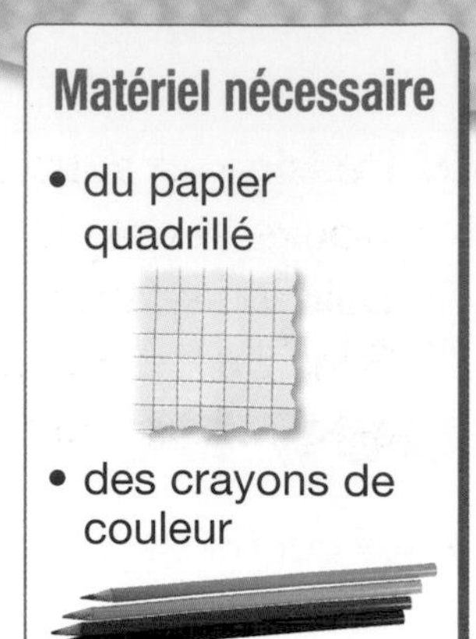

Utiliser des nombres faciles pour simplifier la multiplication.

? Combien de carrés y a-t-il dans le jeu de Nathalie?

La solution de Nathalie

Dans mon jeu, il y a 8 rangées et 12 colonnes de carrés. Je dois multiplier 8×12 pour savoir combien il y a de carrés au total.

D'abord, j'estime que 12 est proche de 10. Comme $8 \times 10 = 80$, il y a donc plus de 80 carrés.

Je peux illustrer le jeu sur du papier quadrillé.

J'ai remarqué qu'il y a 2 arrangements à l'*intérieur* de l'arrangement de 8×12.
Je colorie l'arrangement de 8×10 en rouge.
Je colorie l'arrangement de 8×2 en bleu.
Je calcule les produits des 2 plus petits arrangements et je les additionne ensemble.

$8 \times 12 = ■$

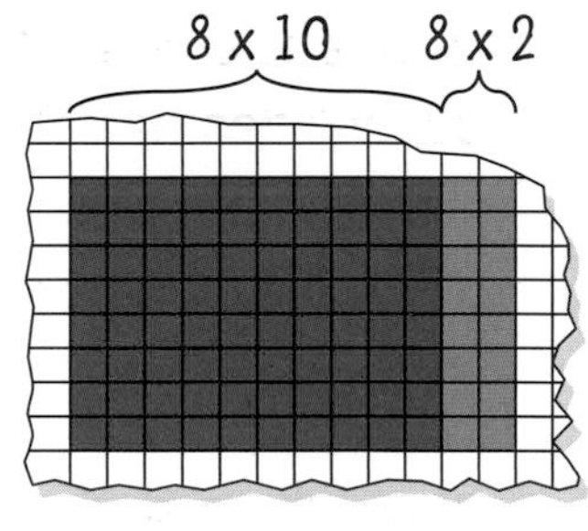

$8 \times 12 = 8 \times 10 + 8 \times 2$

A. Utilise $8 \times 10 + 8 \times 2$ pour trouver le produit de 8×12.

L'arrangement peut aussi être décomposé en arrangements plus petits.

B. Dessine un arrangement de 8×12 sur du papier quadrillé.
En commençant par la 1re colonne, colorie un arrangement de 8×8.
Ensuite, colorie un arrangement de 8×4.

C. Écris 8×12 sous forme de somme de 2 produits pour représenter ce que tu as colorié.
$8 \times 12 = 8 \times ■ + 8 \times ■$
$8 \times 12 = ■ + ■$
$8 \times 12 = ■$

D. Dessine un autre arrangement de 8×12 sur du papier quadrillé.
Trouve et colorie 2 arrangements à l'intérieur du premier.
Utilise des arrangements différents de ceux des parties A et B.
Écris 8×12 sous forme de somme de 2 produits pour représenter ce que tu as colorié.

Réflexion

1. a) Comment le fait d'utiliser des arrangements plus petits t'a-t-il aidé à faire la multiplication?
   b) Quels arrangements étaient plus faciles à multiplier? Pourquoi?
2. Décris la régularité dans les multiplications des parties A, C et D.

Vérification

3. Un jeu a 7 rangées et 14 colonnes.
   a) Estime le nombre de carrés dans le jeu.
   b) Dessine l'arrangement sur du papier quadrillé. Trouve et colorie des arrangements plus petits qui ont des nombres plus faciles à multiplier.
   c) Écris 7×14 sous forme de somme de 2 produits pour représenter ce que tu as colorié.

Application

4. Un horticulteur a planté 7 rangées de 18 arbres. Combien d'arbres a-t-il plantés? Résous le problème à l'aide d'arrangements.

5. Fais ces calculs.
   a) $6 \times 21 = 6 \times 20 + 6 \times 1$
   $6 \times 21 = ■$
   b) $4 \times 16 = 4 \times 8 + 4 \times ■$
   $4 \times 16 = ■$
   c) $5 \times 32 = 5 \times ■ + 5 \times ■$
   $5 \times 32 = ■$
   d) $5 \times 28 = ■ \times ■ + ■ \times ■$
   $5 \times 28 = ■$

6. Fais ces multiplications.
   a) 9×17 b) 2×15 c) 8×11

3 Multiplier des nombres sous forme décomposée

Matériel nécessaire

- du matériel de base dix

- un tableau de valeurs de position

Unités de mille	Centaines	Dizaines	Unités

Multiplier des nombres de 1 chiffre par des nombres de 2 chiffres à l'aide de la forme décomposée.

Paulette fabrique 54 sacs en cuir.
Elle coud 3 médaillons sur chaque sac.

? Combien de médaillons faut-il à Paulette?

La solution de Paulette

Les 54 sacs de 3 médaillons font 54 groupes de 3.

Si j'ai des groupes égaux, je peux faire une multiplication.

Comme le produit de 54×3 et de 3×54 est le même, je vais multiplier 3×54.

Je multiplierai ces nombres à l'aide de la forme décomposée.
Ensuite, je vérifierai mon travail à l'aide de blocs.

Étape n° 1 J'écris 54 sous forme décomposée.
Je forme 3 groupes de 54.

54	50 + 4	5 dizaines + 4 unités
x 3	x 3	x 3

Dizaines	Unités

Étape n° 2 Je multiplie 5 dizaines par 3.
Je vois 3 groupes de
5 dizaines ou 15 dizaines.

54	50 + 4	5 dizaines + 4 unités
x 3	x 3	x 3
	150	15 dizaines

Dizaines	Unités

Étape n° 3 Je multiplie 4 unités par 3. Je vois 3 groupes de 4 unités ou 12 unités.

54	50 + 4	5 dizaines + 4 unités
x 3	x 3	x 3
	150	15 dizaines + 12 unités
	+ 12	

Dizaines	Unités
▮▮▮▮▮ ▮▮▮▮▮ ▮▮▮▮▮	▪▪▪▪ ▪▪▪▪ ▪▪▪▪

Étape n° 4 J'additionne les 2 produits. Je regroupe les blocs.

54	50 + 4	5 dizaines + 4 unités
x 3	x 3	x 3
	150	15 dizaines + 12 unités
	+ 12	
	162	162

1 centaine + 5 dizaines + 1 dizaine + 2 unités

Centaines	Dizaines	Unités
■	▮▮▮▮▮▮	▪▪

1 centaine + 6 dizaines + 2 unités

Réflexion

1. Comment le fait d'écrire 54 sous forme décomposée a-t-il aidé Paulette à faire sa multiplication?

Vérification

2. Stanley prépare 4 plateaux de saumon à l'occasion d'un banquet. Chaque plateau contient 32 morceaux de saumon. Combien de morceaux de saumon Stanley prépare-t-il? Utilise la forme décomposée pour ta multiplication. Vérifie ton travail à l'aide de blocs.

Application

3. Anouk a fabriqué un collier avec 6 rangées de 64 perles. Combien de perles lui a-t-il fallu au total?

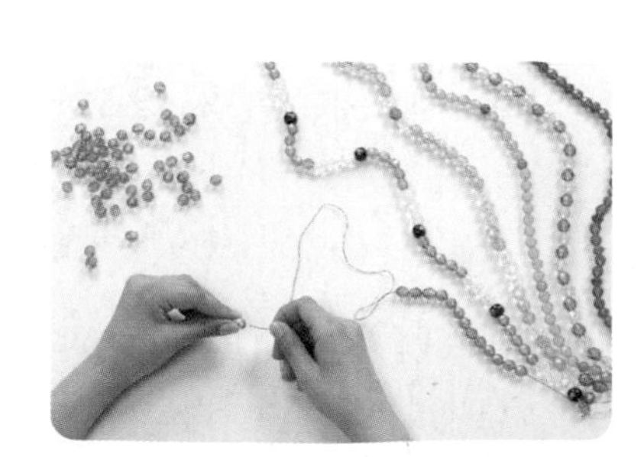

4. Estime ces produits. Ensuite, calcule-les.
   a) 17×5 **b)** 14×7 **c)** 56×6

LEÇON

Révision

1

1. Quel problème peut être résolu à l'aide d'une multiplication? Comment le sais-tu?
   a) Un joueur de ballon-panier a participé à 3 matchs. Il a marqué 22 points à chaque match. Combien de points a-t-il marqués au total?
   b) Une joueuse de ballon-panier a marqué 27 points. Chaque panier valait 3 points. Combien de paniers a-t-elle marqués?
   c) Un joueur de ballon-panier a marqué 26 points. Une joueuse a marqué 32 points. Combien de points ont-ils marqués ensemble?

2

2. Calcule ces produits. Montre ton travail.
   a) 3×18 b) 6×11 c) 7×14

3. Olivia a préparé un plateau de 6×16 carrés Nanaimo. Écris un ensemble d'arrangements plus petits pour trouver le nombre de carrés préparés.

   $6 \times 16 = ■ \times ■ + ■ \times ■$

4. Ken participe à la construction d'un trottoir de briques. Le trottoir aura 19 rangées de 7 briques par rangée. Combien de briques lui faudra-t-il? Montre ton travail.

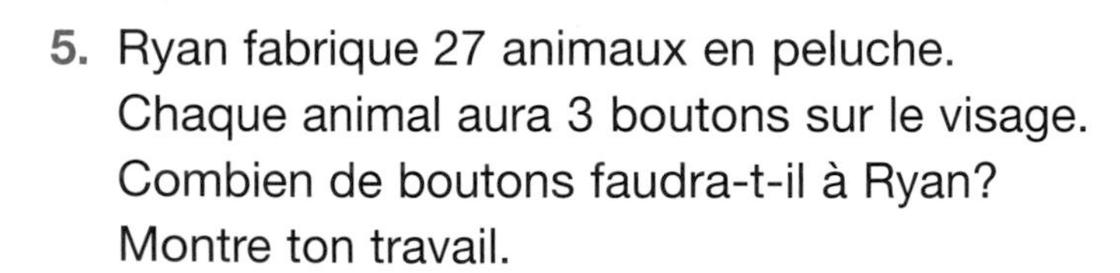

5. Ryan fabrique 27 animaux en peluche. Chaque animal aura 3 boutons sur le visage. Combien de boutons faudra-t-il à Ryan? Montre ton travail.

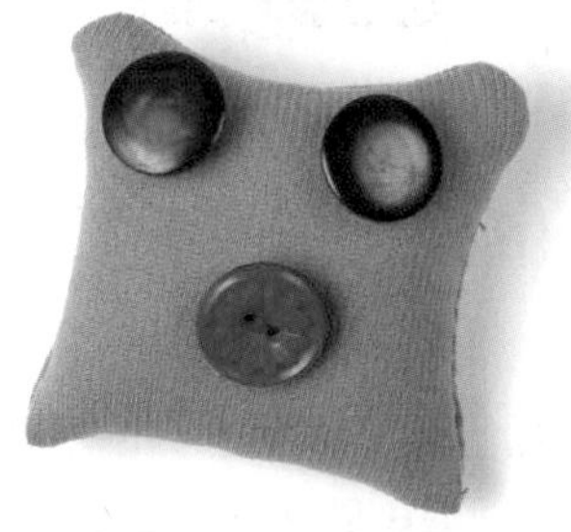

6. Fais ces calculs.

   a)
   7 dizaines + 9 unités
   × 6
   ---
   42 dizaines + ■

   b)
   60 + 7
   × 8
   ---
   480 + ■

   c)
   3 dizaines + 2 unités
   × 3

   ■ + 6 unités

7. Justine estime que 8×72 correspond à plus de 560. Explique son raisonnement.

DUV

Additionner des nombres proches de 100

Quel est le total?

Le calcul de Richard

J'ai calculé mentalement le total.

J'ai fait l'addition de cette façon :

2,99 $ + 4,98 $ + 3,99 $ = ■

2,99 $ correspond à 3,00 $ – 1 ¢
4,98 $ correspond à 5,00 $ – 2 ¢
3,99 $ correspond à 4,00 $ – 1 ¢

3,00 $ + 5,00 $ + 4,00 $ = 12,00 $
1 ¢ + 2 ¢ + 1 ¢ = 4 ¢
12,00 $ – 4 ¢ = 11,96 $

2,99 $ + 4,98 $ + 3,99 $ = 11,96 $

A. Décris la démarche de Richard à l'aide d'un exemple différent.

B. Pourquoi la démarche de Richard est-elle utile pour additionner des sommes d'argent?

C. Comment peux-tu utiliser la démarche de Richard pour additionner des nombres entiers comme 198 + 699?

À ton tour!

1. Calcule les sommes suivantes.

a) 1,98 $ + 6,99 $
b) 8,98 $ + 7,99 $ + 3,98 $
c) 4,97 $ + 6,99 $
d) 10,97 $ + 3,99 $ + 9,96 $

2. Calcule ces sommes.

a) 499 + 398
b) 399 + 497 + 296
c) 598 + 497
d) 199 + 598 + 497

4 Expliquer la résolution des problèmes

Attente **Expliquer son raisonnement quand on résout un problème.**

? Comment Chantal peut-elle expliquer comment elle a résolu un problème?

Le problème de Chantal

On m'a dit qu'on calcule l'âge des chevaux d'une façon particulière. Un poulain de 1 an est comme un enfant de 3 ans.

Je me suis demandé quel âge avait notre cheval de 16 ans en années humaines, puis je l'ai calculé.

L'explication de Chantal

J'ai demandé à Vinh de m'aider à améliorer mon explication.

Je me suis assurée de comprendre le problème.

Un poulain de...	... est comme un être humain de
1 an	3 ans
2 ans	6 ans
3 ans	9 ans

J'ai élaboré un plan. Je vais faire une multiplication.

J'ai mis le plan en œuvre. La réponse était 48.

J'ai donc appris que mon cheval a l'âge d'un être humain de 48 ans.

Ensuite, j'ai fait une vérification de mon travail.

Je pense que 48 ans est une réponse vraisemblable.

Tu as montré les étapes de la résolution du problème.

Comment as-tu su que tu pouvais multiplier des nombres?

Quels nombres as-tu multipliés?

Tu as revu ton travail pour vérifier la réponse.

Comment sais-tu que 48 est une réponse vraisemblable?

A. Quelles qualités Vinh a-t-il vues dans l'explication de Chantal?

B. D'après Vinh, que manquait-il à l'explication de Chantal?

C. Comment répondrais-tu aux questions en violet de Vinh?

Réflexion

1. Comment le tableau de Chantal a-t-il aidé à montrer son raisonnement?
2. À quelle question de la Liste de contrôle des communications correspondait chacune des questions en violet de Vinh?

Liste de contrôle des communications

- ☑ As-tu donné assez de détails?
- ☑ As-tu expliqué ton raisonnement?

Vérification

3. Un ourson de 1 an est comme un bébé de 4 ans. Vinh a calculé l'âge d'un ours de 19 ans en années humaines.
   a) Identifie au moins une qualité de l'explication de Vinh.
   b) Quelles questions poserais-tu à Vinh pour l'aider à améliorer son explication?

L'explication de Vinh

Je me suis assuré de comprendre le problème.

Un ourson de...	... est comme un être humain de
1 an	4 ans
2 ans	8 ans
3 ans	12 ans

J'ai élaboré un plan. J'ai multiplié 19 x 4.

J'ai mis le plan en œuvre : 19 x 4 = 76.

J'ai fait une vérification de mon travail. Le nombre 76 est bon parce que 20 x 4 = 80; donc le produit de 19 x 4 doit être un peu moins.

Application

4. Un faon de 1 an est comme un enfant de 8 ans.
   a) Calcule l'âge d'un cerf de 13 ans en années humaines.
   b) Explique comment tu as résolu le problème. Utilise la Liste de contrôle des communications.

5 Multiplier des nombres de 3 chiffres par des nombres de 1 chiffre

Matériel nécessaire

- du matériel de base dix

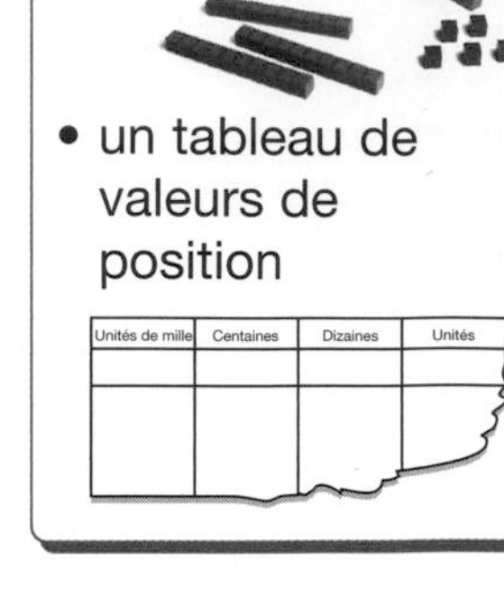

- un tableau de valeurs de position

Unités de mille	Centaines	Dizaines	Unités

Attente **Multiplier des nombres de 3 chiffres par des nombres de 1 chiffre à l'aide de la forme décomposée.**

Miki habite près d'une plage.
En 1 semaine, elle ramasse 114 coquillages.

? Combien de coquillages Miki aura-t-elle en 4 semaines?

La solution de Miki

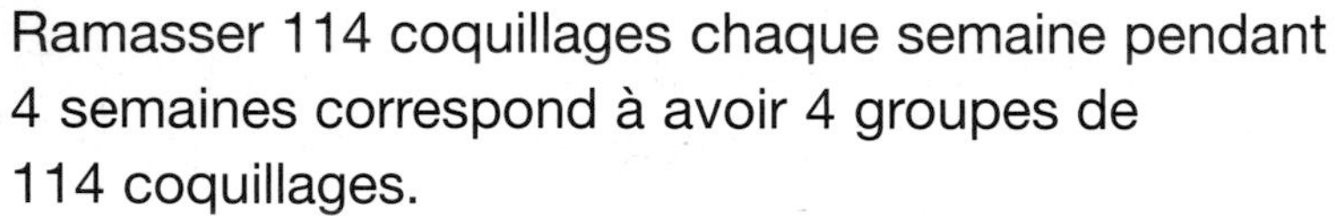

Ramasser 114 coquillages chaque semaine pendant 4 semaines correspond à avoir 4 groupes de 114 coquillages.

Quand j'ai des groupes égaux, je peux faire une multiplication.

Étape n° 1 D'abord, je fais une estimation :
4×114 est proche de $4 \times 100 = 400$.
J'aurai donc plus de 400 coquillages.

Étape n° 2 J'écris 114 sous forme décomposée.

$$\begin{array}{r} 114 \\ \times 4 \\ \hline \end{array} \qquad \begin{array}{r} 100 + 10 + 4 \\ \times 4 \\ \hline \end{array}$$

Centaines	Dizaines	Unités

Étape n° 3 Je multiplie 4 par le chiffre des centaines.

$$\begin{array}{r} 114 \\ \times 4 \\ \hline \end{array} \qquad \begin{array}{r} 100 + 10 + 4 \\ \times 4 \\ \hline 400 \end{array}$$

A. Termine la multiplication de Miki.

B. Vérifie ta réponse à l'aide de matériel de base dix dans un tableau de valeurs de position.

Réflexion

1. Supposons que tu as résolu le problème de Miki de la façon suivante. Le produit serait-il le même? Explique.

$$\begin{array}{r} 114 \\ \times\ 4 \\ \hline \end{array} \qquad \begin{array}{r} 100 + 10 + 4 \\ \times\ 4 \\ \hline 16 \end{array}$$

2. Le produit final de la question n° 1 était-il plus grand ou plus petit que l'estimation de Miki?
   Explique pourquoi.

Vérification

3. Claude polit des petites pierres dans un tonneau de polissage.
   Il polit 115 pierres par mois.
   Combien de pierres Claude polira-t-il en 6 mois?
   a) Estime combien de pierres Claude polira en 6 mois.
   b) Calcule combien de pierres Claude polira en 6 mois.
      Fais la multiplication à l'aide de la forme décomposée.
   c) Vérifie ta réponse à l'aide de matériel de base dix.

Application

4. Kristi et sa famille cultivent des carottes pour les vendre au marché.
   Ils plantent 350 carottes chaque mois, de mai à juillet.
   Au total, combien de carottes plantent-ils?

5. Lors du défilé de l'école, 485 élèves porteront chacun 3 ballons. De plus, 125 élèves porteront chacun 2 drapeaux. Combien de ballons et de drapeaux devront acheter les élèves?

6. Invente une multiplication avec un nombre de 3 chiffres et un nombre de 1 chiffre au sujet d'une collection de cartes. Estime la réponse. Ensuite, calcule le produit.

7. Estime ces produits. Ensuite, calcule-les.

   a) $\begin{array}{r} 986 \\ \times\ 3 \\ \hline \end{array}$ b) $\begin{array}{r} 181 \\ \times\ 5 \\ \hline \end{array}$ c) $\begin{array}{r} 332 \\ \times\ 7 \\ \hline \end{array}$

6 Multiplier des nombres à l'aide d'un algorithme

Multiplier des nombres en suivant une démarche.

Matériel nécessaire

- du matériel de base dix

- un tableau de valeurs de position

Unités de mille	Centaines	Dizaines	Unités

Thierry a 256 cartes de hockey. Pedro en a 2 fois plus.

? Combien Pedro a-t-il de cartes de hockey?

Les calculs de Thierry

Deux fois plus signifie 2 fois 256 cartes. Je vais faire une multiplication pour trouver combien Pedro a de cartes.

Étape nº 1 D'abord, je fais une estimation.
Le nombre 256 est presque à mi-chemin entre 200 et 300.
$2 \times 200 = 400$ $2 \times 300 = 600$
Le nombre 500 est à mi-chemin entre 400 et 600.
Pedro a environ 500 cartes.

Étape nº 2 Je calcule en faisant 2 groupes de 256.
Je vois 2×6 unités.

Centaines	Dizaines	Unités

12 unités

$$\begin{array}{r} 256 \\ \times\ 2 \\ \hline \end{array}$$

Étape nº 3 Je regroupe 10 unités en 1 dizaine.

Centaines	Dizaines	Unités

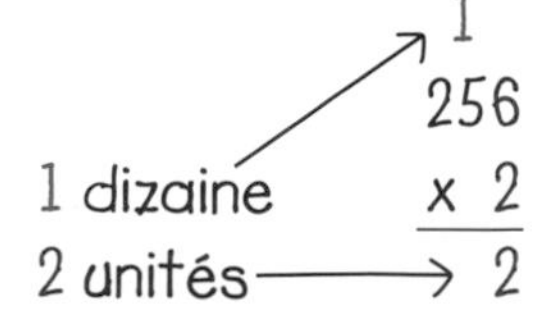

1 dizaine

2 unités

$$\begin{array}{r} 1 \\ 256 \\ \times\ 2 \\ \hline 2 \end{array}$$

DUV

Étape n° 4 Je vois 2 × 5 dizaines + 1 dizaine.
10 dizaines + 1 dizaine = 11 dizaines

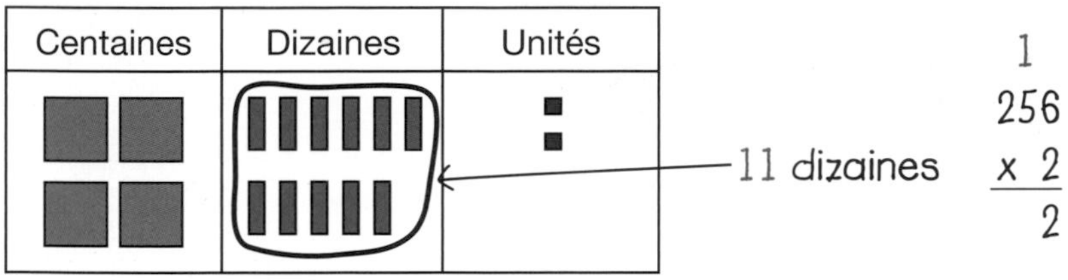

Centaines	Dizaines	Unités

11 dizaines

$$\begin{array}{r} 1 \\ 256 \\ \times\ 2 \\ \hline 2 \end{array}$$

Étape n° 5 Je regroupe 10 dizaines en 1 centaine.

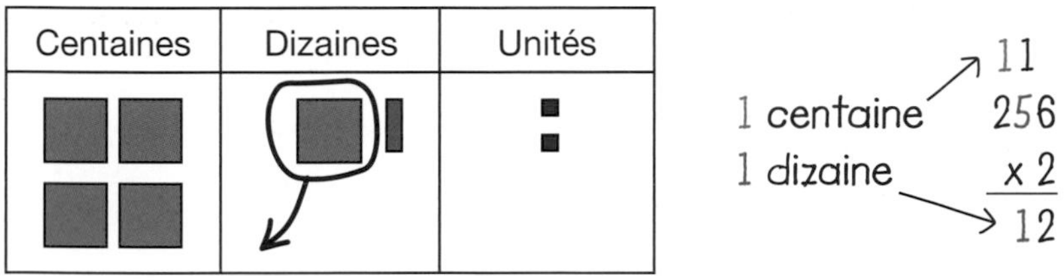

Centaines	Dizaines	Unités

1 centaine
1 dizaine

$$\begin{array}{r} 11 \\ 256 \\ \times\ 2 \\ \hline 12 \end{array}$$

Étape n° 6 Je vois 2 × 2 centaines + 1 centaine.
4 centaines + 1 centaine = 5 centaines

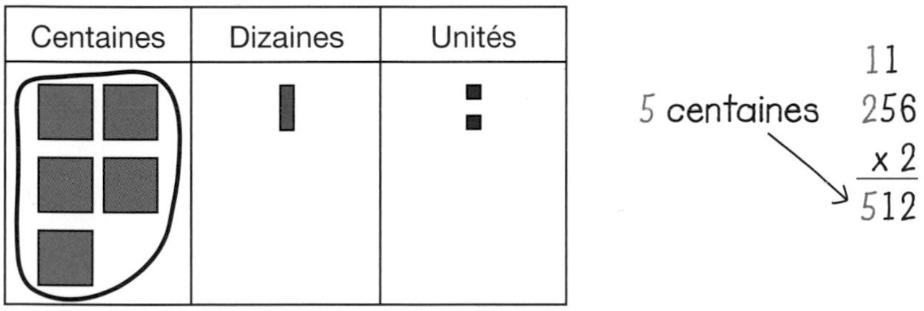

Centaines	Dizaines	Unités

5 centaines

$$\begin{array}{r} 11 \\ 256 \\ \times\ 2 \\ \hline 512 \end{array}$$

Le nombre 512 est juste au-dessus de mon estimation de 500; donc ma réponse est vraisemblable.
Pedro a 512 cartes de hockey.

Réflexion

1. À l'étape n° 3, pourquoi Thierry a-t-il inscrit un 1 au-dessus du 5?
2. Thierry calcule que Shani a 2 × 756 cartes.
   a) Quelle est la prochaine étape de sa nouvelle multiplication?
   b) En quoi cette prochaine étape sera-t-elle différente de la multiplication de 2 × 256?

$$\begin{array}{r} 11 \\ 756 \\ \times\ 2 \\ \hline 12 \end{array}$$

Vérification

3. Chantal aime les chevaux. Elle a 145 chevaux en plastique. Elle dit qu'elle a 3 fois plus d'autres animaux miniatures que de chevaux. Combien d'autres animaux miniatures a-t-elle? Fais une estimation. Ensuite, calcule la réponse.

Application

4. Deux classes d'art ont fabriqué des tasses.
   La 1re classe a fabriqué 154 tasses.
   La 2e classe a fabriqué 4 fois plus de tasses.
   Combien de tasses la 2e classe a-t-elle fabriquées?

5. Jamal a multiplié 384×4.
   Il a utilisé 4×400 pour faire son estimation.
   a) Son estimation était-elle basse ou élevée? Explique ta réponse.
   b) Écris 3 autres multiplications de nombres de 3 chiffres par 1 chiffre qui peuvent correspondre à l'estimation de 4×400.

6. Écris la multiplication de ce modèle.

Centaines	Dizaines	Unités

7. Estime ces produits. Ensuite, calcule-les.
   a) 225×9 b) 863×3 c) 594×7 d) 943×8

8. Invente un problème de multiplication avec un nombre de 3 chiffres et un nombre de 1 chiffre au sujet d'un passe-temps ou d'un jeu qui t'intéresse. Résous ton problème.

Qui aura le plus gros produit?

Matériel nécessaire
- des dés

- un tableau

□ × □□□

Nombre de joueurs : de 2 à 4
Règles du jeu : Le but du jeu consiste à former le plus gros produit.

Étape nº 1 Chaque joueur lance 1 dé et note le chiffre dans une des cases de son tableau.

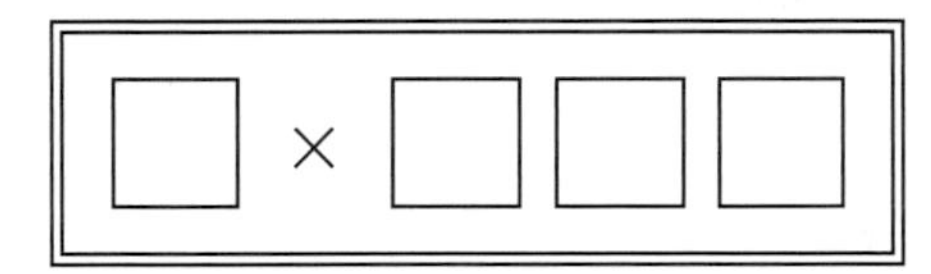

Étape nº 2 Les joueurs continuent de lancer les dés et de noter les chiffres jusqu'à ce que les 4 cases de leur tableau soient remplies. Il est interdit de changer un chiffre déjà inscrit dans une case.

Étape nº 3 Chacun calcule son produit.
Le joueur qui obtient le plus gros produit gagne la partie.

Le jeu de Marie

J'ai lancé un 2, un 5, un 1 et un 4.

5 × 4 1 2

Mon produit est le résultat de 5 × 412, ou 2 060.

Autres façons de jouer :
- Trouve le plus petit produit.
- Utilise un tableau de cases de 1 chiffre par 2 chiffres.
- Au lieu des dés, utilise une roulette ou des cartes numérotées.

7 Choisir une démarche de multiplication

Matériel nécessaire
- une calculatrice

Attente **Choisir et justifier une démarche de multiplication.**

Savais-tu qu'en 1 minute…
- 250 bébés naissent dans le monde.
- un dessin animé fait défiler 1 430 images.
- Martine peut marcher 67 m.

? Comment peux-tu choisir la meilleure démarche de multiplication pour chaque situation?

Pour chaque situation
- ferais-tu une estimation ou un calcul?
- utiliserais-tu le calcul mental, une calculatrice ou un papier et un crayon?

Explique tes choix.

A. Tu veux savoir combien de bébés naîtront durant les 4 prochaines minutes.

B. Tu veux savoir combien de bébés naîtront durant les 15 prochaines minutes.

C. Tu veux savoir combien d'images il faut pour monter un dessin animé qui dure 15 minutes.

D. Tu veux savoir combien d'images il faut pour monter un dessin animé qui dure 2 minutes.

E. Tu veux savoir quelle distance Martine parcourt pendant les durées suivantes.

a) 2 minutes
b) 10 minutes
c) 17 minutes
d) 20 minutes

Réflexion

1. Supposons que le nombre de bébés nés était de 247 en 1 minute au lieu de 250. Aurais-tu répondu aux parties A et B de la même façon? Explique.
2. a) Pourquoi le nombre de minutes te ferait-il changer de démarche?
   b) Pourquoi le nombre de fois en 1 minute te ferait-il changer de démarche?

Curiosités mathématiques

Multiplication à l'égyptienne

Voici une curieuse façon de multiplier.
C'est une multiplication à l'égyptienne.

Supposons que tu veux multiplier 314 par plusieurs nombres différents.
D'abord, tu fais une liste qui commence par $314 \times 1 = 314$.
À chaque nouvelle ligne de la liste, tu doubles le nombre en rouge et le produit.
Ensuite, tu détermines par quel nombre tu veux multiplier 314.
Tu trouves les nombres en rouge dont la somme correspond au nombre que tu cherches.
Enfin, tu additionnes les nombres à la droite des signes d'égalité de ces rangées.

$314 \times \mathbf{1} = 314$
$314 \times \mathbf{2} = 628$
$314 \times \mathbf{4} = 1\,256$
$314 \times \mathbf{8} = 2\,512$

Par exemple, $9 = 8 + 1$. Donc,
$9 \times 314 = 8 \times 314 + 1 \times 314$
$9 \times 314 = 2\,512 + 314$
$9 \times 314 = 2\,826$

Fais ces calculs. Montre ton travail.
a) 7×314 **b)** 6×314

LEÇON

Acquisition des compétences

2

1. Complète ces équations.

a) 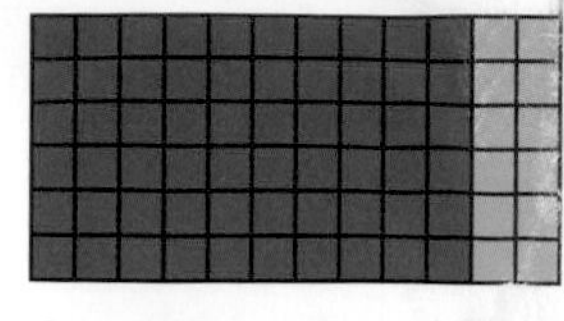

$6 \times 12 = 6 \times 10 + 6 \times$ ■

$6 \times 12 =$ ■

c) 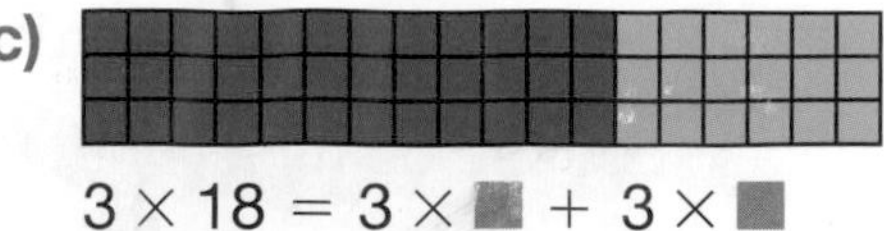

$3 \times 18 = 3 \times$ ■ $+ 3 \times$ ■

$3 \times 18 =$ ■

b) 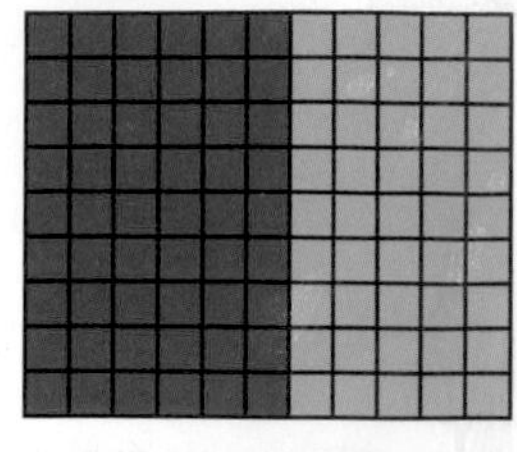

$9 \times 11 =$ ■ $\times 6 +$ ■ $\times$ ■

$9 \times 11 =$ ■

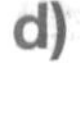

d) 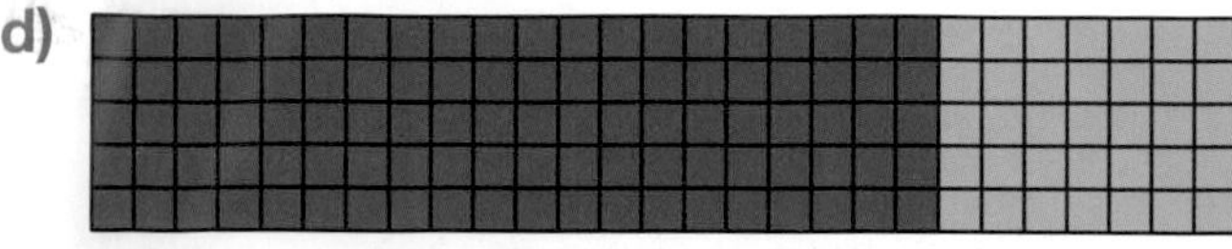

$5 \times 27 =$ ■ $\times$ ■ $+$ ■ $\times$ ■

$5 \times 27 =$ ■

2. Fais des multiplications pour connaître le nombre d'éléments par arrangement.
   a) 3 rangées de 19 timbres
   b) 5 rangées de 21 carottes
   c) 6 rangées de 18 cartes
   d) 4 rangées de 12 livres
   e) 9 rangées de 17 automobiles
   f) 8 rangées de 16 bouteilles

3. Trouve ces produits.
   a) $3 \times 17 =$ ■
   b) $2 \times 16 =$ ■
   c) $4 \times 15 =$ ■
   d) $7 \times 11 =$ ■
   e) $7 \times 29 =$ ■
   f) $8 \times 14 =$ ■
   g) $9 \times 14 =$ ■
   h) $9 \times 23 =$ ■
   i) $9 \times 19 =$ ■

3

4. Fais ces calculs à l'aide de la forme décomposée.

a)

6 dizaines + 2 unités
× 8
48 dizaines + ■ unités
■ centaines + ■ dizaines + ■ unités

b)

70 + 4
× 6
420 + ■
■

c)

30 + 8
× 4
■
■

DUV

3

5. Estime ces produits. Ensuite, multiplie les nombres à l'aide de la forme décomposée.

a) $\begin{array}{r} 73 \\ \times\ 4 \\ \hline \end{array}$ c) $\begin{array}{r} 72 \\ \times\ 2 \\ \hline \end{array}$ e) $\begin{array}{r} 61 \\ \times\ 3 \\ \hline \end{array}$ g) $\begin{array}{r} 92 \\ \times\ 2 \\ \hline \end{array}$

b) $\begin{array}{r} 29 \\ \times\ 5 \\ \hline \end{array}$ d) $\begin{array}{r} 16 \\ \times\ 3 \\ \hline \end{array}$ f) $\begin{array}{r} 14 \\ \times\ 7 \\ \hline \end{array}$ h) $\begin{array}{r} 87 \\ \times\ 3 \\ \hline \end{array}$

6. Résous chaque problème. Montre ton travail.
   a) Il y a 5 crayons dans chaque boîte.
      Combien de crayons y a-t-il dans 85 boîtes?
   b) Il y a 4 étagères et 21 livres sur chacune.
      Combien de livres y a-t-il au total?

5

7. Termine ces multiplications.

a) $\begin{array}{r} 300 + 20 + 7 \\ \times\ 5 \\ \hline 1\,500 \\ 100 \\ +\ \blacksquare \\ \hline \blacksquare \end{array}$ b) $\begin{array}{r} 200 + 80 + 3 \\ \times\ 7 \\ \hline 1\,400 \\ \blacksquare \\ +\ \blacksquare \\ \hline \blacksquare \end{array}$ c) $\begin{array}{r} 400 + 60 + 9 \\ \times\ 9 \\ \hline \blacksquare \\ \blacksquare \\ +\ \blacksquare \\ \hline \blacksquare \end{array}$

8. Estime ces produits. Ensuite, multiplie les nombres à l'aide de la forme décomposée.

a) $\begin{array}{r} 361 \\ \times\ 7 \\ \hline \end{array}$ c) $\begin{array}{r} 421 \\ \times\ 4 \\ \hline \end{array}$ e) $\begin{array}{r} 618 \\ \times\ 3 \\ \hline \end{array}$ g) $\begin{array}{r} 333 \\ \times\ 6 \\ \hline \end{array}$

b) $\begin{array}{r} 125 \\ \times\ 8 \\ \hline \end{array}$ d) $\begin{array}{r} 753 \\ \times\ 5 \\ \hline \end{array}$ f) $\begin{array}{r} 618 \\ \times\ 7 \\ \hline \end{array}$ h) $\begin{array}{r} 275 \\ \times\ 3 \\ \hline \end{array}$

9. Résous chaque problème. Montre ton travail.
   a) Un avion franchit 885 km en 1 heure.
      Combien de kilomètres l'avion franchit-il en 5 heures?
   b) Kia gagne 678 $ par semaine en travaillant dans une serre.
      Combien gagnera-t-elle en 5 semaines?
   c) Il y a 341 ml de jus d'orange dans chaque litre de punch.
      Combien de millilitres de jus d'orange faudra-t-il pour faire 7 L de punch?

6

10. Estime ces produits. Ensuite, calcule-les.

a) $\begin{array}{r} 762 \\ \times 7 \\ \hline \end{array}$ c) $\begin{array}{r} 491 \\ \times 3 \\ \hline \end{array}$ e) $\begin{array}{r} 611 \\ \times 9 \\ \hline \end{array}$ g) $\begin{array}{r} 383 \\ \times 5 \\ \hline \end{array}$

b) $\begin{array}{r} 145 \\ \times 7 \\ \hline \end{array}$ d) $\begin{array}{r} 952 \\ \times 6 \\ \hline \end{array}$ f) $\begin{array}{r} 937 \\ \times 9 \\ \hline \end{array}$ h) $\begin{array}{r} 268 \\ \times 7 \\ \hline \end{array}$

11. Résous chaque problème. Montre ton travail.

a) Des élèves d'une classe d'art ont fabriqué 267 assiettes. Une autre classe a fabriqué 4 fois plus d'assiettes. Combien d'assiettes la 2e classe a-t-elle fabriquées?

b) Certains avions peuvent transporter 131 passagers. Un gros-porteur peut transporter environ 4 fois plus de passagers. Combien de passagers un gros-porteur peut-il transporter?

7

12. Fais une estimation ou un calcul. Montre ton travail. Explique pourquoi tu as choisi cette démarche de multiplication.

a) Un seau contient 5 000 clous. Combien de clous y a-t-il dans 3 seaux?

b) Un grand bateau coûte 18 325 $. Combien coûtent 6 grands bateaux?

c) On peut graver 72 minutes de musique sur 1 disque compact. Combien de minutes de musique peut-on graver sur 7 disques compacts?

d) La pharmacie a commandé 76 caisses de shampooing. Chaque caisse contient 36 bouteilles de shampooing. Au total, combien de bouteilles la pharmacie a-t-elle commandées?

e) Jonah a 387 $ dans son compte de banque. Son frère a économisé environ 5 fois cette somme. Environ combien d'argent le frère de Jonah a-t-il économisé?

f) Chaque jour, Mme Stein conduit l'autobus scolaire sur une distance de 217 km. Combien de kilomètres conduit-elle en 5 jours?

LEÇON

Problèmes de tous les jours

2

1. Une serre a
   3 rangées de 11 légumes,
   3 rangées de 13 légumes,
   3 rangées de 18 fleurs et
   3 rangées de 16 fleurs.
   Y a-t-il plus de légumes ou de fleurs? Montre ton travail.

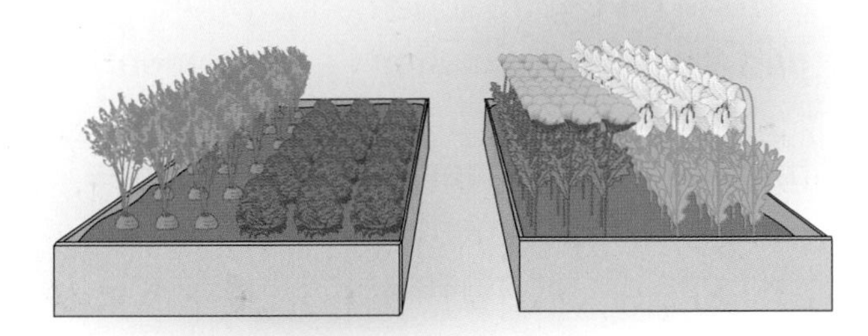

3

2. Ava joue au Scrabble.
   Elle peut jouer un mot triple avec le mot D I X
   ou un mot double avec le mot D I V E R S .
   Quel mot lui donnerait le plus de points?

6

3. Talima et Marc fabriquent des capteurs de rêves.
   Marc utilise 880 cm de fil.
   Talima utilise 3 fois plus de fil.
   Combien de fil Talima utilise-t-elle?

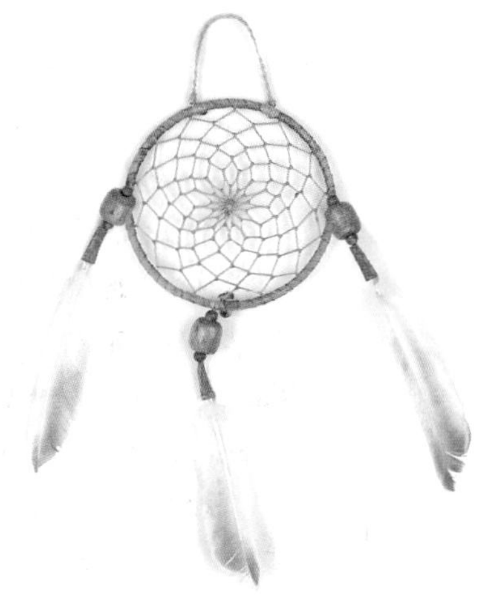

4. Calcule le plus grand produit possible en insérant les chiffres 2, 4, 6 et 8 une seule fois dans cette multiplication. Montre ton travail.

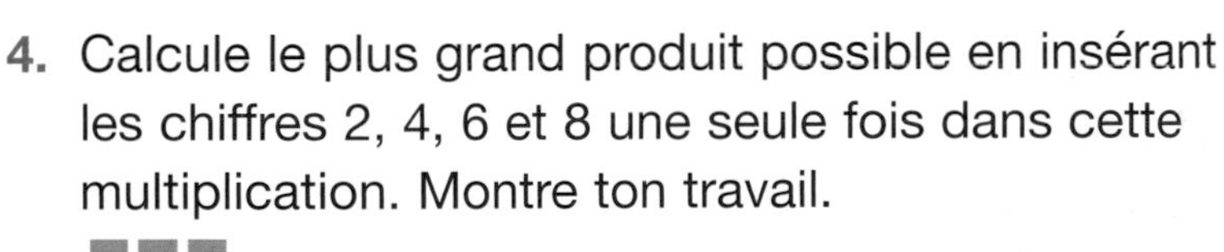

■■■
× ■

5. Les chiffres 3, 4, 5 et 8 manquent dans ces problèmes. Ajoute-les. Assure-toi que les produits sont bons.

a) ■■■ × 5 = 4 2 1 5

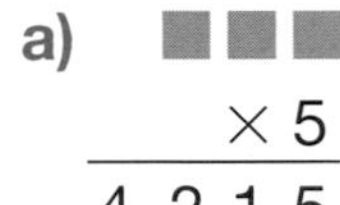

b) ■■■ × 3 = 1 6 4 4

c) ■■■ × 4 = 1 5 4 0

6. Quel est le plus grand produit possible qu'on peut calculer en insérant les chiffres 6, 7, 8 et 9 une seule fois dans cette multiplication? Utilise une calculatrice. Montre ton travail.

■ × ■■■

LEÇON

Révision du chapitre

2

1. Matthieu a fait une multiplication à l’aide de cet arrangement.
   a) Quelle multiplication l’arrangement illustre-t-il?
   b) Montre l’arrangement sous la forme de 2 arrangements plus petits.
   c) Écris les arrangements sous forme de somme de 2 produits.

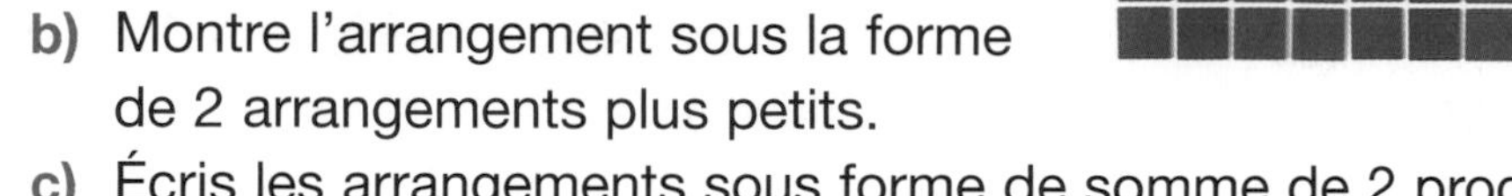

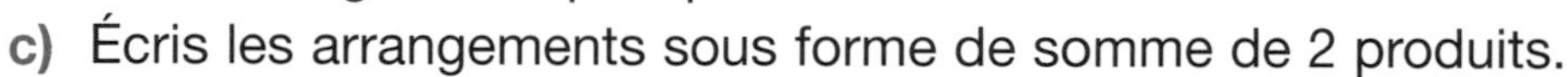

2. Chacune des 7 étagères de Laura contient 12 livres. Combien de livres Laura a-t-elle? Montre ta réponse sous forme d’arrangements. Écris les arrangements sous forme de somme de 2 produits.

3

3. Quelle estimation est la plus proche du produit réel? Explique ton choix.
   a) 79×9
      A. 80×10 **B.** 80×9
   b) 47×7
      A. 50×7 **B.** 47×10
   c) 18×4
      A. 20×4 **B.** 18×5

4. Il y a 28 élèves dans une classe. Chaque élève a apporté 5 articles pour une collecte d’aliments.
   a) Estime le nombre d’articles recueillis par la classe.
   b) Résous le problème. Montre ton travail.
   c) Ta réponse est-elle vraisemblable? Vérifie ta réponse à l’aide de ton estimation.

5. Une illustratrice de livres de sciences dessine 7 mille-pattes de 354 pattes chacun. Combien de pattes devra-t-elle dessiner au total? Fais la multiplication à l’aide de la forme décomposée de 354.

6

6. Pierre clôture un champ carré pour son cheval. Chaque côté du champ mesure 152 m de longueur. Quelle est la longueur de la clôture?

7. Le son parcourt 344 m en 1 seconde. Quelle distance parcourt le son en 7 secondes?

8. Pendant 1 mois, un magasin de location de vidéos a loué 985 films. Le mois suivant, il a loué 3 fois plus de films. Combien de films le magasin a-t-il loués pendant le 2e mois?

9. Estime ces produits. Ensuite, calcule-les.

a) $\begin{array}{r} 35 \\ \times\ 9 \\ \hline \end{array}$ b) $\begin{array}{r} 654 \\ \times\ 3 \\ \hline \end{array}$ c) $\begin{array}{r} 29 \\ \times\ 2 \\ \hline \end{array}$ d) $\begin{array}{r} 185 \\ \times\ 4 \\ \hline \end{array}$

10. Détermine quels chiffres manquent dans chaque multiplication. Montre tes calculs.

a) $\begin{array}{r} \blacksquare\,8 \\ \times\ 8 \\ \hline 3\,0\,\blacksquare \end{array}$ b) $\begin{array}{r} \blacksquare\,2\,4 \\ \times\ 5 \\ \hline 2\,6\,\blacksquare\,\blacksquare \end{array}$ c) $\begin{array}{r} \blacksquare\,8\,\blacksquare \\ \times\ 4 \\ \hline 1\,1\,2\,8 \end{array}$

11. Christian multiplie 348 × 7. Il estime que le produit est supérieur à 2 100 parce que 7 × 300 correspond à 2 100.

a) La réponse de Christian est-elle vraisemblable? Pourquoi ou pourquoi pas?

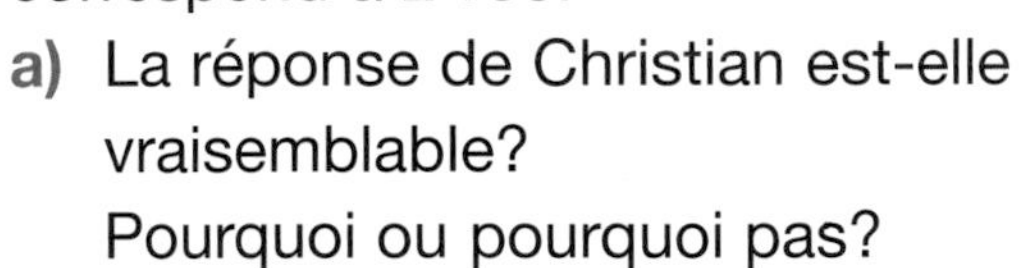

b) Fais la même multiplication.

c) Explique ta démarche.

La multiplication de Christian

$\begin{array}{r} 348 \\ \times\ 7 \\ \hline \end{array}$ $\begin{array}{r} 300 + 40 + 8 \\ \times\ 7 \\ \hline 56 \\ 280 \\ +\ 210 \\ \hline 546 \end{array}$

7

12. Calcule ces produits. Explique ta démarche.

a) $\begin{array}{r} 50 \\ \times\ 4 \\ \hline \end{array}$ b) $\begin{array}{r} 312 \\ \times\ 6 \\ \hline \end{array}$ c) $\begin{array}{r} 479 \\ \times\ 8 \\ \hline \end{array}$ d) $\begin{array}{r} 2\,896 \\ \times\ 3 \\ \hline \end{array}$

Tâche du chapitre

La description d'une année scolaire

Il y a 3 récréations par jour, y compris le dîner.
Il y a environ 190 jours dans une année d'école.
Donc, il y a environ 3×190, soit 570 récréations en 1 an.

? Comment la multiplication peut-elle servir à décrire d'autres événements dans une année scolaire?

A. Énumère 4 choses au sujet de l'école que tu décrirais à l'aide de la multiplication.

B. Quels sont les 2 éléments d'information qu'il te faut pour chaque calcul?

C. Combien de fois chaque événement se produit-il en 1 journée, 1 semaine ou 1 mois?

D. Décris chaque événement à l'aide de la multiplication.

E. Vérifie si tes calculs sont vraisemblables.

Liste de contrôle de la tâche
☑ As-tu expliqué comment tu as estimé et calculé ta réponse?
☑ As-tu utilisé le vocabulaire mathématique?
☑ As-tu organisé ton travail pour qu'il soit facile à suivre?

DUV

CHAPITRE 10

Division des grands nombres

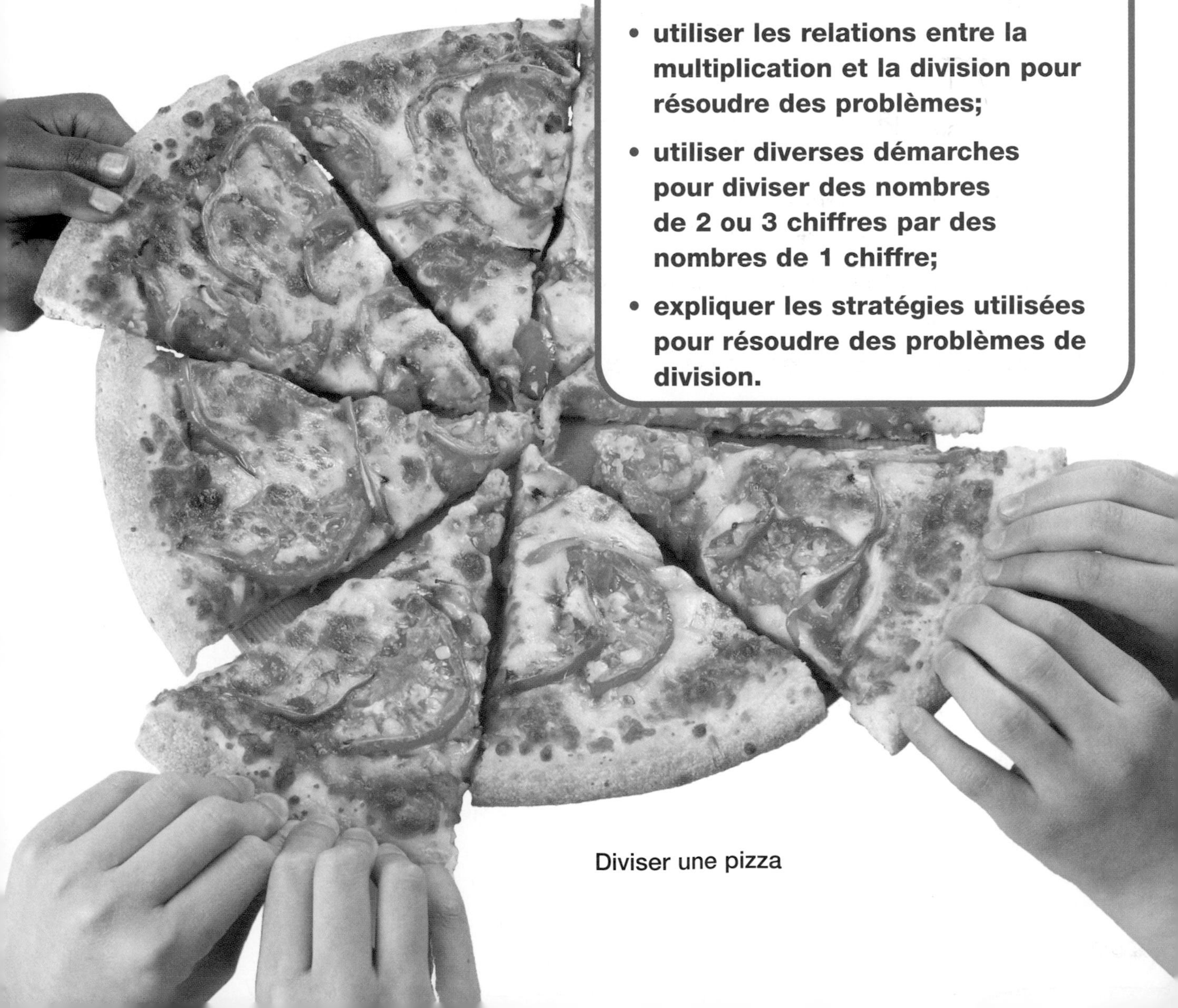

Attentes

Tu pourras

- utiliser les relations entre la multiplication et la division pour résoudre des problèmes;
- utiliser diverses démarches pour diviser des nombres de 2 ou 3 chiffres par des nombres de 1 chiffre;
- expliquer les stratégies utilisées pour résoudre des problèmes de division.

Diviser une pizza

Matériel nécessaire

- des jetons

Premiers pas

Planifier une journée sportive

Les élèves planifient une journée sportive.
Il y aura 54 élèves participants.

Imagine une activité qui amuserait 54 élèves pendant cette journée sportive.

? Combien de groupes participeront à ton activité?
Combien de personnes y aura-t-il dans chaque groupe?
Combien d'activités seront partagées?

A. Miki planifie une course à relais pour les 54 élèves.
Elle veut 2 équipes égales.
Combien d'élèves y aura-t-il dans chaque équipe?
Explique ton raisonnement.

B. Richard planifie un jeu de poches.
S'il partage les 54 élèves en équipes de 6, combien cela fera-t-il d'équipes? Explique ton raisonnement.

C. Parfois, tu fais une division pour obtenir le nombre de groupes. D'autres fois, tu fais une division pour obtenir le nombre dans chaque groupe.
Quelle sorte de division as-tu utilisée dans la partie A?
Quelle sorte de division as-tu utilisée dans la partie B?

D. Écris une division pour représenter ce que tu as fait à la partie A. Écris une autre division pour la partie B.

E. Planifie une activité pour 54 élèves pendant une journée sportive. Décris ton activité et indique comment tu feras participer des équipes égales.
Explique comment tu as utilisé la division ou la multiplication.

Rappelle-toi!

1. Fais ces calculs.
   - a) $9 \times 6 = ■$
   - b) $18 \div 2 = ■$
   - c) $64 \div 8 = ■$
   - d) $35 \div 5 = ■$
   - e) $8 \times 8 = ■$
   - f) $18 \div 3 = ■$
   - g) $54 \div 6 = ■$
   - h) $12 \div 4 = ■$
   - i) $3 \times 7 = ■$

2. Écris la **famille d'opérations** de la multiplication et de la division qui décrit cet **arrangement**. Rappelle-toi qu'il faut inclure 2 multiplications et 2 divisions.

3. Utilise les multiplications pour faire ces divisions.
   - a) $8 \times 7 = 56$, donc $56 \div 7 = ■$.
   - b) $6 \times 8 = 48$, donc $48 \div 8 = ■$.

1 Explorer la division

Résoudre des problèmes de division à l'aide de modèles.

Les élèves du club de sciences ont fabriqué des kaléidoscopes.
Chaque kaléidoscope a un réflecteur en forme de prisme triangulaire.
Chaque réflecteur est formé de 3 rectangles en plastique.
Les élèves ont utilisé entre 70 et 90 rectangles.
Il n'est resté aucun rectangle.

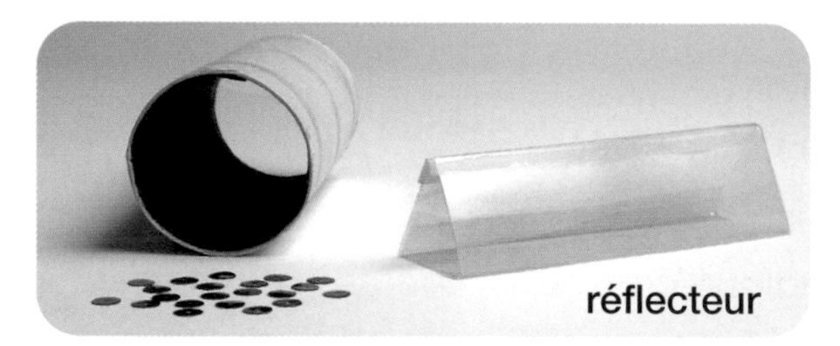

? Combien de kaléidoscopes les élèves ont-ils pu fabriquer?

A. Pourquoi peux-tu résoudre ce problème à l'aide d'une division?

B. Quel sera le **diviseur**? Comment le sais-tu?

C. Utilise tout le matériel possible pour résoudre le problème. Trouve plus d'une réponse. Montre ton travail.

Réflexion

1. Pourquoi y a-t-il plus d'une réponse à ce problème?
2. As-tu divisé tous les nombres entre 70 et 90? Pourquoi ou pourquoi pas?
3. Écris une division et une multiplication pour décrire une de tes réponses.

Matériel nécessaire

- les instructions pour faire un kaléidoscope
- des jetons

- du matériel de base dix

- du papier quadrillé
- une grille de 100

1	2	3	4
11	12	13	14
21	22	23	24
31	32	33	34

diviseur
Dans une division, nom donné au nombre qui en divise un autre.

$6 \div 2 = 3$

diviseur

DUV

Additionner des nombres par étapes

Si tu veux additionner mentalement des nombres, c'est parfois plus facile de les additionner par étapes.

L'addition mentale de Manitok

Je veux additionner 23 + 18.

D'abord, j'additionne 10. C'est facile!

23 + 10 = 33

Ensuite, j'ajoute 7 pour arriver à 40.

33 + 7 = 40

Il reste 1 parce que 18 = 10 + 7 + 1.

Donc, 23 + 18 = 41.

A. Pourquoi penses-tu que Manitok a d'abord additionné 10?

B. De quelle autre façon peux-tu additionner 23 + 18 par étapes? Explique comment ta façon d'additionner rend l'opération plus facile.

C. Comment peux-tu additionner 23 + 18 + 12 dans ta tête?

À ton tour!

1. Calcule mentalement ces sommes. Décris tes étapes.

a) 38 + 11 **c)** 42 + 21 **e)** 45 + 25 **g)** 12 + 18 + 11

b) 25 + 15 **d)** 16 + 18 **f)** 51 + 19 **h)** 26 + 12 + 18

2. Montre ta démarche pour soustraire mentalement 63 − 15.

2 Utiliser la soustraction répétée pour diviser des nombres

Matériel nécessaire

- des jetons

Utiliser la soustraction répétée pour diviser des nombres.

Zoé prépare les décorations pour un banquet.
Elle attache des ballons par bouquets de 4.

? Combien de bouquets de 4 ballons Zoé peut-elle faire avec 77 ballons?

La division de Zoé

Je peux illustrer les ballons avec 77 jetons.

Ensuite, je peux utiliser la soustraction répétée pour soustraire des bouquets de 4 jusqu'à ce qu'il n'y ait plus de ballons pour un bouquet complet.

```
4)77   ← Je commence avec 77 ballons.
 - 40      10 ← Je peux former au moins 10 bouquets
                parce que 10 x 4 = 40.
   37  ← Il me reste maintenant 37 ballons.
 - ■■      5 ← Je peux former 5 bouquets de plus
                parce que...
```

A. Pourquoi Zoé pense-t-elle pouvoir faire 5 bouquets de plus? Montre comment tu continuerais le travail de Zoé pour terminer la division.

B. Combien de bouquets de 4 ballons Zoé peut-elle former au total? Comment le sais-tu?

C. Quel sera le **reste**? Comment le sais-tu?

reste
Quantité qui reste après la division d'un nombre en parties égales.

Quand tu divises 7 en 3 groupes, tu obtiens 3 groupes de 2 unités et un reste de 1.

Écris 7 ÷ 3 = 2 **R1**

reste

DUV

Réflexion

1. Pourquoi Zoé a-t-elle commencé par soustraire 10 groupes de 4?
2. Quand il lui est resté 37 ballons, Zoé a décidé de soustraire 5 bouquets. Était-ce la façon la plus rapide de terminer la division? Explique ta réponse.
3. Pourquoi soustraire des **multiples** de 4 pour trouver le nombre de groupes de 4 dans 77 a-t-il du sens?

multiple
Produit d'un nombre multiplié par un autre nombre.

Les multiples de 4 sont 4, 8, 12, 16, 20, 24, …

Vérification

4. Zoé a 99 ballons à attacher en bouquets de 6.
   a) Combien de bouquets peut-elle d'abord soustraire? Pourquoi? À combien de ballons cela correspond-il?
   b) Combien de bouquets peut-elle former en tout? Montre ta démarche.
   c) Quel sera le reste? Comment le sais-tu?

Application

5. Zoé a 62 ballons à attacher en bouquets de 5. Combien de bouquets peut-elle former? Quel sera le reste? Montre les étapes de ton travail.

6. Utilise la soustraction répétée pour faire ces divisions. Montre ta démarche.

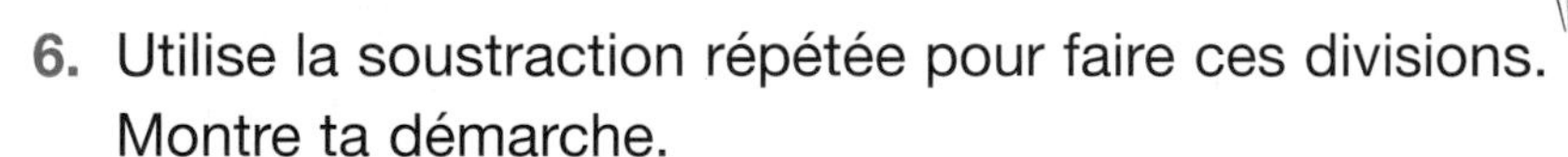

   a) $3\overline{)64}$ b) $4\overline{)50}$ c) $6\overline{)62}$ d) $2\overline{)95}$ e) $4\overline{)87}$

7. Zoé a utilisé une calculatrice pour diviser 441 par 21. Elle a utilisé un crayon et du papier pour diviser 96 par 8. Es-tu d'accord avec les décisions de Zoé? Explique ta réponse.

8. Zoé avait environ 70 ballons. Quand elle a formé des bouquets de 4 ballons, il ne lui en est pas resté un seul. Combien de ballons Zoé pouvait-elle avoir? Comment le sais-tu?

3 Interpréter le reste

Matériel nécessaire

- une calculatrice

Attente **Déterminer ce qu'il faut faire du reste dans un problème de division.**

Chaque élève a écrit un problème qui peut être résolu en calculant $6\overline{)51}$.

? Comment le problème t'aide-t-il à déterminer ce qu'il faut faire d'un reste?

$$\begin{array}{r l} 6\overline{)51} & \\ -42 & 7 \\ \hline 9 & \\ -6 & 1 \\ \hline 3 & \end{array} \quad 7 + 1 = 8$$

$51 \div 6 = 8 \text{ R}3$

Le problème de Christian

Dans un parc, 51 élèves sont allés faire un tour dans les montagnes russes. Il y avait 6 sièges par wagon. Combien y avait-il de wagons?

Solution : $51 \div 6 = 8 \text{ R}3$

Réponse : 9 wagons

Le problème de Miki

Un restaurant a servi 51 pointes de pizza au pepperoni. Il y avait 6 pointes par pizza. Combien de pizzas ont été servies?

Solution : $51 \div 6 = 8 \text{ R}3$

Réponse : $8\frac{1}{2}$ pizzas

Le problème de Jean

Sarah avait 51 autocollants à donner à 6 amis. Elle voulait en donner un nombre égal à chaque ami. Combien d'autocollants chaque ami a-t-il obtenus?

Solution : $51 \div 6 = 8 \text{ R}3$

Réponse : 8 autocollants chacun

Réflexion

1. Décris ce qui est arrivé au reste dans chaque problème. Explique pourquoi.

Vérification

2. a) Chantal a 58 photos qu'elle veut disposer dans un album. Elle a l'intention de mettre 4 photos par page double. Combien de pages doubles lui faudra-t-il? Montre ton travail.
   b) Explique ce que tu as fait du reste et dis pourquoi.

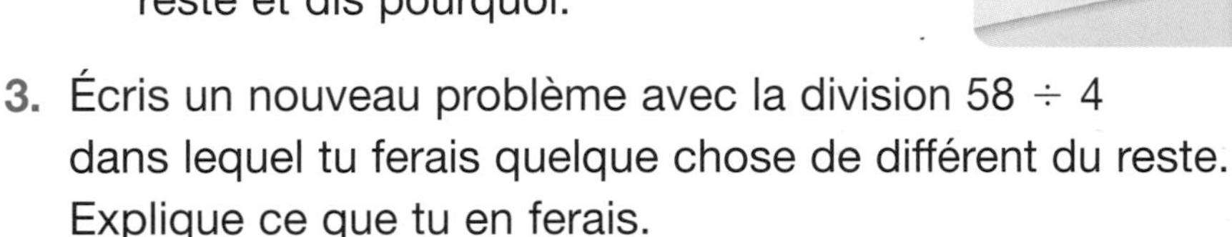

3. Écris un nouveau problème avec la division 58 ÷ 4 dans lequel tu ferais quelque chose de différent du reste. Explique ce que tu en ferais.

Application

4. a) Tes 4 amis se partagent 25 lacets de réglisse. Combien de lacets chaque ami reçoit-il s'ils sont partagés également et s'ils sont tous mangés?
   b) Explique ce que tu as fait du reste et dis pourquoi.

5. a) Un billet de tirage coûte 5 ¢. Combien de billets Michel peut-il acheter avec 72 ¢?
   b) Explique ce que tu as fait du reste et dis pourquoi.

6. a) Chaque radeau du Tunnel de l'épouvante peut recevoir 4 personnes. Si 62 enfants y entrent en même temps, combien y aura-t-il d'enfants dans le dernier radeau?
   b) Explique ce que tu as fait du reste et dis pourquoi.

7. Utilise une calculatrice pour faire chaque division. Que remarques-tu au sujet du résultat quand il y a un reste?
   a) 24 ÷ 2   b) 27 ÷ 2   c) 40 ÷ 4   d) 27 ÷ 8

8. Écris un problème avec la division 53 ÷ 3. Montre comment le résoudre. Explique ce que tu as fait du reste et dis pourquoi.

4 Diviser un nombre de 2 chiffres par un nombre de 1 chiffre

Matériel nécessaire

- du matériel de base dix

Attente **Utiliser du matériel de base dix et un crayon et du papier pour diviser un nombre de 2 chiffres par un nombre de 1 chiffre.**

Il y a 94 autocollants que 4 personnes doivent se partager à parts égales.

? Combien d'autocollants obtiendra chaque personne?

La division de Rami

Je pense que chaque personne obtiendra environ 25 autocollants parce que $4 \times 25 = 100$.

Pour trouver la réponse, je peux illustrer le **dividende** avec du matériel de base dix et diviser les blocs en 4 groupes égaux.

dividende
Nombre qu'on divise par un autre.
$6 \div 2 = 3$
↖ dividende

Étape n° 1 Je vais illustrer 94 autocollants. Je dois les partager en 4 groupes égaux.

4)94

Étape n° 2 D'abord, je partage les dizaines en 4 groupes.

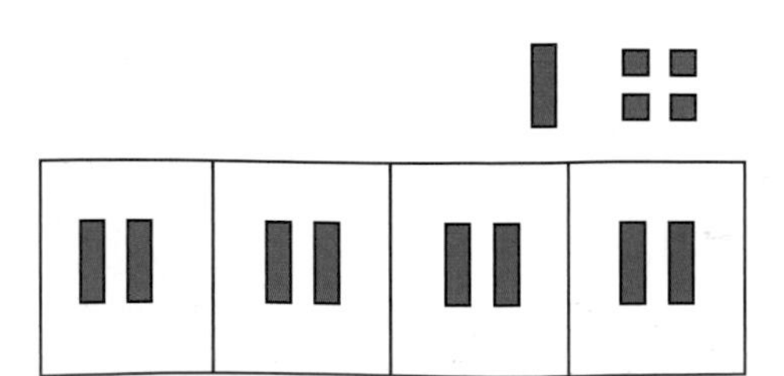

Je mets 2 dizaines dans chaque groupe; donc j'écris 20 au quotient.

```
  20
4)94
 -80   ← J'ai partagé 80 autocollants.
  14   ← Il m'en reste 14.
```

Étape n° 3 Ensuite, je décompose la dizaine et je partage les 14 unités. Je peux placer 3 unités dans chaque groupe.

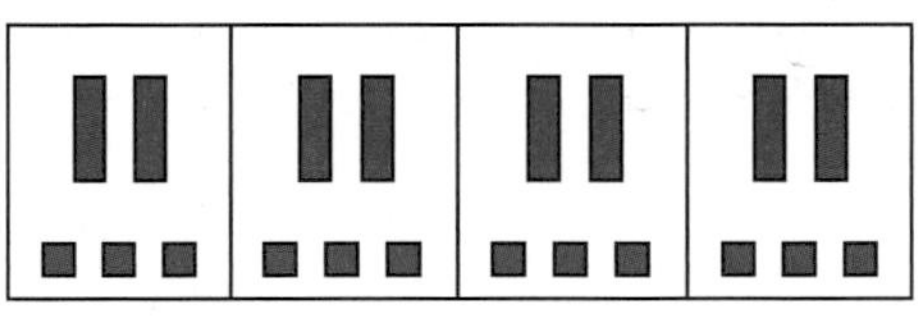

Chaque personne aura 23 autocollants et il en restera 2.

C'est un résultat vraisemblable parce que 23 est proche de mon estimation de 25.

```
         ↙ J'inscris 3 au quotient.
   3  }  Le quotient est
  20  }  20 + 3, soit 23.
4)94
 -80     J'ai partagé 12 autocollants
  14   ↙ de plus.
 -12
   2  ← Il en reste 2.
```

Réflexion

1. Pourquoi Rami a-t-il décomposé 1 dizaine en 10 unités à l'étape n° 3?
2. Pourquoi Rami a-t-il soustrait 12 à l'étape n° 3?

Vérification

3. Un bol de 75 raisins sera partagé entre 6 personnes à parts égales.
   a) Montre le partage des raisins. Inscris la division sur du papier.
   b) Combien de raisins obtiendra chaque personne?
   c) Restera-t-il des raisins? Explique.

Application

4. Il y a 83 bonbons dans un pot; 5 personnes se les partageront à parts égales.
   a) Restera-t-il des bonbons? Explique.
   b) Estime le nombre de bonbons que recevra chaque personne.
   c) Fais une division pour trouver combien de bonbons chaque personne recevra. Montre ta démarche.

5. Fais ces divisions. Montre ton travail.

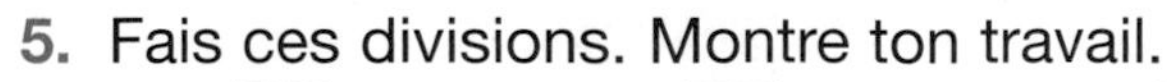

   a) 6)78 b) 3)95 c) 7)93 d) 4)65

5 Résoudre des problèmes par essais systématiques

Utiliser les essais systématiques pour résoudre des problèmes.

Thierry a placé les chandelles sur le gâteau d'anniversaire de sa mère selon un arrangement particulier.
Il a mis 1 chandelle par année de vie de sa mère.
Il a placé 5 rangées égales de chandelles.
Il a mis 6 chandelles sur les bords du gâteau parce qu'il en manquait pour faire une autre rangée complète.

? Quel peut être l'âge de la mère de Thierry si elle a moins de 50 ans?

La solution de Marie

Comprendre le problème

Puisque 5 rangées comptent le même nombre de chandelles, je peux me servir de la multiplication ou de la division.

Le nombre de chandelles dans chaque rangée doit s'élever à plus de 6, sinon Thierry aurait pu faire une autre rangée avec les 6 chandelles restantes. Le plus petit nombre de chandelles dans une rangée serait 7.

Élaborer un plan

Je vais essayer de multiplier 5 rangées par 7 chandelles. Ensuite, j'ajouterai les 6 chandelles supplémentaires pour voir si le nombre total est inférieur à 50.

Mettre le plan en œuvre

5 rangées de 7 = 35
35 + 6 chandelles supplémentaires = 41
Puisque 41 est inférieur à 50, la mère de Thierry peut avoir 41 ans.

Y a-t-il une autre réponse?

5 rangées de 8 = 40
40 + 6 = 46
La mère de Thierry peut aussi avoir 46 ans.

5 rangées de 9 = 45
45 + 6 = 51
Comme elle a moins de 50 ans, cette réponse est impossible.

Il y a 2 réponses possibles.
La mère de Thierry peut avoir 41 ou 46 ans.

Réflexion

1. Comment Marie savait-elle qu'il y avait au moins 7 chandelles dans chaque rangée? Comment savait-elle qu'il y avait moins de 9 chandelles?
2. Comment Marie a-t-elle utilisé les données du problème pour s'assurer que ses suppositions étaient vraisemblables?

Vérification

3. Thierry a emballé des biscuits dans des sacs de la même grandeur.
   Il a emballé plus de 40 biscuits mais moins de 50.
   Il a rempli 4 sacs et il lui est resté 5 biscuits.
   Combien de biscuits peut-il avoir emballés?

Application

4. Thierry avait entre 50 et 60 tuiles carrées. Il a fait un rectangle de 6 unités de longueur. Il lui est resté 4 tuiles. Dessine le rectangle de Thierry. Inscris la longueur des côtés.
5. Invente ton propre problème à résoudre par essais systématiques. Donne ton problème à résoudre à un ou une partenaire.

Révision

LEÇON

1 **1.** Mélissa a 40 jetons.
Combien de groupes de 5 jetons peut-elle former?
Montre ton travail.

2 **2.** Tony a 43 pots de confiture à placer dans des boîtes de 6 pots. Combien de boîtes peut-il remplir? Montre ta démarche.

3 **3.** Écris un problème avec la division $92 \div 8$.
a) Montre comment résoudre ton problème.
b) Explique ce que tu as fait du reste et dis pourquoi.

4 **4.** Fais ces divisions. Montre ta démarche.
a) $52 \div 7$ **b)** $74 \div 9$ **c)** $8\overline{)75}$ **d)** $5\overline{)48}$

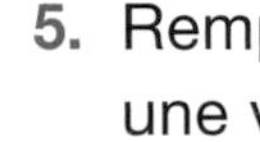

5. Remplace les mots par des nombres pour obtenir une vraie équation :
dividende ÷ *diviseur* = *quotient* R2

6. Quel quotient est le plus proche de 10?
Comment le sais-tu?
A. $92 \div 6$ **B.** $71 \div 3$ **C.** $64 \div 5$ **D.** $83 \div 9$

7. Ferais-tu ces divisions en les calculant dans ta tête, avec un crayon et du papier ou avec une calculatrice? Explique ton raisonnement.
a) $72 \div 8$ **b)** $84 \div 3$ **c)** $546 \div 6$

5 **8.** Les élèves sont partagés en groupes égaux pour participer à une excursion.
Il y a 4 élèves dans chaque groupe, à l'exception de 1 groupe formé de 3 élèves seulement.
Le nombre d'élèves qui feront l'excursion est entre 30 et 40.
a) Combien d'élèves iront en excursion?
b) Explique comment tu sais que tu as trouvé toutes les réponses possibles.

La Chasse au reste

Matériel nécessaire

- des cartes numérotées

Nombre de joueurs : de 2 à 5

Règles du jeu : Le but du jeu consiste à disposer 3 cartes dans des cases pour obtenir le plus petit reste possible.

Étape nº 1 Dessine des cases qui ressemblent à □)□□. Elles devraient être assez grandes pour recevoir les cartes numérotées.

Étape nº 2 Donne 3 cartes à chaque joueur.

Étape nº 3 Place tes cartes dans les cases. Essaie de faire la division qui laissera le plus petit reste.

Étape nº 4 Fais la division et trouve le reste.

Étape nº 5 Laisse les autres joueurs vérifier ton reste.

Le joueur qui obtient le plus petit reste marque 1 point. La partie se termine quand un joueur a 5 points.

Le jeu de Pedro

Je ne peux pas faire de division avec un reste de 0.

Je vais donc placer mes cartes pour faire 3)25 parce que le reste est 1.

2 3 5

Autre façon de jouer : On peut essayer d'obtenir le plus grand reste possible.

6 Faire des estimations avec des dividendes de 3 chiffres

Utiliser des divisions et des multiplications pour estimer des quotients.

Alice aime lire des romans d'aventure.
Elle a fait une liste des livres qu'elle aimerait lire.

Le projet de lecture d'Alice

Je veux lire *Croqués tout rond* en 9 jours.
Je prévois lire le même nombre de pages chaque soir.

Romans	Pages
1. Drôles d'ordures!	272
2. La frousse aux trousses	240
3. Deux lapins dans un nid de vautours	264
4. Terreur chez les carnivores	256
5. La baie des mystères	260
6. Croqués tout rond	252
7. L'été des sueurs froides	124

? Environ combien de pages Alice doit-elle lire chaque soir?

A. Comment sais-tu qu'Alice doit lire plus de 10 pages chaque soir?

B. Comment sais-tu qu'Alice doit lire moins de 50 pages chaque soir?

C. Comment le fait de savoir $27 \div 9 = 3$ aide-t-il à l'estimation d'Alice?

D. Environ combien de pages Alice devrait-elle lire chaque soir?

Réflexion

1. Pourquoi serait-ce utile si Alice pensait au nombre 252 comme étant 25 dizaines?
2. Supposons qu'Alice n'aurait que 8 soirs pour lire le livre.
   a) Quelle division Alice devrait-elle estimer?
   b) Quelle multiplication ou division aiderait Alice à trouver le nombre de pages à lire par soir?

Vérification

3. Alice désire lire *L'été des sueurs froides* en 7 jours. Elle a l'intention de lire le même nombre de pages chaque jour.
   a) Pourquoi lira-t-elle plus de 10 pages chaque jour?
   b) Quelle opération mathématique aiderait Alice à estimer le nombre de pages à lire par jour?
   c) Environ combien de pages devrait-elle lire chaque jour?

Application

4. Alice veut lire les 2 premiers livres de sa liste en 8 jours. Elle a l'intention de lire le même nombre de pages chaque jour.
   a) Quelle opération mathématique aiderait Alice à estimer le nombre de pages à lire par jour?
   b) Environ combien de pages devrait-elle lire par jour?
   c) Environ combien de pages devrait-elle lire par jour pour terminer en 6 jours plutôt qu'en 8?
5. Estime chaque quotient. Explique ton raisonnement.
   a) $6\overline{)574}$ b) $8\overline{)307}$ c) $7\overline{)511}$
6. Gerry peut terminer son livre s'il lit environ 90 pages par jour pendant 6 jours.
   Combien y a-t-il de pages dans ce livre?

7 Diviser des nombres par étapes

Diviser des nombres par étapes à l'aide de nombres simples.

Joseph et Shani collectionnent les cartes postales.
Joseph a 3 fois plus de cartes postales que Shani.

? Si Joseph a 285 cartes postales, combien Shani en a-t-elle?

La solution de Carl

Je peux décomposer 285 ainsi : 270 + 15.

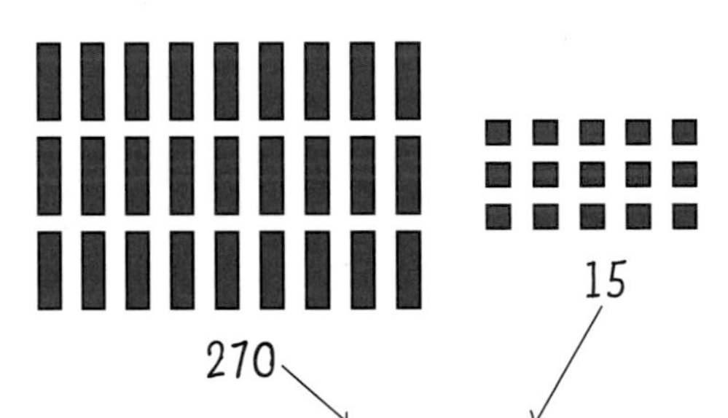

$3\overline{)285}$ correspond à $3\overline{)270} + 3\overline{)15}$.

Shani a 90 + ■ cartes postales.

A. Pourquoi Carl a-t-il divisé 285 par 3?

B. Pourquoi diviser 285 en 3 parties correspond-il à diviser 270 par 3 et ensuite à diviser 15 par 3?

C. Termine la division de Carl. Pourquoi Carl a-t-il décomposé 285 sous la forme 270 + 15 plutôt que 200 + 85?

Réflexion

1. La décomposition suivante de 285 serait-elle bonne pour résoudre le problème? Explique ta réponse.
   $3\overline{)285} = 3\overline{)240} + 3\overline{)30} + 3\overline{)15}$
2. De quelle autre façon peux-tu décomposer 285 pour résoudre le problème?
3. Comment le fait de connaître la table de 3 a-t-il aidé Carl à faire sa division?

Vérification

4. Shani et Joseph collectionnent les cartes de hockey. Shani a 4 fois plus de cartes que Joseph. Si Shani a 272 cartes, combien Joseph en a-t-il?
   a) Comment peux-tu décomposer 272 pour résoudre le problème?
   b) Combien de cartes Joseph a-t-il? Montre ton travail.

Application

5. Shani a 368 autocollants dans son album. Combien Joseph a-t-il d'autocollants s'il en a
   a) 4 fois moins?
   b) 8 fois moins?
   Montre ton travail.

6. Carl a utilisé la démarche suivante pour partager également 297 cartes postales dans 3 albums.
   a) Sa démarche est-elle bonne? Explique.
   b) Utilise sa démarche pour diviser 392 en 4 parts égales.

Carl refait une division

Je peux décomposer 297 ainsi : 300 − 3.
$3\overline{)297}$ correspond à $3\overline{)300} - 3\overline{)3}$.
Je peux mettre 100 − 1, soit 99 cartes postales dans chaque album.

7. Ferais-tu ces divisions par étapes? Pourquoi ou pourquoi pas?
   a) $6\overline{)312}$ b) $7\overline{)511}$ c) $9\overline{)900}$

8. Montre 2 façons de décomposer 376 pour que ce nombre soit plus facile à diviser par 8.

8 Diviser un nombre de 3 chiffres par un nombre de 1 chiffre

Attente **Utiliser du matériel de base dix et un crayon et du papier pour diviser un nombre de 3 chiffres par un nombre de 1 chiffre.**

Grand-maman a 269 cornets musicaux à coudre sur les robes de ses 3 petits-enfants.

? Si grand-maman partage les cornets musicaux en parts égales, combien y en aura-t-il sur chaque robe?

Une robe à cornets musicaux

La division de Richard

J'estime que chaque robe portera environ 100 cornets parce qu'il y en a environ 300 et que $300 \div 3 = 100$.

Je peux illustrer la division avec du matériel de base dix et noter chaque étape.

Étape n° 1 J'ai illustré 269. Je dois partager les blocs en 3 groupes égaux.

$3\overline{)269}$

Étape n° 2 J'ai seulement 2 centaines et non 3. Il n'y a pas assez de cornets musicaux pour en coudre 100 sur chaque robe. Je décomposerai les 2 centaines en 20 dizaines.

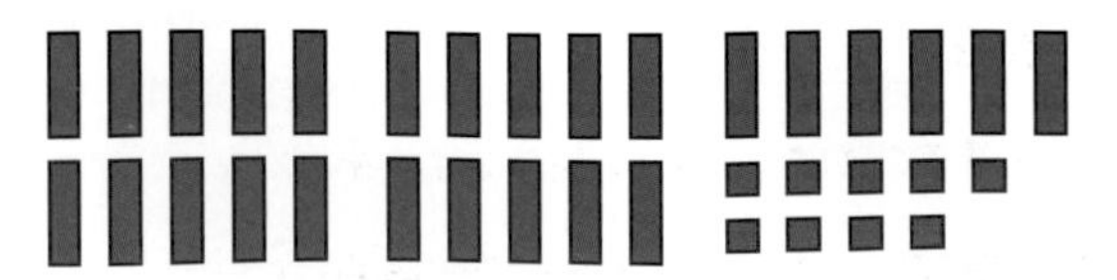

$3\overline{)269}$

DUV

Étape n° 3 Maintenant, je peux placer 8 dizaines de cornets musicaux sur chaque robe. Il reste 2 dizaines et 9 unités.

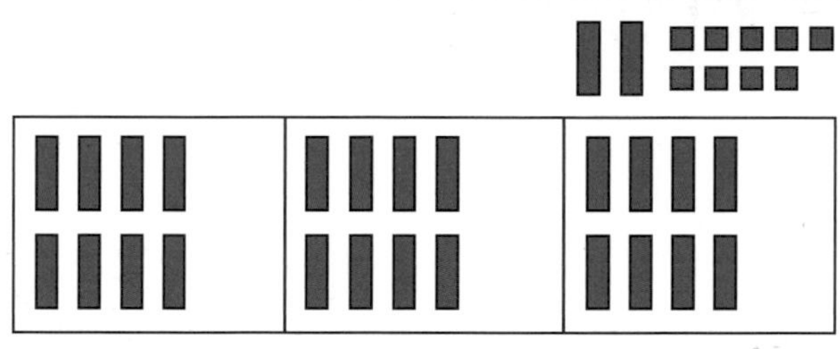

$$\begin{array}{r} 8 \\ 3\overline{)269} \\ -240 \\ \hline 29 \end{array}$$

Étape n° 4 Je ne peux pas partager 2 dizaines en 3 groupes; donc, il me faut décomposer les 2 dizaines en 20 unités.

Étape n° 5 Maintenant, je peux placer 9 unités sur chaque robe.

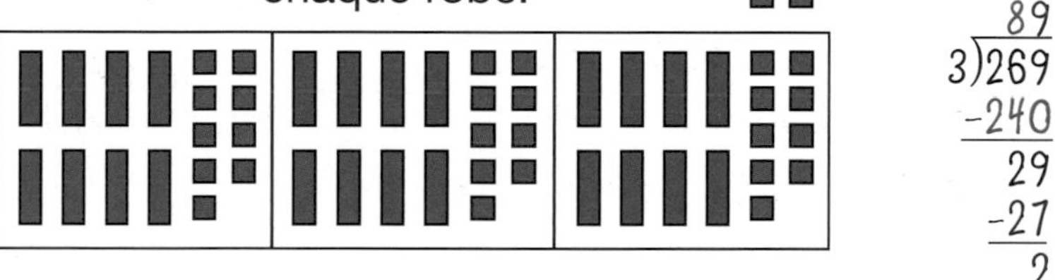

$$\begin{array}{r} 89 \\ 3\overline{)269} \\ -240 \\ \hline 29 \\ -27 \\ \hline 2 \end{array}$$

Chaque robe porte 89 cornets et il en reste 2.

C'est vraisemblable parce que j'avais estimé que chaque robe porterait environ 100 cornets musicaux.

Réflexion

1. À l'étape n° 3, pourquoi Richard a-t-il inscrit les 8 dizaines au-dessus du 6 et non au-dessus du 2?
2. Pourquoi Richard a-t-il soustrait 240 de 269?
3. Pourquoi Richard n'a-t-il pas inscrit un seul nombre à l'étape n° 4?
4. Quand Richard a-t-il dû décomposer des nombres pour sa division?

Vérification

5. Supposons que grand-maman a 282 cornets musicaux pour orner 4 robes.
   a) Illustre le partage des cornets avec ton matériel de base dix et note la division sur papier.
   b) Combien de cornets orneront chaque robe?
   c) Restera-t-il des cornets musicaux? Explique ta réponse.

Application

6. Grand-papa a fait cuire 218 biscuits à partager entre 7 familles.
   a) Estime le nombre de biscuits qu'obtiendra chaque famille.
   b) Utilise du matériel de base dix ou fais ta division sur papier pour trouver la quantité exacte donnée à chaque famille. Reste-t-il des biscuits?
   c) Combien de biscuits chaque famille recevrait-elle de plus s'il y avait 288 biscuits au lieu de 218? Explique ta réponse.

7. Fais ces divisions. Note ta démarche.

   a) $7\overline{)812}$ b) $6\overline{)433}$ c) $8\overline{)517}$ d) $3\overline{)726}$

8. Tu veux calculer $4\overline{)736}$.
   Montre 2 façons différentes de diviser ces nombres.
   Explique quelle façon tu préfères et dis pourquoi.

9. Grand-papa a fait cuire 318 biscuits à partager entre 8 familles.
   Maman a fait cuire 152 biscuits à partager entre 3 familles.
   Qui a donné le plus de biscuits à chaque famille : grand-papa ou maman?
   Explique ta réponse.

10. Ferais-tu ces divisons en les calculant dans ta tête, avec un crayon et du papier ou avec une calculatrice? Pourquoi?

    a) $56 \div 7$ c) $86 \div 3$ e) $656 \div 6$
    b) $180 \div 9$ d) $2\,400 \div 4$ f) $4\,842 \div 5$

Trouver la moyenne

Matériel nécessaire

- des cubes emboîtables

- une calculatrice (facultatif)

Pour recueillir l'argent qu'il faut pour un voyage, les élèves vendent des abonnements à un magazine. Une classe a construit ce diagramme pour suivre la vente des abonnements.

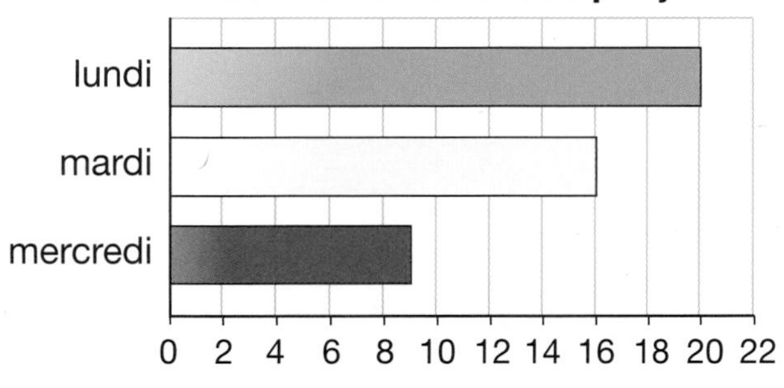

La **moyenne** est la valeur la plus courante ou la valeur moyenne des données dans un ensemble.

1 Utilise des cubes emboîtables pour former des bandes qui correspondent à celles du diagramme. Ensuite, réordonne les cubes jusqu'à ce que toutes les bandes aient la même longueur. De quelle longueur est chaque bande? Cette valeur est la moyenne.

2 Tu peux aussi trouver la moyenne de ces longueurs de bandes en additionnant les longueurs et en divisant par le nombre de bandes.

a) Utilise cette méthode pour trouver la moyenne.

b) Pourquoi cela donne-t-il le même résultat que celui que tu as obtenu avec les cubes?

3 Le tableau montre le nombre d'abonnements vendus en 1 semaine par tous les élèves de l'école. Quelle est la moyenne de cet ensemble de données? Montre ton travail.

Jour	Abonnements vendus
lundi	143
mardi	87
mercredi	116
jeudi	245
vendredi	254

LEÇON

Acquisition des compétences

2

1. Utilise la soustraction répétée pour faire ces divisions.
Montre ta démarche.

a) $2\overline{)80}$	**c)** $6\overline{)78}$	**e)** $3\overline{)46}$	**g)** $8\overline{)87}$
b) $4\overline{)56}$	**d)** $5\overline{)58}$	**f)** $4\overline{)53}$	**h)** $7\overline{)89}$

2. Résous chaque problème.
Montre ton travail.

a) Carlos a 65 ballons à attacher en bouquets de 3. Combien de bouquets peut-il faire? Quel sera le reste?

b) Carlos avait environ 80 ballons. Il les a attachés en bouquets de 6 et il n'en est pas resté un seul. Combien de ballons pouvait-il avoir?

3

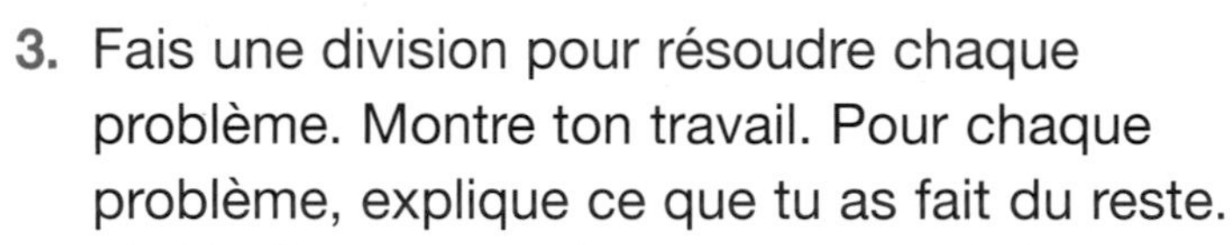

3. Fais une division pour résoudre chaque problème. Montre ton travail. Pour chaque problème, explique ce que tu as fait du reste.

a) Nadine se sert de 4 morceaux de bois pour chaque cadre.
Combien de cadres peut-elle fabriquer avec 58 morceaux de bois?

b) Les petits gâteaux se vendent en paquets de 6.
Jessie a besoin de 57 petits gâteaux.
Combien de paquets doit-il acheter?

c) Lisa et 3 amies ont gagné 25 $.
Elles doivent se partager cette somme à parts égales.
Combien d'argent recevra chaque personne?

4. Fais ces divisions. Montre ton travail.

a) $3\overline{)43}$
b) $6\overline{)73}$
c) $7\overline{)82}$
d) $5\overline{)91}$
e) $7\overline{)96}$
f) $4\overline{)73}$
g) $6\overline{)89}$
h) $9\overline{)97}$
i) $8\overline{)95}$

5. Résous chaque problème.
Montre ton travail.

a) Il y a 95 cartes de collection à partager entre 6 personnes.
Combien de cartes chaque personne recevra-t-elle?

b) Le professeur de musique partage les 87 enfants de la chorale en 6 rangées égales.
Tous les enfants qui resteront aideront le professeur.
Combien d'aides le professeur aura-t-il?

6. Estime chaque quotient.
Montre ton travail.

a) $416 \div 5$
b) $7\overline{)500}$
c) $307 \div 4$
d) $785 \div 8$
e) $8\overline{)635}$
f) $6\overline{)654}$
g) $232 \div 4$
h) $9\overline{)715}$
i) $617 \div 5$

7. Vilay a un livre de 248 pages.
Il a l'intention de lire le même nombre de pages chaque jour.
Estime combien de pages il devra lire par jour s'il veut finir le livre dans le nombre de jours suivants.

a) 6 jours
b) 4 jours
c) 8 jours

8. Estime le quotient.
Ensuite, divise les nombres par étapes.
Montre ton travail.

a) $5\overline{)475}$
b) $6\overline{)384}$
c) $7\overline{)588}$
d) $9\overline{)729}$
e) $4\overline{)356}$
f) $7\overline{)434}$
g) $7\overline{)364}$
h) $8\overline{)464}$
i) $9\overline{)882}$

7

9. Résous chaque problème. Montre ton travail.

a) Greg a 339 billes.
Il a 3 fois plus de billes que Karen.
Combien de billes a Karen?

b) Oliver a lu 829 pages lors d'un marathon de lecture.
Il a lu environ 4 fois plus de pages que Jérémie.
Environ combien de pages Jérémie a-t-il lues?

8

10. Estime le quotient.
Ensuite, divise les nombres.
Montre ton travail.

a) $456 \div 4$
b) $6\overline{)135}$
c) $239 \div 5$
d) $796 \div 8$
e) $3\overline{)183}$
f) $5\overline{)916}$
g) $484 \div 6$
h) $5\overline{)662}$
i) $8\overline{)599}$

11. a) Explique comment tu sais que le quotient de cette division n'est pas bon.

b) Montre comment trouver le bon quotient.

c) Pourquoi penses-tu que l'erreur s'est produite?

$$\begin{array}{r} 124 \\ 3\overline{)472} \\ \underline{-300} \\ 72 \\ \underline{-60} \\ 12 \\ \underline{-12} \\ 0 \end{array}$$

12. Résous chaque problème. Montre ton travail.

a) Thierry a fait cuire 312 biscuits à partager entre 6 familles. Combien de biscuits chaque famille recevra-t-elle?

b) Supposons qu'il y a 618 biscuits plutôt que 312. Combien de biscuits de plus chacune des 6 familles recevrait-elle?

13. Ferais-tu ces divisons en les calculant dans ta tête, avec un crayon et du papier ou avec une calculatrice? Pourquoi? Utilise ta méthode préférée pour résoudre chaque équation. Montre ton travail.

a) $150 \div 5$
b) $6\overline{)48}$
c) $539 \div 8$
d) $37\overline{)1813}$
e) $484 \div 7$
f) $600 \div 3$

Problèmes de tous les jours

1 **1.** Quand il expédie des éléphants en peluche aux magasins, le fabricant peut mettre jusqu'à 6 éléphants par caisse. Combien de caisses seront nécessaires pour expédier 95 éléphants?

2. Choisis 4 nombres dans cette suite inscrite dans une grille de 100. Divise chaque nombre par 4. Combien de nombres n'ont aucun reste? Essaies-en d'autres. Quelle régularité peux-tu trouver? Explique.

14	15	16	17	18	19
24	25	26	27	28	29
34	35	36	37	38	39

5 **3.** Trouve les valeurs manquantes. Montre comment vérifier tes valeurs pour t'assurer qu'elles correspondent.

a) Trouve un diviseur pour ■$\overline{)81}$ qui n'aura pas de reste.

b) Trouve un diviseur pour ■$\overline{)81}$ qui aura un reste de 3.

8 **4.** Trouve au moins une façon de compléter cette division pour que les chiffres soient tous différents. Explique ta démarche.

■■■ ÷ 7 = ■■ R5

5. Chaque case représente le même chiffre.

a) Quel est ce chiffre?

b) Explique comment tu as résolu le problème.

$$\begin{array}{r} ■6■ \\ ■\overline{)5■4} \end{array}$$

6. Le triangle et le carré ont chacun un périmètre de 312 cm.

a) De combien un côté du triangle est-il plus long qu'un côté du carré?

b) Explique comment tu as résolu le problème.

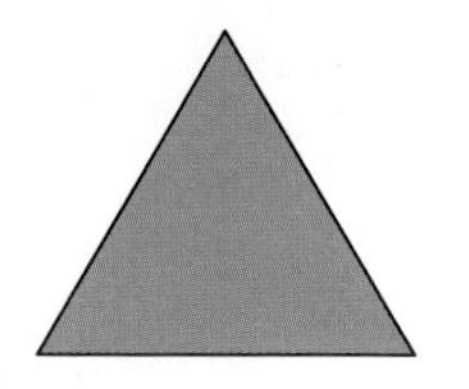

LEÇON

Révision du chapitre

1

1. Comment le fait de savoir $7 \times 8 = 56$ t'aide-t-il à trouver la réponse à $560 \div 8$?

5

2. Plus de 40 personnes mais moins de 60 ont participé à un banquet. Il y avait 4 personnes à la table d'honneur et 6 personnes à chacune des autres tables.
   a) Combien de tables de 6 y avait-t-il? Trouve plus d'une réponse. Montre ta démarche.
   b) Explique comment tu sais que tu as trouvé toutes les réponses possibles.

6

3. Lesquelles de ces divisions ferais-tu en calculant dans ta tête? Explique ta réponse.
   A. $420 \div 6$ **B.** $397 \div 3$ **C.** $537 \div 3$

7

4. Comment le fait de savoir $525 = 500 + 25$ t'aide-t-il à trouver la réponse à $525 \div 5$?

8

5. Estime le quotient. Ensuite, divise les nombres. Montre ton travail.
   a) $96 \div 8$ c) $99 \div 7$ e) $368 \div 3$
   b) $6\overline{)96}$ d) $4\overline{)125}$ f) $5\overline{)576}$

6. Martine prévoit emballer 185 biscuits dans des sacs de 4 biscuits.
   a) Martine dit qu'elle pourra faire plus de 40 sacs. A-t-elle raison? Explique ta réponse.
   b) Martine dit qu'il y aura un reste. A-t-elle raison? Explique ta réponse.
   c) Combien de sacs pleins Martine peut-elle remplir? Montre ton travail.

7. Dave a préparé 458 cm de fil pour le club d'artisanat. Il a coupé le fil en bouts de 5 cm de longueur.
   a) Combien de bouts de 5 cm a-t-il coupés s'il a utilisé tout le fil? Montre ton travail.
   b) Quelle quantité de fil est restée? Comment le sais-tu?

8

8. Julia a obtenu un quotient de 206 pour sa division.
Quels nombres peut-elle avoir divisés?
Énumère 3 possibilités.

9. Résous ce problème. Explique ce que tu as fait du reste et dis pourquoi.

a) Le Musée d'art a reçu la visite de 63 élèves.
Ils ont visité l'endroit en groupes de 5.
Combien de groupes le Musée d'art a-t-il reçus?

b) Hong mélange la pâte à crêpes pour un déjeuner aux crêpes. Il lui faut 5 pelles de farine pour préparer une battée de crêpes.
S'il a assez de farine pour 182 pelles, combien de battées de crêpes peut-il faire?

c) Alexandra a 182 vingt-cinq cents. Elle met les vingt-cinq cents en piles de 4 pour compter les dollars.
Combien a-t-elle d'argent?

10. Dans sa collection, Adrien a 4 fois plus de pièces de monnaie que Sunita. Si Adrien a 204 pièces, combien Sunita en a-t-elle?

11. Quel est le plus grand quotient?
Comment le sais-tu?

A. $92 \div 4$ **B.** $83 \div 9$ **C.** $118 \div 2$ **D.** $158 \div 4$

12. Ferais-tu ces divisons en les calculant dans ta tête, avec un crayon et du papier ou avec une calculatrice?
Explique ton raisonnement.

a) $350 \div 7$ **c)** $51 \div 3$ **e)** $1\,400 \div 7$

b) $648 \div 8$ **d)** $800 \div 5$ **f)** $3\,669 \div 3$

Tâche du chapitre

L'imprimerie

Les pages d'un livre sont imprimées sur de grandes feuilles de papier appelées *feuilles d'impression*. Chacune contient le même nombre de pages; donc, le nombre de pages dans un livre se divise toujours par ce nombre, sans reste. Une fois que les feuilles sont imprimées, elles sont coupées de façon à pouvoir relier les pages.

? Combien de pages une feuille d'impression peut-elle donner? Explique ta réponse.

Romans	Pages
1. Drôles d'ordures!	272
2. La frousse aux trousses	240
3. Deux lapins dans un nid de vautours	264
4. Terreur chez les carnivores	256
5. La baie des mystères	260
6. Croqués tout rond	252
7. L'été des sueurs froides	124

Liste de contrôle de la tâche

- ☑ As-tu montré toutes les étapes?
- ☑ As-tu utilisé le vocabulaire mathématique?
- ☑ As-tu expliqué ton raisonnement?

CHAPITRE 11

Géométrie et mesure des figures à 3 dimensions

Attentes

Tu pourras

- **dessiner, construire et décrire des figures à 3 dimensions;**
- **décrire les propriétés des figures à 3 dimensions;**
- **estimer, mesurer et comparer le volume, la capacité et la masse des solides;**
- **établir les relations entre les figures géométriques à 2 et à 3 dimensions, ainsi qu'entre la géométrie et la mesure.**

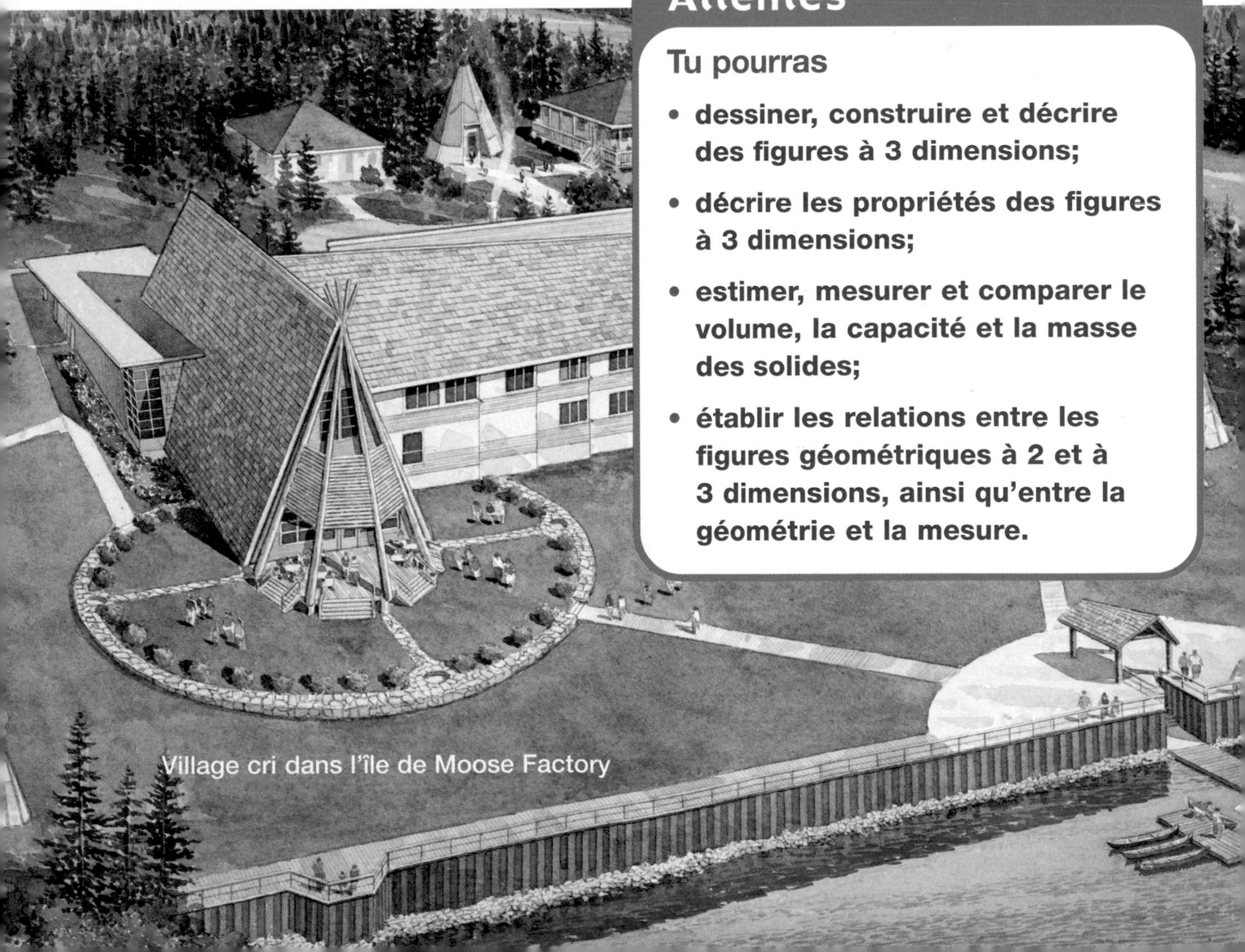

Village cri dans l'île de Moose Factory

Premiers pas

Décrire des emballages

Ces élèves décrivent et comparent des emballages de tailles et de formes différentes.

? Comment décrirais-tu la taille et la forme des emballages?

A. Examine 2 emballages dans l'illustration. Énumère les mots du vocabulaire mathématique qui décrivent chaque emballage.

B. Compare les 2 emballages. Écris au moins 1 élément qui est le même et 1 élément qui est différent au sujet des emballages.

C. Nomme 2 articles qu'on pourrait trouver dans chaque emballage.

D. Dans ta liste, encercle les mots relatifs à la forme. Souligne les mots relatifs à la mesure.

Rappelle-toi!

1. Associe chaque mot à une figure à 3 dimensions.

a) prisme à base rectangulaire
b) prisme à base triangulaire
c) pyramide à base triangulaire
d) cône

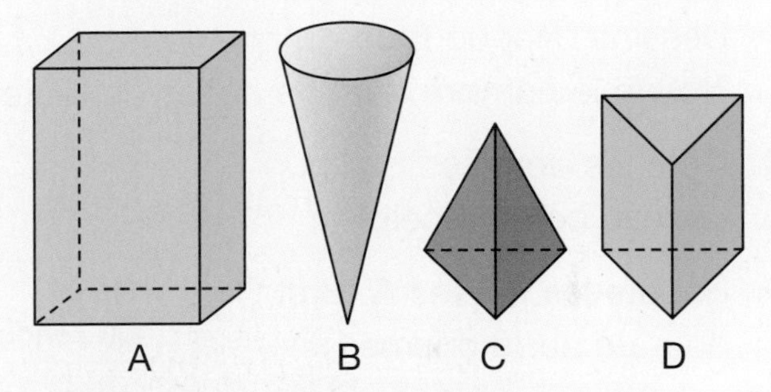

2. Quelles figures de la question n° 1 ont des bases congruentes?

3. Remplis le tableau pour une pyramide et un prisme.

Figure à 3 dimensions	Nombre de faces	Nombre d'arêtes	Nombre de sommets
prisme			
pyramide			

4. Utiliserais-tu des grammes ou des kilogrammes pour mesurer la masse de chaque objet?

a) un réfrigérateur **b)** une boîte de soupe

5. Utiliserais-tu des millilitres ou des litres pour mesurer la capacité de chaque objet?

a) un réfrigérateur **b)** une boîte de soupe

1 Savoir dessiner des faces de solides

Matériel nécessaire

- des solides géométriques

Attente **Décrire des solides d'après leurs propriétés.**

? Que peux-tu apprendre au sujet d'un solide à partir de ses propriétés?

A. Choisis un prisme. Combien d'**arêtes** a-t-il?

B. Dessine chaque **face** du prisme.
Trouve le nombre total de **côtés** de toutes ses faces.

C. Note les données dans un tableau comme celui-ci.

	Figure à 3 dimensions	**Figure à 2 dimensions**
Nom du solide	**Nombre d'arêtes**	**Nombre total de côtés des faces**
prisme à base triangulaire	9	18

D. Répète les parties A, B et C pour un autre prisme.

E. Répète les parties A, B et C pour 2 pyramides.

F. Compare le nombre d'arêtes de chaque solide au nombre total de côtés de ses faces à 2 dimensions.
Que remarques-tu?

Réflexion

1. Quand tu relies des faces pour construire un solide, combien de faces sont reliées à 1 arête?
Comment ton tableau montre-t-il cela?

2. Le nombre de côtés de toutes les faces d'une pyramide s'élève à 20.
Combien d'arêtes y a-t-il dans la pyramide?
Comment le sais-tu?

Faces, arêtes et sommets

1

a) Si tu connais la forme de la base d'une pyramide, comment peux-tu prédire le nombre d'arêtes?

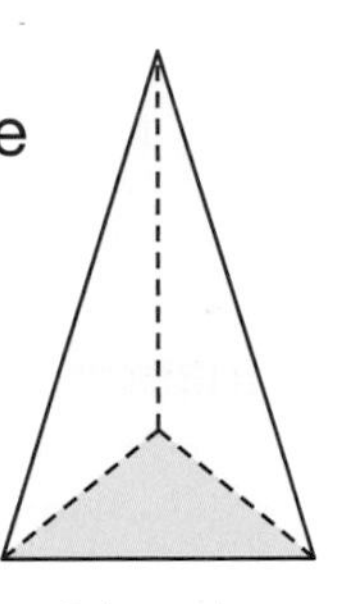

triangle

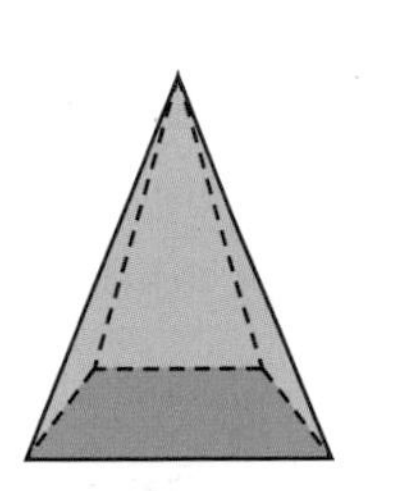

quadrilatère

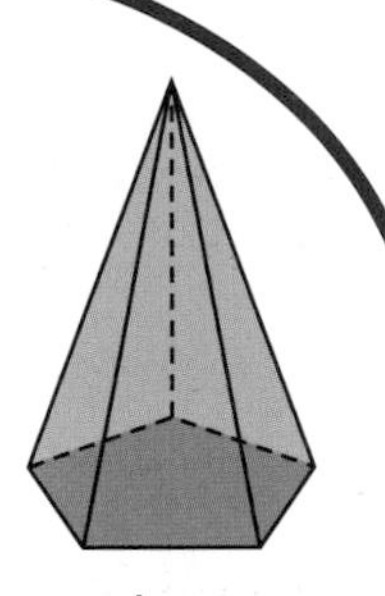

pentagone

b) Si tu connais la forme de la base d'un prisme, comment peux-tu prédire le nombre d'arêtes?

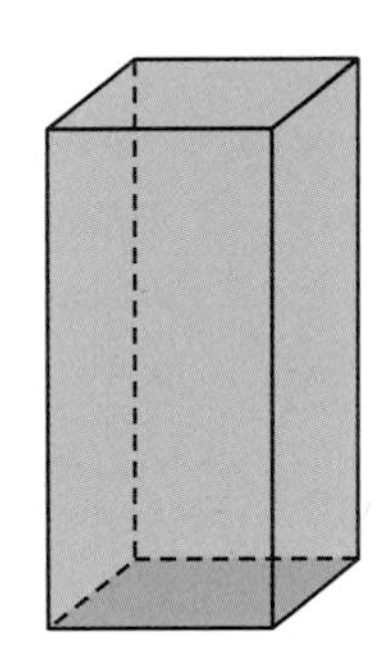

Il existe une formule mathématique qui dit que la somme des faces et des sommets d'un prisme ou d'une pyramide égale le nombre d'arêtes plus 2.

nombre de faces + nombre de sommets = nombre d'arêtes + 2

Vérifie toi-même la formule en remplissant un tableau pour 2 prismes et 2 pyramides.

Figure à 3 dimensions	Nombre de faces	Nombre de sommets	Nombre d'arêtes

2 Construire des solides aux faces congruentes

Attente **Construire des solides et décrire la relation entre les faces et les sommets.**

Matériel nécessaire

- des triangles et des carrés

- du ruban adhésif

Certains dômes géodésiques sont faits de triangles congruents.

Le Dôme géodésique d'Ontario Place

? Quels solides peux-tu construire à l'aide de triangles congruents comportant seulement des côtés égaux?

A. Assemble un certain nombre de triangles pour former des **développements**. Essaie avec 2 faces, 3 faces et ainsi de suite jusqu'à 10 faces.
Plie tes développements pour voir s'ils forment des solides complets.

B. Pour chaque solide que tu réussis à construire, compte et note les propriétés suivantes :
- le nombre de faces;
- le nombre de sommets;
- le nombre de faces qui se rejoignent à chaque sommet.

C. Répète les parties A et B à l'aide de carrés congruents.

Réflexion

1. As-tu construit plus de solides avec les triangles ou avec les carrés? Quelle en est la raison?
2. Compare le nombre de faces au nombre de sommets pour chaque solide. Que remarques-tu?
3. Qu'as-tu observé au sujet du nombre de faces qui se relient aux sommets de chaque solide?

Coupes transversales

Matériel nécessaire

- de la pâte à modeler

- de la soie dentaire

Le cube de Richard

J'essayais d'imaginer quelles nouvelles faces j'obtiendrais en coupant un cube en diagonale. Je me demandais aussi quels solides j'obtiendrais.

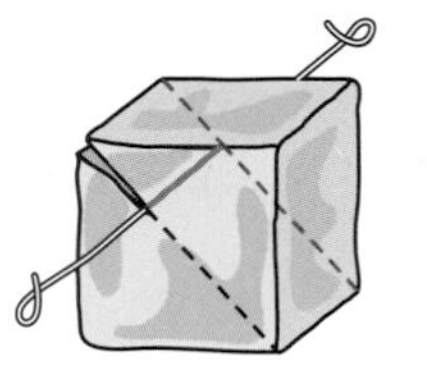

Je pensais obtenir des faces rectangulaires parce que la forme aurait encore des angles droits.

J'ai vérifié ma prédiction en coupant un cube de pâte à modeler avec de la soie dentaire.

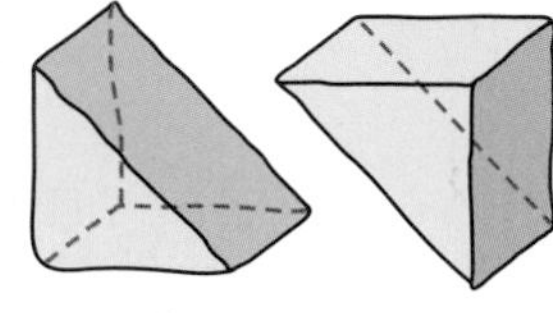

Les nouvelles faces sont des rectangles, et la coupe a permis de faire 2 prismes à base triangulaire.

Prédis les formes des faces obtenues après chaque coupe. Vérifie tes prédictions. Décris les 2 nouveaux solides.

A. Coupe un cube verticalement.

B. Coupe un cube horizontalement.

C. Coupe un des coins d'un cube.

À ton tour!

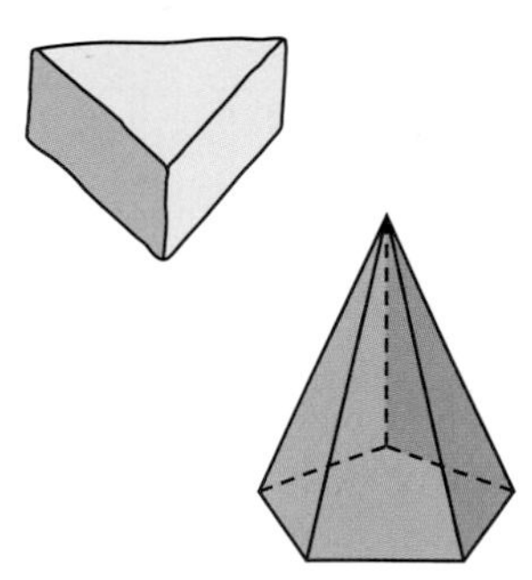

1. Quelles nouvelles faces obtiendras-tu si tu coupes à l'horizontale un prisme à base triangulaire?

2. Décris la nouvelle face et les formes que tu obtiendras si tu coupes le sommet d'une pyramide à base pentagonale.

3 Construire des charpentes

Matériel nécessaire
- des cure-dents
- de la pâte à modeler

Construire des charpentes et décrire la relation entre les arêtes et les sommets.

Une charpente sert à la construction d'une structure.
Un tipi a une charpente modèle.
Une charpente peut aider à explorer la relation entre les arêtes et les sommets des solides.

Le modèle d'Alice

J'ai construit la charpente d'un prisme à 6 sommets.

Le modèle de Rami

J'ai construit le modèle d'une pyramide à 6 sommets.

? Peux-tu construire d'autres charpentes avec le même nombre de sommets?

A. Construis un solide à 6 sommets qui ne sera ni un prisme ni une pyramide.

B. Remplis le tableau avec ce que tu connais des solides d'Alice et de Rami. Ensuite, ajoutes-y ce que tu connais du solide construit à la partie A.

	Nombre de sommets	**Nombre d'arêtes**	**Description du solide**
Le solide d'Alice	6		prisme à base triangulaire
Le solide de Rami	6		pyramide à base pentagonale
Mon solide	6		

C. Construis au moins 2 autres solides qui auront chacun le même nombre de sommets.
Ajoute leurs propriétés au tableau de la partie B.

Réflexion

1. Pour chaque solide, compare le nombre d'arêtes au nombre de sommets. Que remarques-tu?
2. Est-ce possible de construire un solide à 4 sommets? Explique ta réponse.
3. Supposons que tu connais le nombre de sommets d'un solide. Peux-tu prédire de quoi aura l'air ce solide? Explique ton raisonnement.

Curiosités mathématiques

Faire des ombres

Une lumière projetée à travers une charpente produit une ombre. Quelles formes pouvaient avoir les charpentes qui ont projeté ces ombres? Explique tes réponses.

1. a)

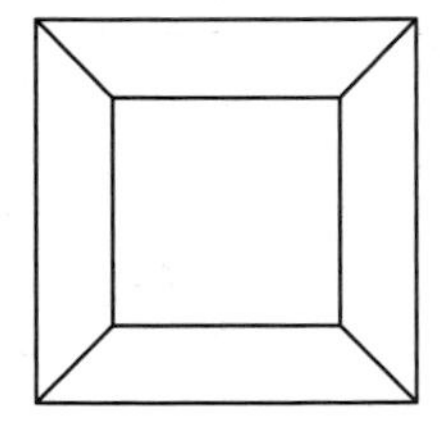

b)

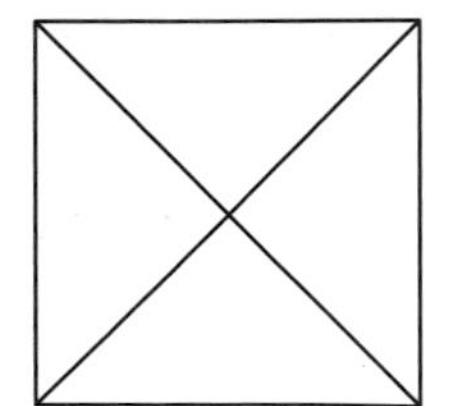

c)

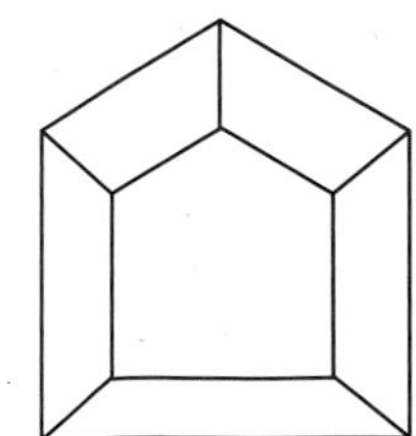

4 Dessiner des figures à 3 dimensions

Matériel nécessaire

- des mosaïques géométriques
- une règle
- un jeton

Attente **Dessiner des prismes et des pyramides.**

Marie écrit le récit d'un voyage de camping de sa famille.
Elle veut faire un dessin réaliste du terrain de camping.

La tente de Marie

? Comment Marie peut-elle dessiner une tente en 3 dimensions?

Les dessins de Marie

Ma tente est un prisme à base triangulaire.

Étape n° 1 Je dessine le contour d'un triangle pour former la face du devant.

Étape n° 2 Je déplace mon triangle et j'en dessine le contour pour former la face de l'arrière.

Étape n° 3 Je relie les sommets pour former les arêtes.

La tente de mon frère est une pyramide à base carrée.

Étape n° 1 Je dessine le contour d'un carré pour former le plancher.

Étape n° 2 Je dessine un point là où le sommet de la pyramide doit se trouver.

Étape n° 3 Je relie les sommets pour former les arêtes.

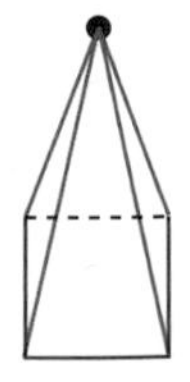

Réflexion

1. Que peut faire Marie pour que ses dessins paraissent plus réalistes?
2. En quoi dessiner un prisme est-il différent de dessiner une pyramide?

Vérification

3. Dessine chaque forme. Essaie de dessiner les formes plusieurs fois jusqu'à ce que tu en aies dessiné une qui sera bien faite.
   a) un prisme à base carrée **b)** une pyramide à base triangulaire

Application

4. Dessine 2 vues différentes de la tente de Marie, avec la face arrière en différents endroits.

5. Dessine 2 vues différentes de la tente du frère de Marie.

6. **a)** Dessine un prisme à base carrée dont on ne verra que les faces visibles.
   b) Dessine une pyramide dont on ne verra que les faces visibles.

7. Lance 2 dés. Dessine-les.
   Assure-toi de montrer les points des faces visibles.

8. Dessine une maison avec chaque paire de formes.
   a) un prisme à base rectangulaire et un prisme à base triangulaire
   b) un cube et une pyramide à base carrée

9. **a)** Thierry dit que dessiner un cylindre est la même chose que dessiner un prisme. Pourquoi dit-il cela?
   b) Dessine un cylindre.
   c) Dessine un cône. Comment dessiner un cône est-il la même chose que dessiner une pyramide?

5 Communiquer sa compréhension de certains concepts géométriques

Matériel nécessaire
- des cure-dents
- de la pâte à modeler

Attente **Utiliser le vocabulaire mathématique pour communiquer ses connaissances sur un solide.**

Le célèbre inventeur Alexander Graham Bell avait un chalet en forme de pyramide à base triangulaire, ou **tétraèdre**. Carl a écrit ce qu'il pensait de la vie dans un tétraèdre.

? Comment Carl peut-il montrer dans un texte ce qu'il sait des tétraèdres?

Le texte de Carl

D'abord, j'ai construit la charpente d'un tétraèdre. Ensuite, j'ai parlé de mes idées avec une camarade de classe. Après, j'ai écrit un brouillon. Puis, j'ai cherché des façons de l'améliorer pour ma copie au propre.

Vivre dans un tétraèdre (brouillon)

Si je vivais dans une maison en forme de tétraèdre, les objets accrochés aux murs pendraient dans le vide parce que les murs sont penchés. Il n'y a que 2 murs où accrocher des objets.
Je pourrais me tenir debout seulement au centre de la pièce à cause des murs penchés.
Pour faire la charpente, je n'aurais besoin que de 6 morceaux de bois. Je ne voudrais pas vivre dans une maison en forme de tétraèdre; mais, dans une tente, ce serait amusant.

J'aime mon explication sur les objets accrochés aux murs.

Je devrais utiliser le vocabulaire mathématique pour expliquer pourquoi il n'y a que 2 murs.

Je devrais utiliser le vocabulaire mathématique et un dessin pour expliquer pourquoi il ne faut que 6 morceaux de bois.

A. Utilise la Liste de contrôle des communications pour décider comment améliorer le brouillon de Carl. Comment répondrais-tu à chaque question de la Liste de contrôle? Explique ton raisonnement.

B. Quels changements Carl peut-il faire pour corriger son brouillon?

Liste de contrôle des communications

- ☑ As-tu expliqué ton raisonnement?
- ☑ As-tu fait un modèle?
- ☑ As-tu utilisé le vocabulaire mathématique?

Réflexion

1. Pourquoi est-ce utile de parler de tes idées avec quelqu'un d'autre?
2. Qu'est-ce que le brouillon et les commentaires de Carl t'apprennent sur sa connaissance des tétraèdres?

Vérification

3. Écris comment tu imagines la vie dans un de ces bâtiments. Fais un modèle de la forme.
   Parle de tes idées avec quelqu'un d'autre avant d'écrire ton brouillon.

L'Eco-Lodge des Cris, dans l'île de Moose Factory

Maison en forme de cube, à Toronto

Application

4. Examine le brouillon que tu as écrit pour la question n° 3.
   a) Qu'est-ce que tu aimes de ton texte?
   b) Que peux-tu faire pour améliorer ton texte?
   c) Écris ta copie au propre.

LEÇON

Révision

1 **1.** Complète ce tableau.

Figure à 3 dimensions et nom	Dessin des faces en 2 dimensions	Nombre de sommets	Nombre d'arêtes
prisme à base triangulaire			
			12
		5	

2. Utilise le tableau rempli à la question nº 1.

a) Que remarques-tu au sujet du nombre d'arêtes et de sommets de toutes les figures?

b) En quoi les prismes et les pyramides sont-ils semblables? En quoi sont-ils différents?

c) Quelles figures n'ont que des faces congruentes?

3 **3.** Combien de pailles te faut-il pour former la charpente de chaque solide?

a) une pyramide à base carrée

b) un prisme à base triangulaire

c) une pyramide à base pentagonale

d) un prisme à base hexagonale

4 **4.** Montre qu'il existe plus d'un solide à 6 faces.

DUV

6 Mesurer la masse

Estimer, mesurer et enregistrer la masse des objets.

Matériel nécessaire

- une balance et des poids

- une liste d'aliments et de vêtements
- une calculatrice

Le sac à dos de Shani

Mon frère et moi partons en randonnée à vélo.

Il nous faut de la nourriture pour 3 repas et des vêtements de rechange.

Je ne peux pas mettre plus de 2 kg dans mon sac.

Mon frère ne peut pas mettre plus de 6 kg dans le sien.

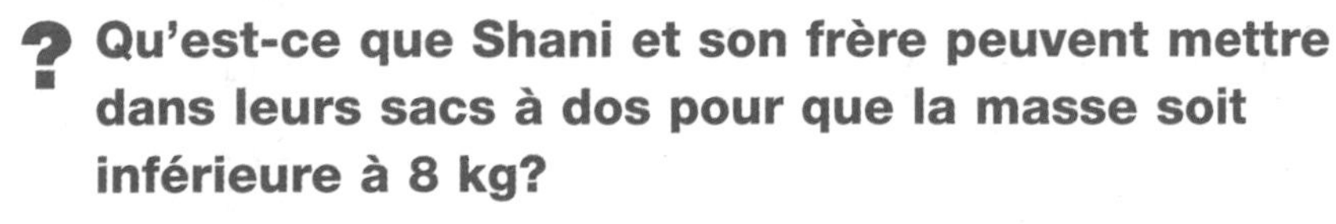

? Qu'est-ce que Shani et son frère peuvent mettre dans leurs sacs à dos pour que la masse soit inférieure à 8 kg?

A. Trouve, dans ta classe, un objet de chaque **masse**. Mesure-les avec une balance.
a) environ 5 g **b)** environ 500 g **c)** environ 1 kg

B. Énumère des aliments et des vêtements que Shani et son frère peuvent emporter pour leur randonnée.

C. Trouve la masse de chaque objet de ta liste.

D. Choisis ce que tu mettras dans chaque sac à dos.

E. Trouve la masse totale. Est-elle égale ou inférieure à 8 kg?

masse
Mesure de la quantité de matière d'un objet.
La masse se mesure en grammes (g) ou en kilogrammes (kg).
1 000 g = 1 kg

Réflexion

1. Pourquoi dit-on « 1 kilogramme » plutôt que « 1 000 g »?
2. Nomme un objet familier de chaque masse suivante.
a) 5 g **b)** 500 g **c)** 1 kg **d)** 2 kg

7 Mesurer la capacité

Estimer, mesurer et enregistrer la capacité des contenants.

Matériel nécessaire

- des contenants vides, dont une tasse à mesurer de 250 ml et une bouteille de 1 L
- de l'eau
- un entonnoir

La consommation d'eau de Pedro

J'ai mesuré la quantité d'eau que je bois par jour.
Samedi, j'ai bu 4 tasses d'eau.
Dimanche, j'ai bu 4 grands verres d'eau.
Lundi, j'ai bu 1 bouteille de 1 L d'eau.
Mardi, j'ai bu 1 tasse, 2 verres et 1 bouteille de 1 L d'eau.

? Comment Pedro peut-il mesurer et noter la quantité d'eau qu'il boit par jour?

A. Trouve un contenant de chaque **capacité**.
- moins de 250 ml
- environ 250 ml
- environ 500 ml
- environ 1 000 ml
- plus de 1 L

Utilise un contenant de 250 ml pour mesurer la capacité.

B. Estime le nombre de tasses d'eau qu'il faut pour remplir une bouteille de 1 L.

capacité
Quantité de matière qu'un récipient peut contenir.
La capacité peut se mesurer en millilitres (ml) et en litres (L).
1 000 ml = 1 L

C. Estime le nombre de verres d'eau qu'il faut pour remplir une bouteille de 1 L.

D. Mesure le nombre de tasses d'eau qu'il faut pour remplir une bouteille de 1 L. Environ combien de millilitres la tasse contient-elle?

E. Mesure le nombre de verres d'eau qu'il faut pour remplir une bouteille de 1 L. Environ combien de millilitres le verre contient-il?

F. Environ quelle quantité d'eau Pedro a-t-il bue chaque jour? Remplis un tableau comme celui-ci.

Jour	Nombre de contenants	Capacité (ml ou L)
samedi	4 tasses	
dimanche	4 verres	

Réflexion

1. Quel jour Pedro a-t-il bu le plus d'eau?
2. Chacun de ces contenants a une capacité de 2 L.

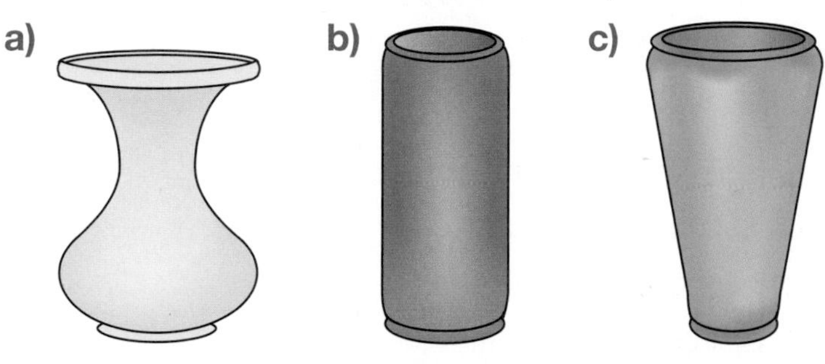

Supposons que 1 L d'eau a été versé dans chaque contenant. À quelle hauteur se situe le niveau d'eau dans chaque contenant?

- à mi-hauteur entre l'ouverture et le fond
- plus près de l'ouverture que du fond
- plus près du fond que de l'ouverture

Explique ton raisonnement.

3. a) Quelle unité utiliserais-tu pour mesurer la capacité d'un grand contenant de lait ou de jus?
   b) Quelle unité utiliserais-tu pour mesurer la capacité d'un verre de jus?

8 Utiliser la masse et la capacité

Choisir les unités de masse et de capacité qui conviennent.

Le déjeuner aux crêpes de Sarah

Notre classe organise un déjeuner aux crêpes.

Nous suivrons cette recette pour faire des crêpes aux brisures de chocolat.

Crêpes

La recette permet de faire 16 crêpes d'environ 10 cm de diamètre.

lait	175 ml
beurre fondu	30 ml
gros œuf	1
farine	250 ml
levure	10 ml
sucre	30 ml
sel	2 ml
brisures de chocolat	100 g (facultatif)

10 cm

? Comment Sarah utilise-t-elle la masse et la capacité dans une recette?

A. Ces mesures sont utilisées dans la recette. Explique où et pourquoi chaque mesure est utilisée.

a) masse **b)** capacité **c)** longueur

B. Pourquoi le lait est-il mesuré en millilitres plutôt qu'en litres?

C. Pourquoi les brisures de chocolat sont-elles mesurées en grammes plutôt qu'en kilogrammes?

D. Supposons que 2 L de sel et 1 kg de brisures de chocolat ont été utilisés par erreur dans les crêpes.

a) Qu'arriverait-il?

b) Comment sais-tu que ces quantités sont invraisemblables?

E. Une des camarades de classe de Sarah pense que 1 ml de sirop d'érable et 500 kg de beurre devraient être servis avec les crêpes. Ces quantités sont-elles vraisemblables? Explique ton raisonnement.

DUV

Réflexion

1. Pourquoi est-il important de connaître la largeur d'une crêpe?
2. Quelles sont les 2 choses que tu dois savoir quand tu mesures un ingrédient?

Vérification

3. Quelle unité utiliserais-tu pour chaque produit : des millilitres ou des litres?

a) 

b) 

c) 

4. Quelle unité utiliserais-tu pour chaque animal ou produit : des grammes ou des kilogrammes?

a) 

b) 

c) 

Application

5. Quelle unité utiliserais-tu pour chaque contenant : des millilitres ou des litres?

a) 

b) 

c) 

6. Quelle unité utiliserais-tu pour chaque animal ou produit : des grammes ou des kilogrammes?

a) 

b) 

c) 

7. Quelles mesures paraissent invraisemblables? Explique.

A. une plume d'autruche de 500 g
B. un nouveau-né de 4 kg
C. un chaudron de cuisine de 2 L
D. une poubelle de 800 ml

9 Construire des modèles de volume

Matériel nécessaire

- des cubes emboîtables

Attente **Construire des modèles de solides pour mesurer un volume.**

Une boîte est un solide parce qu'elle a 3 dimensions : la longueur, la largeur et la hauteur.

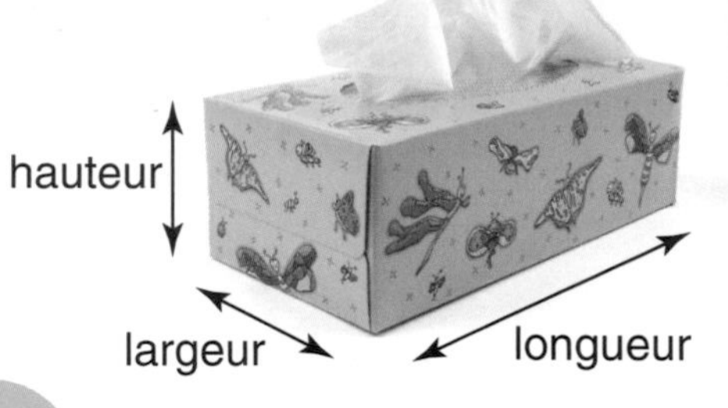

? Comment mesure-t-on les dimensions d'un solide?

Le modèle de Zoé

Pour mesurer son **volume**, je ferai un modèle de la boîte avec des cubes.

Je peux compter les cubes.
La boîte a un volume de 16 cubes.

Je peux noter mon travail en dessinant une vue du dessus de mon modèle. Le nombre inscrit dans chaque carré indique le nombre de cubes qu'il y a dans la colonne qu'il représente.

2	2	2	2
2	2	2	2

volume
Mesure de la quantité d'espace qu'occupe une forme.

Cette forme a un volume de 5 cubes.

A. Trouve un petit prisme à base rectangulaire à mesurer.

B. Construis un modèle du prisme à l'aide de cubes.
Ton modèle peut être une estimation de la taille du prisme.
Note ton travail.

C. Quel est le volume du prisme en cubes?

D. Utilise le même nombre de cubes que dans la partie B pour construire un modèle d'une autre forme ayant le même volume.
Cette autre forme ne doit pas être un prisme à base rectangulaire.

E. Compare les 2 modèles que tu as construits.
En quoi sont-ils semblables? En quoi sont-ils différents?

Réflexion

1. Le volume d'un solide change-t-il quand tu le tournes à l'envers ou de côté? Explique ta réponse.
2. Zoé a construit ces 2 prismes. Ils comprennent le même nombre de cubes. Ont-ils le même volume? Explique.
3. Si tu ne connais que le volume d'un solide, peux-tu décrire sa forme? Explique.

Vérification

4. a) Trouve un prisme à base carrée. Estime son volume en construisant un modèle avec des cubes. Note ton travail.
   b) Utilise les mêmes cubes pour construire 2 autres formes ayant le même volume. Construis un prisme à base rectangulaire et un autre de forme différente. Note ton travail sur les 2 formes.

Application

5. Construis chacune de ces formes. Quel est le volume de chacune?

a) 

b) 

c) 

6. Construis 2 prismes différents ayant chacun des volumes suivants. Note ton travail.
   a) 18 cubes b) 30 cubes
7. Construis le modèle d'un solide avec des cubes. Note ton travail. Décris ton modèle à l'aide du vocabulaire des mesures et de la géométrie.

Acquisition des compétences

1

1. Quelles figures à 3 dimensions correspondent à chaque description?
   a) Il y a un nombre pair d'arêtes.
   b) Le nombre total de côtés de ses faces est plus grand que 25.
   c) Le nombre total de côtés de ses faces correspond à 2 fois le nombre d'arêtes.

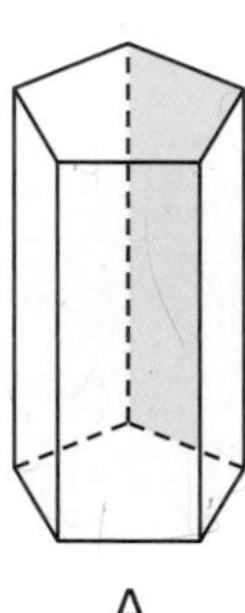
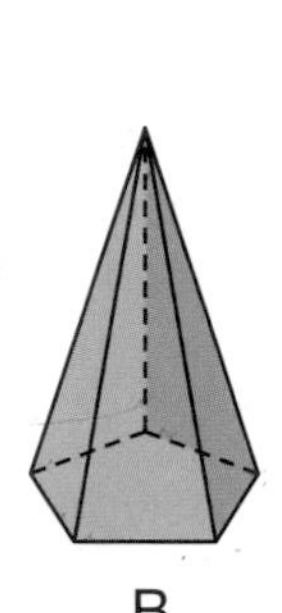
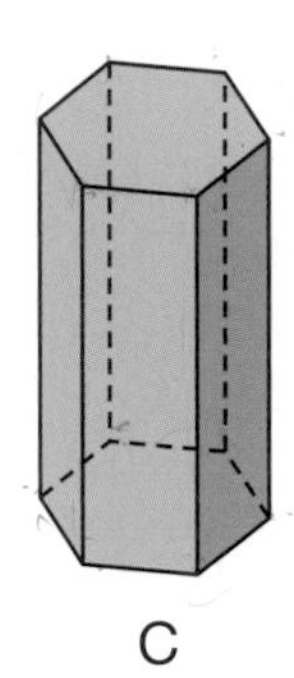
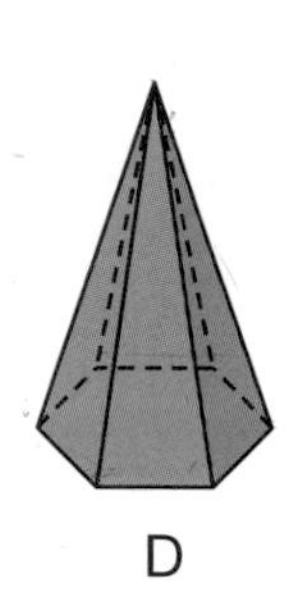

A B C D

2

2. Quelles figures de la question n° 1 correspondent à chaque description?
   a) Un nombre égal de faces se rejoignent à chaque sommet.
   b) Le nombre de faces est égal au nombre de sommets.

3

3. Quelles figures de la question n° 1 correspondent à chaque description?
   a) Il y a un nombre impair de sommets.
   b) Il y a plus d'arêtes que de sommets.

4

4. Dessine chaque forme.
   a) un prisme avec une base en trapèze
   b) une pyramide avec une base en losange

6

5. Nomme un objet familier de chaque masse suivante.

a) environ 10 g
b) environ 30 g
c) environ 100 g
d) environ 5 kg
e) environ 10 kg
f) environ 75 kg

7

6. Nomme un contenant de chaque capacité suivante.

a) environ 5 ml
b) environ 5 L
c) environ 50 L
d) environ 50 ml
e) environ 100 ml
f) environ 750 ml

8

7. Quelle unité utiliserais-tu pour décrire la capacité de chaque objet : des millilitres ou des litres?

a) une piscine
b) une théière
c) un bol de soupe
d) un pot de colle
e) un lavabo
f) une baignoire

8. Quelle unité utiliserais-tu pour décrire la masse de chaque objet : des grammes ou des kilogrammes?

a) un hamster
b) un sac de pommes de terre
c) un collier
d) une auto
e) un lecteur de disques compacts
f) un sac de nourriture pour chiens

9. Quelles mesures paraissent invraisemblables? Explique ta réponse.

A. un taille-crayon de 50 kg
B. une barre de chocolat de 100 g
C. une radio de 2 kg
D. une boîte de jus de 50 ml

9

10. Construis chaque forme.
Quel est le volume de chaque forme?

a)

b)

c)

11. Pour chaque forme de la question n° 10, construis une autre forme qui aura le même volume. Note ton travail.

LEÇON

Problèmes de tous les jours

1

1. Supposons que tous les sommets d'un prisme à base triangulaire ont été coupés. Combien de faces la nouvelle forme comptera-t-elle? Comment le sais-tu?

2

2. J'ai 8 faces et 12 sommets. Il y a 2 de mes faces qui sont différentes des 6 autres. Quelle forme suis-je?

3

3. Paulette utilise de la pâte à modeler et des cure-dents pour faire des charpentes. Elle veut en faire une avec 3 cure-dents plantés dans chaque boule de pâte à modeler.
   a) Nomme 1 forme qu'elle peut faire.
   b) Combien de cure-dents lui faudra-t-il pour sa forme?
   c) Combien de boules de pâte à modeler lui faudra-t-il?

4. Vinh prépare un étalage de pommes dans une fruiterie. L'étalage ressemble à une pyramide à base carrée.
   a) Combien de pommes lui faudra-t-il?
   b) Pourquoi y a-t-il plus d'une réponse à cette question?

5. Nous avons tous deux 6 sommets. Nous avons un nombre d'arêtes différent. Quelles formes sommes-nous?

6

6. La masse de 1 œuf moyen est d'environ 50 g. Un carton d'œufs vide pèse environ 25 g. Denis tient environ 5 kg d'œufs, cartons compris. Combien de cartons pleins d'œufs tient-il?

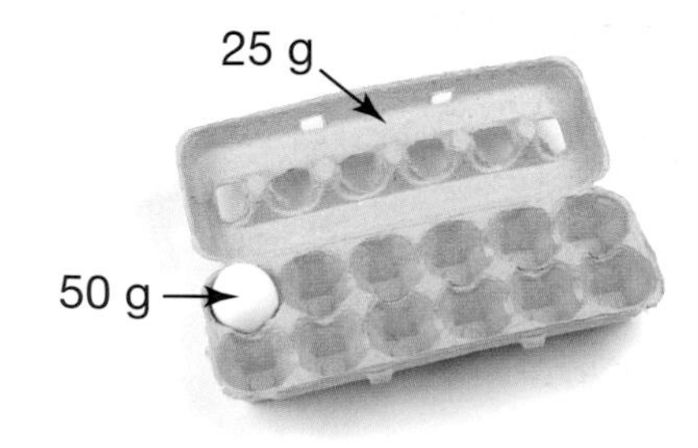

DUV

6 **7.** Quels aliments peut-on mettre dans chaque sac?

8. La masse de 100 cents correspond à 250 g.
Ta masse corporelle est-elle plus proche de 100 $ en cents ou de 1 000 $ en cents? Comment le sais-tu?

9. La masse d'un hot-dog et d'un petit pain est-elle supérieure ou inférieure à 50 g? Montre ton travail.

7 **10.** Une boîte peut contenir 350 ml de concentré de jus d'orange congelé. Pour faire du jus, il faut ajouter 3 boîtes d'eau au concentré.
Un pichet de 1 L de capacité est-il assez grand pour contenir tout le jus?
Montre ton travail.

8 **11.** Le robinet de la salle de bain dégoutte au rythme de 1 ml d'eau par 15 secondes.

a) Combien de millilitres d'eau dégouttent par minute?

b) Combien de millilitres d'eau dégouttent par heure?

c) Environ combien de litres d'eau sont gaspillés par jour?

d) 1 L d'eau a une masse de 1 kg.
Quelle masse d'eau est gaspillée par jour?

LEÇON

Révision du chapitre

1

1. Une figure à 3 dimensions a 7 faces.
   C'est soit un prisme, soit une pyramide.
   a) De quelle figure à 3 dimensions peut-il s'agir?
   b) Dessine toutes les faces de chaque figure.
   c) Combien d'arêtes chaque figure compte-t-elle? Comment le sais-tu?

2. a) Examine un prisme à base triangulaire et une pyramide à base carrée. Examine chaque solide à partir de différents angles. Quel solide a le plus de faces visibles à la fois? Pourquoi?

   b) Compare d'autres prismes et pyramides. Que remarques-tu?

3

3. a) Remplis un tableau pour organiser les données sur ces prismes.

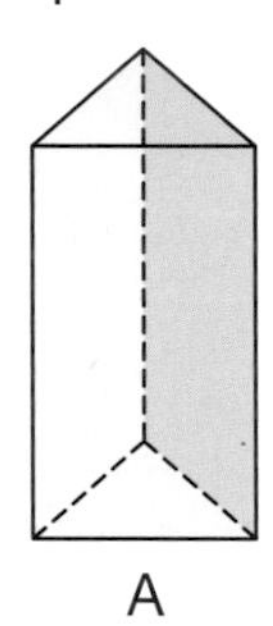

A

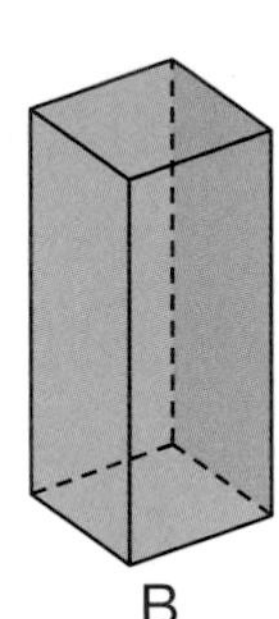

B

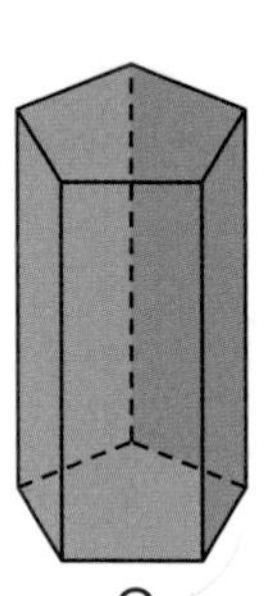

C

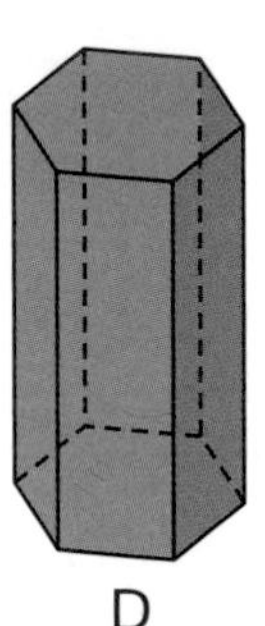

D

Nom du prisme	Nombre de côtés de la base	Nombre de faces	Nombre d'arêtes	Nombre de sommets

   b) Décris toutes les relations que tu vois.
   c) Les relations sont-elles les mêmes pour une pyramide?

4

4. Construis la charpente d'un prisme.
   Dessine-la.

5

5. Écris une description de cette figure pour quelqu'un qui ne l'a jamais vue. Ne fais pas de dessin.

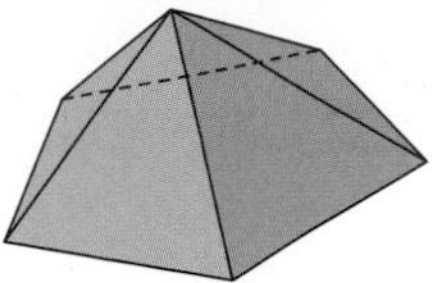

6

6. Ange prépare une commande de 500 g de viande. Elle a estimé la quantité. Ensuite, elle l'a mesurée 3 fois. Elle a mesuré 462 g, puis 521 g et enfin 498 g.

a) Ses estimations ont-elles été meilleures d'une fois à l'autre?

b) Pourquoi a-t-elle arrêté de mesurer après avoir obtenu 498 g?

7. Quelle masse est la plus proche de 2 kg? Comment le sais-tu?

A. 1 950 g **B.** 2 020 g **C.** 1 590 g

7

8. Estime la quantité de liquide dans chaque contenant.

a)

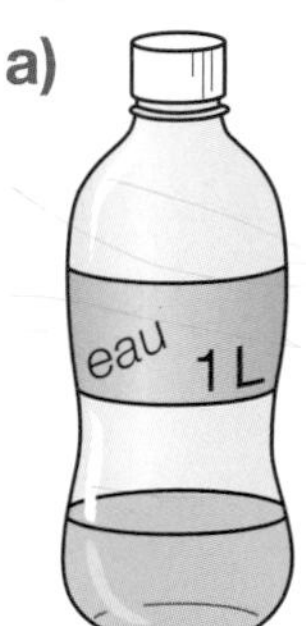

b)

c)

d)

8

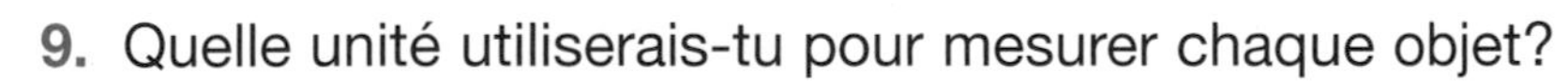

9. Quelle unité utiliserais-tu pour mesurer chaque objet?

a) un arbre (des grammes ou des kilogrammes?)

b) un chat (des grammes ou des kilogrammes?)

c) un œuf (des grammes ou des kilogrammes?)

d) un tube de dentifrice (des millilitres ou des litres?)

e) un pichet de jus (des litres ou des grammes?)

f) une cuillerée d'huile (des millilitres ou des grammes?)

9

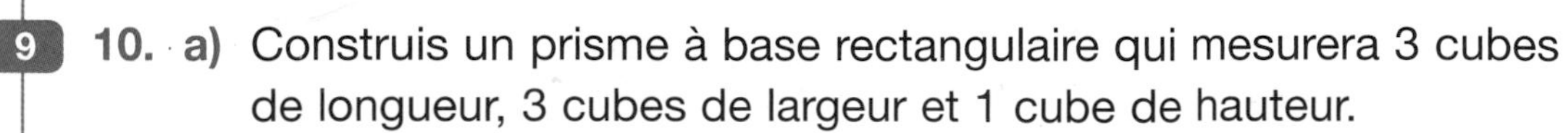

10. a) Construis un prisme à base rectangulaire qui mesurera 3 cubes de longueur, 3 cubes de largeur et 1 cube de hauteur.

b) Quel est le volume de ce prisme?

c) Construis un nouveau solide avec les mêmes cubes. Quel est son volume?

Tâche du chapitre

Cubanimal

Construis un cubanimal selon les instructions suivantes.

- Ton cubanimal doit avoir au moins 1 tête, 2 bras ou plus, 1 corps et 2 pattes ou plus.
- Chaque partie du corps de ton cubanimal doit avoir au moins 2 cubes de largeur et 2 cubes de longueur. Par exemple, le volume de la tête la plus petite devrait être de 4 cubes.

? Comment peux-tu décrire ton cubanimal pour que quelqu'un d'autre puisse le reproduire?

Liste de contrôle de la tâche
☑ Ta description est-elle précise et ordonnée?
☑ As-tu inclus des diagrammes?
☑ As-tu utilisé le vocabulaire mathématique?
☑ As-tu noté la masse et le volume de ton cubanimal?

Révision cumulative

Choix associés aux domaines d'étude

1. Quelle liste présente des surfaces qui devraient *toutes* être mesurées en mètres carrés?
   A. champ, terrain de stationnement, patinoire, terrain de ballon-panier
   B. terrain de ballon-panier, champ, cour de récréation, sandwich
   C. serviette de table, champ, cour de récréation, patinoire
   D. champ, carré de sable, planche à roulettes, terrain de stationnement

2. Choisis une autre façon d'écrire 5×24.
   E. 4×25
   F. $5 \times 20 + 5 \times 4$
   G. $5 \times 2 + 5 \times 4$
   H. 5×2 unités $+ 5 \times 4$ dizaines

3. À la fête foraine de l'école, on a vendu 352 pointes de gâteau. Chaque gâteau a été coupé en 8 pointes. Comment calculerais-tu le nombre de gâteaux découpés?
   A. Multiplie 352×8.
   B. Divise 352 par 8.
   C. Additionne $352 + 8$.
   D. Soustrais 8 de 352.

4. Décris les faces d'un prisme à base pentagonale.
   E. pentagones seulement
   F. pentagones et triangles
   G. pentagones et trapèzes
   H. pentagones et rectangles

5. Quel objet se mesure plus facilement en millilitres?
   A. une boîte de jus
   B. un sac de lait
   C. l'eau d'une piscine
   D. l'eau d'un aquarium

6. Choisis la mesure qui n'a pas de sens.
   E. sac de pommes de terre : 5 000 g
   F. camion : 454 g
   G. petit sac de sel en papier : 23 g
   H. sac de spaghettis avant cuisson : 500 g

Enquête associée aux domaines d'étude

Il nous faut une cour de récréation

Les enfants n'avaient pas d'endroit où jouer. Ils voulaient une cour assez grande où ils pourraient tous aller.

7. a) Disposés en 2 arrangements, 456 enfants se sont rendus à l'hôtel de ville. Le 1er arrangement avait 8 rangées. Le 2e arrangement avait 5 rangées. Dessine un diagramme pour montrer les arrangements. Écris la multiplication qui correspond à chaque arrangement.
   b) Les enfants sont rentrés à la maison en groupes de 6. Combien de groupes y avait-il? Montre tes calculs.

8. Carlos a dessiné une cour sur une feuille de papier quadrillé en centimètres.
   a) Y a-t-il assez d'espace pour que les enfants puissent marcher et courir? Compare les aires de marche, de course et de jeu. Montre ton travail.
   b) Trouve 2 parties de la cour de récréation qui ont la même aire. Explique comment tu sais que les aires sont les mêmes.

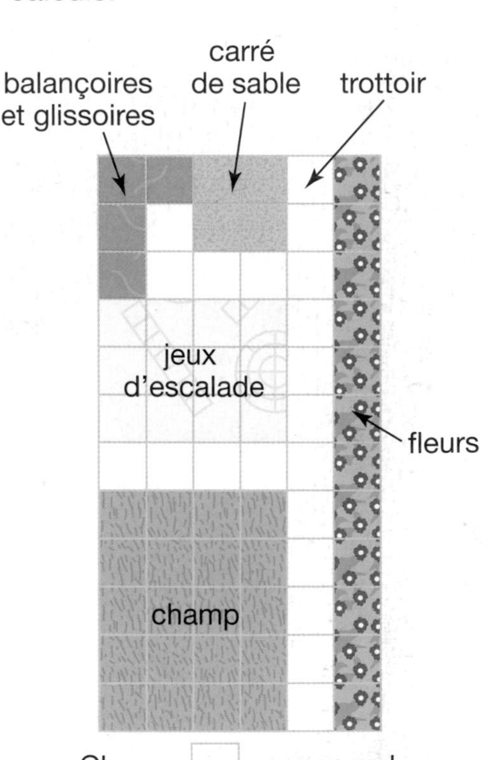

9. Quelles figures ou solides géométriques peux-tu voir dans ce matériel de récréation? Utilise le vocabulaire de la géométrie.

CHAPITRE 12

Fractions et nombres décimaux

Attentes

Tu pourras

- **décrire les fractions d'une aire et d'un ensemble;**
- **utiliser des nombres fractionnaires et des fractions pour décrire des nombres entiers et des parties de nombres;**
- **décrire et former des aires et des ensembles à l'aide de dixièmes et de centièmes décimaux;**
- **comparer et ordonner des fractions et des nombres décimaux;**
- **additionner et soustraire des nombres décimaux.**

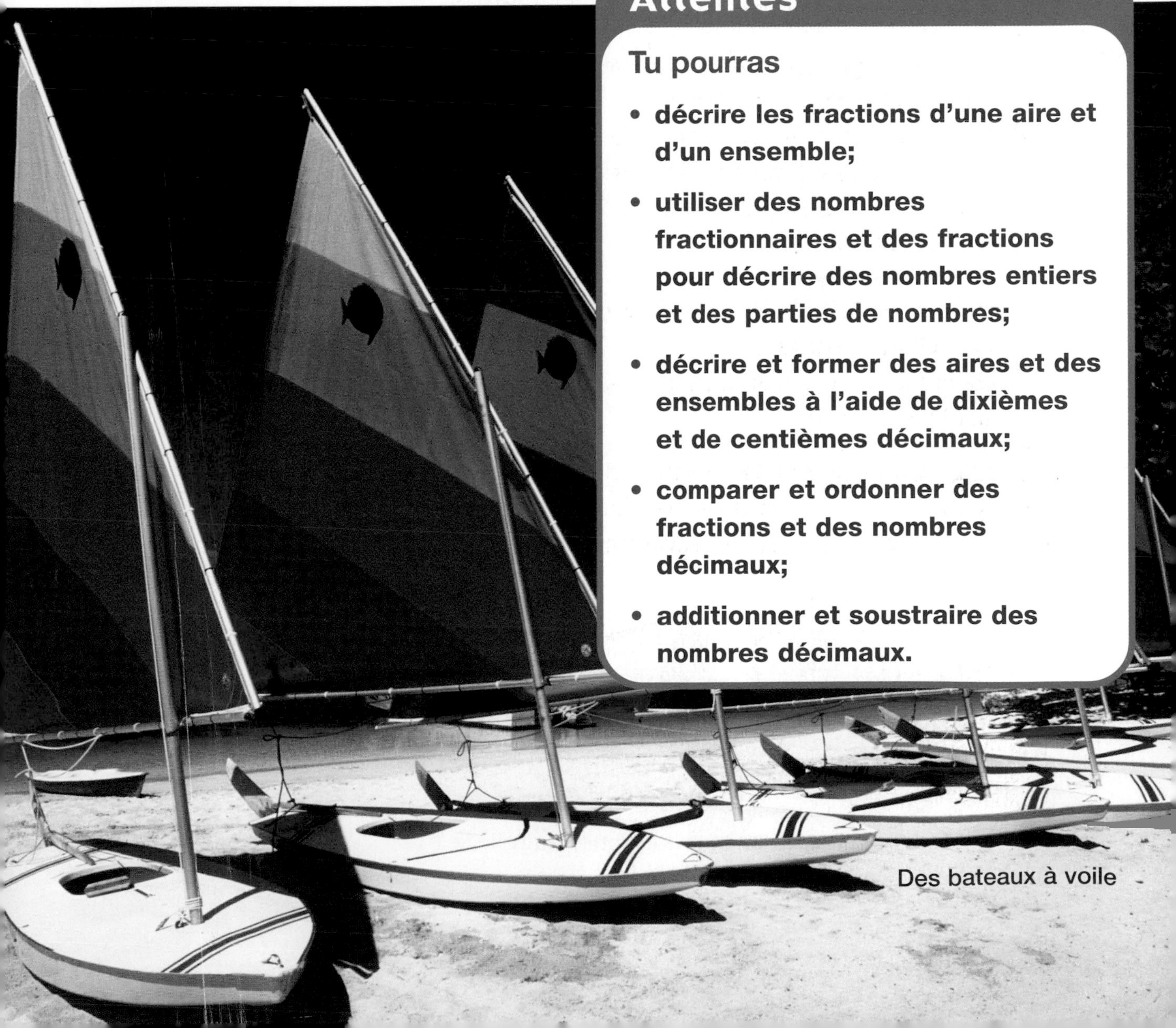

Des bateaux à voile

CHAPITRE 12

Premiers pas

Décrire des fractions

? De combien de façons peux-tu exprimer la fraction $\frac{2}{3}$?

Il y a 2 élèves sur 3 qui portent des T-shirts verts.

Les $\frac{2}{3}$ des élèves portent des T-shirts verts.

Il y a 2 élèves sur 3 qui sont des garçons.

Les $\frac{2}{3}$ des élèves sont des garçons.

A. Examine la photo. Fais d'autres descriptions des élèves pour montrer des exemples de la **fraction** $\frac{2}{3}$.

B. Utilise du matériel concret pour fabriquer autant de modèles de $\frac{2}{3}$ que possible.

Matériel nécessaire

- des mosaïques géométriques

- des cubes emboîtables

- des cercles fractionnaires

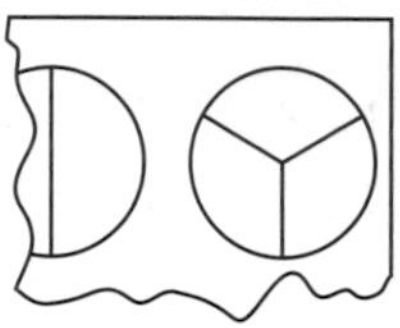

- des bouts de papier

DUV

C. Travaille avec un ou une partenaire. Vos modèles montrent-ils $\frac{2}{3}$ d'un ensemble, $\frac{2}{3}$ d'une aire ou $\frac{2}{3}$ d'une longueur?
Classez vos modèles de $\frac{2}{3}$ à l'aide d'un tableau comme celui-ci.

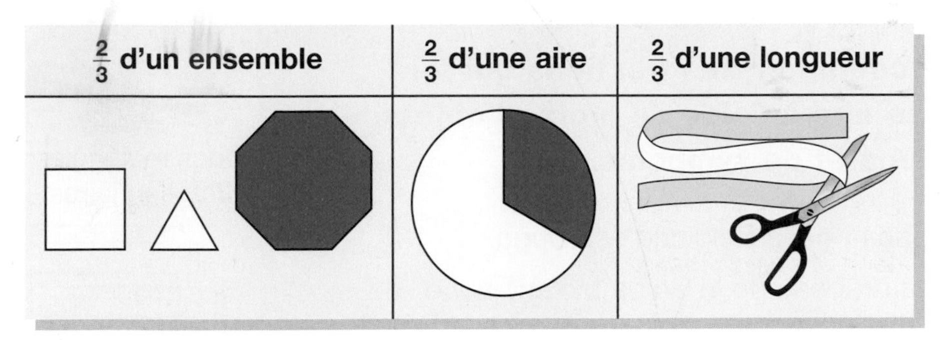

$\frac{2}{3}$ d'un ensemble	$\frac{2}{3}$ d'une aire	$\frac{2}{3}$ d'une longueur

D. Dans ta classe, trouve des exemples que tu peux décrire à l'aide de fractions.

Rappelle-toi!

1. Explique ce que chaque mot signifie et donne un exemple.
a) numérateur **b)** dénominateur

2. Quelle image ne peut pas être décrite par la fraction $\frac{3}{4}$?
Explique ton raisonnement.

A.
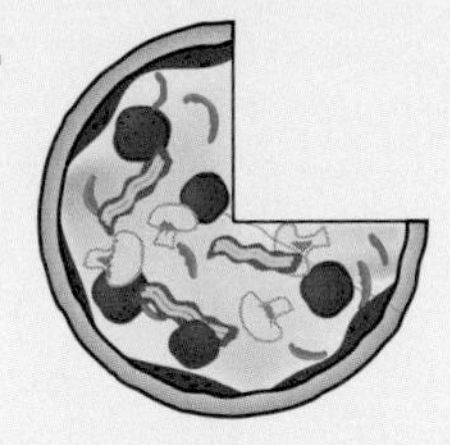

B.

C.

3. Utilise une fraction pour estimer la quantité d'eau dans chaque verre.
Explique ta réponse.

a)

b)

c)

d)

1 Décrire les fractions d'une aire

Matériel nécessaire
- des crayons de couleur
- des ciseaux
- des rectangles fractionnaires

Décrire et comparer des fractions qui font partie d'une aire à l'aide de mots, d'objets, d'illustrations et de symboles.

Le $\frac{1}{3}$ de l'aire du drapeau de la Belgique est rouge.
Plus de $\frac{1}{3}$ de l'aire du drapeau de la Colombie est jaune.

Belgique

Colombie

? Quels drapeaux sont divisés en tiers?

Drapeaux de divers pays

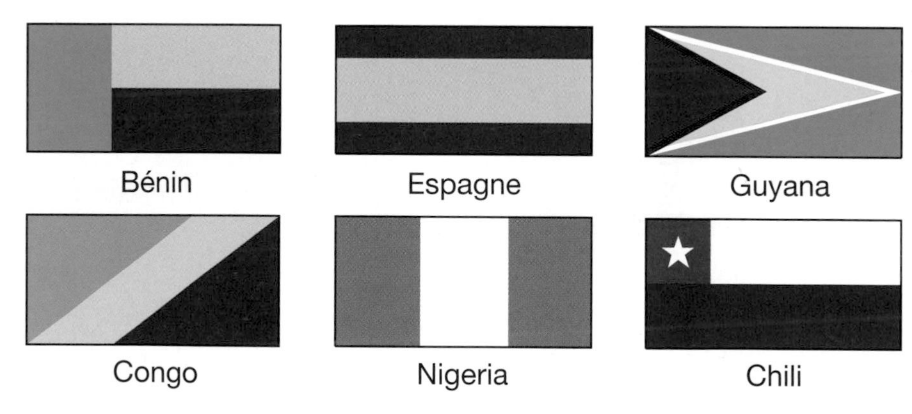

A. Combien de couleurs y a-t-il sur chaque drapeau?

B. Choisis une couleur qui semble couvrir $\frac{1}{3}$ de l'aire d'un drapeau.

C. Choisis une couleur qui semble couvrir plus de $\frac{1}{3}$ de l'aire d'un drapeau. Explique ta réponse.

D. Utilise des fractions et des mots pour décrire le drapeau de l'Espagne afin qu'un ami puisse le dessiner sans le voir.

E. Utilise des fractions et des mots pour décrire le drapeau de la Colombie afin qu'un ami puisse le dessiner sans le voir.

Réflexion

1. Est-ce que, dans ce drapeau inventé, chaque partie en rouge représente $\frac{1}{4}$? Explique pourquoi ou pourquoi pas.

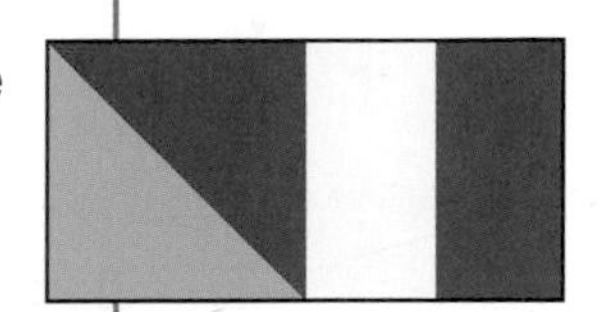

2. Comment peux-tu utiliser le drapeau du Nigeria pour montrer que $\frac{2}{3}$ est plus grand que $\frac{1}{3}$?

Vérification

3. a) Dessine un drapeau dont les $\frac{3}{8}$ sont en rouge et le reste en jaune.
   b) Quelle fraction est en jaune?
   c) Y a-t-il plus de rouge ou plus de jaune sur ton drapeau? Comment le sais-tu?
   d) Quelle fraction est la plus grande : $\frac{3}{8}$ ou $\frac{5}{8}$? Explique ton raisonnement.

Application

4. Explique pourquoi chaque drapeau représente ou ne représente pas de quarts.

a) 
Île Maurice

b) 
Seychelles

c) 
Canada

5. Quelle fraction est la plus grande? Comment le sais-tu?
   a) $\frac{3}{5}$ ou $\frac{2}{5}$ b) $\frac{1}{4}$ ou $\frac{3}{4}$ c) $\frac{3}{6}$ ou $\frac{4}{6}$ d) $\frac{1}{8}$ ou $\frac{7}{8}$

drapeau A

drapeau B

6. Ordonne ces fractions de la plus petite à la plus grande :
   $\frac{3}{10}$, $\frac{7}{10}$, $\frac{1}{10}$, $\frac{4}{10}$, $\frac{9}{10}$, $\frac{5}{10}$

7. Est-ce que $\frac{1}{3}$ du drapeau A couvre la même aire que $\frac{1}{3}$ du drapeau B? Pourquoi ou pourquoi pas?

2 Illustrer des nombres fractionnaires et des fractions impropres

- des mosaïques géométriques

Illustrer, écrire et comparer des fractions impropres et des nombres fractionnaires.

Les trapèzes de Christian

J'ai 5 trapèzes.

Je recouvre des hexagones avec les trapèzes pour savoir combien ils forment d'hexagones.

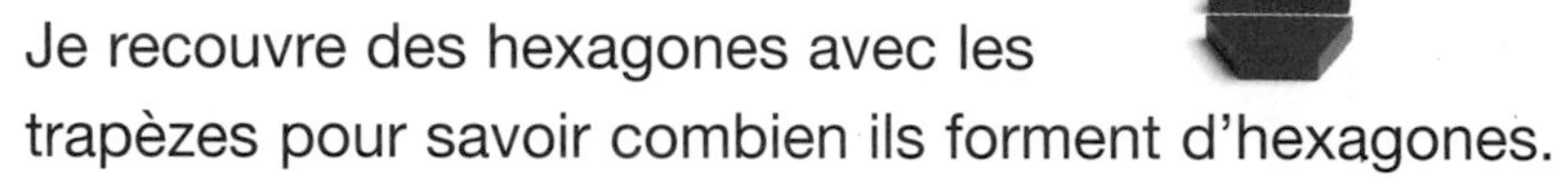

Deux trapèzes recouvrent 1 hexagone entier. Chaque trapèze correspond à la moitié de 1 hexagone.

Je peux dire que 2 trapèzes, ou $\frac{2}{2}$, forment 1 hexagone entier.

Cinq trapèzes recouvrent $\frac{5}{2}$ hexagones.

J'ai $\frac{5}{2}$ hexagones; $\frac{5}{2}$ est une **fraction impropre**.

Je peux aussi dire que 5 trapèzes couvrent 2 hexagones entiers plus la moitié d'un autre hexagone.

J'ai $2\frac{1}{2}$ hexagones; $2\frac{1}{2}$ est un **nombre fractionnaire**.

fraction impropre

Fraction dont le numérateur est plus grand que le dénominateur.

$\frac{7}{4}$ ← numérateur (7), ← dénominateur (4)

fraction impropre

nombre fractionnaire

Nombre composé d'un nombre entier et d'une fraction. Un nombre fractionnaire décrit une quantité entre 2 nombres entiers.

$1\frac{3}{4}$ ← fraction ($\frac{3}{4}$); ↑ nombre entier (1) (à l'exclusion de 0)

? Quels nombres fractionnaires peux-tu former avec des hexagones et d'autres mosaïques géométriques?

A. Couvre des hexagones avec 8 triangles verts.
Écris une fraction impropre pour les hexagones couverts.
Écris un nombre fractionnaire pour les hexagones couverts.

B. Répète la partie A en utilisant 8 losanges **bleus** pour recouvrir les hexagones.

C. Répète la partie A en utilisant 3 trapèzes **rouges** pour recouvrir les hexagones.

D. Quelle est la plus grande fraction : $\frac{5}{2}$ ou $\frac{3}{2}$?
Utilise des mosaïques géométriques pour montrer comment tu le sais.

E. Quelle est la plus grande valeur : $1\frac{2}{6}$ ou $2\frac{1}{6}$?
Utilise des mosaïques géométriques pour montrer comment tu le sais.

Réflexion

1. a) Dans une fraction impropre, que te dit le numérateur?
   b) Dans une fraction impropre, que te dit le dénominateur?
   c) Si les dénominateurs sont égaux, comment les numérateurs t'aident-ils à comparer des fractions impropres?
2. Comment sais-tu que $\frac{13}{6}$ est entre 2 et 3?

Vérification

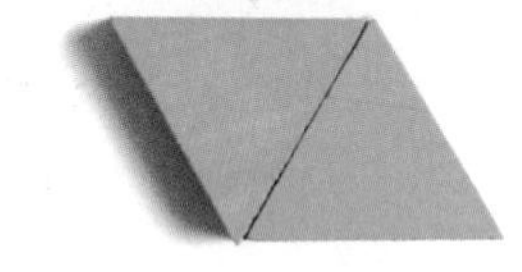

3. Considère le losange bleu comme un entier.
   a) À quelle fraction du losange 1 triangle vert correspond-il?
   b) Combien de losanges 5 triangles couvrent-ils?
   Écris une fraction impropre et un nombre fractionnaire.

Application

4. Considère le trapèze rouge comme un entier.
   À quelle fraction du trapèze 1 triangle vert correspond-il?
5. Combien de trapèzes sont couverts?
   Écris une fraction impropre et un nombre fractionnaire pour chaque quantité.
   a) 4 triangles
   b) 5 triangles
   c) 6 triangles
   d) 7 triangles
   e) 8 triangles
   f) 9 triangles
6. Quel nombre est le plus grand? Comment le sais-tu?
   a) $3\frac{2}{3}$ ou $2\frac{1}{3}$
   b) $\frac{8}{3}$ ou $\frac{5}{3}$
   c) $\frac{7}{3}$ ou $2\frac{2}{3}$

3 Décrire les fractions d'un ensemble

Décrire des parties d'ensembles à l'aide de fractions propres, de fractions impropres et de nombres fractionnaires.

Matériel nécessaire

- des jetons

- des carrés de papier

Richard organise une fête. Il a acheté des invitations en boîtes de 6. Il a envoyé 8 invitations.

? Combien de boîtes d'invitations Richard a-t-il utilisées?

A. Combien de boîtes pleines a-t-il utilisées? Quelle fraction d'une autre boîte a-t-il utilisée? Explique ta réponse.

B. Écris une fraction impropre pour représenter le nombre de boîtes utilisées.

C. Écris un nombre fractionnaire pour représenter le nombre de boîtes utilisées.

D. Montre comment trouver les quantités manquantes dans ce tableau.

Nombre d'invitations	17			24
Nombre de boîtes de 6 (fraction impropre)	$\frac{17}{6}$		$\frac{21}{6}$	
Nombre de boîtes de 6 (nombre fractionnaire)		$3\frac{1}{6}$		

Réflexion

1. a) Dans les fractions impropres, que te dit le numérateur au sujet des invitations?
   b) Que te dit le dénominateur?
2. Dans le nombre fractionnaire, que te dit le nombre entier au sujet des invitations?
3. Si tu connais une fraction impropre, comment peux-tu faire un dessin pour trouver le nombre fractionnaire correspondant?

Vérification

4. Il y a 12 canettes dans un carton.
   Richard a besoin de 15 canettes pour la fête.
   Combien de cartons utilisera-t-il pour la fête?
   Utilise des jetons ou fais un dessin.
   Montre ta réponse sous forme de fraction impropre
   et de nombre fractionnaire.

Application

5. Il y a 4 petits cadeaux dans un paquet.
   Samantha a donné 1 petit cadeau
   à chacune de ses invitées.
   Elle a donné les cadeaux de $3\frac{3}{4}$ paquets.
   Combien d'invitées ont participé à sa fête?
   Montre ton travail.

6. Écris un nombre fractionnaire pour chaque fraction impropre.
   a) $\frac{5}{3}$ b) $\frac{9}{4}$ c) $\frac{13}{8}$ d) $\frac{29}{10}$

7. Cho a $3\frac{1}{5}$ paquets de sifflets.
   Combien de sifflets peut-elle avoir? Explique ta réponse.

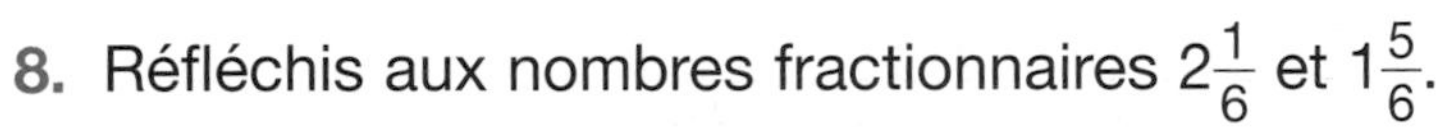

8. Réfléchis aux nombres fractionnaires $2\frac{1}{6}$ et $1\frac{5}{6}$.
   a) Écris chaque nombre fractionnaire sous forme de fraction impropre.
   b) Est-il plus facile de comparer la taille des nombres quand ils sont écrits sous forme de nombres fractionnaires ou de fractions impropres? Explique ta réponse.

9. Ordonne les nombres du plus petit au plus grand.
   a) $2\frac{1}{6}$, $1\frac{5}{6}$, $2\frac{3}{6}$, $3\frac{2}{6}$, $2\frac{4}{6}$
   b) $2\frac{2}{4}$, $\frac{9}{4}$, $\frac{3}{4}$, $1\frac{2}{4}$, $\frac{5}{4}$

10. Le nombre $\frac{■}{3}$ se situe entre 3 et 4.
    Quel peut être le numérateur de ce nombre?
    Fais un dessin pour expliquer ta réponse.

4 Écrire des dixièmes décimaux

Écrire des dixièmes sous forme de nombre décimal à l'aide de mots et de symboles.

Miki a des bagues à tous les doigts.

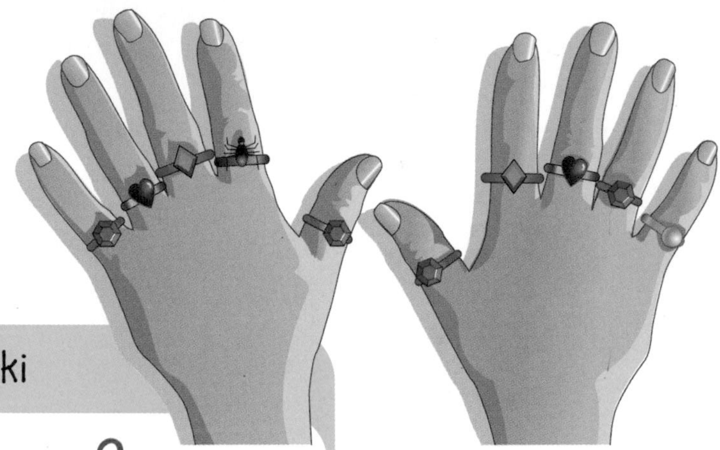

? Comment Miki peut-elle représenter le nombre de bagues bleues à ses doigts?

Les bagues bleues de Miki

J'ai des bagues bleues à 2 doigts.

Cela correspond à deux dixièmes de mes doigts.

$\frac{2}{10}$ ← 2 doigts qui portent des bagues bleues ; 10 ← 10 doigts au total

Je peux écrire deux dixièmes sous forme de fraction.

Je peux aussi écrire deux dixièmes sous forme de **nombre décimal**.

Zéro signifie qu'il y a moins d'un ensemble entier → 0,2 ← nombre de dixièmes ; virgule décimale

Quand j'écris des dixièmes sous forme de **nombre décimal**, les chiffres qui suivent la virgule décimale correspondent au numérateur de la fraction. Je peux illustrer deux dixièmes sur un rectangle fractionnaire.

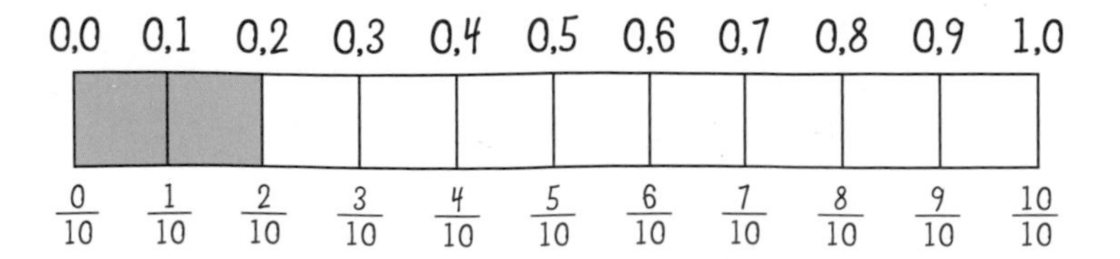

Deux dixièmes est plus proche de 0 que de 1.

nombre décimal
Façon de représenter des fractions et des nombres fractionnaires en utilisant la valeur de position. Une virgule décimale sépare la position des unités de celle des dixièmes.

Réflexion

1. Pourquoi 2 mains sont-elles un bon modèle pour montrer des dixièmes décimaux?
2. Pourquoi le nombre 0,2 est-il différent de $\frac{0}{2}$?
3. Quel nombre décimal est à mi-longueur du rectangle fractionnaire?

Vérification

4. a) Décris les autres bagues de Miki à l'aide de mots, de fractions et de nombres décimaux.
   b) Parmi tes nombres décimaux, lequel est le plus grand? Le plus petit?

Application

5. Écris une fraction et un nombre décimal qui expriment le fait que tous les doigts de Miki portent des bagues.
6. Écris des fractions, des nombres décimaux et des mots pour les parties ombrées des rectangles fractionnaires.

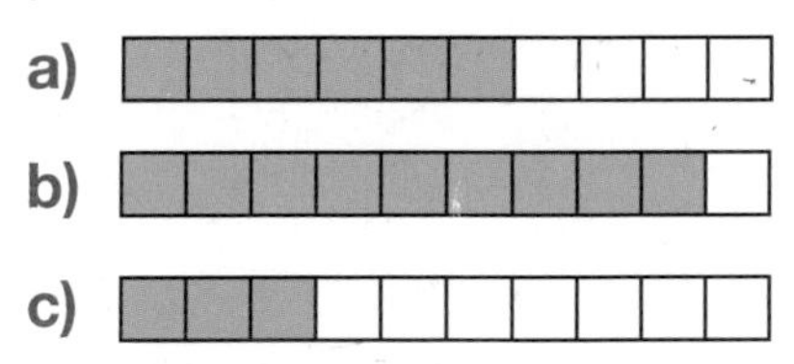

7. Écris chaque valeur sous forme de fraction et de nombre décimal.
   a) quatre dixièmes b) huit dixièmes c) zéro dixième
8. Explique si chaque nombre décimal est plus proche de 0, de $\frac{1}{2}$ ou de 1.
   a) 0,9 b) 0,4 c) 0,7 d) 0,1
9. a) Trace le contour de tes mains et dessine des bagues à tes doigts. Laisse certains doigts sans bague.
   b) Colorie moins de la moitié de tes bagues de la même couleur.
   c) Utilise des mots et des nombres décimaux pour décrire tes bagues.

5 Illustrer des nombres décimaux plus grands que 1

Illustrer, écrire et comparer des nombres décimaux plus grands que 1.

Matériel nécessaire

- un ruban à mesurer

Joseph veut inscrire sa grenouille dans un concours de sauts.
La grenouille vedette de Sarah peut sauter 1,6 m.
Sarah dit : « Ma grenouille a sauté un mètre et six dixièmes. »

? Crois-tu que la grenouille de Joseph peut gagner?

Le saut de la grenouille de Joseph

J'ai mis 2 règles de 1 mètre bout à bout pour mesurer le meilleur saut de ma grenouille.

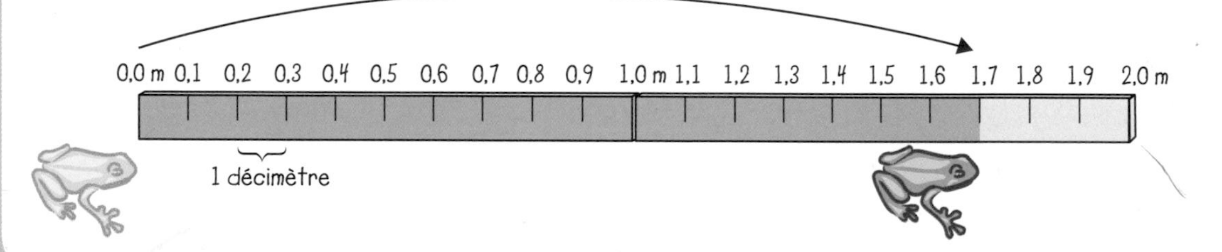

A. Quelle fraction de la 2e règle de 1 mètre est ombrée entre 1,0 et 2,0 m?

B. Écris la longueur du saut de la grenouille de Joseph sous forme de nombre fractionnaire.

C. Pourquoi le nombre décimal de cette longueur sera-t-il présenté ainsi : 1,■ m?

D. Écris la longueur du saut de la grenouille de Joseph sous forme de nombre décimal.

E. Quelle grenouille peut sauter le plus loin : celle de Sarah ou celle de Joseph? Comment le sais-tu?

F. Écris chaque longueur de saut en **décimètres**.

Réflexion

1. a) Explique comment tu sais que 1,7 est plus grand que 1,2.
   b) Explique comment tu sais que 0,9 est plus petit que 1,2.

Vérification

2. Une grenouille a sauté 2,3 m.
   a) Que t'apprend le chiffre 2?
   b) Que t'apprend le chiffre 3?
   c) Écris la longueur du saut en décimètres.
   d) Écris la longueur du saut sous forme de fraction impropre.

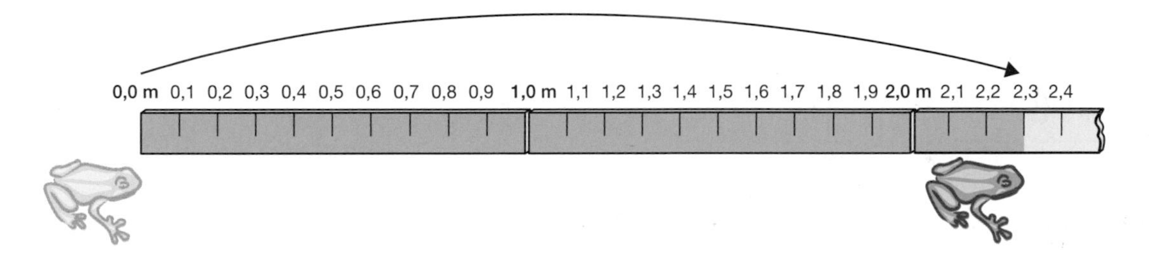

Application

3. Une grenouille a sauté trois mètres et deux dixièmes.
   a) Utilise un ruban ou fais un dessin pour montrer jusqu'où la grenouille a sauté.
   b) Utilise des nombres décimaux pour écrire la longueur du saut.
   c) Écris le nombre décimal sous forme de nombre fractionnaire.

4. Écris un nombre décimal pour chaque nombre fractionnaire.
   Trouve ces longueurs en mètres sur un ruban.
   a) $2\frac{5}{10}$ b) $1\frac{1}{10}$ c) $2\frac{7}{10}$ d) $1\frac{14}{10}$

5. Écris chaque mesure en mètres.
   a) un mètre trois décimètres
   b) vingt-trois décimètres
   c) trois mètres
   d) deux mètres et quatre dixièmes

6. Ordonne ces mesures de la plus longue à la plus courte.
   2,1 m, 3,5 m, 0,9 m, 1,8 m, 2,6 m, 2,0 m

LEÇON

Révision

1

1. Considère un cercle comme un entier.
Écris une fraction ou un nombre fractionnaire pour chaque partie ombrée.

a) 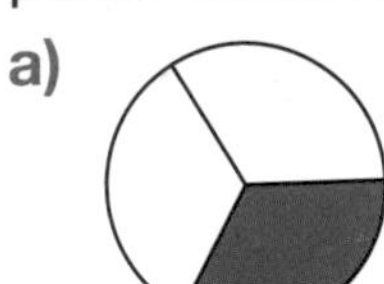
b) 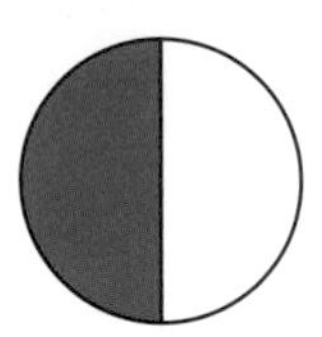
c) 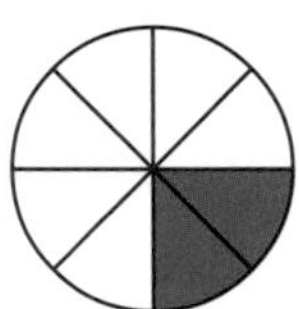

2. Utilise une grille de 2 sur 4 pour fabriquer un drapeau.

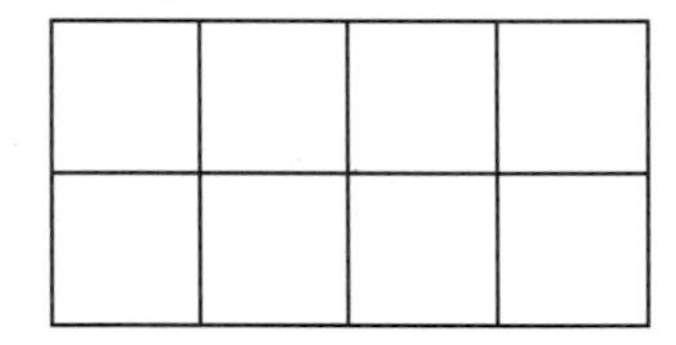

a) Colorie un huitième du drapeau en jaune.
b) Colorie la moitié du drapeau en **rouge**.
c) Colorie un quart du drapeau en vert.
d) Quelle fraction du drapeau n'est pas coloriée?

2

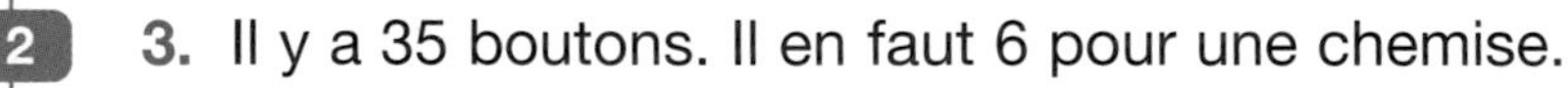

3. Il y a 35 boutons. Il en faut 6 pour une chemise.
a) Combien d'ensembles de 6 peux-tu former?
Écris ta réponse sous forme de nombre fractionnaire.
b) Combien de boutons y a-t-il dans $3\frac{5}{6}$ ensembles?

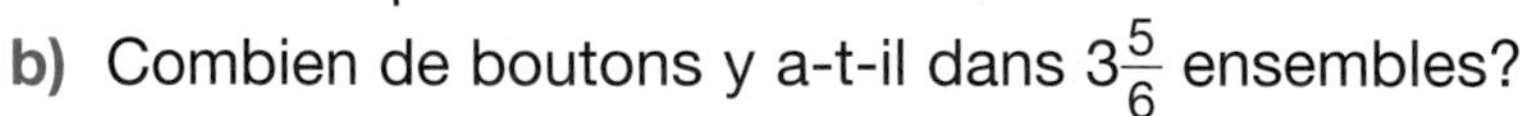

4

4. Dis si chaque nombre est plus proche de 0, de $\frac{1}{2}$ ou de 1.
Explique ta réponse.

a) $\frac{5}{6}$ b) 0,2 c) 0,4 d) $\frac{3}{10}$ e) $\frac{11}{10}$

5

5. Écris chaque nombre décimal sous forme de fraction.
Écris chaque fraction sous forme de nombre décimal.

a) 2,1 b) 0,2 c) $\frac{8}{10}$ d) $1\frac{2}{10}$ e) 2,5

6. Ordonne les nombres de la question nº 5 du plus petit au plus grand.
Pour t'aider, utilise des illustrations ou un ruban.

0,0 m 0,1 0,2 0,3 0,4 0,5 0,6 0,7 0,8 0,9 1,0 m 1,1 1,2 1,3 1,4 1,5 1,6 1,7 1,8 1,9 2,0 m 2,1 2,2 2,3 2,4 2,5 2,6 2,7 2,8 2,9 3,0 m

DUV

Trouve la paire

Matériel nécessaire

- des cartes

- 2 dés

- des crayons de couleur

Comment fabriquer le jeu

A. Lance les 2 dés. Ensuite, forme une fraction ou un nombre décimal avec les nombres obtenus. Par exemple, si tu as lancé un 2 et un 5, tu peux former $\frac{2}{5}$, $\frac{5}{2}$, 5,2 ou 2,5.

B. Écris ta fraction ou ton nombre décimal sur une carte.

C. Sur une 2e carte, fais un dessin qui illustre ton nombre décimal ou ta fraction.

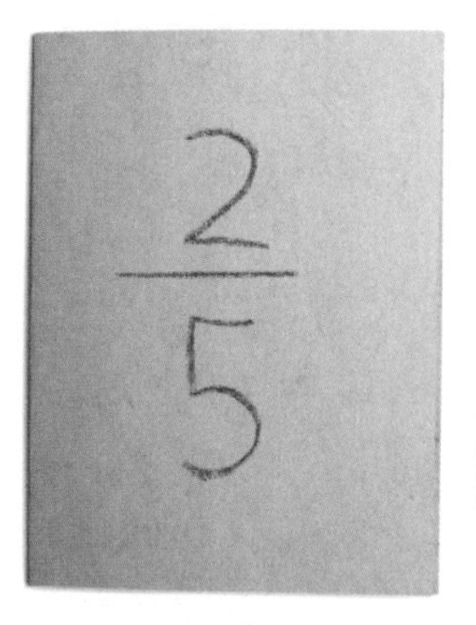

D. Lance les dés une autre fois et prépare 2 nouvelles cartes. Continue jusqu'à ce que tu aies 5 paires de cartes.

Nombre de joueurs : 2 ou plus
Règles du jeu : Le but du jeu consiste à associer les paires de cartes.

Étape n° 1 Brasse les cartes et étale-les à l'envers sur la table.

Étape n° 2 À tour de rôle, les joueurs tournent 2 cartes à la fois.
Si les cartes sont les mêmes, le joueur les garde.
Si elles sont différentes, il les remet à l'envers sur la table.

La partie continue jusqu'à ce qu'il ne reste plus de cartes.
Le joueur qui a accumulé le plus de cartes gagne la partie.

6 Additionner des dixièmes décimaux

Matériel nécessaire

- un ruban à mesurer

Additionner des dixièmes décimaux.

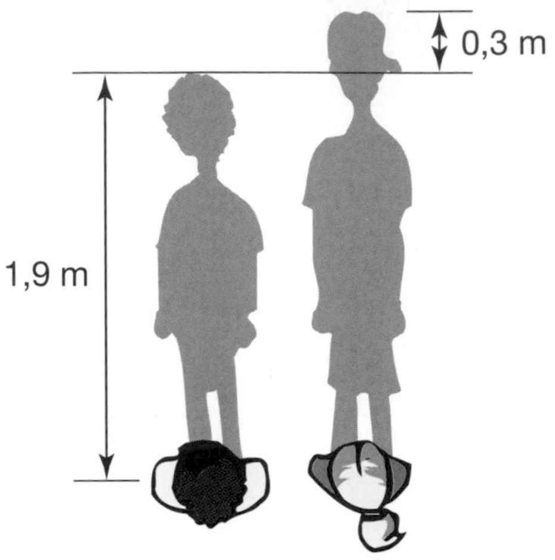

L'ombre de Brian mesure 1,9 m de long.
L'ombre de Jennifer mesure 0,3 m de plus que celle de Brian.

? De quelle longueur est l'ombre de Jennifer?

A. Supposons que l'ombre de Jennifer ne dépasse que de 0,1 m celle de Brian.
Quelle sera la longueur de l'ombre de Jennifer?

0,0 m 0,1 0,2 0,3 0,4 0,5 0,6 0,7 0,8 0,9 **1,0 m** 1,1 1,2 1,3 1,4 1,5 1,6 1,7 1,8 1,9 **2,0 m** 2,1 2,2 2,3 2,4

1,9 + 0,1 = ■

B. De combien 0,3 est-il plus grand que 0,1?

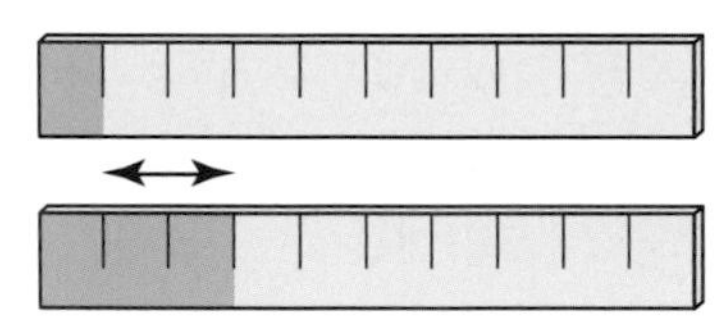

C. Comment peux-tu utiliser ta réponse à la partie B pour trouver la longueur de l'ombre de Jennifer?

D. Supposons que l'ombre d'un lampadaire dépasse de 1,8 m celle de Jennifer.
De quelle longueur est l'ombre du lampadaire?

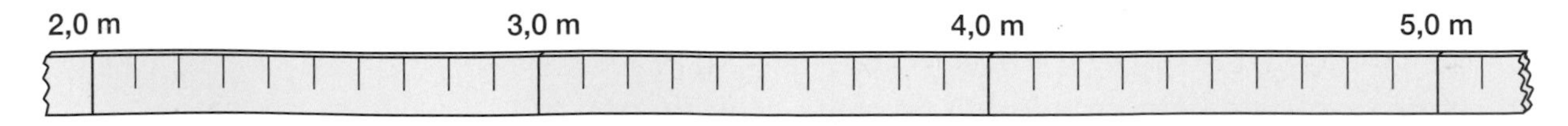

Réflexion

1. Comment sais-tu que tes réponses sont vraisemblables?
2. Comment peux-tu utiliser des décimètres pour vérifier l'addition?

Vérification

3. Plus tard dans la journée, l'ombre de Jennifer mesure 4,4 m de long. Brian est debout à l'extrémité de l'ombre de Jennifer. Son ombre à lui mesure 3,8 m de long.
   a) Pourquoi la longueur de leurs ombres communes serait-elle moindre que 8,4 m?
   b) Quelle est la longueur de leurs ombres communes? Utilise une illustration, des mots ou des symboles pour expliquer ta réponse.

Application

4. À la tombée du jour, l'ombre de Jennifer mesure 6,4 m de long. Son ombre s'allonge encore, d'abord de 2,3 m, puis de 2,5 m de plus. De quelle longueur est l'ombre de Jennifer? Utilise un modèle ou une illustration pour trouver la réponse. Montre ton travail.

5. Additionne ces longueurs. Montre ton travail.
   a) 4,5 m et 1,7 m
   b) 1,6 m et 3,7 m
   c) 3,2 cm et 3,8 cm
   d) 2,6 dm et 9,1 dm

6. Calcule ces sommes. Montre ton travail.
   a) 1,9 + 7,2 b) 0,4 + 5,8 c) 6,1 + 1,9 d) 4,5 + 2,6

7. Une ombre qui mesure entre 1 et 2 m de long peut atteindre le double de cette longueur.
   a) Quelle est la longueur maximale de l'ombre?
   b) Quelle est la longueur minimale de l'ombre?

8. Combien de paires différentes de dixièmes décimaux, une fois additionnées, peuvent totaliser 1,0? Montre ton travail.

7 Soustraire des dixièmes décimaux

Matériel nécessaire

- un ruban à mesurer

Attente **Soustraire des dixièmes décimaux.**

Un boa constricteur mesure environ 0,6 m de long à sa naissance. Un boa constricteur adulte mesure 2,1 m de long.

? De combien un boa constricteur grandit-il?

La démarche de Chantal

La réponse se situera entre 1 et 2 m.

J'ai commencé à compter à partir de la longueur du petit boa constricteur et j'ai compté jusqu'à la longueur du boa adulte.

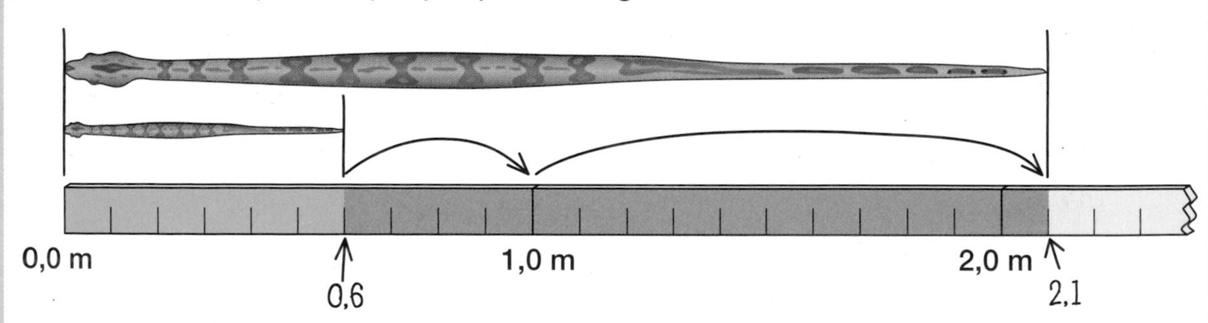

J'ai compté 0,4 m pour passer de 0,6 m à 1,0 m.

Ensuite, j'ai compté un autre 1,1 m entre 1,0 m et 2,1 m.

$0,4 + 1,1 = 1,5$

Le boa constricteur grandit de 1,5 m.

Réflexion

1. Pourquoi Chantal savait-elle que la réponse se situerait entre 1 m et 2 m?
2. Comment peux-tu utiliser des décimètres pour soustraire des nombres décimaux?

Vérification

3. Une couleuvre d'eau peut mesurer 1,5 m de long. Si le petit d'une couleuvre d'eau mesure environ 0,4 m de long, de combien grandira-t-il?

Application

4. Le cou d'une girafe mesure environ 2,5 m de long. Si une girafe mesure près de 5,4 m de hauteur, quelle est la taille du reste du corps? Montre ton travail.
5. Trouve la différence entre ces longueurs.
   a) 5,5 m et 1,4 m b) 4,3 cm et 3,4 cm
6. Calcule ces différences.
   a) 6,6 − 5,9 b) 9,0 − 6,5 c) 22,8 − 12,5
7. a) Quelle est la plus grande différence à la question nº 6?
   b) Quel est l'écart entre cette différence et la plus petite différence de la question nº 6?
8. Pendant sa vie, un serpent a grandi de 1,7 m. Le serpent mesurait moins de 1 m à sa naissance. Quelle pouvait être sa longueur à sa naissance? À sa mort? Donne 2 longueurs possibles.

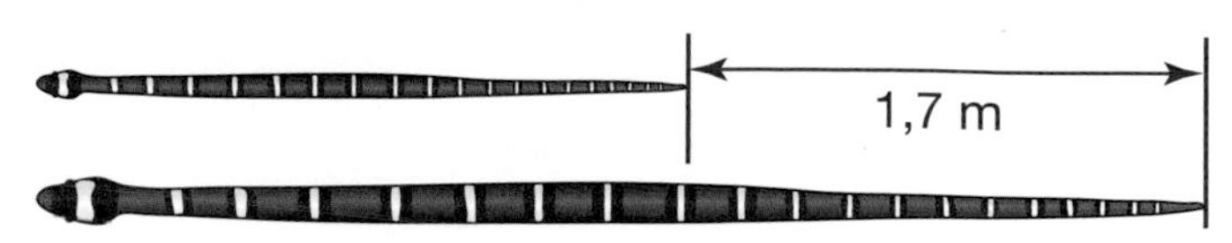

8 Expliquer des opérations avec des nombres décimaux

Matériel nécessaire

- du matériel de base dix

Utiliser un modèle pour expliquer comment additionner ou soustraire des nombres décimaux.

On peut reconnaître la crécerelle d'Amérique en vol parce que son envergure atteint plus du double de la longueur de son corps.

longueur du corps : 2,7 dm

envergure : 5,8 dm

Crécerelle d'Amérique

? Comment Vinh explique-t-il la façon de trouver la différence entre la longueur du corps et l'envergure de la crécerelle d'Amérique?

L'explication de Vinh

Je vais utiliser des blocs pour mon explication.

Cette réglette mesure 1 dm de long.

Ce cube mesure 0,1 dm de long.

D'abord, j'illustre l'envergure et la longueur du corps.
L'envergure est de 5,8 dm.
Le corps mesure 2,7 dm.

La différence correspond à la longueur qui sépare l'envergure et la longueur du corps. D'abord, je compte les décimètres entiers dans la différence.

Ensuite, je compte les dixièmes de 1 décimètre. Je cherche 10 dixièmes ou 1 dm. La différence est 2 dm + **1 dm** + 0,1 dm, **soit** 3,1 dm.

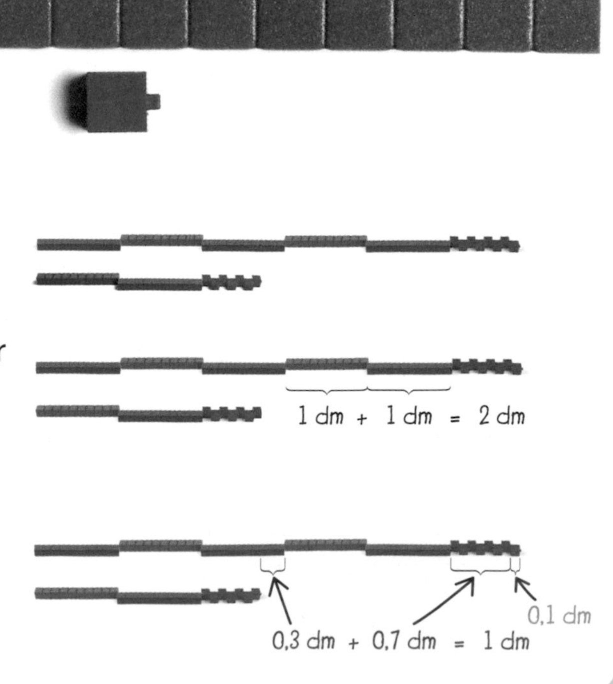

DUV

A. Comment sais-tu que Vinh a examiné toutes les questions de la Liste de contrôle des communications?

B. Comment le modèle fait de blocs rend-il l'explication de Vinh plus facile à comprendre?

C. Explique pourquoi Vinh pouvait additionner 2,7 dm + 3,1 dm pour confirmer sa réponse.

D. Utilise des blocs pour expliquer à un ou une camarade comment tu peux additionner 2,7 dm + 3,1 dm.

Liste de contrôle des communications

- ☑ As-tu utilisé un modèle?
- ☑ As-tu montré ta démarche?
- ☑ As-tu mis les étapes en ordre?
- ☑ As-tu expliqué ton raisonnement?
- ☑ As-tu utilisé le vocabulaire mathématique?

Réflexion

1. Utilise la Liste de contrôle des communications.
   a) Quelles qualités peux-tu identifier dans ta façon d'expliquer les étapes de ton addition à la partie D?
   b) Propose une façon d'améliorer ton explication.

Vérification

2. Utilise des blocs pour montrer comment, avec une soustraction, tu trouverais la différence entre la longueur du corps et l'envergure d'un petit butor.

Petit butor
longueur du corps : 3,3 dm
envergure : 4,4 dm

Application

3. Le petit butor a une envergure de 4,4 dm. La crécerelle d'Amérique a une envergure de 5,8 dm. Utilise des blocs pour expliquer comment faire une soustraction pour trouver la différence entre ces 2 envergures.

4. La petite buse mesure 4,1 dm de long. Son envergure mesure 4,5 dm de plus que la longueur de son corps. Utilise des blocs pour expliquer comment tu peux faire une addition pour connaître son envergure.

Petite buse
longueur du corps : 4,1 dm

9 Écrire des centièmes décimaux plus petits que 1 ou égaux à 1

Matériel nécessaire
- une grille de 100

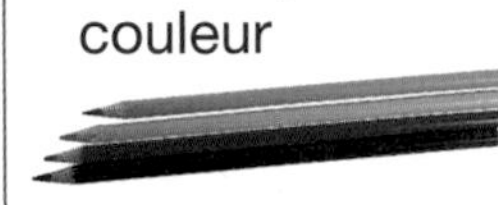

- des crayons de couleur

Attente **Écrire des centièmes sous forme de nombre décimal à l'aide de mots et de symboles.**

Pedro a fait un dessin en plusieurs couleurs sur une grille de 100.

? Comment Pedro peut-il se servir de nombres décimaux pour décrire son dessin?

La grille de Pedro

Ma grille se divise en 100 parties.

J'en ai colorié une partie en rouge.

Un centième de la grille est rouge.

J'écris $\frac{1}{100}$ sous la forme décimale 0,01.

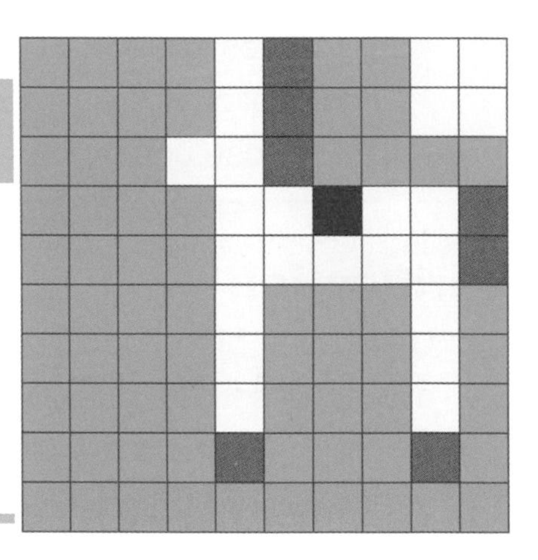

La grille entière de Pedro est représentée par la valeur 1 ou $\frac{100}{100}$.

A. Quelle couleur couvre $\frac{23}{100}$ ou 0,23 de la grille?

B. Écris une fraction et un nombre décimal en centièmes pour chaque couleur différente de la grille.

C. Ordonne tes nombres décimaux du plus petit au plus grand. Explique comment tu sais que ta réponse est bonne.

Réflexion

1. La valeur 0,07 est-elle plus proche de 0 ou de 1? Comment le sais-tu?
2. Utilise une grille de 100 pour expliquer en quoi 0,07 est différent de 0,70.

Vérification

3. Écris une fraction et un nombre décimal pour la partie ombrée.

a) 

b) 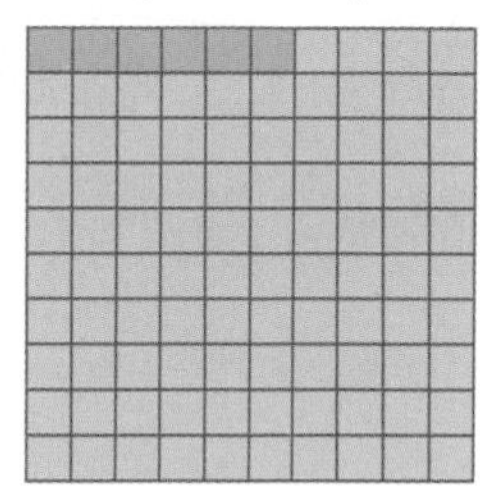

Application

4. Écris une fraction et un nombre décimal pour la partie ombrée.

a) 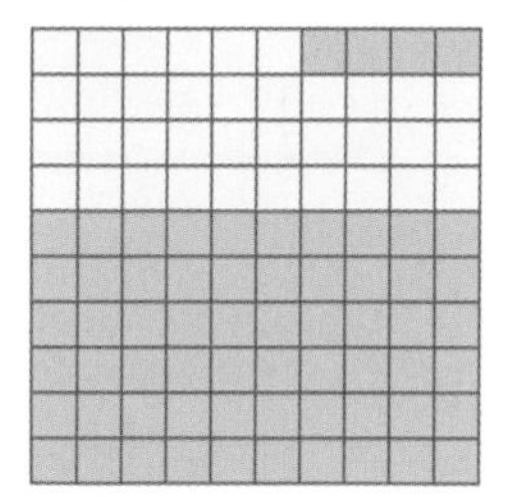

b) 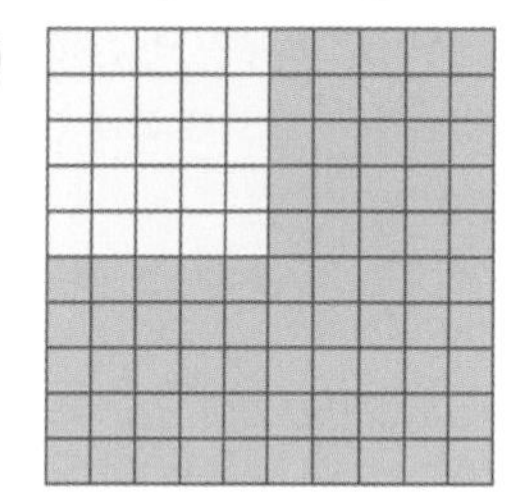

5. Écris chaque fraction sous forme de nombre décimal.

a) $\frac{89}{100}$ b) $\frac{7}{100}$ c) $\frac{30}{100}$ d) $\frac{12}{100}$

6. Écris chaque nombre décimal sous forme de fraction.

a) 0,67 b) 0,29 c) 0,40 d) 0,04

7. Ordonne les nombres décimaux de la question n° 6 du plus petit au plus grand.

8. a) Quelle fraction en centièmes décrit la moitié de la grille de 100?
   b) Quel nombre décimal décrit la moitié de la grille de 100?
   c) La partie bleue du dessin de Pedro est-elle plus proche de $\frac{1}{2}$ ou de 1? Comment le sais-tu?

9. a) Fais ton propre dessin sur une grille de 100. Utilise au moins 4 couleurs.
   b) Décris ton dessin à l'aide de mots, de fractions et de nombres décimaux.
   c) Quelle couleur s'approche le plus de la moitié de ton dessin? Comment le sais-tu?

10 Additionner et soustraire des centièmes

Additionner et soustraire des centièmes décimaux à l'aide d'une grille et d'une calculatrice.

Matériel nécessaire

- une grille de 100

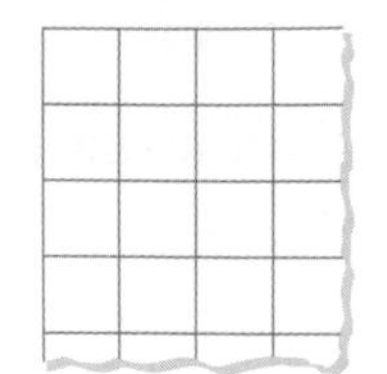

- des crayons de couleur

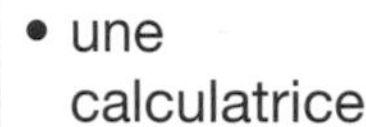

- une calculatrice

Une ville veut aménager 1 kilomètre carré de son territoire. La ville prévoit utiliser 0,45 de 1 kilomètre carré pour des maisons et 0,32 de 1 kilomètre carré pour un parc.
Un centre commercial occupera le reste du territoire.

? Quelle surface sera consacrée aux maisons et au parc?

La solution de Carmen

Je peux utiliser une grille de 100 pour représenter le territoire à aménager. Chaque petit carré correspond à 0,01 de 1 kilomètre carré.

Je peux colorier 45 petits carrés en jaune pour représenter 0,45 de 1 kilomètre carré de maisons.

Je peux colorier le parc en vert.

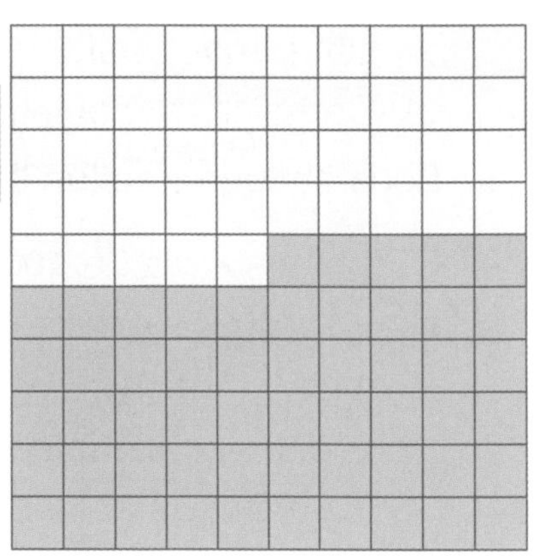

A. Colorie les maisons et le parc sur ta grille.

B. Au total, combien de petits carrés sont ombrés? Quelle partie du territoire sera consacrée aux maisons et au parc?

C. Comment peux-tu utiliser une calculatrice pour vérifier ta réponse?

D. Quelle partie du territoire sera consacrée au centre commercial? Écris une soustraction.

E. Qu'est-ce qui couvre le plus de territoire : les maisons, le parc ou le centre commercial? Qu'est-ce qui couvre le moins de territoire? Comment le sais-tu?

Réflexion

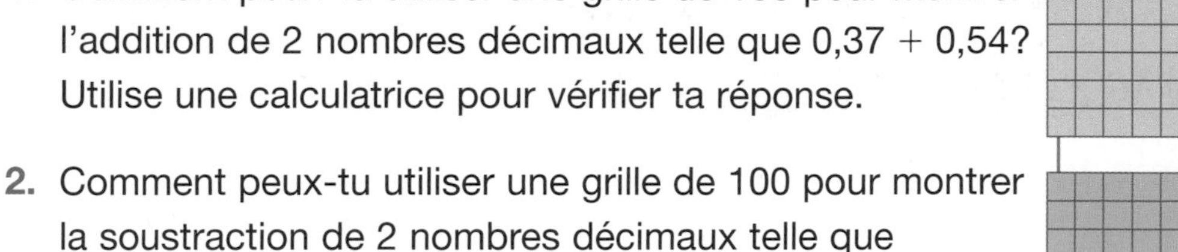

1. Comment peux-tu utiliser une grille de 100 pour montrer l'addition de 2 nombres décimaux telle que 0,37 + 0,54? Utilise une calculatrice pour vérifier ta réponse.
2. Comment peux-tu utiliser une grille de 100 pour montrer la soustraction de 2 nombres décimaux telle que 0,63 − 0,15?
   Utilise une calculatrice pour vérifier ta réponse.

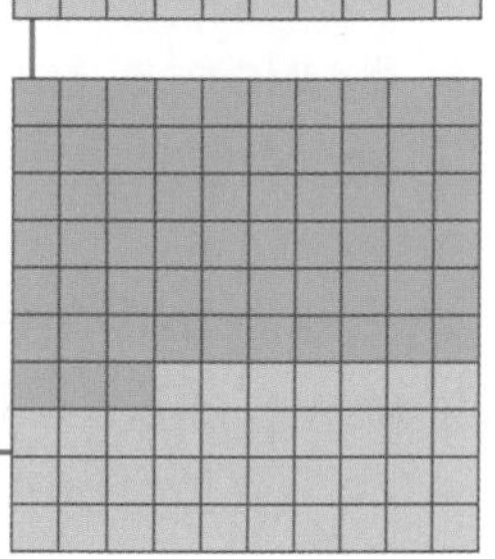

Vérification

3. Utilise une grille de 100.
   a) Compte par bonds de 0,15 jusqu'à 0,75.
   Utilise une couleur différente pour chaque 0,15.
   b) Combien de couleurs as-tu utilisées?
   c) Montre tes démarches à l'aide d'une calculatrice.
4. Utilise une grille de 100.
   a) En commençant à 1,00, compte à rebours par bonds de 0,09 jusqu'à ce que 0,10 de la grille reste en blanc.
   Utilise une couleur différente à chaque bond.
   b) Combien de couleurs as-tu utilisées?
   c) Utilise une calculatrice pour vérifier ta soustraction.
   Note chaque réponse et décris toute régularité dans les chiffres.

Application

5. Additionne ou soustrais des nombres décimaux à l'aide d'une grille de 100.
   Utilise une calculatrice pour vérifier tes réponses.
   a) 0,43 + 0,26
   b) 0,35 + 0,47
   c) 0,23 + 0,07
   d) 1,00 − 0,54
   e) 0,37 − 0,16
   f) 0,45 − 0,09
6. a) Trouve 2 paires différentes de nombres décimaux dont la somme est 1.
   b) Trouve 2 paires différentes de nombres décimaux dont la différence est 0,35. Montre ton travail.

11 Établir la relation entre les fractions et les nombres décimaux

Matériel nécessaire

- une grille de 100

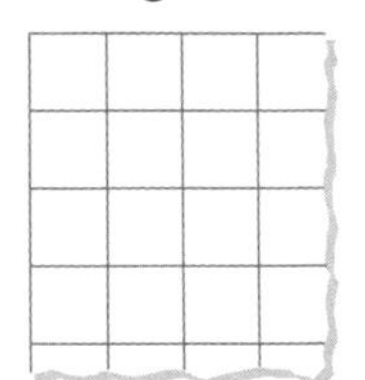

- des crayons de couleur

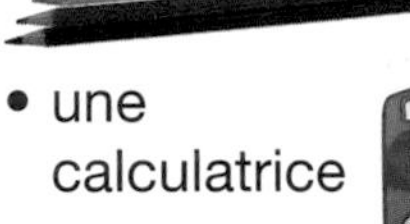

- une calculatrice

Explorer, illustrer et évaluer la relation entre les fractions et les nombres décimaux.

? Quelles fractions peux-tu écrire sous forme de dixièmes ou de centièmes décimaux?

Chacune des 4 parties égales d'une grille de 100 peut être représentée par $\frac{1}{4}$.

A. Quel nombre décimal exprimé en centièmes représente $\frac{1}{4}$?

B. Divise 1 par 4 avec une calculatrice. Quelle est la relation entre ta réponse et ce que tu vois sur la grille?

C. Remplace le dénominateur de la fraction $\frac{1}{\blacksquare}$ par d'autres nombres de 2 à 10. Pour chaque fraction, estime l'aire d'une grille de 100 qui sera couverte. Colorie une grille qui correspondra à ton estimation. Inscris une légende.

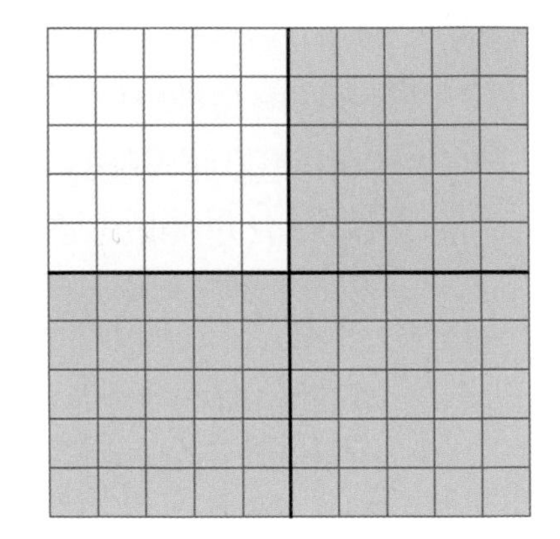

D. Utilise une calculatrice pour diviser 1 par chaque dénominateur allant de 2 à 10. Quelles valeurs correspondent à un nombre exact de dixièmes ou de centièmes? Compare tes grilles de la partie C à chaque valeur de la calculatrice.

Réflexion

1. Quelle régularité as-tu observée dans les grilles ombrées chaque fois que le dénominateur a augmenté?
2. Comment peux-tu prédire que $\frac{1}{3}$ ne correspondra pas à un nombre exact de dixièmes ou de centièmes?
3. Comment peux-tu prédire que $\frac{3}{4}$ peut s'écrire : 0,25 + 0,25 + 0,25, ou 0,75?

Des 25 cents et des 10 cents

Jean achète un billet d'autobus 0,75 $.
Il paie avec une pièce de 2 $.
Combien de monnaie rendra-t-on à Jean?

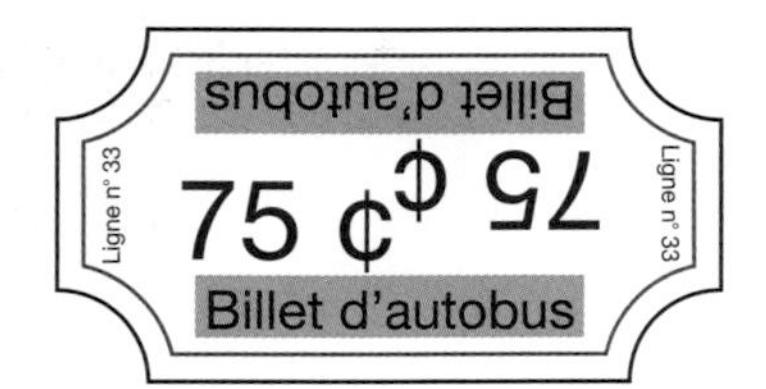

La monnaie de Jean

0,75 $ correspondent à 3 vingt-cinq cents, et 2 $ à 8 vingt-cinq cents.

8 vingt-cinq cents - 3 vingt-cinq cents = 5 vingt-cinq cents

On me rendra 1,25 $ de monnaie.

A. Comment Jean a-t-il su que 2 $ est la même chose que 8 vingt-cinq cents?

B. De quelle autre façon Jean aurait-il pu compter les pièces pour calculer mentalement sa monnaie?

À ton tour!

1. Utilise la méthode de Jean pour trouver la monnaie.
   a) S'il paie 0,75 $ avec un billet de 5 $.
   b) S'il paie 0,30 $ avec une pièce de 1 $.

2. Calcule la monnaie.
   a) 2,00 $ − 0,25 $
   b) 1,50 $ − 0,75 $
   c) 5,00 $ − 3,75 $
   d) 2,00 $ − 0,70 $

3. Calcule ces sommes.
   a) 2,00 $ + 1,75 $
   b) 1,50 $ + 0,75 $
   c) 2,75 $ + 1,25 $
   d) 1,70 $ + 0,60 $

4. Comment réfléchir à des sommes d'argent t'aide-t-il à additionner des nombres décimaux comme 1,75 + 3,50?

LEÇON

Acquisition des compétences

1

1. Quels drapeaux sont divisés en tiers?

a) 
France

b) 
Hongrie

c) 
Géorgie

2. Quelle fraction est la plus grande?

a) $\frac{3}{5}$ ou $\frac{4}{5}$ b) $\frac{5}{7}$ ou $\frac{3}{7}$ c) $\frac{7}{9}$ ou $\frac{6}{9}$ d) $\frac{4}{6}$ ou $\frac{5}{6}$

2

3. Considère un hexagone comme un entier.
À quelle fraction de l'hexagone jaune correspond chaque nombre de figures?
Écris une fraction impropre et un nombre fractionnaire.

a) 7 triangles verts
b) 5 trapèzes **rouges**
c) 4 losanges **bleus**
d) 13 triangles verts

4. Lequel est le plus grand?

a) $3\frac{1}{3}$ ou $4\frac{1}{3}$ b) $3\frac{2}{3}$ ou $1\frac{1}{3}$ c) $4\frac{1}{4}$ ou $3\frac{3}{4}$ d) $2\frac{1}{4}$ ou $2\frac{3}{4}$

3

5. Écris un nombre fractionnaire pour chaque fraction impropre.

a) $\frac{9}{8}$ c) $\frac{31}{10}$ e) $\frac{16}{3}$

b) $\frac{8}{5}$ d) $\frac{8}{6}$ f) $\frac{21}{5}$

6. Écris une fraction impropre pour chaque nombre fractionnaire.

a) $2\frac{1}{10}$ c) $4\frac{2}{5}$ e) $2\frac{2}{3}$

b) $3\frac{1}{3}$ d) $1\frac{1}{4}$ f) $5\frac{2}{5}$

DUV

3

7. Il y a 6 boissons gazeuses dans un carton.
Brady a besoin de 15 boissons gazeuses pour une fête.
Combien de cartons lui faut-il?
Écris ta réponse sous forme de nombre fractionnaire.

4

8. Utilise des fractions, des nombres décimaux et des mots pour décrire les parties ombrées des rectangles fractionnaires.

a) [4 cases ombrées sur 10]   c) [7 cases ombrées sur 10]

b) [1 case ombrée sur 10]   d) [5 cases ombrées sur 10]

9. Écris chaque valeur sous forme de fraction et de nombre décimal.
a) trois dixièmes   b) six dixièmes   c) cinq dixièmes

10. Détermine si chaque nombre décimal est plus proche de 0, de $\frac{1}{2}$ ou de 1.
a) 0,2   b) 0,3   c) 0,6   d) 0,8

5

11. Complète ces mesures.
a) 1 m 4 dm = 1,■ m   c) 2 m 5 dm = ■,■ m
b) 27 dm = ■,7 m   d) 36 dm = ■,■ m

12. Ordonne les mesures de chaque ensemble de la plus courte à la plus longue.
a) 1,9 m, 2,5 m, 0,8 m, 2,9 m, 2,3 m
b) 2,3 m, 3,5 m, 1,9 m, 0,8 m, 4,1 m
c) 1,5 m, 3,2 m, 0,6 m, 0,1 m, 2,4 m

6

13. Additionne ces longueurs. Montre ton travail.
a) 5,9 m et 3,4 m   c) 3,0 m et 5,9 m
b) 2,9 cm et 2,1 cm   d) 4,2 dm et 3,3 dm

14. Trouve ces sommes. Montre ton travail.

a) $\begin{array}{r} 2,9 \\ +\ 3,6 \\ \hline \end{array}$ b) $\begin{array}{r} 0,3 \\ +\ 5,9 \\ \hline \end{array}$ c) $\begin{array}{r} 7,3 \\ +\ 1,9 \\ \hline \end{array}$ d) $\begin{array}{r} 5,6 \\ +\ 3,4 \\ \hline \end{array}$

15. Avec leur jeu Lego, Brian et Karine construisent des tours.
La tour de Brian mesure 3,7 dm de haut.
La tour de Karine est plus haute de 4,8 dm.
Quelle est la hauteur de la tour de Karine? Montre ton travail.

7 **16.** Trouve la différence entre ces longueurs.
Montre ton travail.

a) 3,7 m et 2,1 m
b) 6,2 cm et 4,8 cm
c) 4,6 m et 2,2 m
d) 6,9 cm et 3,7 cm

17. Trouve ces différences. Montre ton travail.

a) $\begin{array}{r} 7,9 \\ -\ 3,5 \\ \hline \end{array}$
b) $\begin{array}{r} 6,3 \\ -\ 5,9 \\ \hline \end{array}$
c) $\begin{array}{r} 8,3 \\ -\ 1,7 \\ \hline \end{array}$
d) $\begin{array}{r} 4,6 \\ -\ 3,8 \\ \hline \end{array}$

18. Kylie participe à une course de 10 km.
Elle s'arrête pour boire après 6,5 km.
Quelle distance lui reste-il à courir?
Montre ton travail.

9 **19.** Écris une fraction et un nombre décimal pour la partie ombrée.

a) 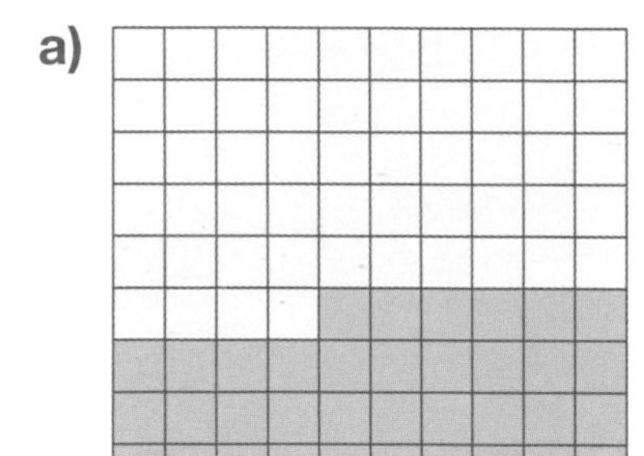

b) 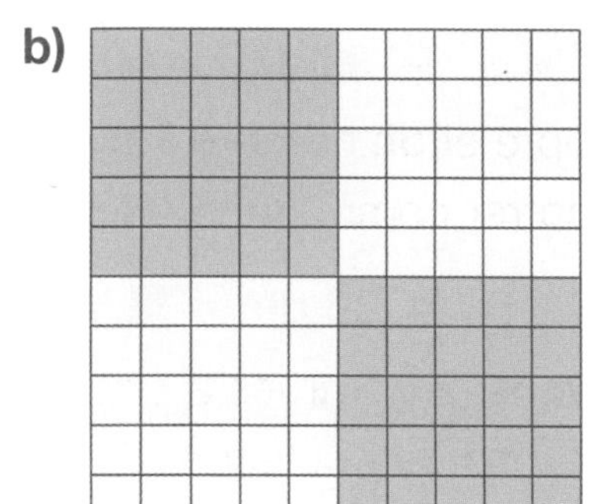

c) 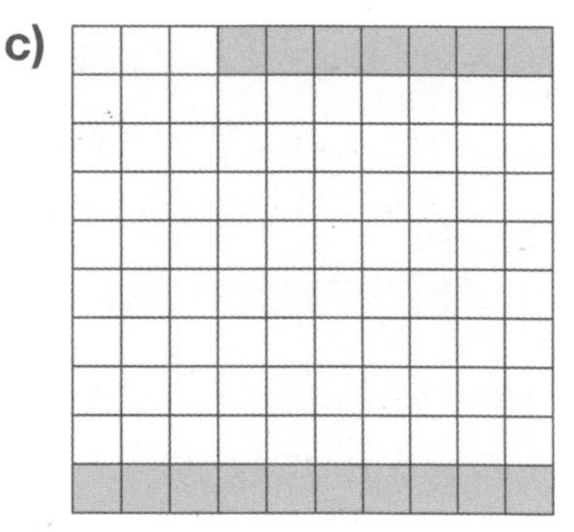

20. Écris chaque fraction sous forme de nombre décimal.

a) $\frac{50}{100}$
b) $\frac{9}{100}$
c) $\frac{63}{100}$
d) $\frac{90}{100}$

21. Écris chaque nombre décimal sous forme de fraction.

a) 0,67
b) 0,38
c) 0,06
d) 0,70

10 **22.** Fais ces calculs de nombres décimaux.
Utilise une grille ou une calculatrice.

a) 0,21 + 0,34
b) 0,09 + 0,80
c) 0,89 + 0,02
d) 0,62 + 0,17
e) 0,99 − 0,02
f) 1,00 − 0,32
g) 0,87 − 0,45
h) 0,32 − 0,12
i) 0,56 + 0,34

DUV

LEÇON

Problèmes de tous les jours

1. Si $\frac{3}{8}$ d'un diagramme circulaire est rouge et que le reste est vert, quelle couleur couvre la plus grande aire? Comment le sais-tu?

2. Trouve 6 façons différentes de diviser un carré en 4 parties égales.

3. Si 2 hexagones jaunes correspondent à un entier, quelle partie des hexagones 7 losanges bleus couvriront-ils? Écris une fraction impropre et un nombre fractionnaire. Fais un dessin pour montrer comment tu as su la réponse.

4. Si un trapèze rouge correspond à un entier, quelle partie du trapèze 11 triangles verts couvriront-ils? Écris une fraction impropre et un nombre fractionnaire. Fais un dessin pour montrer comment tu as su la réponse.

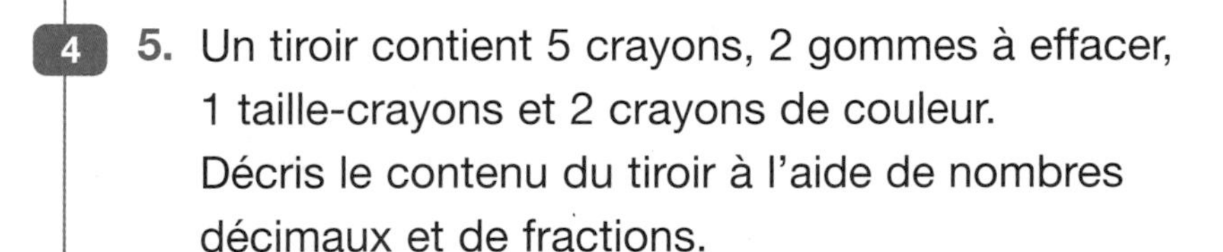

5. Un tiroir contient 5 crayons, 2 gommes à effacer, 1 taille-crayons et 2 crayons de couleur. Décris le contenu du tiroir à l'aide de nombres décimaux et de fractions.

6. Lesquels de ces nombres décimaux additionnés font 5,0?

   1,2   0,8   4,2   1,0   2,2   1,7   0,3   0,6

   Trouve plus d'un groupe de nombres décimaux dont la somme correspond à 5,0. Montre comment tu as su la réponse.

7. Un faon saute 1,4 m. Sa mère saute 4 m. Quelle distance la mère peut-elle sauter de plus que le faon?

8. Suzanne pense que 0,23 des nombres entiers entre 1 et 100 comportent le chiffre 3. A-t-elle raison? Montre ton travail.

LEÇON

Révision du chapitre

1

1. Mes 3 amis sont allés à la Pizzeria du Parc. Montre comment ils ont réussi à partager 1 pizza à parts égales.

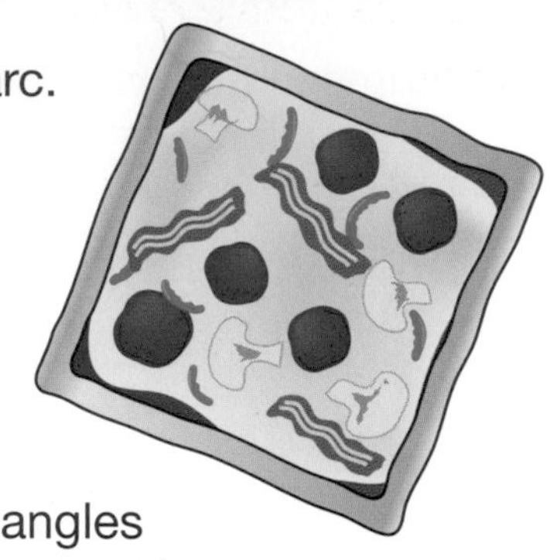

2

2. Un hexagone jaune est recouvert de 6 triangles verts. À quelle fraction d'un hexagone correspond 1 triangle?

3. Combien d'hexagones sont recouverts?
Écris une fraction impropre et un nombre fractionnaire.
   a) 7 triangles b) 8 triangles c) 9 triangles

4

4. Voici une comptine. Supposons que la grand-mère a 3 bagues à chaque main et 2 clochettes à chaque pied :
   a) Décris les bagues de la grand-mère en utilisant des mots, des fractions et des nombres décimaux.
   b) Décris les clochettes de la grand-mère en utilisant des mots, des fractions et des nombres décimaux.

Une grand-mère
sur un cheval,
je vous dis,
c'est bien normal.
Bagues aux doigts et
clochettes aux pieds,
elle sait chanter
des chansons
pour s'amuser.

5

5. Écris une fraction impropre et un nombre décimal pour chaque nombre fractionnaire.
   a) $3\frac{3}{10}$ b) $9\frac{2}{10}$ c) $6\frac{2}{10}$ d) $1\frac{1}{10}$

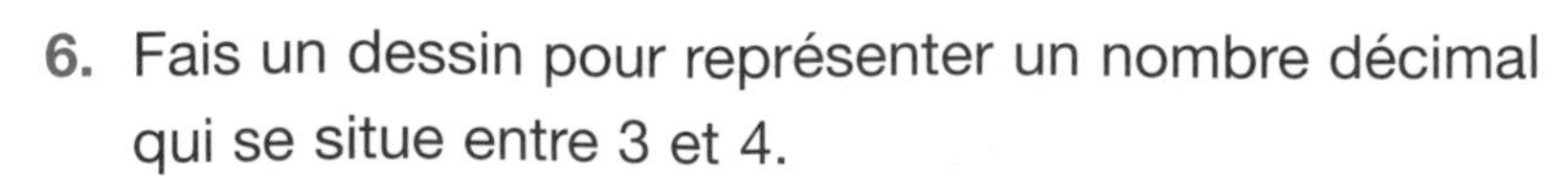

6. Fais un dessin pour représenter un nombre décimal qui se situe entre 3 et 4.

6 **7.** Un lapin saute 2,4 m vers la droite.
Ensuite, il saute encore 1,1 m vers la droite.
À quelle distance se trouve le lapin de son point de départ?
Montre ton travail.

7 **8.** Quels sont les chiffres manquants?

a)
$$\begin{array}{r} 2{,}9 \\ +\ \blacksquare{,}7 \\ \hline 4{,}6 \end{array}$$

b)
$$\begin{array}{r} 4{,}\blacksquare \\ -\ 3{,}6 \\ \hline 0{,}5 \end{array}$$

10 **9.** On a fait un sondage sur les desserts favoris des élèves de 4e année de l'école de Whitney. Les résultats apparaissent dans le diagramme à bandes suivant.

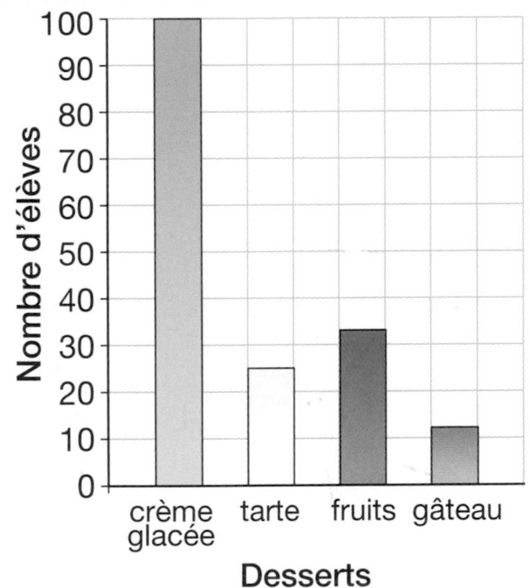

a) La bande « tarte » mesure environ 0,25 ou $\frac{1}{4}$ de la bande « crème glacée ».
Utilise des nombres décimaux et des fractions pour comparer les autres desserts.

b) Quels 2 desserts, additionnés, correspondent à environ 0,45 de la bande « crème glacée »?

c) La bande « gâteau » mesure environ la moitié de la bande « tarte ».
Comment comparerais-tu le gâteau et les fruits?

d) Comment comparerais-tu la tarte et les fruits?

Tâche du chapitre

Des cerfs-volants décimaux

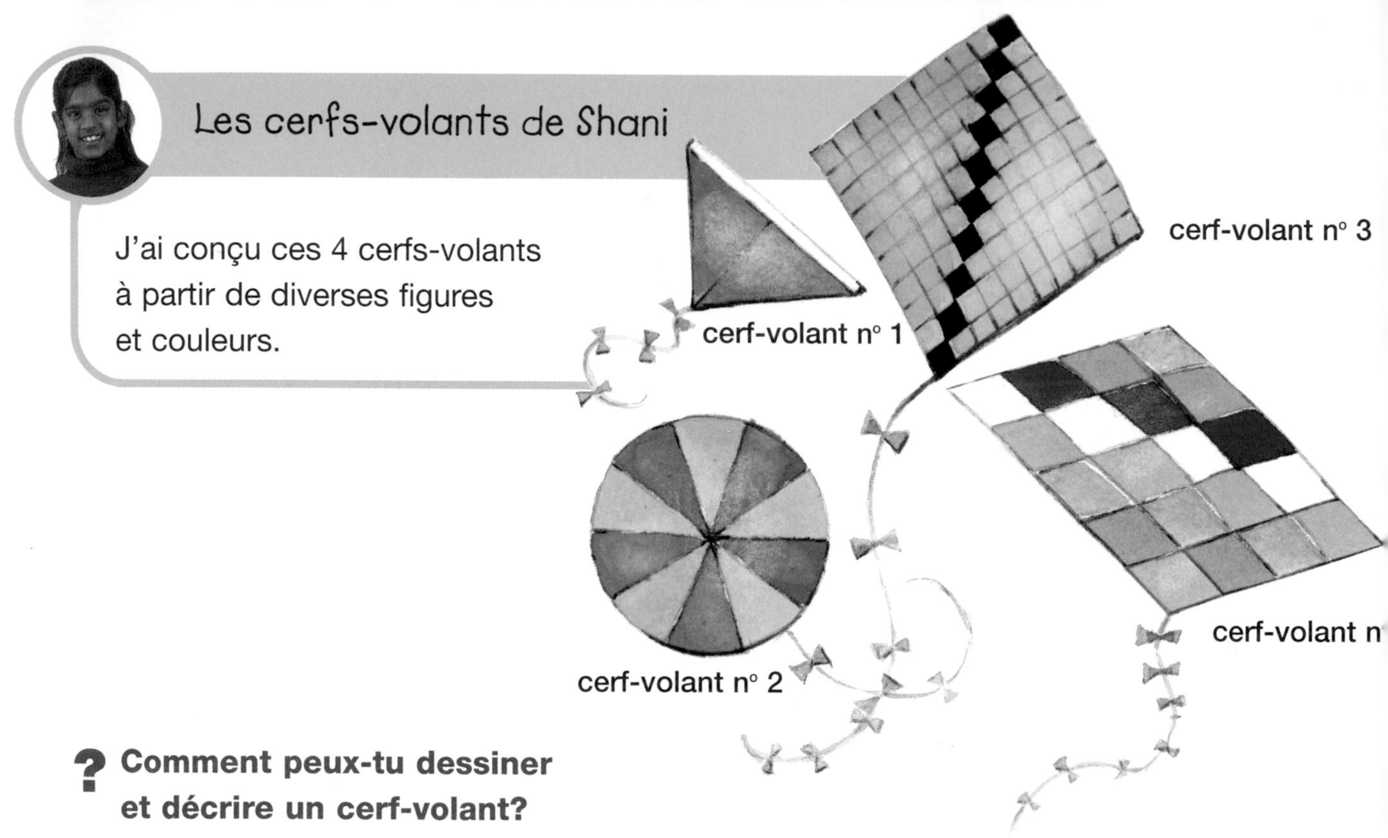

? Comment peux-tu dessiner et décrire un cerf-volant?

Partie n° 1

A. Pour chaque cerf-volant de Shani, décris la forme et exprime les couleurs sous forme de fraction.

B. Exprime chaque fraction sous forme de nombre décimal.

Partie n° 2

C. Dessine ton cerf-volant.

D. Décris ton cerf-volant en détail en utilisant des mots et des nombres.

Liste de contrôle de la tâche

- ☑ As-tu inclus un diagramme?
- ☑ As-tu décrit ton cerf-volant à l'aide de fractions et de nombres décimaux?
- ☑ As-tu utilisé le vocabulaire mathématique?

CHAPITRE 13

Probabilités

Attentes

Tu pourras

- **décrire la probabilité d'événements à l'aide du vocabulaire mathématique;**
- **comparer la probabilité de divers événements;**
- **mener des expériences de probabilité;**
- **prédire la probabilité de certains événements;**
- **résoudre des problèmes de probabilité à l'aide de diagrammes en arbre.**

Faire tourner l'aiguille

Premiers pas

Discuter de la probabilité

? Comment peux-tu décrire la probabilité des événements?

A. Qui a des chances d'avoir raison? Explique ton raisonnement.

B. Qui a des chances d'avoir tort? Explique ton raisonnement.

C. Décris la probabilité de chaque **événement**.
Utilise un mot d'une des cartes ci-dessous.

a) Demain, pour dîner, je mangerai un sandwich.
b) L'enseignante sera absente de l'école la semaine prochaine.
c) Le soleil se lèvera le matin.
d) Il fera plus noir au coucher du soleil.
e) Un dinosaure entrera dans la classe bientôt.
f) À l'école, on vendra de la pizza tous les jours.
g) La lune sera pleine ce soir.
h) Demain viendra après aujourd'hui.
i) Il pleuvra pendant la journée sportive.
j) Notre équipe de ballon-volant sera championne.

probable | improbable | possible | impossible | certain

Rappelle-toi!

1. a) Décris 2 événements qui se produiront certainement à l'école cette semaine.
   b) Décris 2 événements qui seront dans l'impossibilité de se produire à l'école cette semaine.
   c) Décris 2 événements qui se produiront probablement à l'école cette semaine.
2. Décris 2 autres événements qui pourraient se produire à l'école. Lequel de ces événements est le plus probable?
3. Quand tu lances une pièce de monnaie, quels sont les 2 événements qui sont également probables?

1 Utiliser des droites de probabilité

Matériel nécessaire

- des cartes alphabétiques

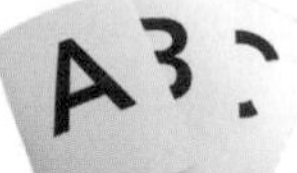

- du papier grand format

Attente **Utiliser une droite de probabilité pour comparer la probabilité de certains événements.**

? Où se situent les événements de Marie sur la droite de probabilité?

Les événements de Marie

J'ai énuméré des événements dans un tableau.

J'ai décrit la probabilité de chaque événement.

Je téléphonerai probablement à Richard cette semaine.
Donc, l'événement A est probable.

Événement		Probabilité
A	J'utiliserai le téléphone cette semaine.	probable
B	J'irai au pôle Nord cette année.	très improbable
C	Je resterai à la maison ou je ferai un voyage pendant les vacances d'été.	également probables
D	J'irai à l'école lundi.	très probable
E	Je fêterai mon anniversaire de naissance cette année.	certain
F	Je courrai et resterai assise en même temps.	impossible
G	Je manquerai l'autobus après l'école.	improbable

Je peux placer chaque événement entre *impossible* et *certain* sur une **droite de probabilité**.
L'événement A est probable; donc, je le place plus près de *certain* que d'*impossible*.

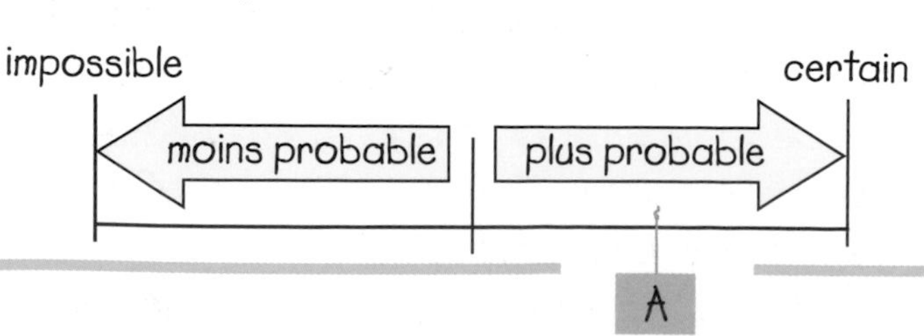

A. Finis de placer les événements de Marie sur la droite.

Réflexion

1. Explique ton choix pour chaque événement.
2. a) Quels événements sont plus proches d'*impossible* que de *certain*?
   b) Quels événements sont plus proches de *certain* que d'*impossible*?
3. Examine 2 événements qui sont placés l'un à côté de l'autre. Explique quel est l'événement le plus **probable**.

Vérification

4. Utilise le vocabulaire des probabilités pour décrire la probabilité de chaque événement.
   a) Je mangerai des œufs au déjeuner.
   b) Je pourrai me coucher tard ce soir.
   c) Je ferai une fête cette année.
   d) Un arbre me parlera aujourd'hui.
   e) L'enseignant nous donnera des devoirs aujourd'hui.
   f) J'irai me baigner cet été.

5. Dessine une droite de probabilité. Inscris-y les lettres des événements de la question n° 4.

Application

6. a) Dans ces manchettes ou dans un journal, trouve des événements qui utilisent le vocabulaire des probabilités.
   Écris les événements sur des bouts de papier.
   b) Dessine une droite de probabilité où tu écriras *impossible* à un bout et *certain* à l'autre. Utilise du papier grand format. Colle chaque événement sur la droite de probabilité.
   c) Écris ta propre manchette et place-la sur la droite de probabilité.

La Ville donnera probablement son appui pour recevoir les Olympiques

Les travailleurs refuseront probablement l'entente

Possibilité d'averses vendredi

Le film sera probablement un succès

L'adoption du projet de loi sur la santé est improbable

2 Faire des expériences avec des roulettes

Faire des prédictions et des expériences avec des roulettes divisées en sections égales.

Matériel nécessaire

- des roulettes (bleu | rouge)
- un trombone

Jean a reçu un jeu de société pour son anniversaire.
Le jeu comporte 2 roulettes.
Le joueur dont l'aiguille s'arrête sur la section **rouge** gagne la partie.

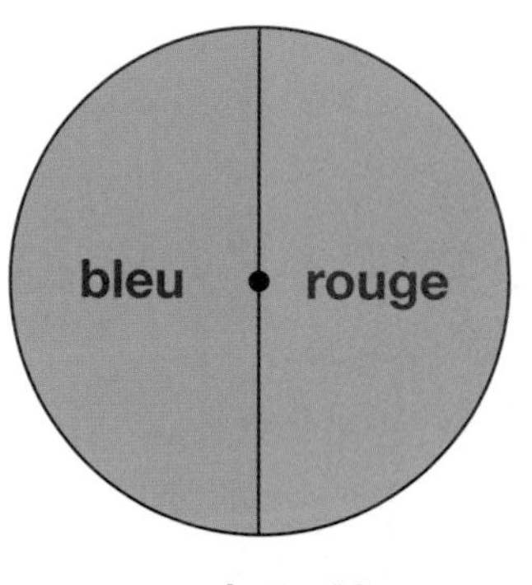

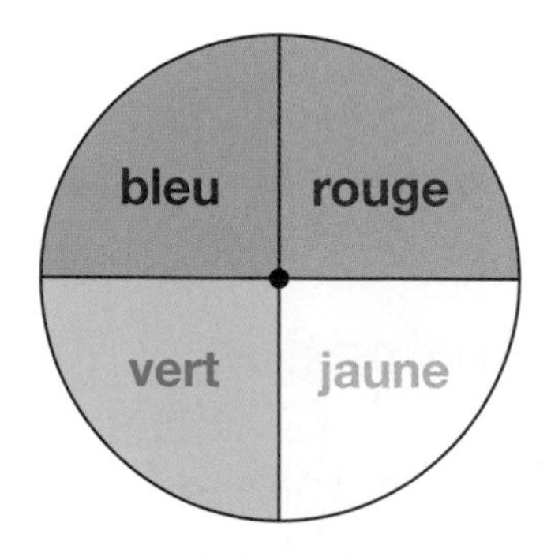

roulette Y

? **Quelle roulette Jean devrait-il choisir?**

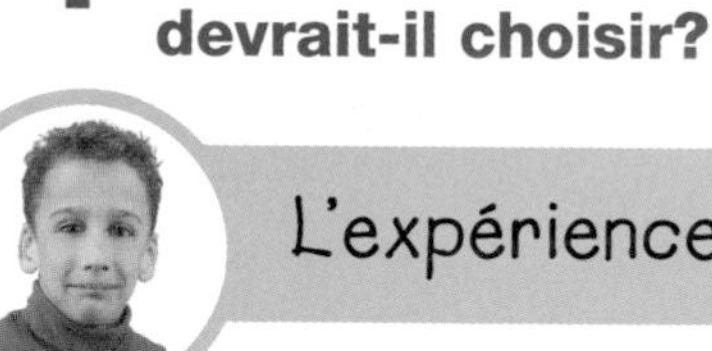

J'ai fait tourner 20 fois l'aiguille de la roulette X.
J'ai noté chaque résultat.
Ensuite, j'ai fait un tableau de fréquence.

B, R, B, B, B, R, B, R, R, R,
R, B, B, B, R, B, R, R, B, B

Rouge	Bleu
𝍸 IIII	𝍸 𝍸 I

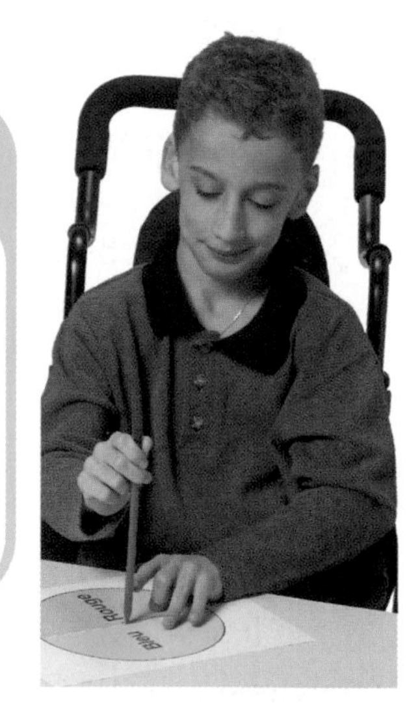

A. Jean affirme que le **rouge** et le **bleu** sont **également probables** sur la roulette X. Explique son raisonnement.

B. Fais tourner 20 fois l'aiguille de la roulette Y. Note les résultats dans un tableau de fréquence.

C. Sur quelle roulette est-il plus probable que l'aiguille s'arrête sur la section **rouge**? Explique ta réponse.

Réflexion

1. Utilise le vocabulaire des probabilités pour décrire la probabilité que l'aiguille s'arrête sur la section **verte** de la roulette X.
2. Quelle roulette Jean devrait-il choisir afin de gagner la partie? Explique ton choix.

Vérification

3. Prends la roulette Z.
   a) Prédis le nombre de fois que l'aiguille s'arrêtera sur la section **rouge** en 20 coups.
   b) Fais tourner l'aiguille 20 fois et note les résultats.
   c) Compare les résultats avec ta prédiction.
   d) Compare la probabilité que l'aiguille s'arrête sur la section **rouge** et la section **bleue**.
   e) Voir l'aiguille s'arrêter sur la section **rouge** est-il plus probable sur la roulette X que sur la Z? Explique ta réponse.
   f) Voir l'aiguille s'arrêter sur la section **rouge** est-il plus probable sur la roulette Y que sur la Z? Explique ta réponse.

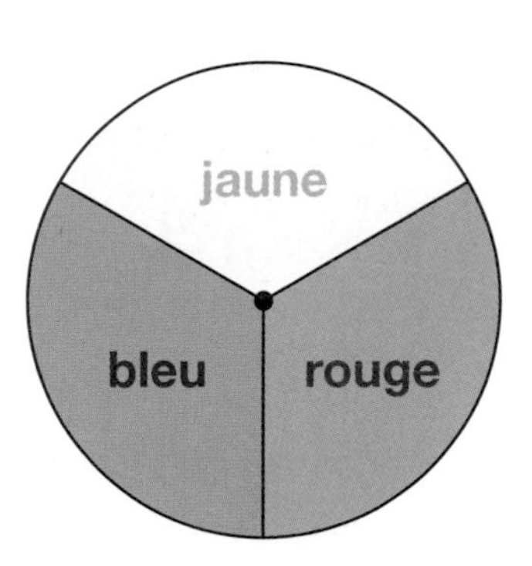

roulette Z

Application

4. a) Prédis le nombre de fois que l'aiguille de la roulette P s'arrêtera sur un nombre pair en la faisant tourner 20 fois.
   b) Fais-la tourner 20 fois et note les résultats. Compare les résultats avec ta prédiction.

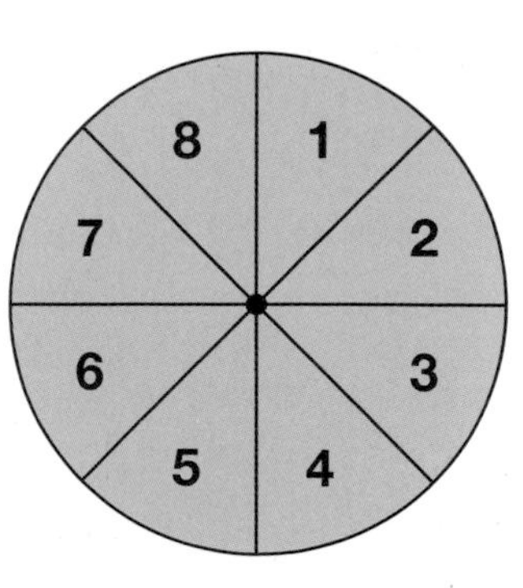

roulette P

5. Utilise le vocabulaire des probabilités pour décrire la probabilité que, à chaque coup sur la roulette Q,
   a) l'aiguille s'arrêtera sur un nombre pair.
   b) l'aiguille s'arrêtera sur un nombre impair.

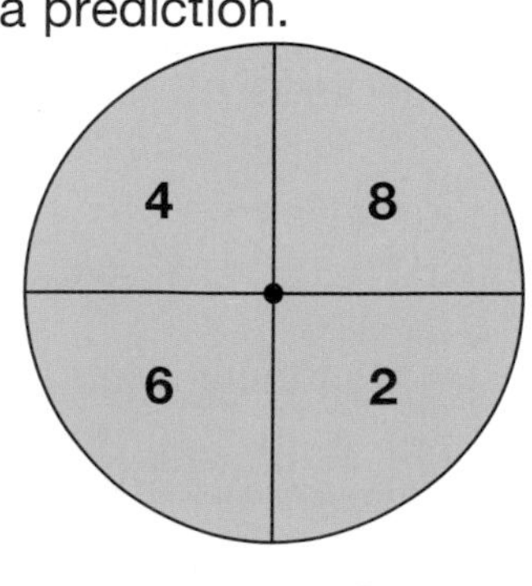

roulette Q

3 Faire des prédictions

Matériel nécessaire

- un sac en papier

- des tuiles rouges et bleues

Faire des prédictions, et effectuer et mener des expériences.

Supposons que tu mets des tuiles de 2 couleurs dans un sac en papier.

? Quelle couleur est-il le plus probable de tirer du sac?

Expérience nº 1

A. Mets 5 tuiles **rouges** et 5 tuiles **bleues** dans un sac en papier.

B. Prédis le nombre de tuiles de chaque couleur que tu obtiendras en tirant 20 fois 1 tuile du sac.

C. Tire une tuile du sac en papier. Note la couleur dans un tableau de fréquence comme celui de droite. Remets la tuile dans le sac.

D. Répète l'expérience 20 fois.

E. Compare les résultats avec ta prédiction.

Prédiction : ___ rouges ___ bleues

Rouges	Bleues

Résultat : ____ rouges ____ bleues

Expérience nº 2

F. Dessine un sac qui contient 10 tuiles. Assure-toi que tirer une tuile **bleue** soit plus probable que tirer une tuile **rouge**.

G. Explique comment tu as dessiné le sac.

H. Prédis le résultat que tu obtiendras en tirant 20 tuiles de ton sac.

I. Mets toutes les tuiles dans le sac et tire 20 fois. Remets chaque tuile dans le sac. Note tes résultats dans un tableau de fréquence.

J. Compare les résultats avec ta prédiction.

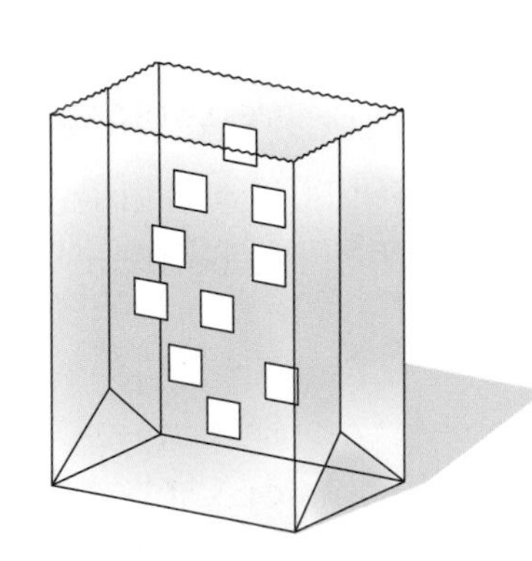

Réflexion

1. Quand tu tires une tuile du sac, qu'y a-t-il de certain au sujet de sa couleur?
2. a) Dans quelle expérience tirer une tuile **bleue** est-il plus probable que tirer une tuile **rouge**?
   b) Quelles sont les probabilités associées au nombre de tuiles de chaque couleur placées dans le sac?
3. Est-ce facile de prédire les résultats de chaque expérience? Explique pourquoi ou pourquoi pas.

Jeu de maths

Deviner les tuiles

Matériel nécessaire

- un sac en papier
- des tuiles rouges et bleues

Nombre de joueurs : 2

Règles du jeu : Le but du jeu consiste à prédire la couleur de la tuile qui sera tirée.

Étape n° 1 Mets 7 tuiles **rouges** et 3 tuiles **bleues** dans un sac.

Étape n° 2 Les 2 joueurs doivent prédire la couleur de la tuile qui sera tirée.

Étape n° 3 Un joueur tire une tuile du sac.

Étape n° 4 Il marque 1 point s'il tire une tuile rouge après avoir prédit une tuile **rouge**. Il marque 2 points s'il tire une tuile bleue après avoir prédit une tuile **bleue**.

Étape n° 5 Le joueur remet la tuile dans le sac.

La partie se termine quand un joueur a accumulé 10 points.

LEÇON

Révision

1

1. Dessine une droite de probabilité et inscris ces mots le long de la droite.

impossible improbable probable
certain très probable

2. Utilise le vocabulaire des probabilités pour décrire chaque événement.
   a) Il y aura un exercice de sécurité aujourd'hui.
   b) À mon prochain voyage en auto, je porterai une ceinture de sécurité.
   c) Un chien viendra à l'école aujourd'hui.
   d) Je vais grandir jusqu'à 3 m de hauteur.

2

3. Un jeu de société comporte ces 2 roulettes.

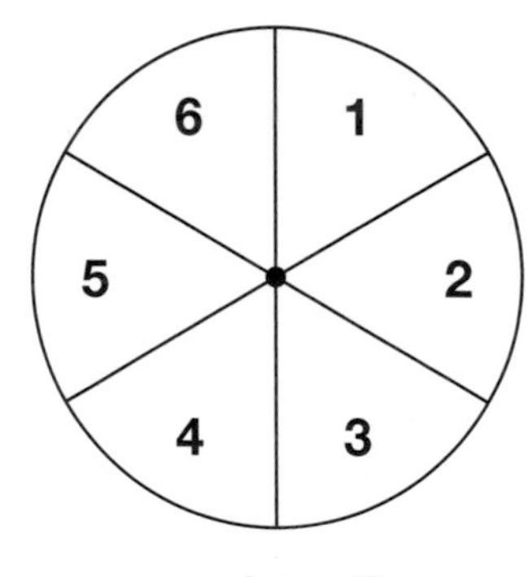

roulette E

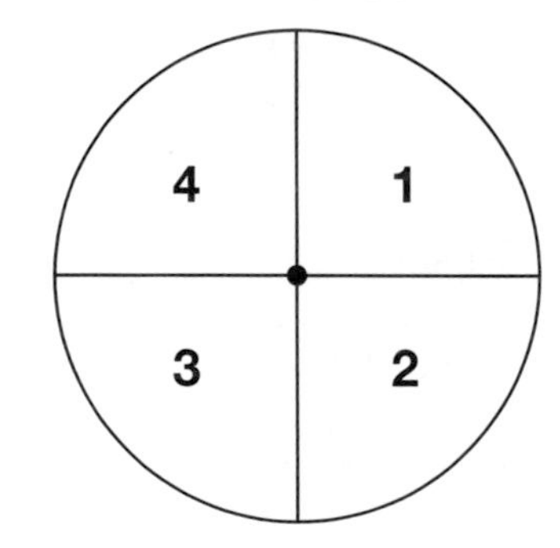

roulette F

   a) Utilise le vocabulaire des probabilités pour décrire la probabilité que l'aiguille de chaque roulette s'arrêtera sur le 2.
   b) Prédis le nombre de fois que l'aiguille s'arrêtera sur un 2 si tu la fais tourner 20 fois. Explique ta prédiction.

3

4. Dessine un sac qui correspondra à chaque description. Chaque sac devra contenir 10 tuiles.
   a) Le **rouge** sera certainement tiré du sac.
   b) Le **noir** ne sera jamais tiré du sac.
   c) Il sera aussi probable de tirer une couleur qu'une autre.
   d) Il sera plus probable de tirer une couleur qu'une autre.

DUV

Choisis ta roulette

Matériel nécessaire

- un jeton de couleur par joueur

- une table de jeu
- 3 roulettes
- des trombones

Nombre de joueurs : de 2 à 4
Règles du jeu : À tour de rôle, les joueurs font tourner la roulette et déplacent leur jeton vers la case **Arrivée**.

Départ	vert	rouge	bleu	vert
rouge	bleu	vert	rouge	bleu
vert	rouge	bleu	vert	rouge
bleu	vert	rouge	bleu	vert
rouge	bleu	vert	rouge	**Arrivée**

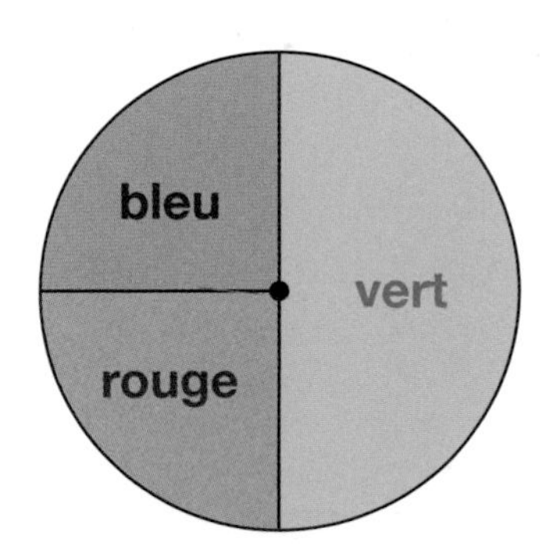

roulette n° 1

Étape n° 1 Tous les joueurs placent un jeton sur la case **Départ**.

Étape n° 2 Chaque joueur choisit une roulette et fait tourner l'aiguille.

Étape n° 3 Il déplace son jeton sur la case voisine si l'aiguille de sa roulette s'est arrêtée sur la bonne couleur. Les jetons peuvent avancer verticalement ou horizontalement, mais jamais en diagonale.

roulette n° 2

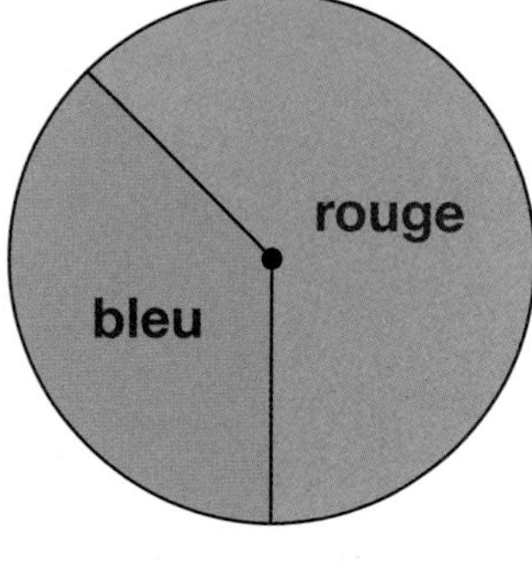

roulette n° 3

Le premier joueur qui atteint la case **Arrivée** gagne la partie.

4 Comparer des probabilités

Matériel nécessaire

- des roulettes
- un trombone

Attente **Faire des prédictions et des expériences avec des roulettes divisées en sections inégales.**

Dans un parc d'attractions, Sarah peut gagner un ours en peluche si son aiguille s'arrête sur la section **bleue**.

? Quelle est la probabilité de voir Sarah gagner au premier essai?

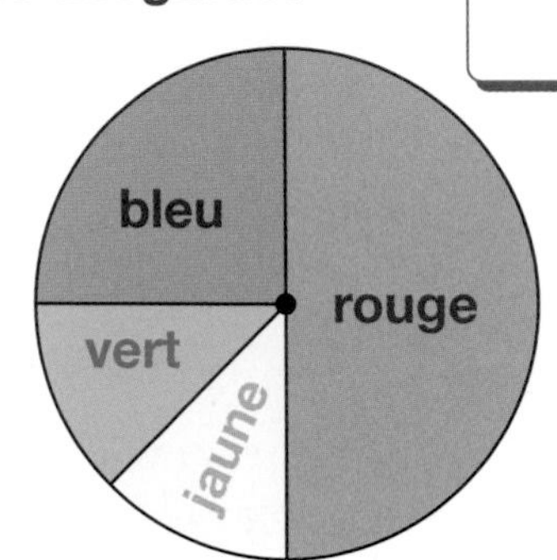

La roulette du parc d'attractions

A. Prédis le nombre de fois que l'aiguille s'arrêtera sur la section **bleue** de la roulette du parc d'attractions.

B. Fais tourner l'aiguille 40 fois. Note les résultats dans un tableau de fréquence.

C. Compare les résultats avec ta prédiction.

D. Est-il plus probable de voir l'aiguille s'arrêter sur la section **rouge** ou sur la **verte**? Explique ton raisonnement.

E. Est-il plus probable de voir l'aiguille s'arrêter sur la section **bleue** ou sur la **verte**? Explique ton raisonnement.

F. Quels 2 résultats sont **également probables**?

G. Place les couleurs (**R**, **J**, **V**, **B**) sur une droite de probabilité. Explique ton choix de placement de couleurs.

impossible — moins probable — plus probable — certain

Réflexion

1. Lors d'une expérience, pourquoi est-il préférable de jouer plusieurs fois plutôt que 1 seule fois?
2. Quelle est la probabilité qu'a Sarah de gagner du premier coup? Explique ton raisonnement.

Vérification

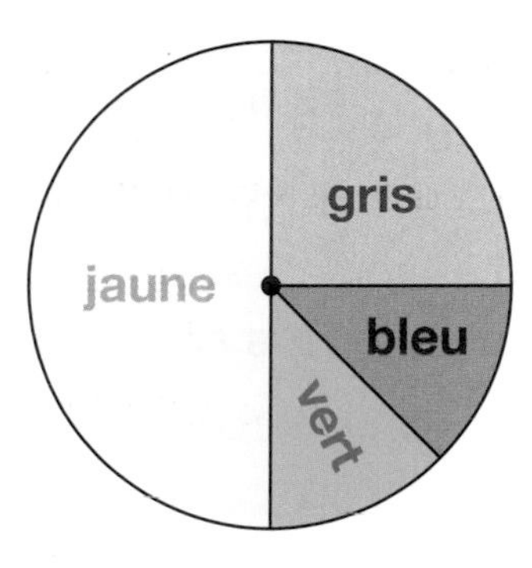

La roulette de la foire

3. À la foire, Sarah peut aussi gagner un ours en peluche si son aiguille s'arrête sur la section bleue.
   a) Fais une droite de probabilité pour la roulette de la foire.
   b) Quelle couleur est la plus probable?
   c) Quelles couleurs sont également probables?
   d) Quelle couleur du parc d'attractions est-il impossible d'obtenir à la foire?
   e) Quelle couleur est aussi probable au parc d'attractions qu'à la foire?
   f) Sarah devrait-elle jouer au parc d'attractions ou à la foire? Explique ton raisonnement.

Application

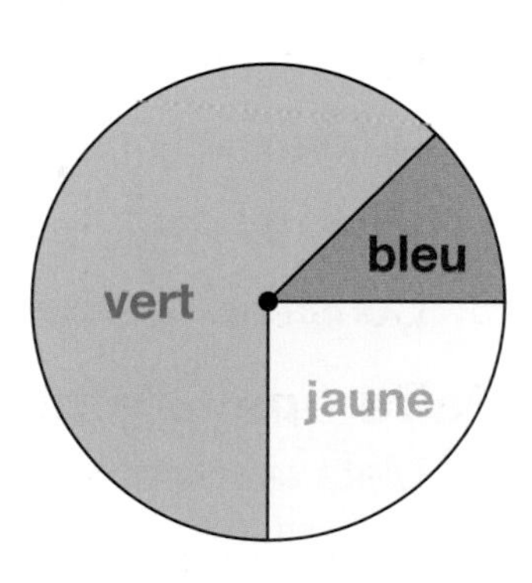

roulette S

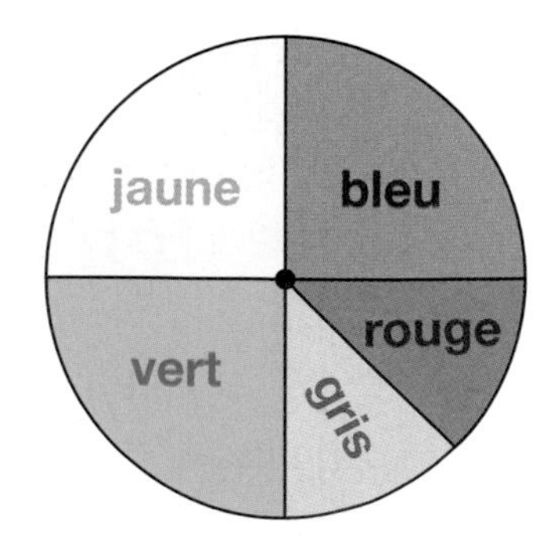

roulette T

4. Un jeu comporte 2 roulettes : S et T. Tu as droit à 1 coup.
   Explique ton raisonnement pour chaque question.
   a) Est-il plus probable de voir l'aiguille s'arrêter sur la section **verte** de la roulette S ou de la T?
   b) Sur quelle roulette est-il plus probable de voir l'aiguille s'arrêter sur la section **bleue**?
   c) Quelles couleurs de la roulette T est-il impossible d'obtenir avec la roulette S?
   d) Quelle couleur est-il également probable d'obtenir avec la roulette S et la T?

5. Trace une droite de probabilité pour les roulettes S et T. Place chaque couleur sur la droite.

5 Construire des roulettes

Construire des roulettes qui correspondent à des critères déterminés et les mettre à l'épreuve.

Matériel nécessaire

- des roulettes

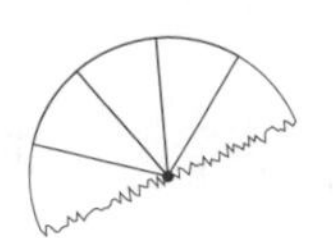

- un trombone

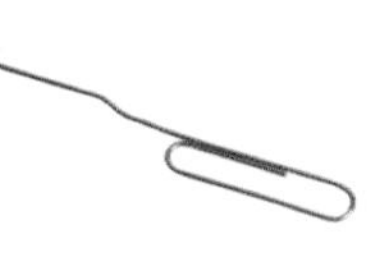

? Comment construire une roulette qui correspondra à des probabilités déterminées?

Comprendre le problème

Les roulettes devraient correspondre aux critères mentionnés sur une des cartes.

A. Si une couleur est plus probable qu'une autre, qu'est-ce que tu sais des sections de la roulette?

2 couleurs
Une couleur est plus probable que l'autre.

3 couleurs
Le **bleu** est très probable.
Le **rouge** est impossible.

3 couleurs
Deux couleurs sont également probables. Une autre couleur est moins probable.

4 couleurs
Toutes les couleurs sont également probables.

Le jaune est certain.

Élaborer un plan

B. Choisis une carte.

C. Combien de couleurs la roulette devrait-elle avoir? Détermine les couleurs que tu choisiras.

D. Détermine la taille de chaque section.

Mettre le plan en œuvre

E. Construis ta propre roulette.

Faire une vérification des résultats

F. Mets ta roulette à l'épreuve en faisant tourner l'aiguille 20 fois. Note les résultats dans un tableau de fréquence.

G. Choisis une autre carte. Construis une autre roulette et mets-la à l'épreuve.

Réflexion

1. Pourrais-tu avoir construit tes roulettes d'une autre façon? Explique ton raisonnement.
2. Peux-tu construire 1 roulette qui correspondra aux critères de plus de 1 carte? Si oui, explique ta réponse.

Probabilité et fractions

1 Des fractions peuvent servir à décrire une probabilité. Si $\frac{1}{4}$ d'une roulette est jaune, la probabilité de voir l'aiguille s'arrêter sur une section jaune est de 1 chance sur 4.

Écris une fraction pour représenter la probabilité que l'aiguille s'arrête sur chacune des couleurs.

a) vert **b)** bleu **c)** rouge

Dessine une roulette qui aura 1 chance sur 3 de s'arrêter sur la section **rouge**, 1 chance sur 3 sur la jaune, et 1 chance sur 3 sur la **bleue**.

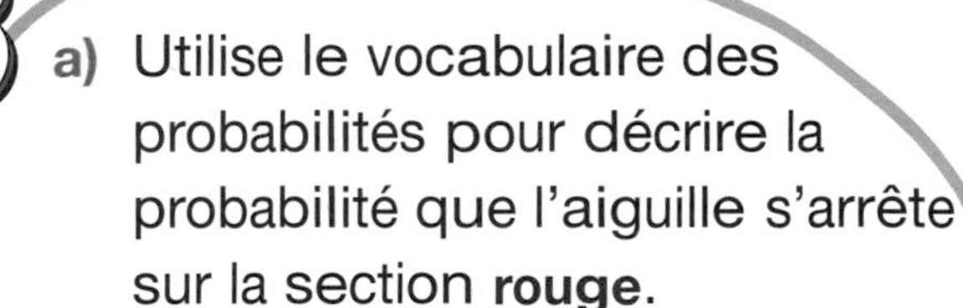

3 **a)** Utilise le vocabulaire des probabilités pour décrire la probabilité que l'aiguille s'arrête sur la section **rouge**.

b) Utilise un nombre pour décrire la probabilité que l'aiguille s'arrête sur la section **rouge**.

Écris une fraction pour représenter la probabilité que l'aiguille s'arrête sur chaque couleur.

a) rouge **b)** vert **c) bleu** **d)** jaune

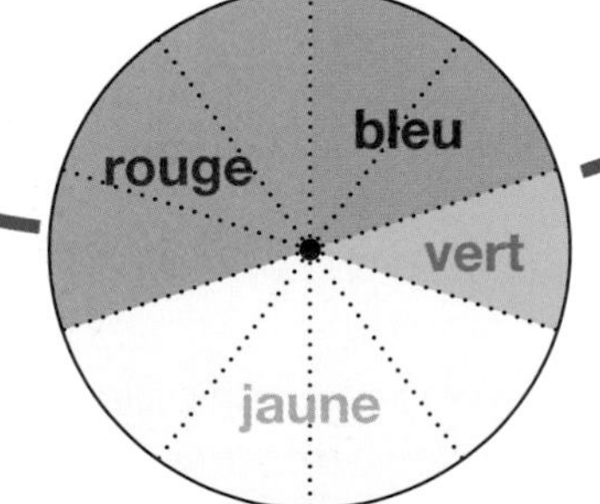

5 Écris une fraction pour représenter la probabilité de faire tomber la pièce du côté face.

6 Résoudre des problèmes à l'aide de diagrammes en arbre

Utiliser des diagrammes en arbre pour trouver toutes les combinaisons possibles.

La classe de Carl a apporté du pain blanc et du pain brun, de la dinde, du thon et du fromage afin de faire des sandwichs pour une excursion.

? Combien de sortes de sandwichs sont possibles?

Le diagramme en arbre de Carl

Comprendre le problème

Je suppose que chaque sandwich est fait de 1 sorte de pain et de 1 garniture.

diagramme en arbre
Schéma utilisé pour compter et noter des combinaisons d'événements.

Élaborer un plan

Je dessinerai un **diagramme en arbre** pour trouver toutes les combinaisons de pains et de garnitures.

Mettre le plan en œuvre

Voici mon diagramme.

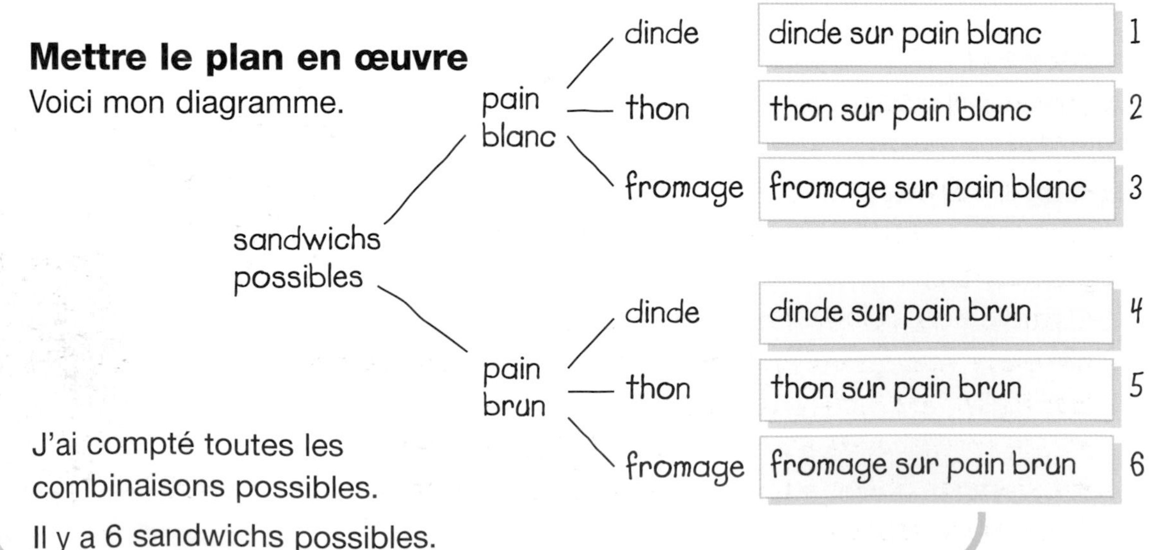

J'ai compté toutes les combinaisons possibles.

Il y a 6 sandwichs possibles.

Réflexion

1. Comment le diagramme en arbre a-t-il aidé Carl à résoudre le problème?
2. Quel sorte de tri dois-tu faire en premier lieu avant de dessiner les embranchements d'un diagramme en arbre?
3. Supposons que Carl a mangé un des sandwichs. Est-il plus probable qu'il ait mangé un sandwich au pain blanc ou un sandwich à la dinde sur pain brun? Explique à l'aide du diagramme en arbre.

Vérification

4. Les élèves ont acheté des muffins et du glaçage.
   Muffins : aux carottes, aux bananes
   Glaçage : au fromage à la crème, au chocolat, à la fraise, à la vanille
   a) Fais un diagramme en arbre pour montrer toutes les combinaisons possibles de muffins et de glaçage.
   b) Combien de combinaisons sont possibles?
   c) Un élève mange un muffin glacé.
      Est-il plus probable que le muffin soit :
      - un muffin à la banane avec n'importe quel glaçage; ou
      - un muffin aux carottes avec du glaçage au fromage à la crème? Explique ta réponse.

Application

5. Les élèves ont acheté des croustilles et des trempettes.
   Croustilles : de maïs, de pomme de terre salée, de pomme de terre
   Trempettes : à la sauce piquante, à la crème sure, aux pois chiches
   a) Combien de combinaisons sont possibles?
   b) Un élève mange une croustille couverte de trempette.
      Est-il plus probable que ce soit :
      - une croustille de maïs à la sauce piquante; ou
      - n'importe quelle croustille de pomme de terre à la crème sure?

      Explique ta réponse.

Roulettes décimales

1. Le **bleu** occupe 0,10 de cette roulette.
   a) Comment peux-tu dire que le jaune occupe plus de 0,50 de la roulette?
   b) Quelle est la somme de ces 3 nombres décimaux?
   c) Estime en nombres décimaux les sections jaune et **rouge**.

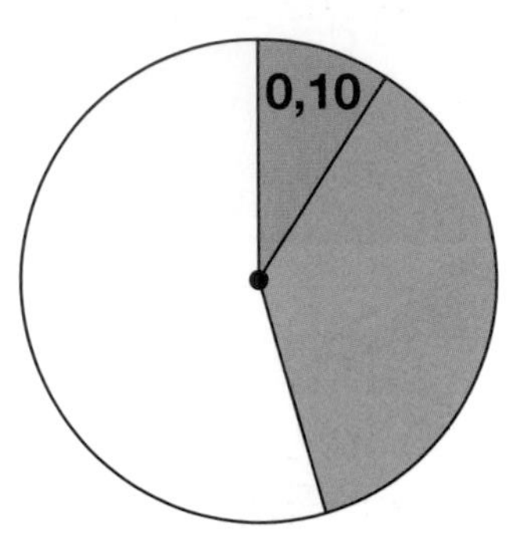

2. Le **bleu** occupe 0,50 de cette roulette. Estime en nombres décimaux les sections jaune et **rouge**.

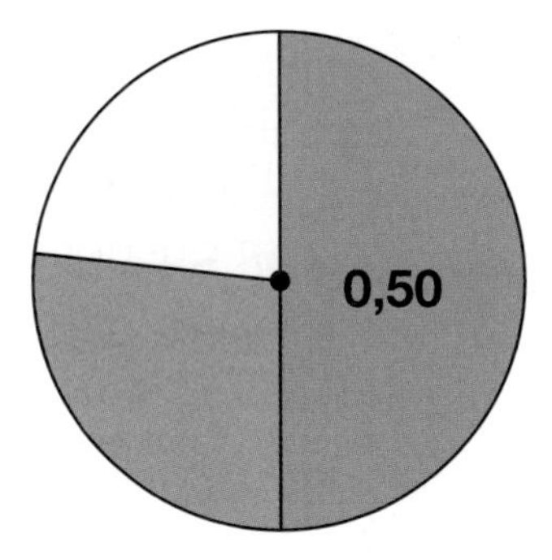

3. a) Trace le contour de ce cercle. Divise-le en 3 parties ou plus.
   b) Estime chaque section du cercle en nombres décimaux.

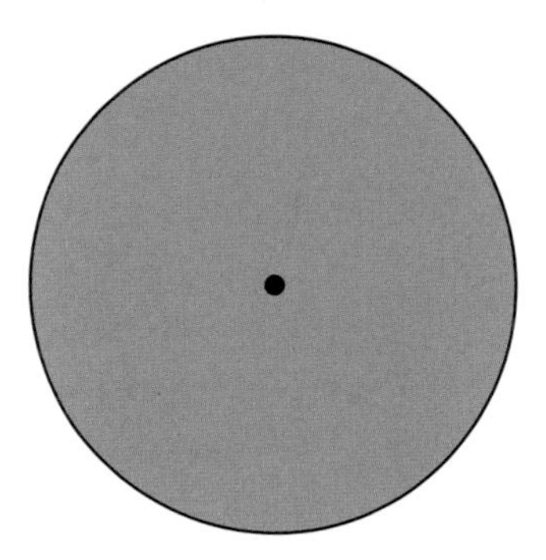

LEÇON

Acquisition des compétences

1

1. a) Dessine une droite de probabilité.
Inscris-y les lettres de chacun des événements suivants.

impossible — certain

moins probable | plus probable

A. Chaque habitant d'Ottawa fera du ski cet hiver.
B. Je mangerai quelque chose demain.
C. Il pleuvra demain.
D. Au moins un enseignant de Vancouver donnera des devoirs ce soir.
E. Au Canada, la plupart des élèves de 4e année sont en classe aujourd'hui.

b) Invente un événement qui correspondra à chaque expression de probabilité.
Ajoute les nouveaux événements à la droite de probabilité de la partie a).
F. très probable
G. probable
H. improbable

2

2. Prédis le nombre de fois que tu obtiendras, en 20 coups, un nombre supérieur à 5.

a)

9 1 2 3 4 6 7 8

b)

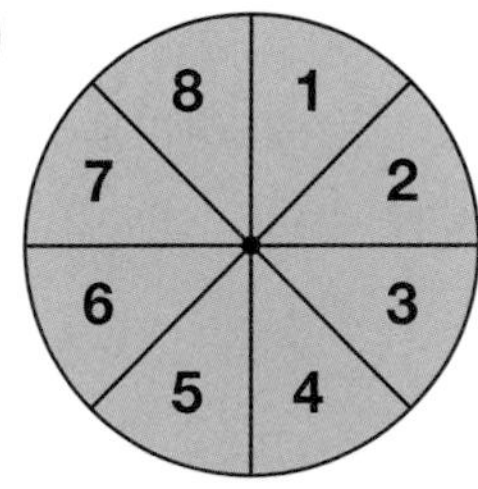

c)

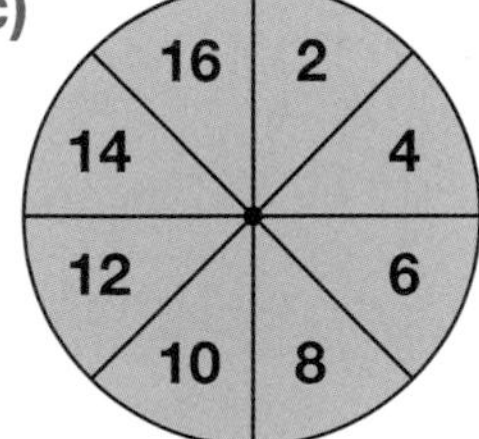

3. Utilise une expression de probabilité pour décrire la probabilité que l'aiguille s'arrête sur :

a) un nombre plus petit que 9
b) un nombre plus petit que 6
c) 6
d) un nombre plus grand que 9
e) un nombre pair

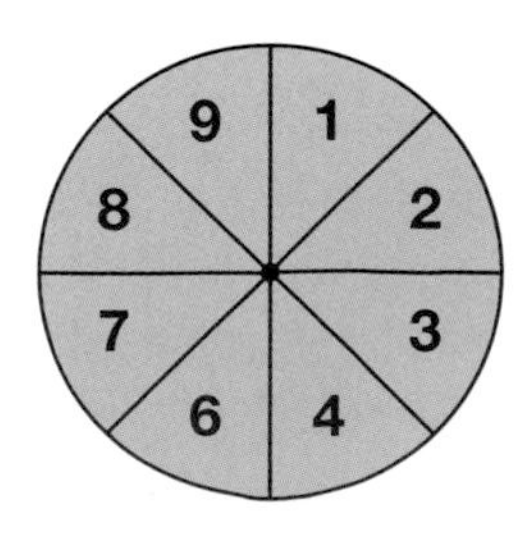

3

4. Prédis le nombre de tuiles de chaque couleur que tu obtiendras en tirant 20 fois 1 tuile.

a)

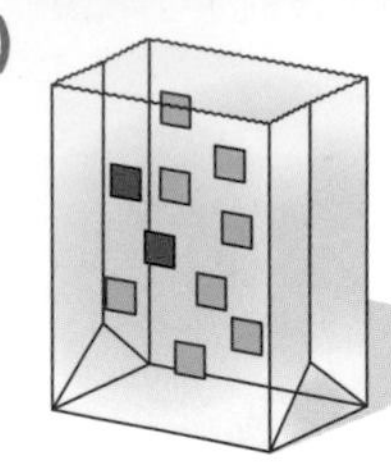

b)

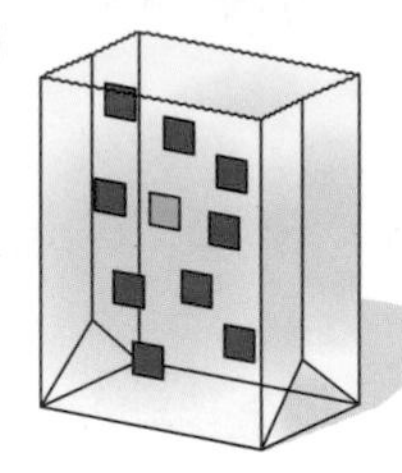

c)

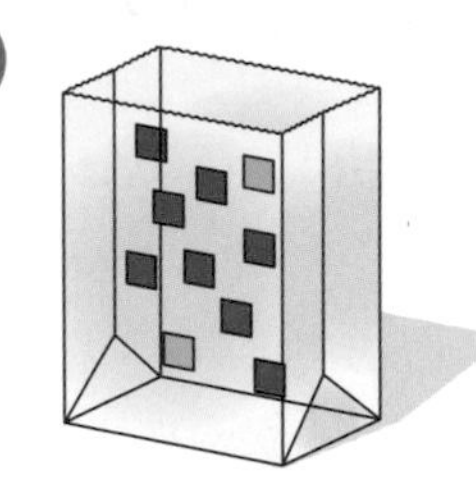

4

5. Un jeu comporte 2 roulettes : S et T.
Chaque joueur a droit à 1 coup.

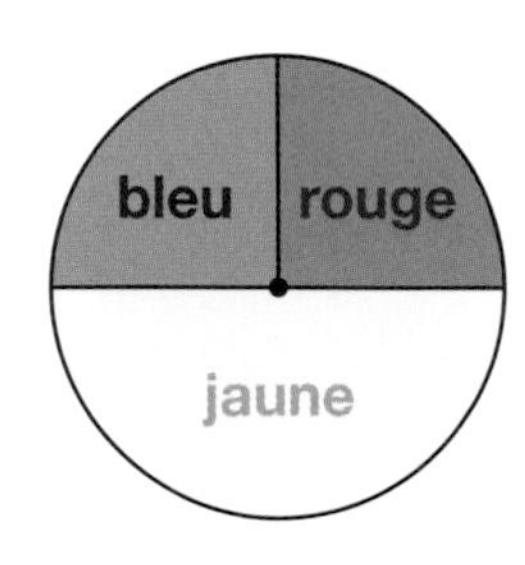

roulette S

jaune
bleu
rouge
violet

roulette T

a) Est-il plus probable que l'aiguille s'arrête sur la section **rouge** de la roulette S ou de la T?

b) Sur quelle roulette la section jaune est-elle plus probable?

c) Quelle couleur de la roulette T est-il impossible d'obtenir sur la roulette S?

d) Fais une droite de probabilité pour chaque roulette.
Place les couleurs (**R**, **B**, **J**, **V**) sur la droite.

e) Quelle couleur est-il aussi probable d'obtenir sur la roulette S que sur la T?

5

6. Dessine 4 roulettes, une pour chaque ensemble de conditions.

a) Sur cette roulette, le **bleu** est certain.

b) Cette roulette comporte 2 couleurs.
Une couleur est moins probable que l'autre.

c) Cette roulette comporte 3 couleurs. Le **rouge**, le **bleu**, et le **vert** sont également probables.

d) Cette roulette comporte 3 couleurs.
Le jaune est impossible. Le **rouge** est très probable.
Le **bleu** est possible. Le **vert** est moins probable que le bleu.

DUV

Problèmes de tous les jours

3

1. Dessine un sac qui correspond à chaque description.
   a) Il est certain qu'une tuile verte sera tirée du sac.
   b) Il est impossible de tirer une tuile **rouge**.
   c) Il y a 3 couleurs. Il est aussi probable de tirer une couleur qu'une autre.

2. a) Est-il possible de dessiner un sac qui correspondra aux 3 descriptions de la question n° 1? Explique ton raisonnement.
   b) Est-il possible de dessiner un sac qui correspondra à 2 descriptions de la question n° 1? Explique ton raisonnement.

4

3. Ceux qui ont planifié la fête foraine de l'école cette année veulent inclure un étang à poissons. L'étang contiendra 40 poissons. Il y aura 4 couleurs de poissons. Dessine un étang de manière à ce que les 3 couleurs de poissons aient la même probabilité d'être prises. La 4e couleur de poisson permet de gagner un gros prix et doit être très peu probable.

6

4. Chaque équipe d'une course à 3 pattes doit se composer de 1 garçon et 1 fille.
   a) Énumère toutes les équipes possibles.
   b) Les noms sont placés dans 2 sacs : 1 sac pour les noms des garçons et 1 sac pour ceux des filles. On tire 1 nom de garçon et 1 nom de fille. Décris la probabilité de tirer 2 noms commençant par un R.

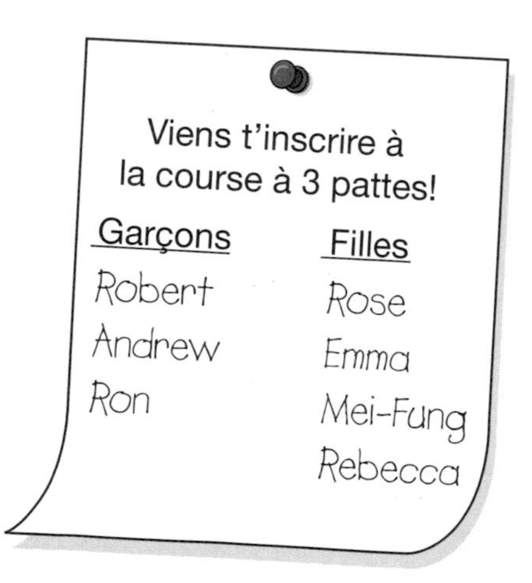

LEÇON

Révision du chapitre

1 **1.** Décris un événement qui correspondra à chaque probabilité.

a) impossible
b) improbable
c) très probable
d) certain

2 **2.** Un jeu comporte 2 roulettes : G et H.

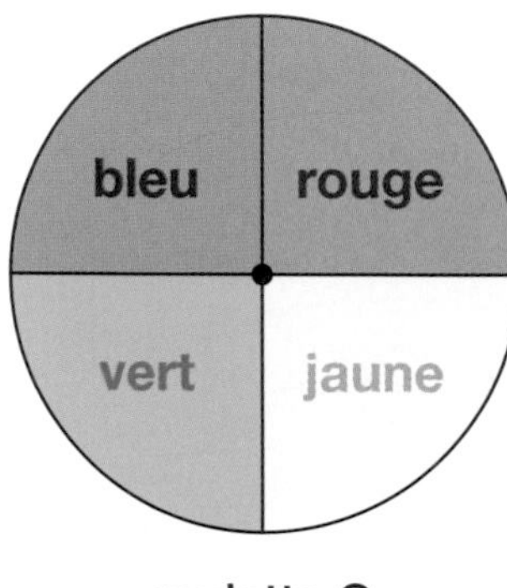

roulette G

roulette H

a) Quelles couleurs sont également probables sur la roulette G?

b) Prédis le nombre de fois que l'aiguille s'arrêtera sur la section **rouge** en 20 coups.
Explique chaque prédiction.

c) Si tu veux voir l'aiguille s'arrêter sur le **vert**, quelle roulette choisiras-tu? Explique ton raisonnement.

3 **3.** Un sac doit contenir 7 billes **vertes** et 3 billes **noires**.

a) Est-il plus probable de tirer du sac une bille **noire** ou une bille **verte**?
Comment le sais-tu?

b) Utilise le vocabulaire des probabilités pour décrire la probabilité de tirer une bille **verte** du sac.

4. a) Dessine un sac avec 2 couleurs de tuiles.
Tirer une couleur devrait être plus probable que tirer l'autre.

b) Explique pourquoi il y a plus de 1 façon de colorier les tuiles.

4

5. Un stand de jeux compte 2 roulettes : O et P.

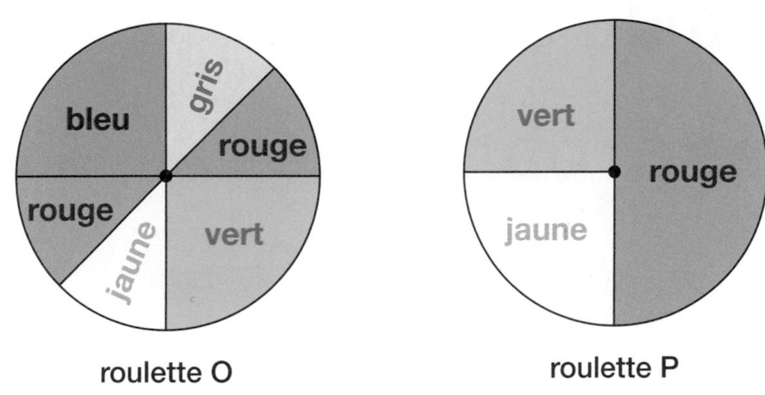

a) Sur quelle roulette est-il plus probable de voir l'aiguille s'arrêter sur la section **rouge**?

b) Fais une droite de probabilité pour chaque roulette. Note les couleurs de chaque roulette sur chaque ligne.

c) Le propriétaire du jeu veut offrir à tous les joueurs la même probabilité de gagner, quelle que soit la roulette qu'ils choisissent. Quelle devrait être la couleur gagnante?

5

6. Construis une roulette qui correspondra à chaque description.

a) Il y a 3 nombres.
Chaque nombre est également probable.

b) Il y a 2 couleurs.
Une couleur est plus probable que l'autre.

c) Il y a 3 couleurs. Le **rouge** et le **noir** sont également probables. Le **bleu** est moins probable.

6

7. Vanessa prépare des coupes glacées pour sa fête.
Coupes glacées : à la vanille, au chocolat
Garnitures : à la fraise, à l'ananas, au chocolat, au caramel

a) Construis un diagramme en arbre des coupes glacées qui peuvent être faites avec 1 sorte de crème glacée et 1 garniture.

b) Vanessa te donne la coupe glacée qu'elle vient de faire. Quelle combinaison est la plus probable :

- la coupe et la garniture sont au chocolat; ou
- la coupe est à la vanille et la garniture est aux fruits?

Tâche du chapitre

La loterie des probabilités

Paulette veut faire une roulette pour son stand de la foire foraine.

Les prix de Paulette

Je veux que les visiteurs de mon stand gagnent le prix visé sur la roulette.

J'ai tracé cette droite de probabilité pour montrer comment les prix seront gagnés.

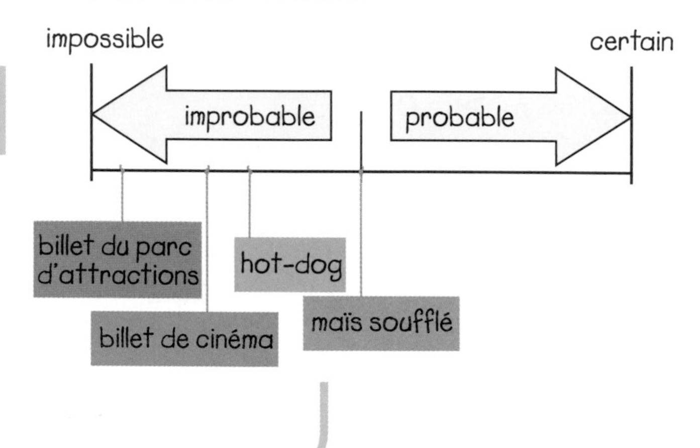

? Quelle roulette ferais-tu pour le stand?

Comprendre le problème

A. Lequel est le plus probable : le hot-dog ou le billet de cinéma?

Élaborer un plan

B. Combien de sections différentes faut-il à la roulette? Quelle section devrait être la plus grande?

Mettre le plan en œuvre

C. Rassemble le matériel qu'il faut pour construire la roulette.

D. Fais une prédiction. Si tu fais tourner l'aiguille 40 fois, combien de fois chaque prix sera-t-il remporté?

E. Mène l'expérience. Compare les résultats avec ta prédiction.

Faire une vérification des résultats

F. Explique comment ta roulette illustre les probabilités sur la droite de Paulette.

Liste de contrôle de la tâche

- ☑ As-tu inclus des diagrammes?
- ☑ As-tu inclus les données de ton expérience?
- ☑ As-tu expliqué ton raisonnement?
- ☑ As-tu utilisé le vocabulaire mathématique?

CHAPITRE 14

Motifs et transformations géométriques

Attentes

Tu pourras

- **prolonger, créer et décrire des motifs géométriques;**
- **utiliser et décrire des translations, des rotations et des réflexions;**
- **résoudre des problèmes de régularité à l'aide de transformations géométriques.**

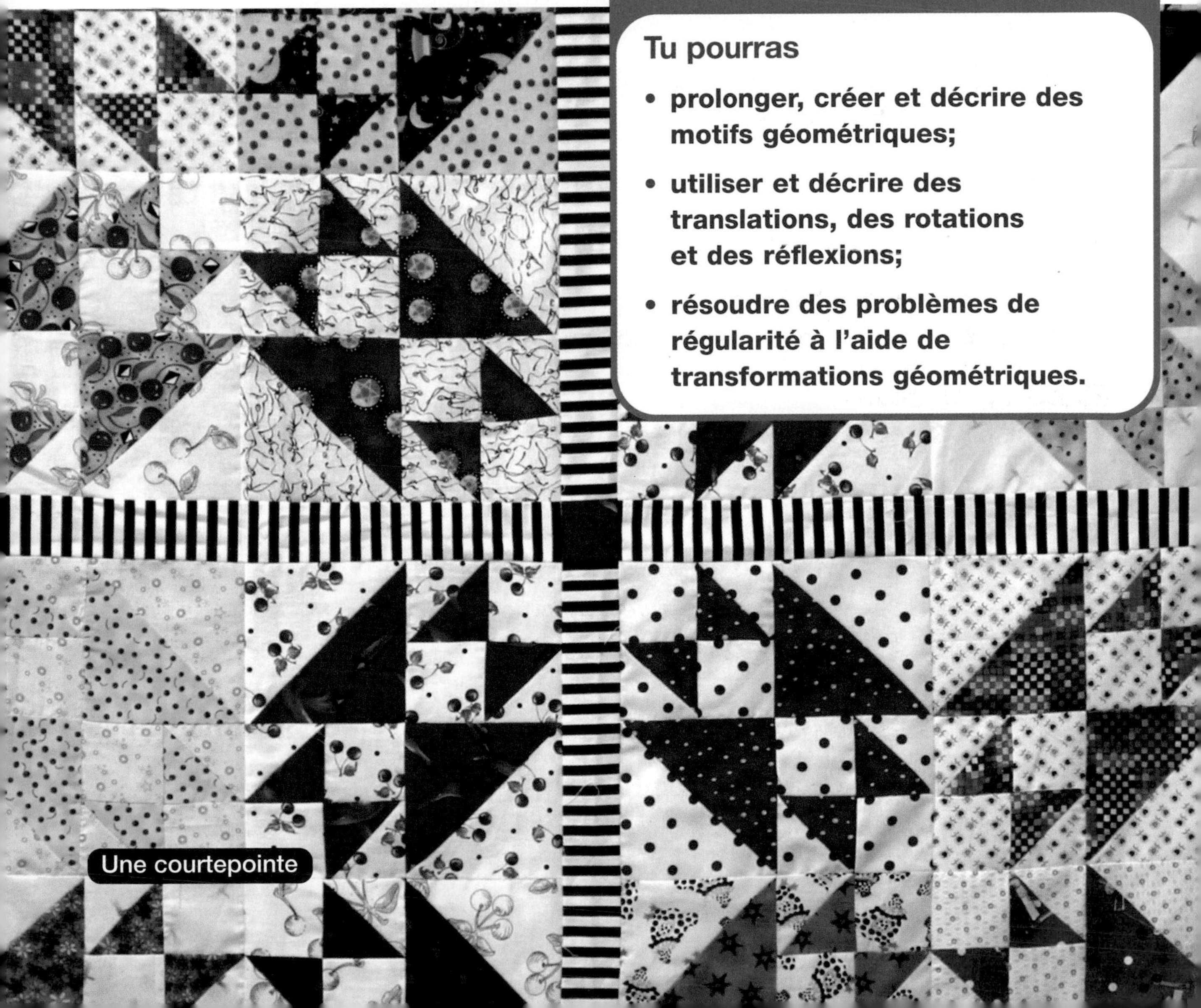

Une courtepointe

Premiers pas

Identifier des motifs géométriques

? Quelles suites forment les motifs dans ces ceintures?

Matériel nécessaire

- des mosaïques géométriques

- du papier à dallage

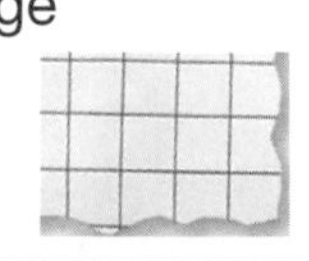

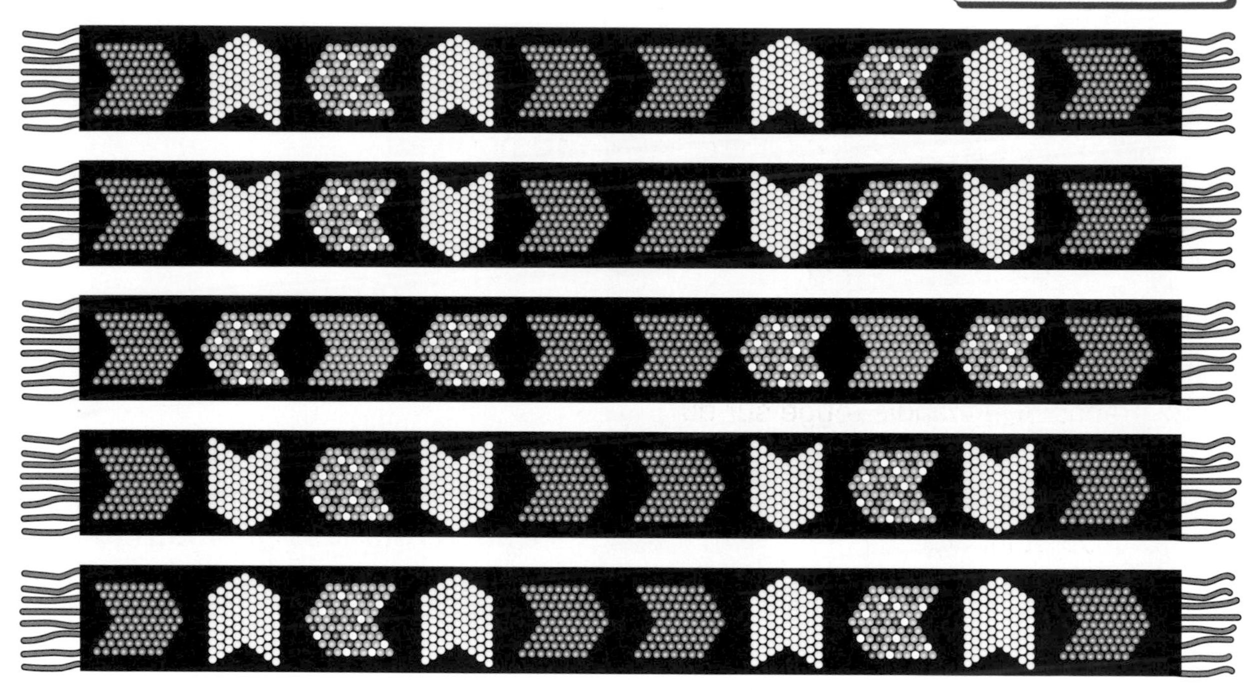

A. Décris la régularité de chaque suite.

B. Quelles suites reposent sur le changement d'un **attribut** de couleur?

C. Quelles suites reposent sur le changement d'un attribut de direction?

D. Quelles suites reposent sur le changement d'une combinaison d'attributs? Explique ta réponse.

E. Forme divers motifs en rangée, en colonne ou en diagonale. Utilise du papier à dallage et des mosaïques géométriques en forme de trapèze.

F. Demande à quelqu'un de décrire le plus de suites possibles dans ton quadrillé.

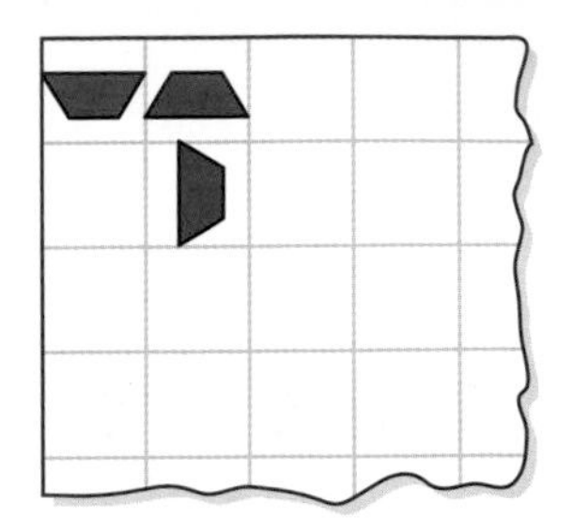

Rappelle-toi!

1. a) Quelles figures montrent une translation?

b) Quelles figures montrent une réflexion?

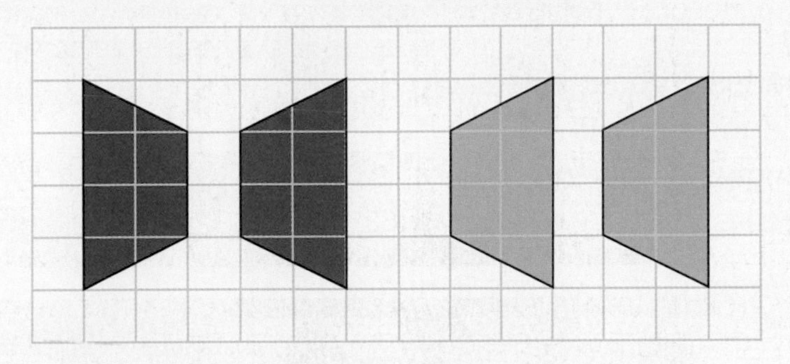

2. Transcris le triangle rouge sur du papier quadrillé.

a) Montre une demi-rotation autour du point noir.

b) Montre un quart de rotation dans le sens contraire des aiguilles d'une montre.

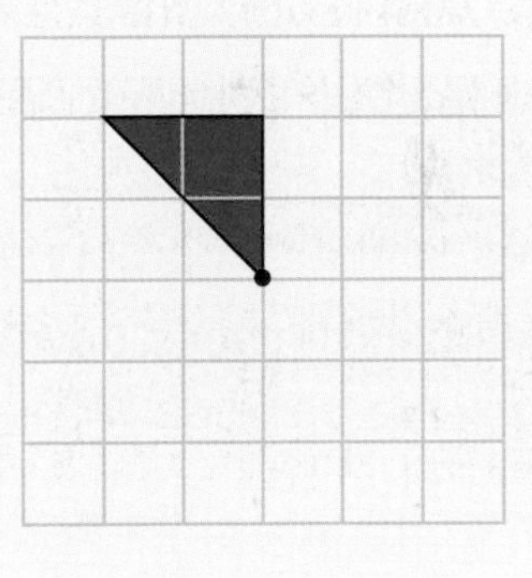

3. Dessine les 3 prochaines figures de cette suite. Décris la régularité.

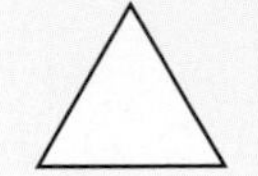 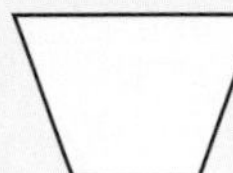 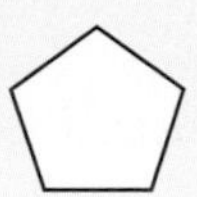 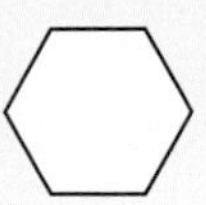

1 Apprendre à utiliser des coordonnées

Repérer et décrire des coordonnées sur un plan cartésien.

Matériel nécessaire

- un plan cartésien

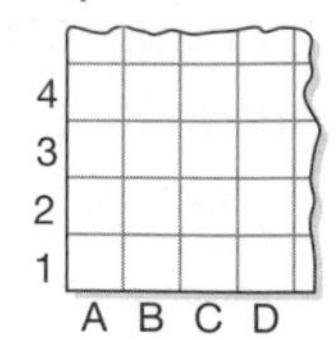

- des jetons

? Comment peux-tu repérer des coordonnées sur un plan cartésien?

Le plan cartésien de Manitok

On m'a donné ce plan cartésien pour jouer au Bingo. Pour crier « Bingo », je dois couvrir 5 cases d'une rangée, d'une colonne ou d'une diagonale.

B	I	N	G	O
5	5	5	5	5
4	4	4	4	4
3	3	GRATUIT	3	3
2	2	2	2	2
1	1	1	1	1

Le jeton vert est sous la lettre G et il couvre le numéro 2. Ses **coordonnées** sont G2.

coordonnées
Nombres ou lettres qui décrivent la position d'un point sur un plan cartésien.

A. Donne les coordonnées des autres jetons sur la carte de Manitok.

B. Quelles sont les coordonnées de la case GRATUIT?

C. Quelles coordonnées devrait-on couvrir pour obtenir un Bingo sur la carte de Manitok?

Ce plan montre une autre façon d'inscrire des coordonnées. Le jeton rouge est en C4.

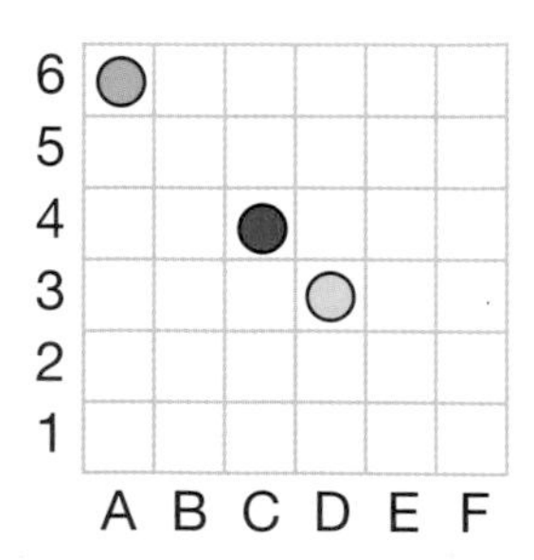

D. Donne les coordonnées des autres jetons.

E. Quelles coordonnées permettraient de terminer la diagonale?

Réflexion

1. Les mêmes coordonnées peuvent-elles décrire 2 positions différentes sur un plan? Explique ta réponse.

Vérification

2. Les coordonnées G4, O5, B2, I3, N4 et G1 ont été annoncées. Ces coordonnées permettraient-elles de gagner avec la carte de Manitok? Explique ta réponse.

B	I	N	G	O
5	5	5	5	5
4	4	4	4	4
3	3	GRATUIT	3	3
2	2	2	2	2
1	1	1	1	1

3. Supposons que les cases B2, E2, D2 et A2 sont couvertes. Quelles autres cases devrait-on couvrir pour remplir une rangée sur ce plan cartésien? Montre ton travail.

Application

4. a) Quelles sont les coordonnées des jetons rouges sur cette carte de Bingo?
   b) Quelles coordonnées devrait-on annoncer pour compléter une rangée de la carte de Bingo?
   c) Quelles coordonnées devrait-on annoncer pour compléter une colonne de la carte de Bingo?

B	I	N	G	O
5	5	5	5	5
4	4	4	4	4
3	3	GRATUIT	3	3
2	2	2	2	2
1	1	1	1	1

5. Dans ce jeu, chaque rectangle couvre 3 cases sur un plan. À tour de rôle, les joueurs devinent les coordonnées des rectangles de l'autre joueur. Les cases coloriées sont les cases devinées précédemment. Quelles coordonnées devrais-tu deviner pour compléter tous les rectangles?

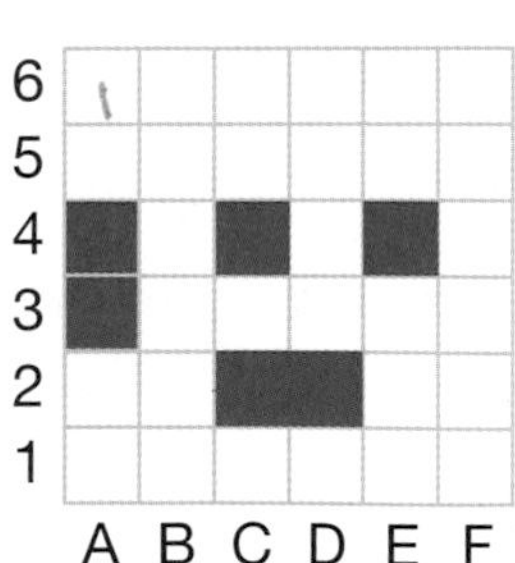

6. Utilise un plan de 6 cases sur 6 comme celui de la question n° 3. Écris les coordonnées de 4 cases qui formeraient un carré sur ce plan.

2 Faire des translations de figures

Utiliser et décrire des translations.

? Combien de cases peux-tu couvrir au jeu des translations?

Nombre de joueurs : 2

Règles du jeu : Utiliser des **translations** pour placer des formes sur des cases vides.

Étape nº 1 Chaque joueur choisit une forme.

Étape nº 2 Le premier joueur lance 1 dé. Il utilise le nombre obtenu pour faire une translation en se déplaçant vers le haut, le bas, la droite ou la gauche, à partir de la case de départ (D4). Un joueur peut changer de direction une seule fois par tour. Il pose sa forme sur le plan, puis il décrit la translation.

Étape nº 3 C'est ensuite au tour du deuxième joueur.

Étape nº 4 De nouveau, le premier joueur fait une translation à partir de la dernière place occupée par sa forme. Si la case visée est vide, le premier joueur y pose une nouvelle forme. Si elle est occupée, il perd son tour.

Le jeu se termine quand ni l'un ni l'autre des joueurs ne peut remplir de case sur le plan.

Matériel nécessaire

- un plan cartésien

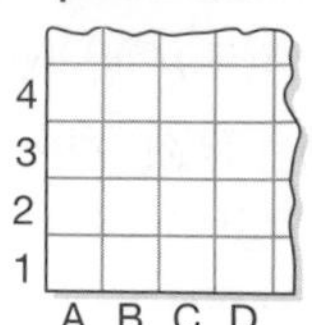

- des mosaïques géométriques

- un dé

translation
Résultat d'un glissement. Un glissement doit se faire en ligne droite (à droite ou à gauche; vers le haut ou vers le bas).

Le jeu de Chantal

Miki a joué en premier. Elle a posé son trapèze en B3. J'ai obtenu un 5. J'ai placé mon triangle 3 cases à gauche et 2 cases vers le haut de la case de départ.

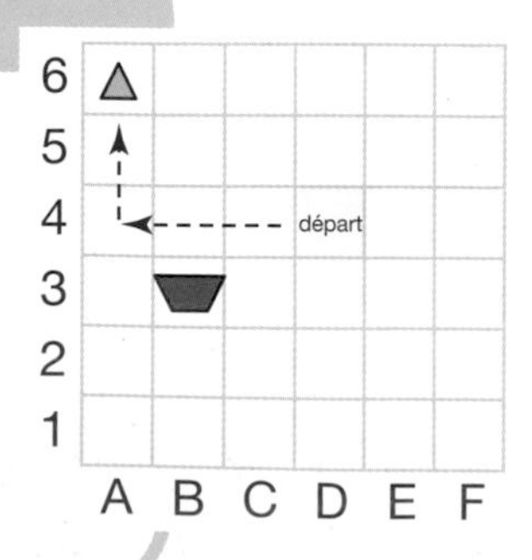

Le jeu de Miki

J'ai obtenu un 4.
J'ai avancé de 3 cases à droite et 1 case vers le bas. J'ai placé un nouveau trapèze en E2.

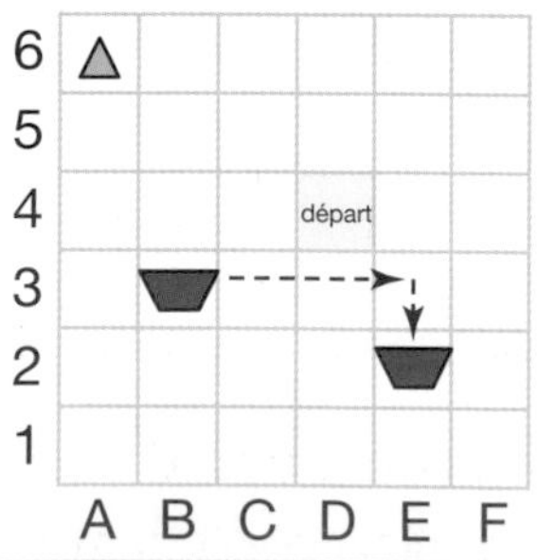

A. Quel a été le premier lancer de Miki? Explique ton raisonnement.

B. Termine le jeu de translations.
Combien de cases les 2 joueurs ont-ils couvertes?

Réflexion

1. Normalement, on décrit les translations en fonction de glissements à gauche ou à droite, ou vers le haut ou le bas. Est-ce vrai pour les trapèzes verts?
2. Le trapèze rouge en D2 est-il une translation du trapèze rouge en B4? Explique ta réponse.
3. a) Si tu as fait glisser le trapèze en B4 de 1 case à gauche et 3 cases vers le bas, où est-il?
   b) Décris une translation simple qui amènera le trapèze vert en A5 au même endroit que la translation décrite dans la partie a).

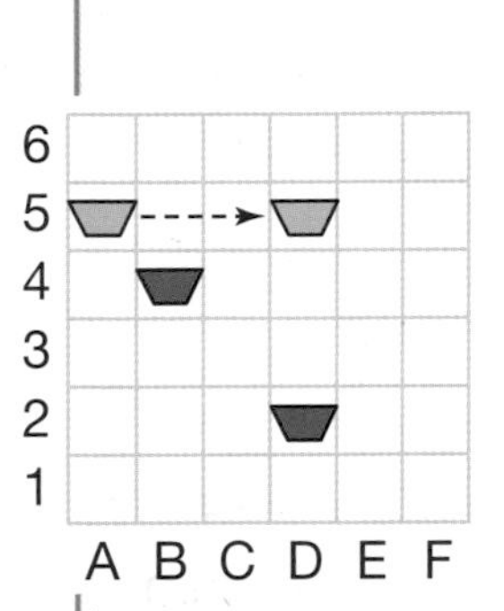

Vérification

4. a) Fais glisser le trapèze en B2 de 2 cases à droite et 3 cases vers le haut.
   Nomme les nouvelles coordonnées.
   b) Quelle translation ferait glisser le trapèze rouge sur le bleu?

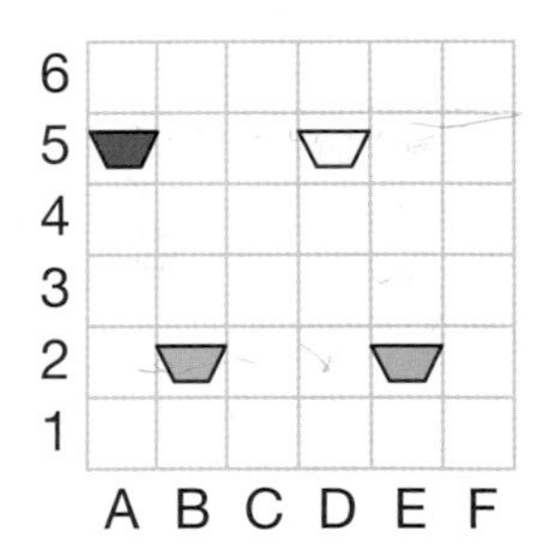

Application

5. Nomme les coordonnées à la fin de chaque translation.
   a) Le triangle en E5 se déplace de 4 cases à gauche et 2 cases vers le bas.
   b) Le triangle en C2 se déplace de 1 case à gauche et 3 cases vers le haut.
   c) Le triangle en C2 se déplace de 1 case à droite et 3 cases vers le haut.

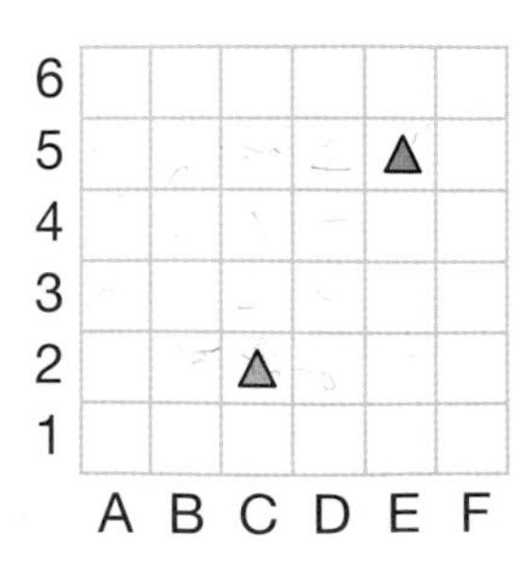

6. Nomme une translation qui permettra un glissement de C2 à E5.
7. Dessine 3 translations dans des directions différentes sur un plan cartésien de 6 cases sur 6. Décris tes translations.

3 Faire des rotations de figures

Utiliser et décrire des rotations.

? **Comment peux-tu décrire la rotation d'une figure?**

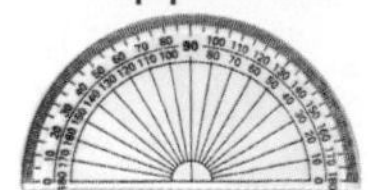

Matériel nécessaire

- du papier à points
- un rapporteur
- un triangle en papier

Les rotations de Pedro

Je voulais découvrir la relation entre les triangles vert foncé de cette courtepointe.

J'ai découpé un triangle correspondant au motif de la courtepointe et je l'ai posé sur du papier à points. Ensuite, j'ai fait tourner le triangle autour du point O. Le point O est le **centre de rotation**.

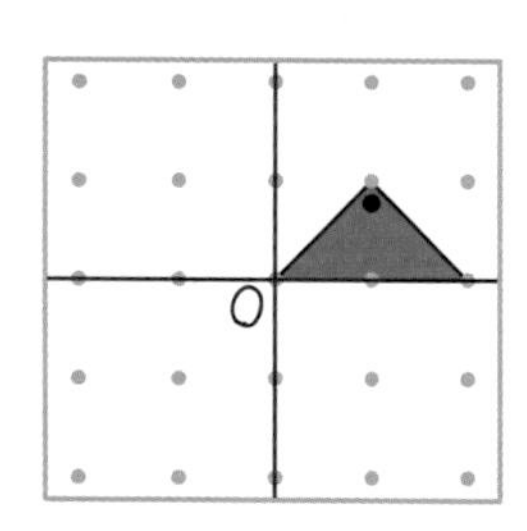

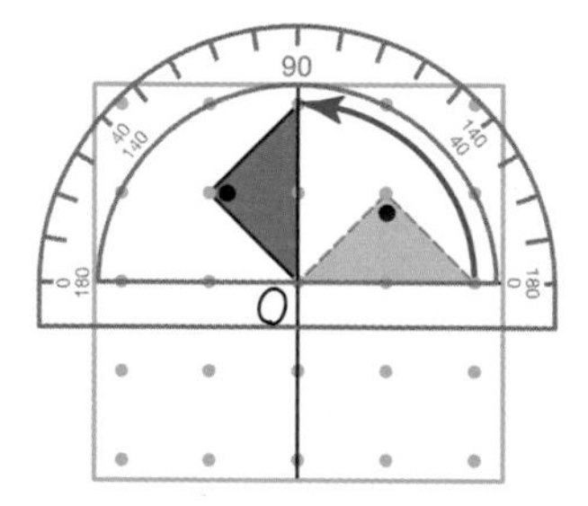

L'angle de rotation du triangle était de 90°.
Le triangle a été tourné vers la gauche.

Je peux voir d'autres rotations dans la courtepointe.

rotation
Résultat d'un déplacement autour d'un point. Le déplacement doit permettre de maintenir chaque point d'une figure à la même distance du **centre de rotation**.

180° vers la gauche autour du point P

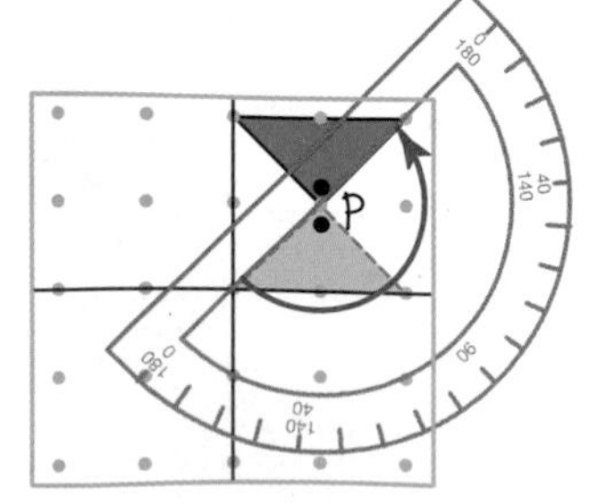

90° vers la droite autour du point Q

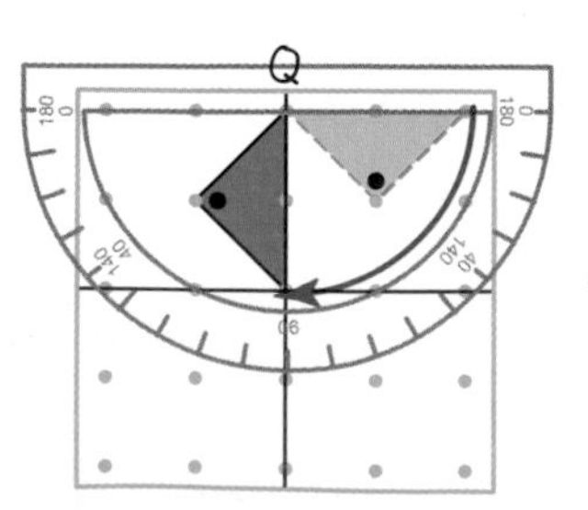

180° vers la droite autour du point R

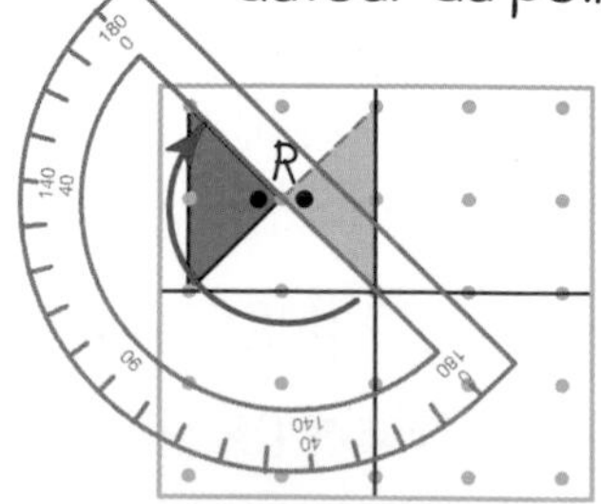

Réflexion

1. Quelles sont les 3 propriétés essentielles à la description d'une rotation?
2. a) En quoi les translations et les rotations sont-elles différentes?
   b) En quoi les translations et les rotations sont-elles semblables?

Vérification

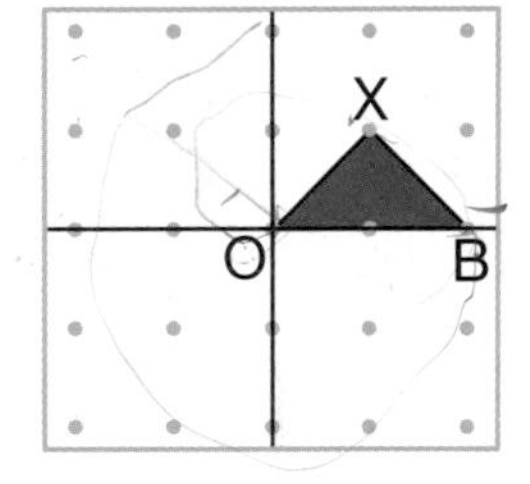

3. Montre chaque rotation du triangle rouge sur du papier à points.
   a) 90° vers la droite autour du point O
   b) 90° vers la gauche autour du point B
   c) 90° vers la gauche autour du point X
   d) 180° vers la droite autour du point O
   e) 180° vers la gauche autour du point O
4. Quelles rotations de la question n° 3 donnent le même résultat?

Application

5. Un parallélogramme a été tourné comme dans l'illustration. Décris l'angle, le centre et la direction de chaque rotation.

a)

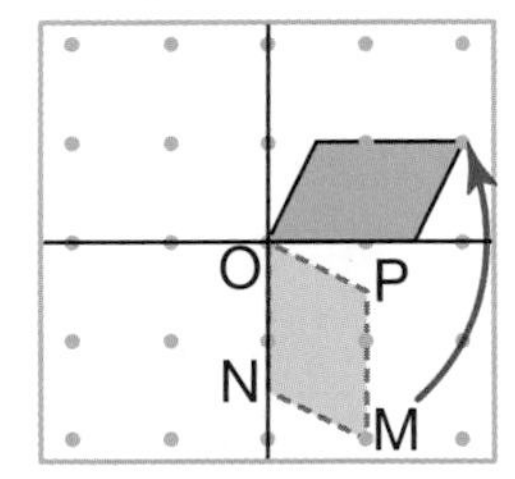

b)

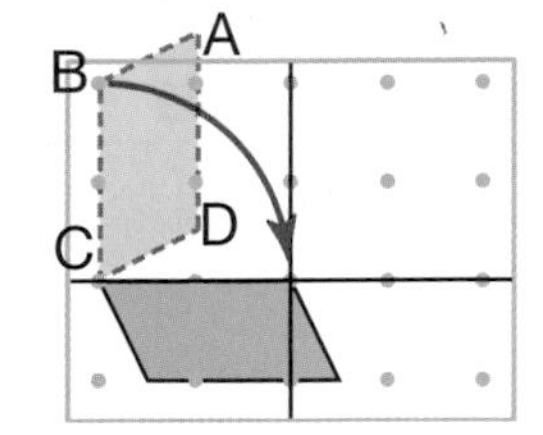

6. a) Dessine le motif de moulin à vent de cette courtepointe sur du papier à points.
   b) Décris les rotations dans le motif.

Motif de moulin à vent

7. Invente ton propre motif de courtepointe en utilisant des rotations sur du papier à points.
   Inscris les centres de rotation de ton motif.
   Inscris les angles de rotation de ton motif.

4 Décrire la réflexion des figures

Attente **Utiliser et décrire des réflexions.**

Matériel nécessaire

- des mosaïques géométriques

- du papier pour mosaïques géométriques

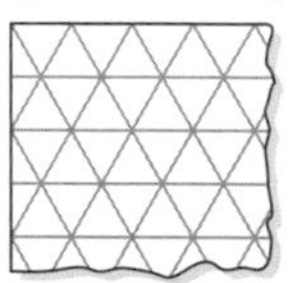

- un mira

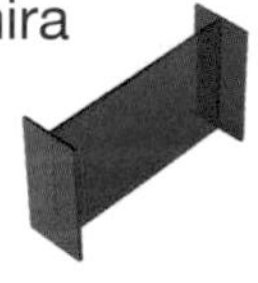

La réflexion d'Alice

Christian a posé la moitié d'un motif symétrique sur un papier pour mosaïques géométriques. Je me demande de quoi aura l'air le motif complet.

Je peux le savoir en faisant une **réflexion** à l'aide d'un mira.

Je pose les mosaïques géométriques sur l'axe de réflexion.

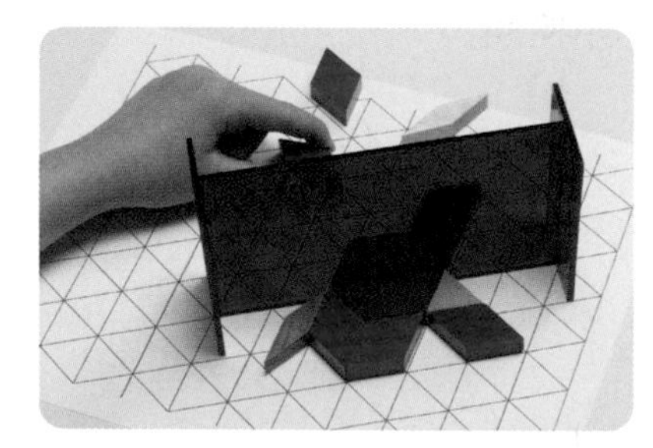

réflexion
Réplique inversée d'une figure à 2 dimensions. Chaque point est recopié du côté opposé d'une ligne, appelée axe de réflexion, tout en restant à la même distance de cette ligne.

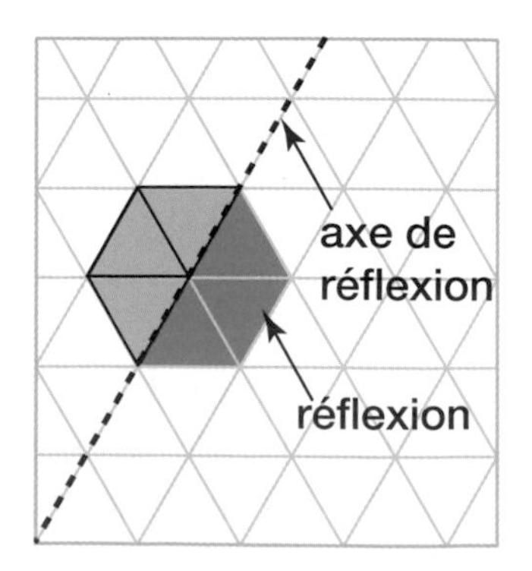

? Comment peux-tu refléter des motifs?

A. Pose des mosaïques géométriques sur du papier pour mosaïques géométriques comme l'a fait Christian.

B. Pose un mira sur le bord du motif pour voir la réflexion.

C. Pose les mosaïques géométriques derrière le mira pour montrer la réflexion.

D. Enlève le mira. Trace l'axe de réflexion à l'endroit où se trouvait le mira.

E. Enlève les blocs un à la fois.
Dessine et colorie le motif au complet.

Réflexion

1. a) Comment une figure à 2 dimensions change-t-elle quand elle est reflétée?
   b) Qu'est-ce qui reste semblable? Explique ta réponse.
2. a) En quoi les réflexions et les rotations sont-elles différentes?
   b) En quoi les réflexions et les rotations sont-elles semblables?

Vérification

3. Transcris ce motif sur du papier pour mosaïques géométriques. Dessine la réflexion des mosaïques géométriques et l'axe de réflexion.

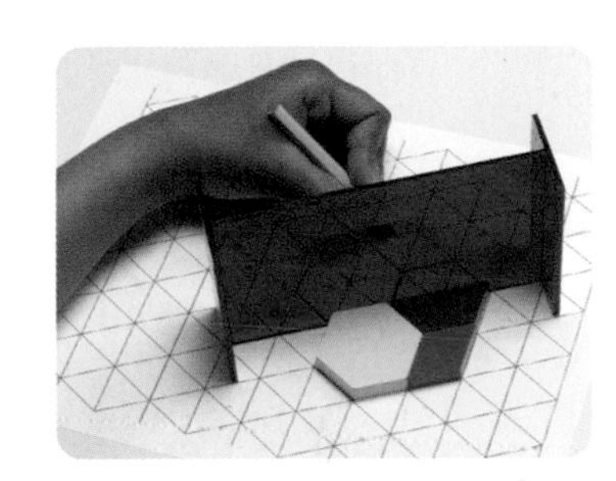

Application

4. Transcris chaque figure et chaque axe de réflexion. Dessine la réflexion de chaque figure.

a)

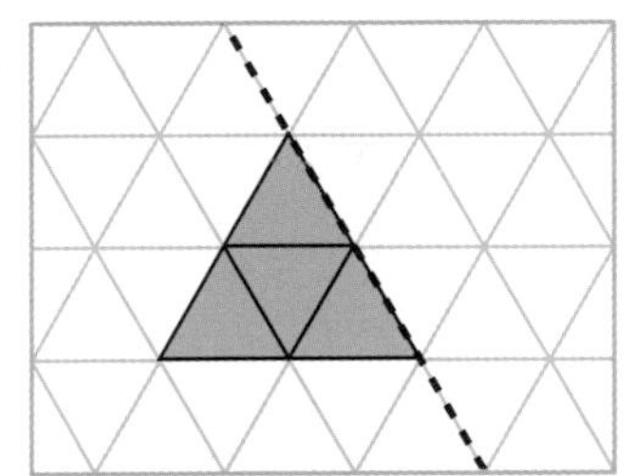

b)

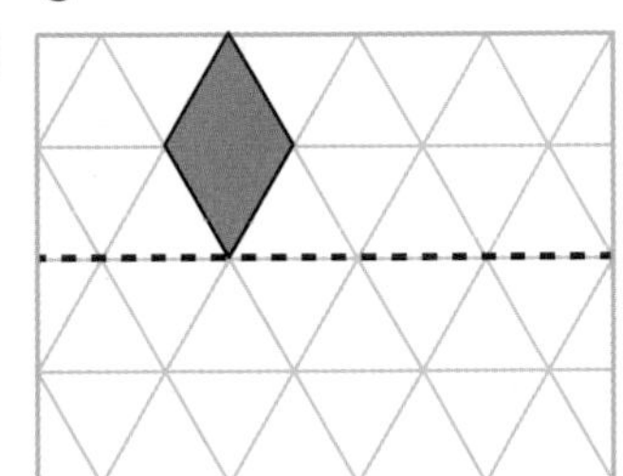

5. a) Transcris ce motif sur du papier pour mosaïques géométriques. Montre où poser un mira sur un axe de réflexion pour former un motif de papillon.
   b) Montre où poser un mira sur un axe de réflexion pour former un motif de boomerang.
   c) Montre où poser un mira sur un axe de réflexion pour former un hexagone.

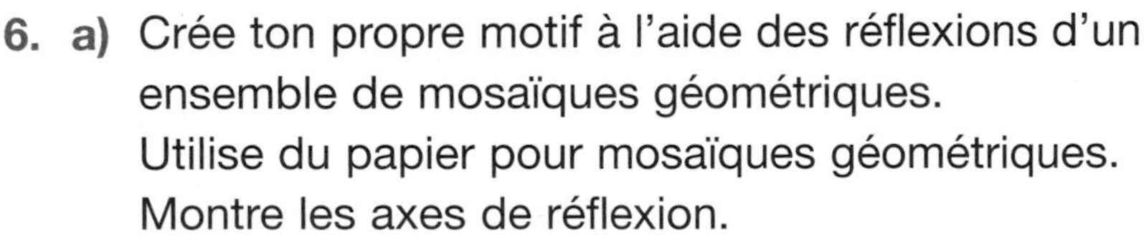

6. a) Crée ton propre motif à l'aide des réflexions d'un ensemble de mosaïques géométriques.
   Utilise du papier pour mosaïques géométriques.
   Montre les axes de réflexion.
   b) Invente un problème au sujet de ton motif.
   Montre comment résoudre ton problème.

LEÇON

Révision

1

1. Dans ce jeu, chaque rectangle couvre 3 cases. Thierry a ombré certaines parties de 2 rectangles sur le plan.

a) Devine les coordonnées possibles des parties manquantes des rectangles de Thierry.

b) Nathalie a choisi les coordonnées B5, D3 et E4. A-t-elle complété au moins 1 des rectangles de Thierry? Explique ta réponse.

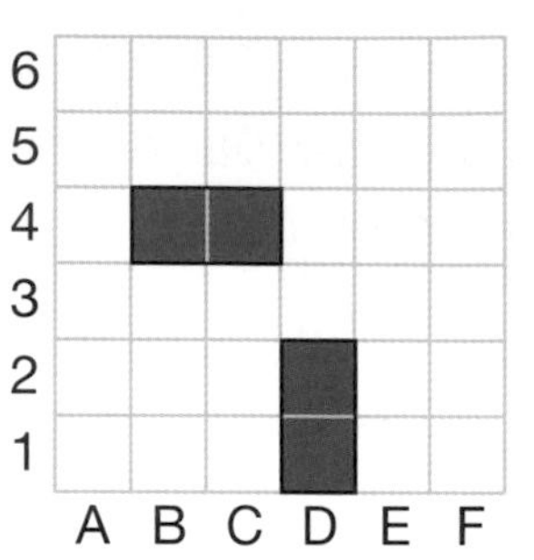

2

2. a) Décris la translation qui amènera le triangle bleu en D2.

b) Le triangle jaune a glissé de 3 cases à droite et 4 cases vers le haut. Où était le triangle jaune avant la translation?

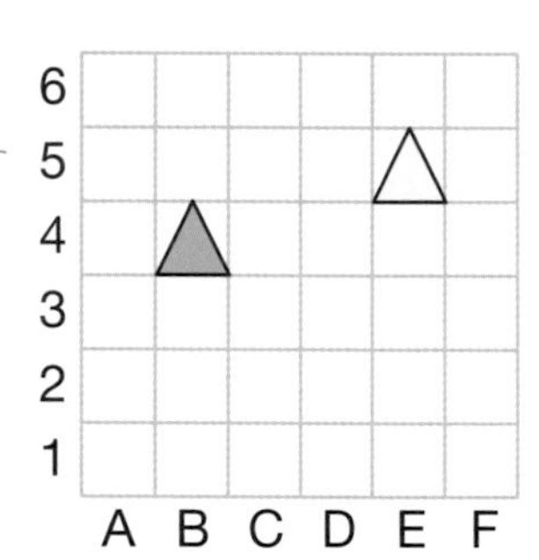

3

3. Transcris chaque figure sur un plan et fais-la tourner de 90° dans le sens contraire des aiguilles d'une montre autour du point. Dessine la rotation. Note l'angle de rotation.

a)

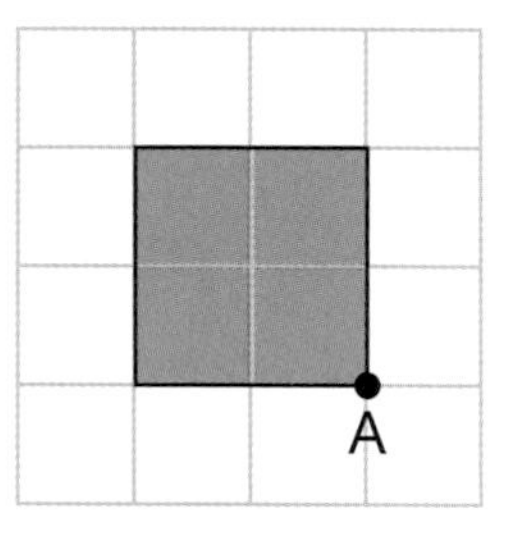

b)

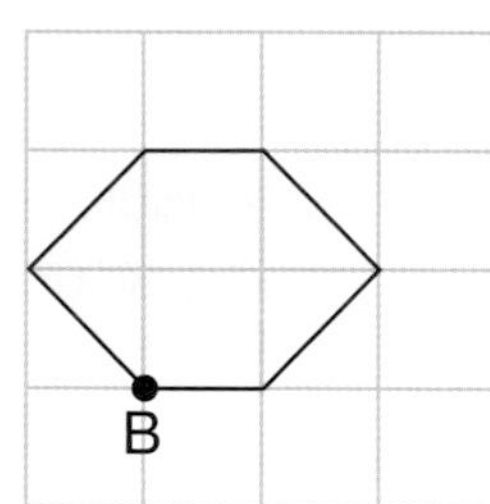

c)

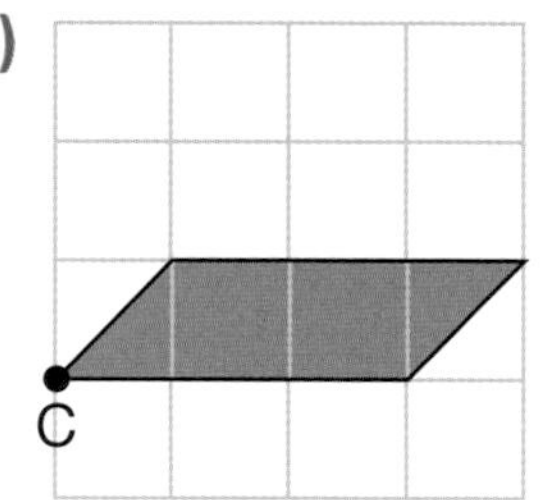

4

4. Dessine une réflexion de chaque figure.
Montre l'axe de réflexion.

a)

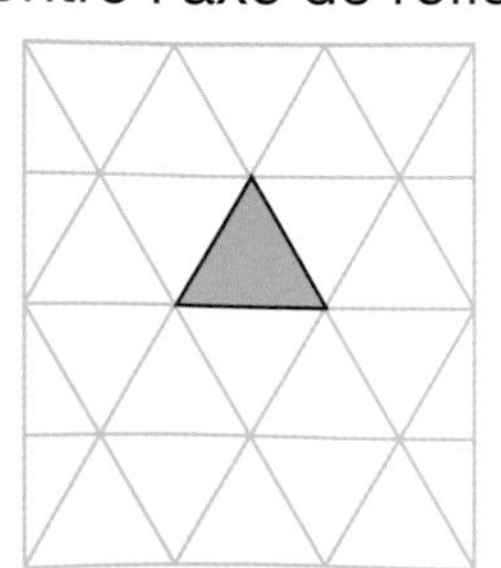

b)

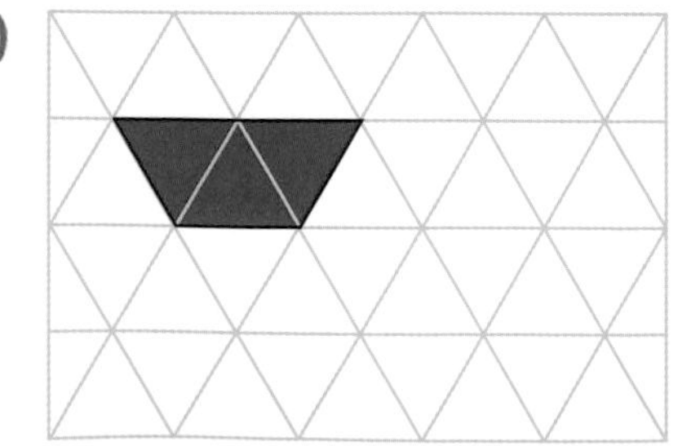

c)

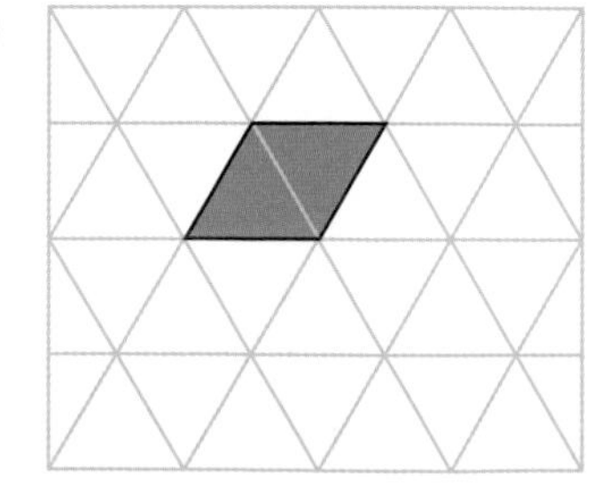

Jouer à la cachette

Nombre de joueurs : 2

Règles du jeu : Chaque joueur devine les coordonnées des jetons d'un autre joueur sur un plan.

Étape n° 1 Chaque joueur prend 1 plan et 3 jetons. Il installe un écran pour éviter que l'autre ne voie son plan.

Étape n° 2 Chacun pose 3 jetons sur les cases de son plan.

Étape n° 3 À tour de rôle, chacun cherche à deviner les coordonnées des jetons de son adversaire.
Si un joueur a bien visé, l'autre dit : « Touché! »
Si un joueur a mal visé, l'autre dit : « Tu gèles. »
Si un joueur a visé la case vide voisine, l'autre dit : « Tu brûles. »

Le jeu se termine quand un joueur a deviné toutes les coordonnées des jetons de l'autre joueur.

Matériel nécessaire

- des jetons

- un plan cartésien

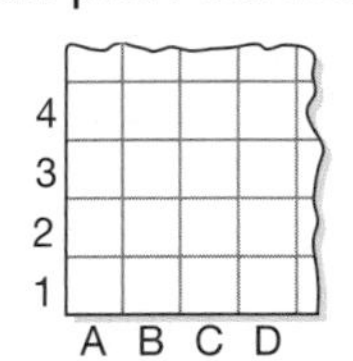

- un écran

5 Expliquer les transformations

Matériel nécessaire
- du papier à dallage

Savoir décrire des translations, des rotations et des réflexions.

Carmen a rédigé des instructions pour la fabrication d'un carreau de courtepointe à motif de casse-tête. Elle a lu ses instructions à Richard.

Motif de casse-tête

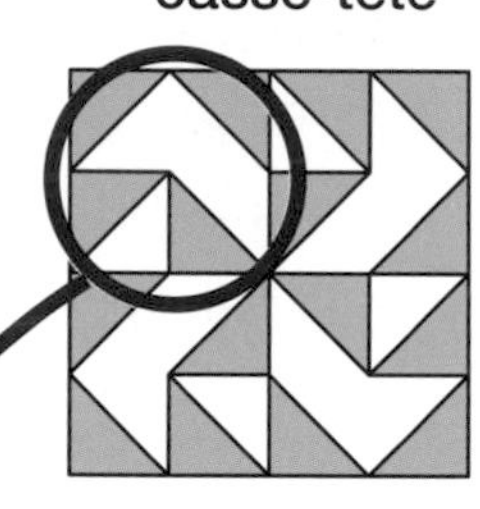

? Comment Carmen peut-elle améliorer ses instructions?

Les instructions de Carmen

Commence par un carreau à 4 cases.

Découpe un triangle qui mesurera la moitié de l'aire d'une case. Trace le contour du triangle pour faire le motif.

Étape n° 1 Pose le triangle dans la case inférieure droite.

Étape n° 2 Fais tourner le triangle de 90° autour du point situé au centre du carreau.

Étape n° 3 Fais glisser le triangle de 1 case vers le haut.

Étape n° 4 Réfléchis le triangle de part et d'autre de la ligne verticale qui sépare les 2 cases supérieures.

Étape n° 5 Répète l'opération pour fabriquer 4 carreaux. Place-les ensemble pour former le motif complet.

Les résultats de Richard

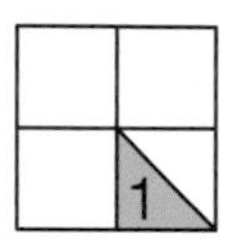

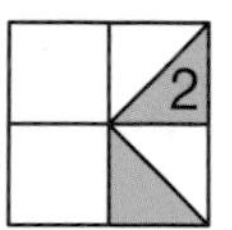

Je ne suis pas certain de ce que je dois faire ensuite.

Si je fais glisser mon triangle de 1 case vers le haut à l'étape n° 3, il se retrouvera en dehors du carreau.

A. Identifie quelques qualités des instructions de Carmen. Utilise la Liste de contrôle des communications.

B. Pourquoi Richard a-t-il eu des ennuis après l'étape n° 2? Quels éléments des instructions de Carmen manquaient de précision?

Liste de contrôle des communications

- ☑ As-tu montré toutes les étapes?
- ☑ As-tu mis les étapes en ordre?
- ☑ As-tu présenté assez de détails?
- ☑ As-tu inclus des diagrammes?
- ☑ As-tu utilisé le vocabulaire mathématique?

Réflexion

1. Pourquoi chacun des éléments suivants est-il important quand on donne des instructions?
   a) l'ordre des étapes
   b) des détails sur ce qui est arrivé à chaque étape
   c) l'utilisation du vocabulaire mathématique
2. Pourquoi est-ce une bonne idée de lire tes instructions à quelqu'un d'autre pour les vérifier?

Vérification

3. Réécris chaque instruction à l'aide de la Liste de contrôle des communications.
   a) Pour arriver à la figure B, déplace la figure A de 5 cases vers la droite.
   b) Pour arriver à la figure C, réfléchis la figure A, puis déplace-la de 3 cases vers le bas.

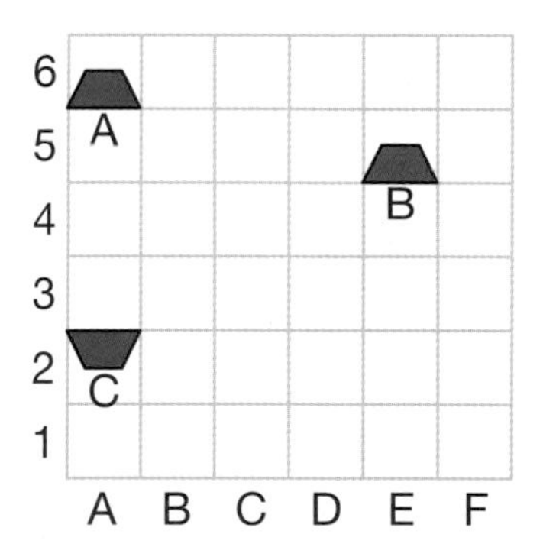

Application

4. a) Écris des instructions pour la fabrication de ce carreau de courtepointe. Demande à quelqu'un de mettre tes instructions à l'épreuve.

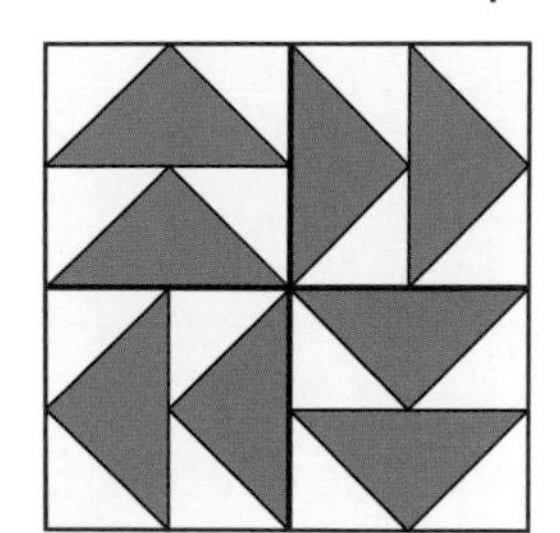

   b) Identifie les qualités de tes instructions.
   c) Comment peux-tu améliorer tes instructions?

6 Créer des suites à l'aide de transformations

Matériel nécessaire
- un logiciel de dessin

ou
- une règle
- des crayons de couleur

Créer des suites à l'aide de transformations.

La régularité de transformation de Marie

J'ai dessiné et colorié un trapèze à l'ordinateur.

Ensuite, j'ai fabriqué ce motif en utilisant des translations, des réflexions et des rotations.

J'ai essayé de créer la régularité en un minimum d'étapes.

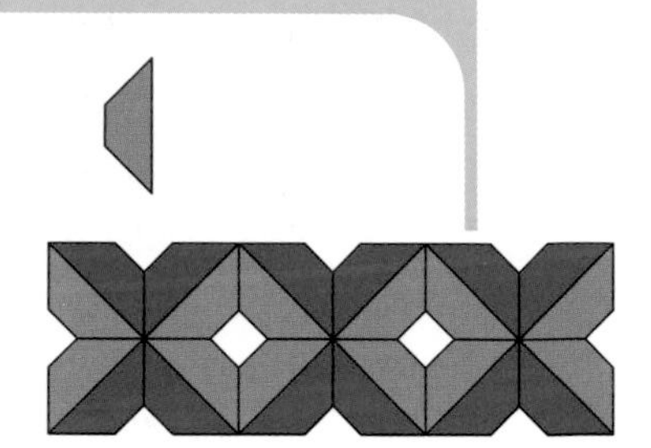

? Quelle démarche Marie a-t-elle suivie pour créer la suite?

Comprendre le problème

A. Comment le motif de Marie se répète-t-il?

Élaborer un plan

B. Examine un trapèze. Comment peux-tu utiliser des réflexions, des translations ou des rotations qui correspondront aux trapèzes du motif de Marie?

Mettre le plan en œuvre

C. Refais le motif de Marie à l'ordinateur. Montre chaque étape.

Réflexion

1. Y a-t-il différentes façons de recréer le motif de Marie? Explique ta réponse.
2. Invente ton propre motif en forme de trapèze. Explique comment le réaliser en suivant un minimum d'étapes.

Prédire des rotations

Imagine que ce triangle tourne vers la droite en suivant une ligne.

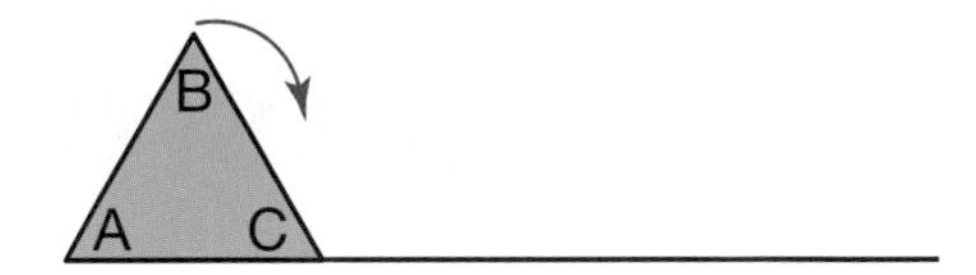

La rotation de Sarah

Le point C est le centre de rotation; donc, il restera au même endroit. Le point B tournera vers la droite, et le point A suivra le point B.

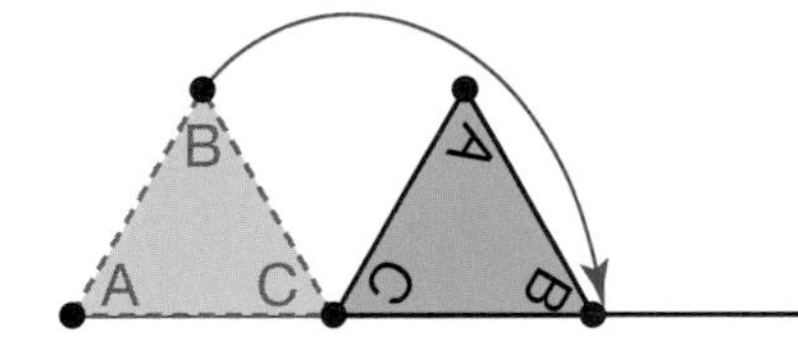

A. Imagine que le triangle tourne une fois de plus vers la droite. Décris la position des points A et C.

B. Vérifie la position en tournant, puis en dessinant le triangle.

C. Prédis la position du triangle après 3 rotations vers la droite. Vérifie la position en tournant, puis en dessinant le triangle.

À ton tour!

1. Prédis la position du carré après 3 rotations vers la droite. Vérifie ta prédiction par un dessin.

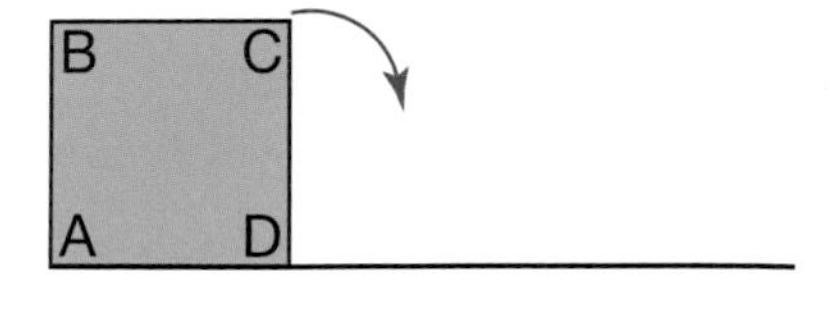

2. Dessine une figure et nomme chacun de ses coins. Invente un problème sur le mouvement de ta figure. Donne ton problème à résoudre à un ou une camarade de classe.

7 Prolonger des motifs de transformation

Prolonger des suites de motifs géométriques.

Matériel nécessaire
- du papier quadrillé
- des crayons de couleur

Si on groupe des carreaux de courtepointe, on forme des motifs géométriques.

? Quelles suites de motifs géométriques peux-tu trouver dans une courtepointe?

Le motif de Jean

J'ai transcrit le carreau de courtepointe « Vol d'oiseau » sur du papier quadrillé pour faire un motif.

Carreau de courtepointe « Vol d'oiseau »

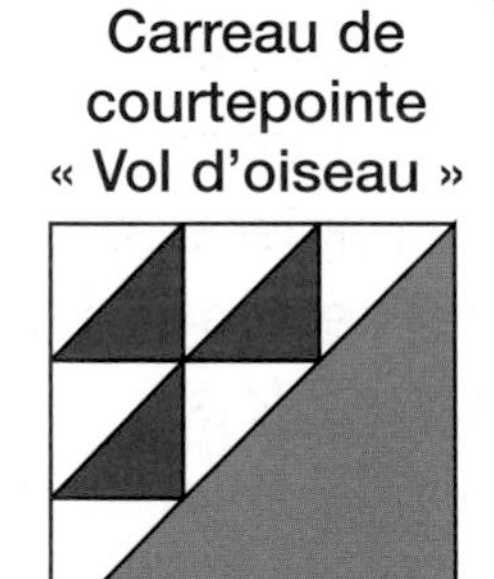

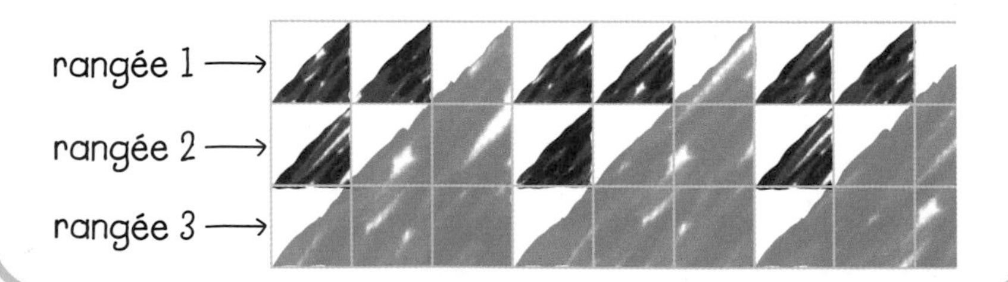

A. Prolonge le motif de Jean 3 fois de plus vers la droite.

B. Énumère les attributs du motif de chaque rangée.

C. Écris une règle de la suite pour chaque rangée.

Réflexion

1. Compare ta règle de la suite avec celle d'un ou une camarade de classe.
2. Décris la démarche que tu as utilisée pour écrire ta règle de la suite.

Vérification

3. a) Transcris le carreau de courtepointe « Crépuscule » 3 fois sur un papier quadrillé.
   b) Choisis une rangée et décris la régularité qu'elle contient.
   c) Énumère les attributs du motif.
   d) Écris la règle de la suite pour la rangée. Justifie ta réponse.

Carreau de courtepointe « Crépuscule »

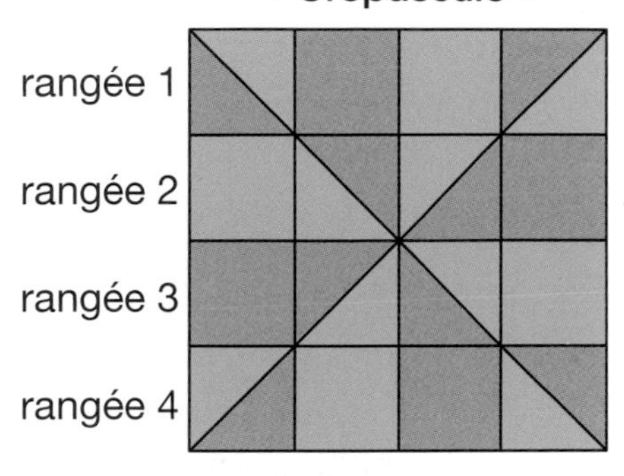

Application

4. Choisis 2 rangées dans ce motif.
   a) Pour chaque rangée, transcris le motif géométrique sur du papier quadrillé.
   b) Prolonge chaque rangée vers la droite pour qu'elle se répète 2 fois.
   c) Écris la règle de la suite pour chaque rangée.

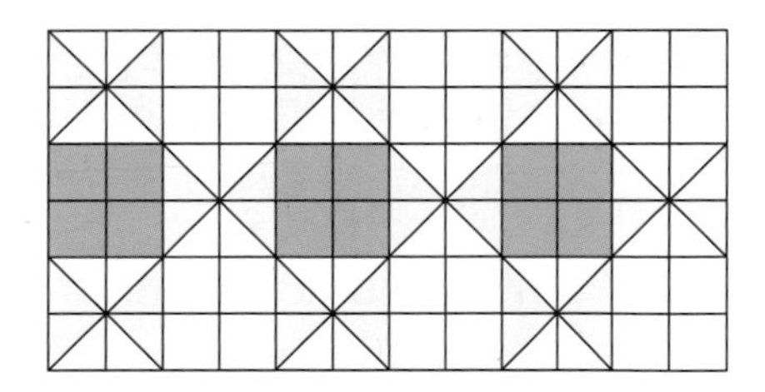

5. a) Écris une règle pour la création d'un motif avec ce triangle. Dans ta règle, tu dois utiliser 1 réflexion, 1 rotation et 1 translation.

   b) Utilise ta règle pour prolonger le motif.

6. a) Crée ton propre carreau de courtepointe qui comprendra au moins 2 motifs géométriques. Utilise du papier quadrillé.
   b) Écris une règle de la suite pour chaque motif géométrique.

LEÇON

Acquisition des compétences

1

1. Quelles sont les coordonnées de chaque trapèze?
   a) vert b) jaune c) rouge d) bleu

2. a) Fais glisser le trapèze jaune de 2 cases à gauche et 2 cases vers le bas. Quelles sont les nouvelles coordonnées?
   b) Quelle translation amènerait le trapèze rouge sur le bleu?
   c) Quelle translation amènerait le trapèze bleu sur le vert?
   d) Quelle translation amènerait le trapèze vert sur le jaune?

3. Utilise un plan cartésien de 6 cases sur 6.
   Dessine un trapèze rouge en C4.
   Fais glisser le trapèze rouge de 2 cases à droite et 3 cases vers le bas.
   Colorie-le en vert.
   Fais glisser le trapèze vert de 4 cases à gauche et 5 cases vers le haut.
   Colorie-le en bleu.

3

4. Montre chaque rotation du triangle sur du papier à points.
   a) 90° vers la droite autour du point E
   b) 90° vers la droite autour du point F
   c) 90° vers la gauche autour du point F
   d) 180° vers la droite autour du point E

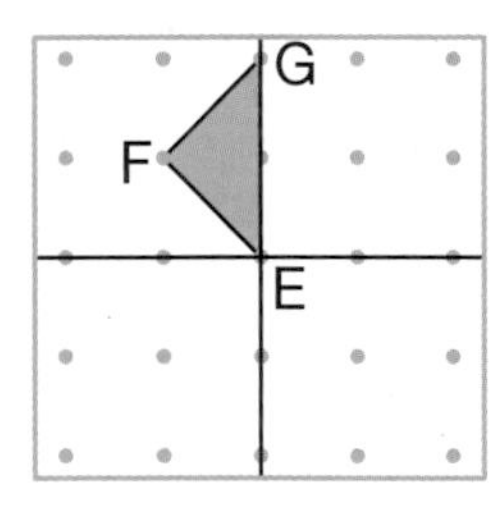

5. Décris l'angle, le centre et la direction de chaque rotation.

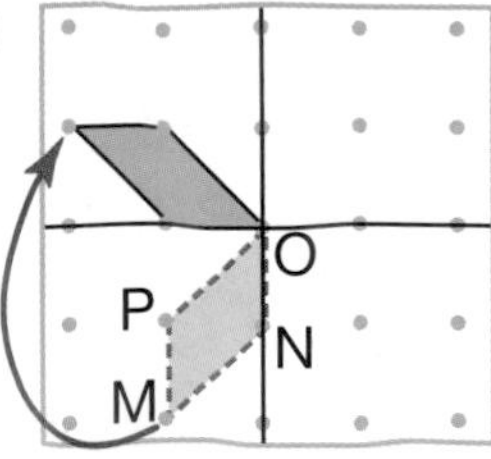

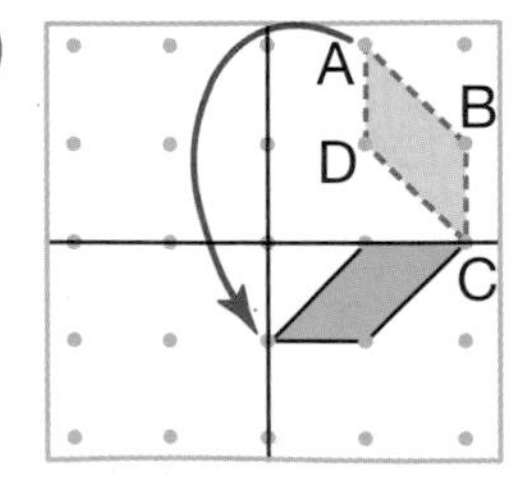

4

6. Transcris chaque figure et chaque axe de réflexion.
Dessine la réflexion de chaque figure.
Utilise un mira.

a)

b)

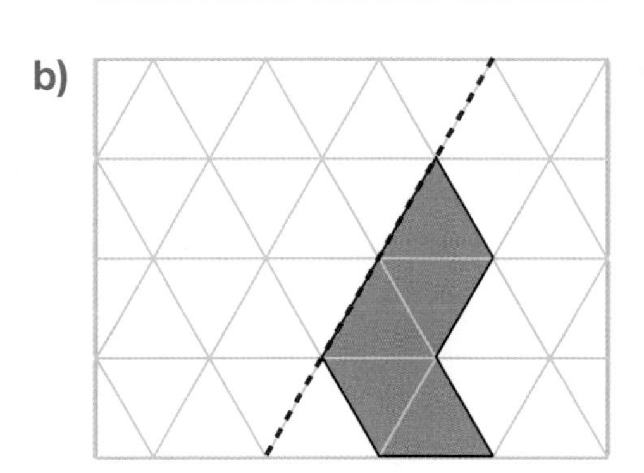

c)

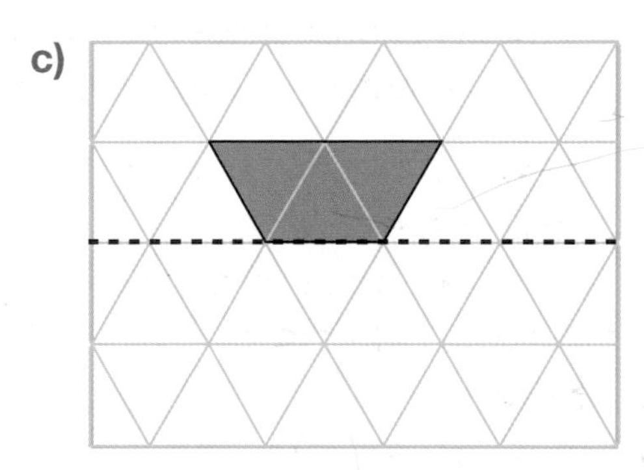

d)

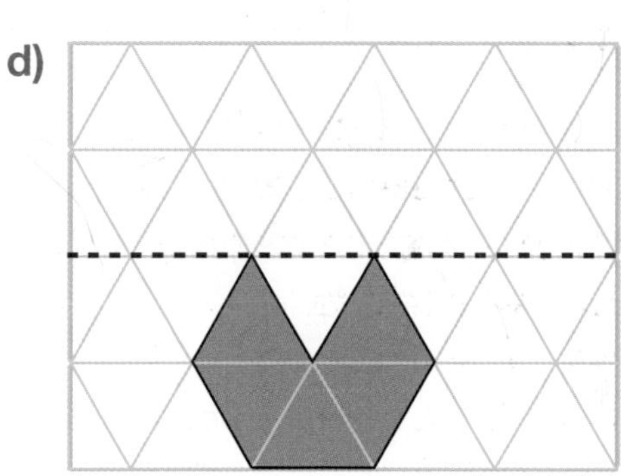

7

7. Choisis une rangée dans ce motif.

a) Transcris le motif géométrique sur du papier quadrillé.
b) Prolonge-le vers la droite pour qu'il se répète 2 fois.
c) Écris la règle de la suite.

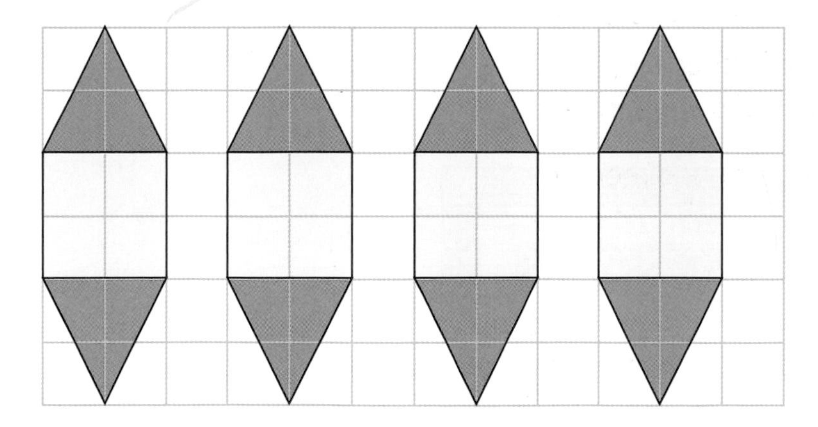

8. Répète les opérations de la question n° 7 en prenant une autre rangée. Choisis une rangée de figures orange.

Problèmes de tous les jours

2

1. Utilise cette carte du Nouveau-Brunswick pour répondre aux questions.
   a) Quelles sont les coordonnées de Saint-Jean?
   b) Quelles sont les coordonnées de Fredericton?
   c) Quelle ville se trouve en B7?
   d) Un avion se rend de Bathurst à Moncton. Décris cette translation.

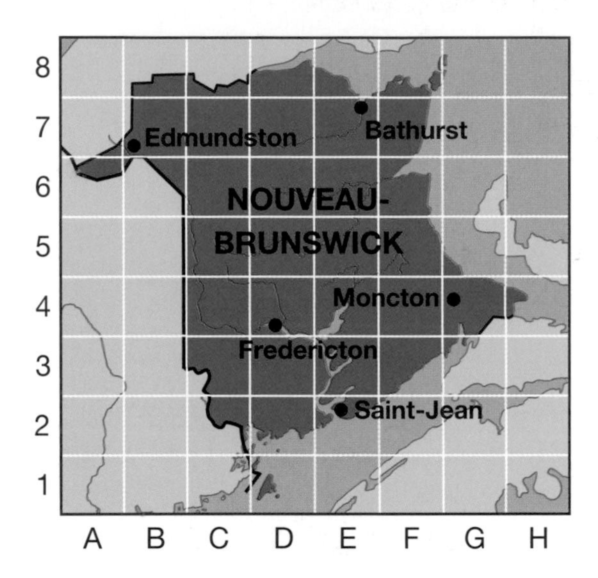

2. Brad peut se rendre de la maison à l'école de 2 façons.
   a) Décris les translations pour chaque trajet.
   b) Quel trajet est le plus court? Explique ta réponse.

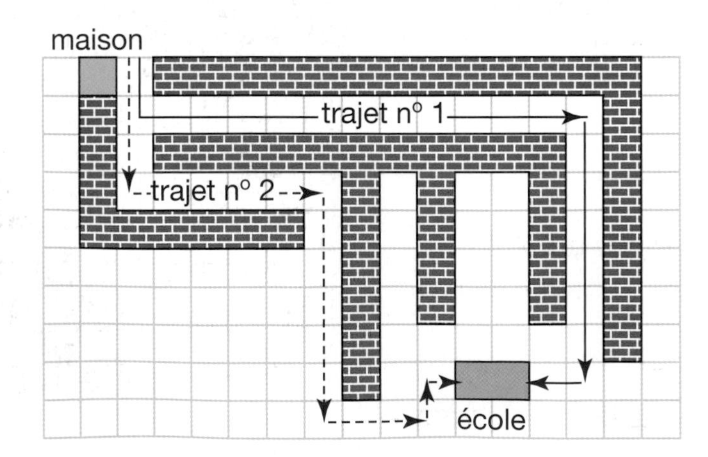

3

3. Décris les transformations qu'il faut pour poser chaque morceau dans le casse-tête. Explique ta réponse.

a) 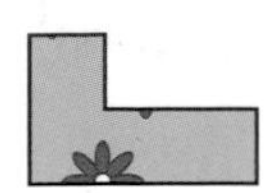

b) 

5

4. Déplace le triangle rouge vers l'emplacement du triangle vert.

- Tu peux utiliser des translations vers le haut, le bas, la gauche ou la droite.
- Tu peux utiliser des rotations autour des points A, B et C.
- Tu peux utiliser des réflexions sur n'importe quelle ligne du quadrillé.
- Tu dois contourner les obstacles.

a) Décris les transformations que tu as utilisées.

b) Justifie ta description à l'aide d'un dessin avec des inscriptions.

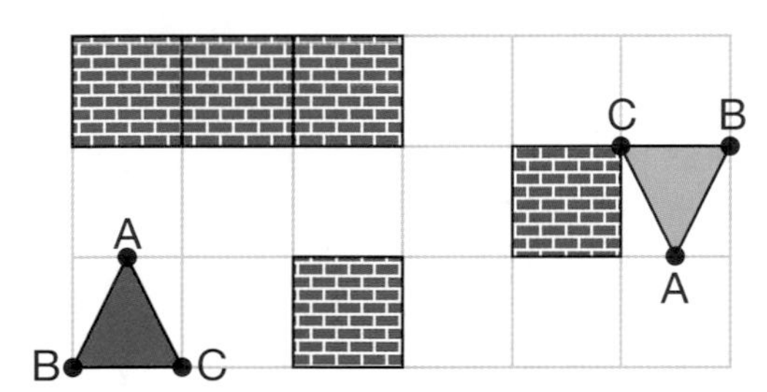

7

5. On peut décrire le motif « Étoile » à l'aide de transformations géométriques. Décris ou montre un endroit où tu peux voir chaque transformation dans la courtepointe.

a) translation

b) rotation

c) réflexion

Motif « Étoile »

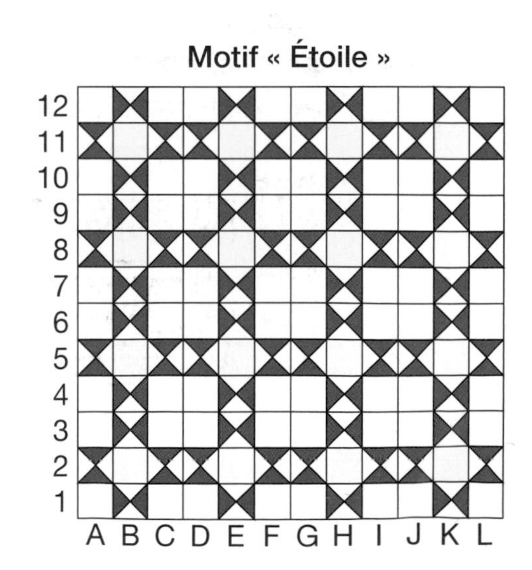

6. a) Transcris le motif d'une rangée ou d'une colonne de la courtepointe à motif « Étoile » sur du papier quadrillé.

b) Décris les attributs du motif.

c) Écris la règle de la suite. Justifie ta réponse.

LEÇON

Révision du chapitre

1. a) Quelles sont les coordonnées des jetons posés sur ce plan?
   b) Où mettrais-tu de nouveaux jetons pour compléter une rangée? Quelles seraient leurs coordonnées?

2. a) Quelle translation permettra de déplacer le trapèze rouge en D3?
   b) Le trapèze jaune est parti de A1. Nomme la translation.
   c) Quel trapèze se retrouvera en C1 s'il glisse de 2 cases à droite et 2 cases vers le bas? Explique ta réponse.

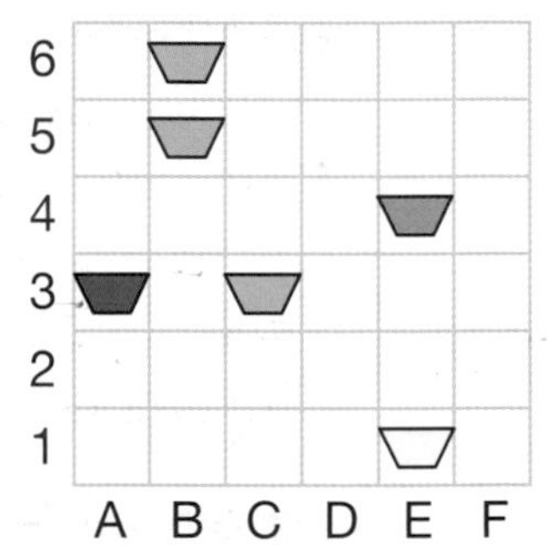

3. Décris 2 rotations illustrées par cette figure. Décris le centre, la direction et l'angle de chaque rotation.

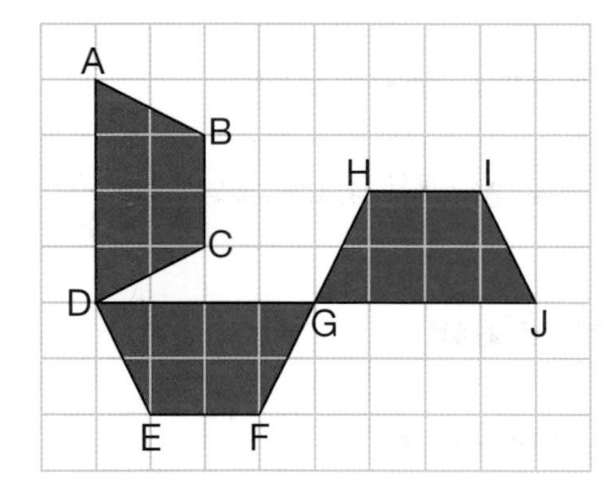

4. Ce motif a été créé à l'aide de réflexions de l'hexagone A.
   Explique comment des réflexions de l'hexagone A peuvent former chacun des autres hexagones.
   Utilise un mira et un dessin.

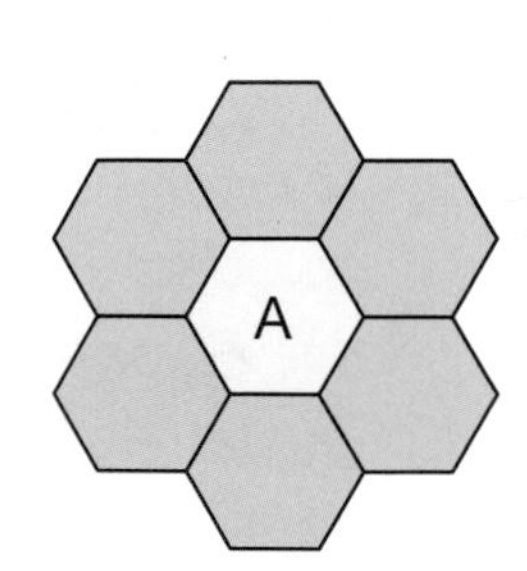

4

5. 

Le casse-tête de Rami

Est-ce que j'ai utilisé une réflexion ou une translation pour déplacer le rectangle?

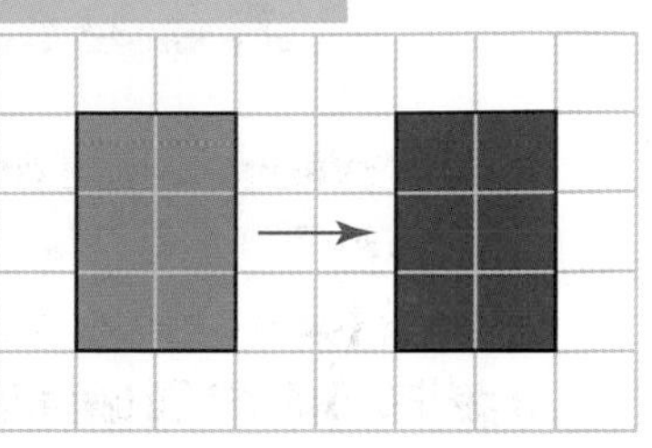

a) Comment sais-tu si Rami a utilisé une réflexion ou une translation? Explique ton raisonnement à l'aide d'un diagramme.

b) Dessine une autre figure qui paraît semblable même si elle est glissée ou réfléchie. Montre une translation et une réflexion de ta figure à l'aide d'un diagramme annoté.

c) Dessine la rotation d'un rectangle qui pourrait avoir été une translation ou une réflexion de la figure. Montre la rotation, la translation et la réflexion à l'aide de diagrammes annotés distincts.

5

6. Au besoin, améliore chaque description. Si la description n'a pas besoin d'amélioration, note-la ainsi : « Bonne ».

a) Pour se rendre en B, la figure A a été déplacée de 1 case à droite.

b) Pour se rendre en C, la figure B a fait une rotation de 90°.

c) Pour se rendre en D, la figure C a été réfléchie en suivant la ligne horizontale en gras.

6

7. Ce dessin peut servir à faire des motifs en maintenant la régularité. Écris une règle de la suite pour chaque motif.

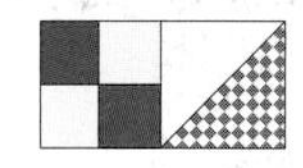

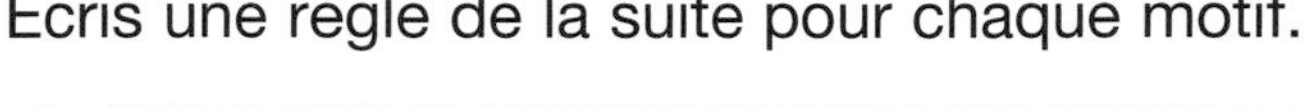

a) 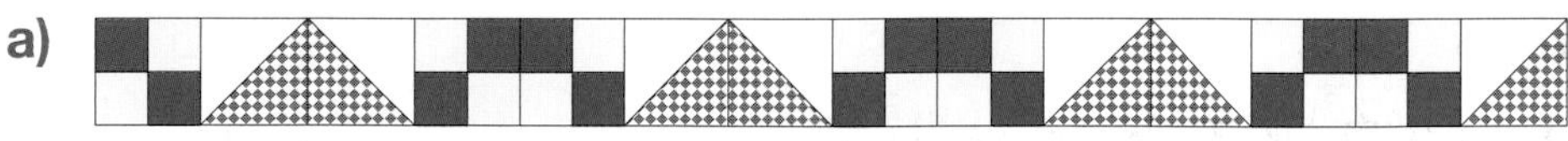

b) 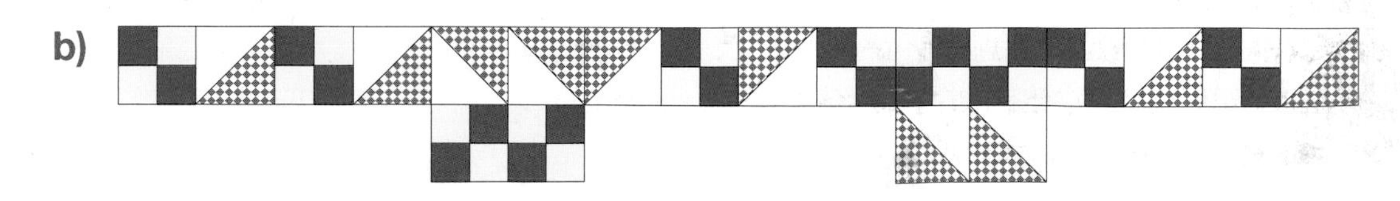

7

8. Dessine la figure suivante de chaque motif de la question n° 6.

Tâche du chapitre

Comment faire une courtepointe mathématique

Les courtepointes sont un moyen de raconter des histoires sur les idées et les événements. Dans une courtepointe, les couleurs, les tissus et les motifs transmettent les idées d'un récit.

? Comment peux-tu fabriquer une courtepointe qui raconte une histoire mathématique?

A. Détermine quelle histoire mathématique tu veux conter.

B. Fabrique les sections de la courtepointe à l'aide de papier quadrillé. Montre ta démarche.

C. Décris les motifs de ta courtepointe.

D. Explique le motif mathématique de ta courtepointe.

Liste de contrôle de la tâche
☑ As-tu présenté assez de détails?
☑ As-tu expliqué ton raisonnement?
☑ As-tu inclus des diagrammes?
☑ As-tu utilisé le vocabulaire mathématique?

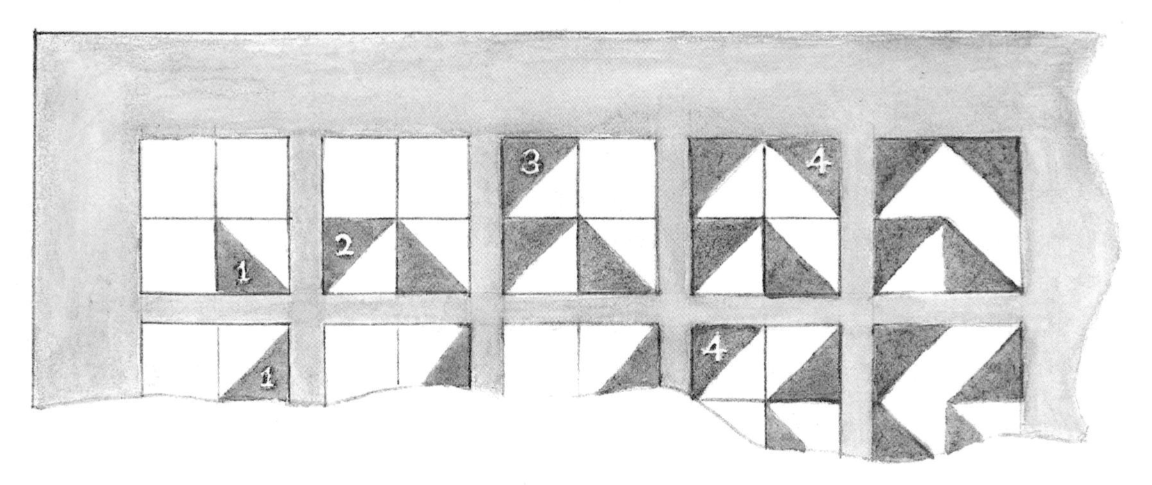

Révision cumulative

Choix associés aux domaines d'étude

1. Quelles illustrations peux-tu utiliser pour comparer $1\frac{4}{6}$ avec $\frac{9}{6}$?
   A. D et C
   B. C et B
   C. B et D
   D. C et A

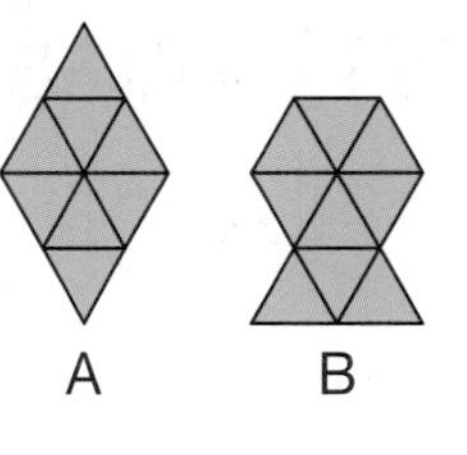

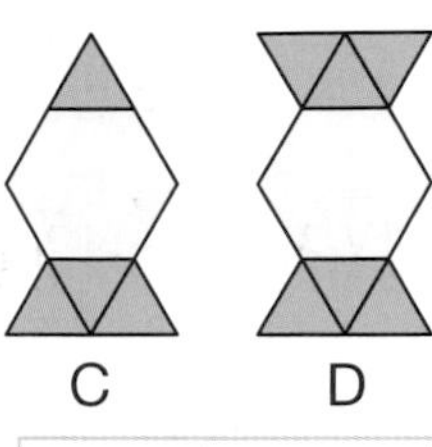

⬡ = 1 entier

2. Quel ensemble de nombres décimaux va du plus grand au plus petit?
   E. 0,22, 0,2, 0,21, 0,02, 0,12
   F. 0,02, 0,12, 0,2, 0,21, 0,22
   G. 0,02, 0,22, 0,2, 0,21, 0,12
   H. 0,22, 0,21, 0,2, 0,12, 0,02

3. Jean a fait tourner l'aiguille de la roulette 20 fois et a obtenu les résultats inscrits au tableau. Quelle roulette a-t-il probablement utilisée?

A. 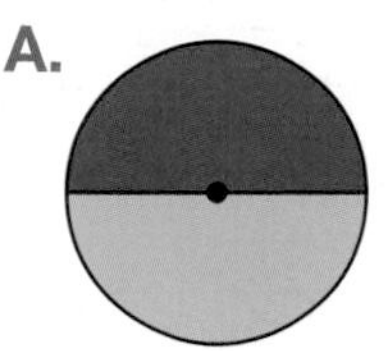
B. 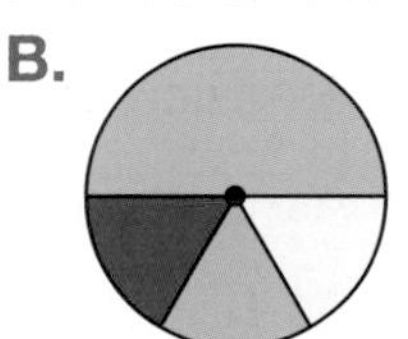
C. 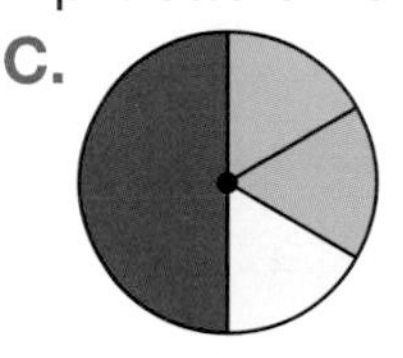
D. 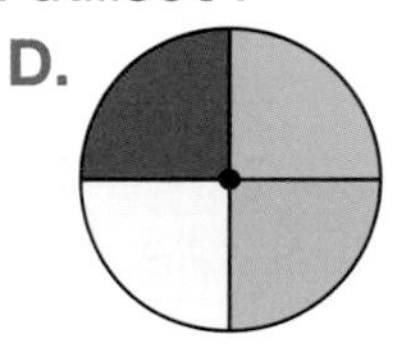

Section	Tours
bleu	3
rouge	10
jaune	3
vert	4

4. Combien de combinaisons possibles y a-t-il pour 1 crêpe et 1 sirop?
   Crêpes : nature, aux bleuets
   Sirop : d'érable, de framboises, de bleuets
   E. 6 F. 5 G. 9 H. 2

5. Quels carrés rouges ne sont pas couverts d'un jeton blanc?
   A. B1, B4, D3
   B. B1, C5, D2
   C. B1, C5, D3
   D. B1, B4, D2

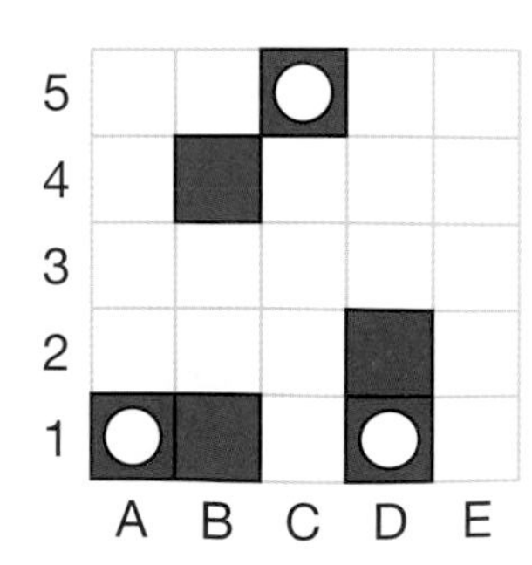

6. Quelle devrait être la prochaine figure dans cette suite?

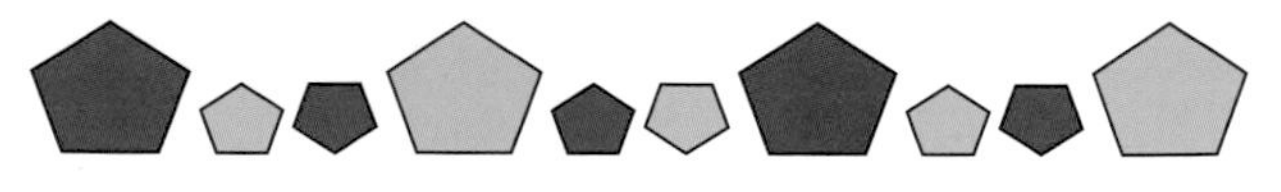

E. F. G. H.

DUV

Enquête associée aux domaines d'étude

Une collection de papillons

héliconie

grand morpho bleu

monarque

Dans un muséum, le nombre d'héliconies est le même que celui des grands morphos bleus. Le nombre des monarques correspond à la moitié de ceux-ci. Tu veux savoir s'il est plus probable que les visiteurs voient en premier lieu un monarque ou un grand morpho bleu.
Fais l'expérience suivante pour connaître la réponse.

7. a) Fabrique une roulette avec une section pour chaque sorte de papillon. Les sections devraient décrire correctement la probabilité de voir chaque sorte de papillon.
   b) Avant de faire tourner l'aiguille de la roulette, prédis la réponse que tu obtiendras. Ensuite, fais tourner l'aiguille 20 fois et note tes résultats. Compare les résultats avec ta prédiction.
   c) Invente un autre problème de comparaison entre 2 sections de roulette. Prédis la solution, puis fais tourner l'aiguille de la roulette 20 fois. Qu'est-il arrivé?

Ce trottoir en dalles est incomplet.

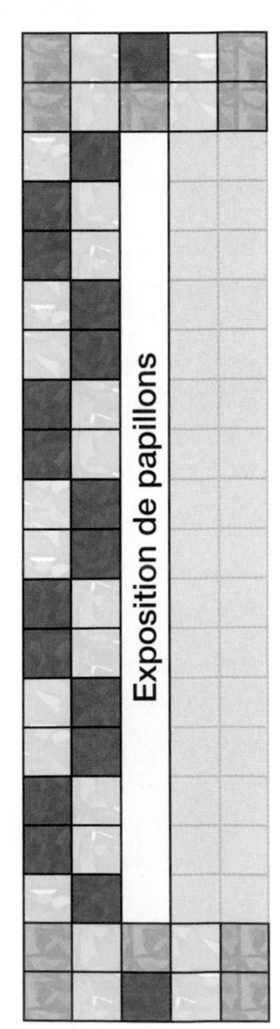

8. a) Transcris le diagramme sur un plan de 5 colonnes de 20 cases. Réfléchis les 2 colonnes de gauche du côté de la section jaune pour remplir les colonnes vides.
   b) Décris 1 exemple de translation et 1 exemple de rotation tirés du diagramme. Utilise le vocabulaire mathématique et ajoute des inscriptions à ton diagramme.
   c) Ton diagramme a 5 colonnes de 20 carrés ou 100 carrés en tout. Écris 1 fraction et 1 nombre décimal pour décrire chaque partie.
      i) nombre de dalles brun foncé
      ii) nombre de dalles grises
      iii) nombre total de dalles brun pâle et brun foncé
      iv) différence entre le nombre de dalles brun pâle et brun foncé

Glossaire

Vocabulaire pédagogique

calculer : Obtenir le résultat d'une opération mathématique.

classer : Prendre des objets, des éléments, des figures ou des données, créer des ensembles et les organiser.

classifier : Disposer divers éléments ou objets selon les caractéristiques d'ensembles prédéterminés.

comparer : Déterminer en quoi divers objets ou nombres sont semblables et en quoi ils sont différents. Exemples : Comparer les nombres 6,5 et 5,6. Comparer la taille des pieds des élèves. Comparer 2 formes.

construire : Former ou dessiner des suites, des tableaux, des figures géométriques, des solides, etc. Exemple : Construire un angle à l'aide d'une règle et d'un rapporteur d'angles.

créer : Faire ou réaliser quelque chose soi-même.

décrire : 1. Dire, dessiner ou écrire ce qu'est une chose ou ce à quoi elle ressemble. 2. Expliquer une opération étape par étape.

dessiner : Montrer quelque chose sous forme illustrée. Exemple : Dessiner un diagramme.

éclaircir : Rendre plus facile à comprendre en donnant des explications claires et précises.

enregistrer : Noter un travail par écrit ou à l'aide d'un dessin.

esquisser : Faire un premier plan, un brouillon.

estimer : 1. Calculer approximativement. 2. Se servir de ses connaissances pour prendre une décision raisonnable au sujet d'un résultat sans utiliser un calcul rigoureux. Exemples : Estimer combien de temps il faut pour aller à vélo de la maison jusqu'à l'école. Estimer le nombre de feuilles dans un arbre. Quelle est ton estimation du résultat de 3 210 + 789?

établir un rapport : Montrer un lien entre des objets, des dessins, des idées ou des nombres.

évaluer : Déterminer si quelque chose a du sens.

expliquer : Dire ce qu'on fait; montrer un raisonnement mathématique à chaque étape.

explorer : Étudier un problème en posant des questions, en faisant un remue-méninges et en mettant de nouvelles idées à l'essai.

faire une liste : Noter des réflexions ou des choses l'une derrière l'autre.

faire un modèle : Montrer une idée à l'aide d'objets ou d'illustrations. Exemple : Faire le modèle d'un nombre à l'aide de matériel de base dix.

justifier : 1. Fournir des raisons convaincantes pour une prédiction, une estimation ou une solution.
2. Dire pourquoi on pense qu'une réponse est correcte.

mesurer : Évaluer (une longueur, une surface, un volume) par une comparaison avec un modèle de mesure. Exemples : Utiliser une règle pour mesurer la hauteur d'un objet ou la distance entre 2 objets. Utiliser un rapporteur d'angles pour mesurer un angle. Se servir d'une balance pour mesurer une masse. Se servir d'un chronomètre pour mesurer le temps en secondes ou en minutes.

montrer son travail : Enregistrer tous les calculs, les dessins, les nombres, les mots ou les symboles qui mènent à la solution.

prédire : Utiliser ce qu'on sait pour imaginer ce qui doit se produire.
Exemple : Prédire le prochain nombre dans la suite 1, 2, 4, 8, ...

prolonger : 1. Poursuivre, allonger un motif.
2. En résolution de problème, inventer un nouveau problème qui amène plus loin l'idée du problème original.

représenter : Montrer des renseignements ou une idée d'une façon différente pour faciliter la compréhension. Exemples : Dessiner un graphique. Faire un modèle. Composer une rime.

résoudre : Développer et mettre en pratique une démarche pour trouver la solution à un problème.

tirer : Prendre un objet au hasard.
Exemples : Tirer une carte dans un paquet. Tirer une tuile d'un sac.

trier : Séparer un ensemble d'objets, de dessins, d'idées, de chiffres, selon un attribut ou une propriété.
Exemple : Trier des figures à 2 dimensions selon le nombre de leurs côtés.

vérifier : Trouver une autre fois une réponse ou une solution, en suivant habituellement une démarche différente, pour montrer que la réponse originale est correcte.

visualiser : Avoir, se faire une image mentale d'une forme ou d'un concept.

Glossaire

Vocabulaire mathématique

aire : Mesure en unités carrées d'une surface donnée.

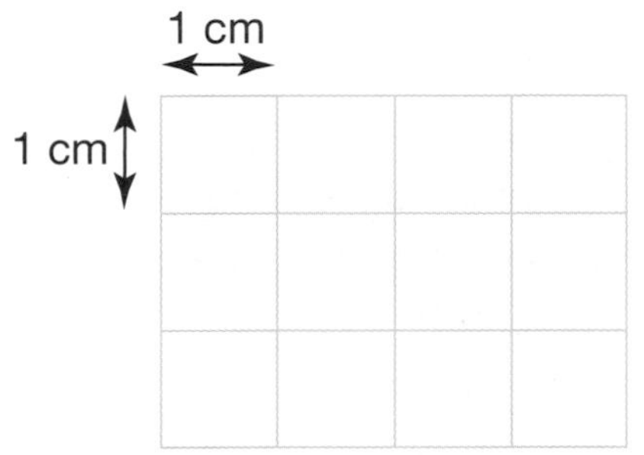

aire = 12 centimètres carrés

algorithme : Enchaînement des étapes à suivre pour faire une opération mathématique.

angle : Figure formée par 2 lignes droites de même origine. Un angle se mesure en **degrés**.

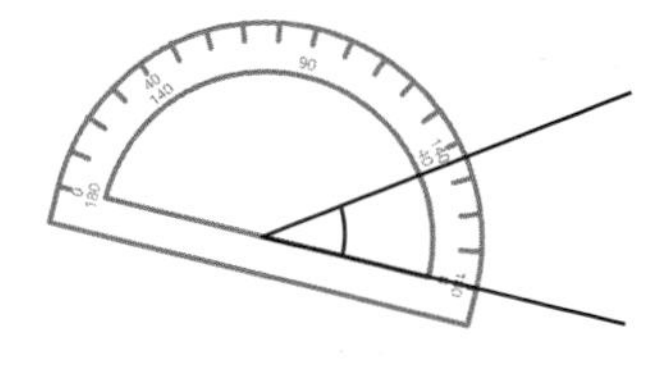

angle droit : Sommet d'une figure qui forme un angle de 90°. Exemple : Les carrés et les rectangles ont 4 angles droits.

arête : Dans un solide, intersection de 2 **faces**.

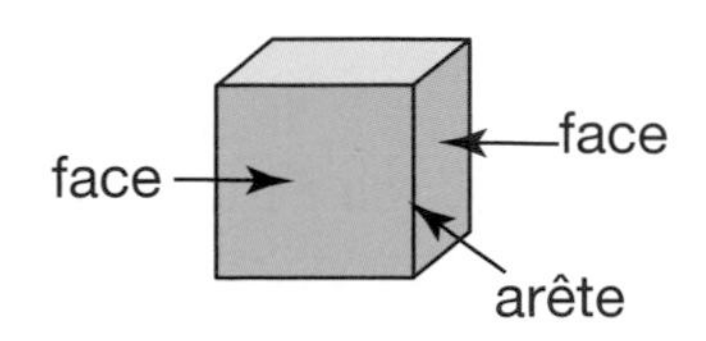

arrangement : Disposition d'éléments, d'objets ou d'illustrations en **rangées** et en **colonnes**. Exemple : Un arrangement permet de vérifier pourquoi 2 × 3 et 3 × 2 donnent le même produit.

Cet arrangement montre 2 rangées de 3, ou 2 × 3. Il montre aussi 3 colonnes de 2, ou 3 × 2. Dans les 2 cas, le produit est 6.

arrondir : Donner la valeur approchée d'un nombre. Exemple : Arrondi à la centaine près, 8 327 devient 8 300.

attribut : Qualité d'une suite ou d'une forme géométrique. Exemples d'attributs de figures : la taille, la couleur et la texture. *Voir* **propriété**.

axe : Dans un graphique, ligne horizontale ou verticale accompagnée de mots et de nombres pour montrer la signification des bandes ou des illustrations du graphique.

axe de symétrie : Ligne droite qui divise une figure en 2 parties congruentes.

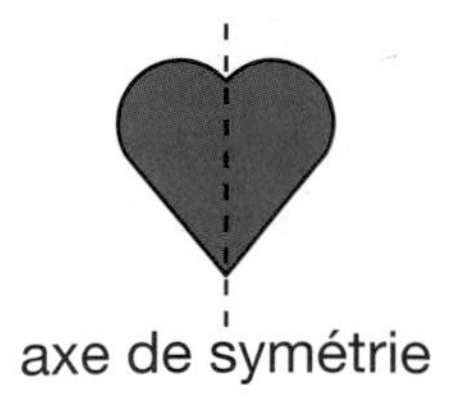

axe de symétrie

base : 1. Dans une figure à 3 dimensions, **face** sur laquelle la figure repose.
2. Dans un prisme, face qui détermine le nombre d'arêtes.
3. Dans une figure à 2 dimensions, ligne droite située au bas de la figure.

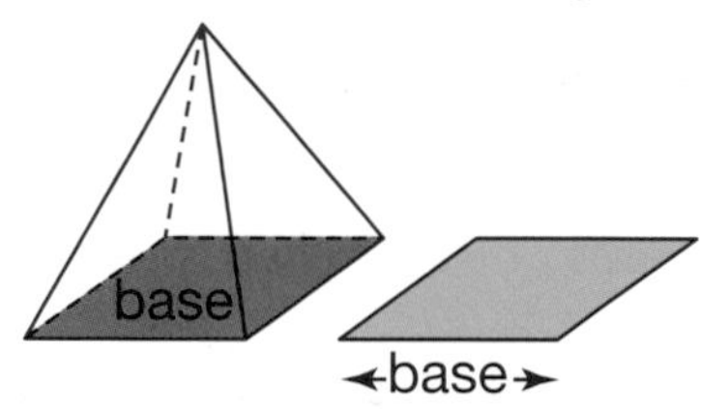

capacité : Quantité qu'un récipient peut contenir. On peut mesurer la capacité en millilitres (ml) ou en litres (L).

carré : **Parallélogramme** à 4 côtés congrus et à 4 angles droits.

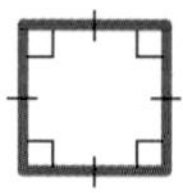

centimètre (cm) : Unité de mesure de **longueur** qui vaut 1 centième de 1 mètre. Exemple : Le bout d'un doigt mesure environ 1 cm de large.
1 cm = 10 mm, 100 cm = 1 m

centimètre carré : Unité conventionnelle de mesure de l'**aire**; aire couverte par un carré dont les côtés mesurent 1 cm de long.

cerf-volant : Quadrilatère à 2 paires de côtés congrus sans côtés parallèles.

charpente : Assemblage des arêtes d'un solide.

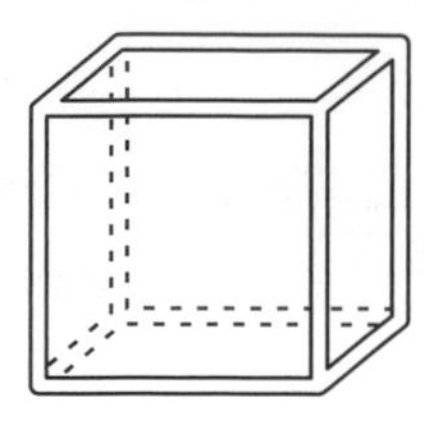

chiffre : Symbole ou groupe de symboles utilisé pour écrire un nombre. Exemples : 148, $\frac{3}{4}$ et 2,8.

chiffres, en : Façon habituelle d'écrire les nombres. Exemple : 2 365 est écrit en chiffres. *Voir aussi* **forme décomposée, sous** et **mots, en**.

colonne : Alignement vertical d'éléments dans un tableau. *Voir aussi* **rangée**.

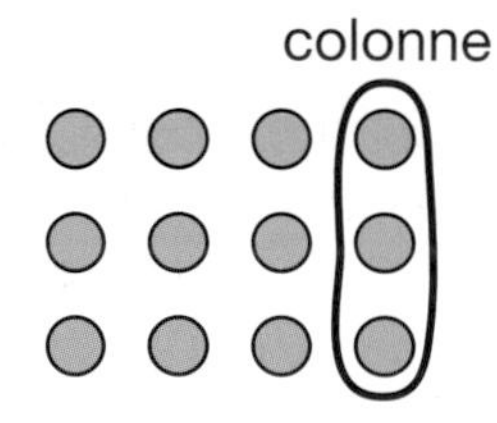

compter par bonds : Compter sans utiliser tous les nombres, mais en suivant une régularité. Exemple : Compter par bonds de 5 jusqu'à 100.

concave : Courbé ou pointé vers l'intérieur. Exemple : Un **polygone** concave a un **sommet** qui pointe vers l'intérieur du polygone.

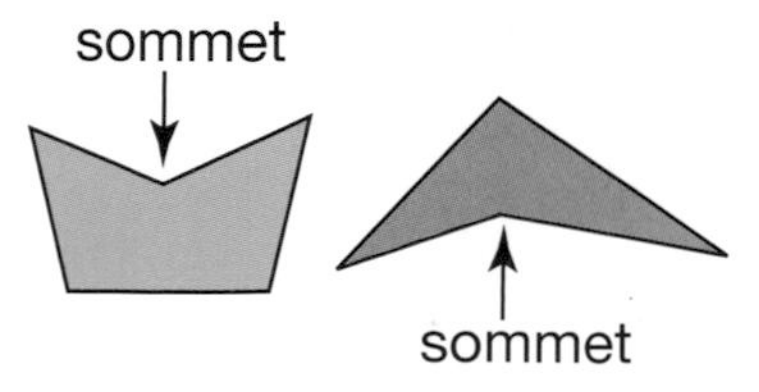

DUV

congruent : Se dit de figures dont tous les côtés et tous les angles sont congrus.

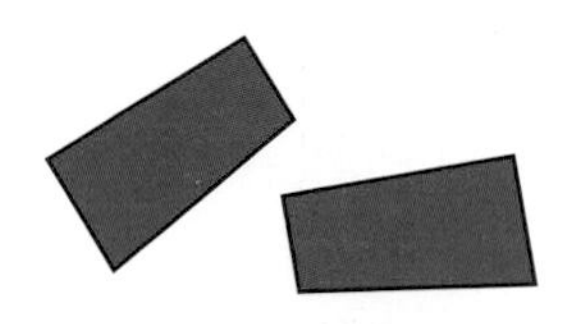

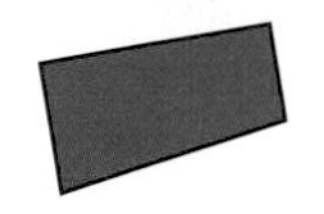

Ces figures sont congruentes.

convexe : Courbé ou pointé vers l'extérieur. Exemple : Tous les **sommets** d'un **polygone** convexe pointent vers l'extérieur.

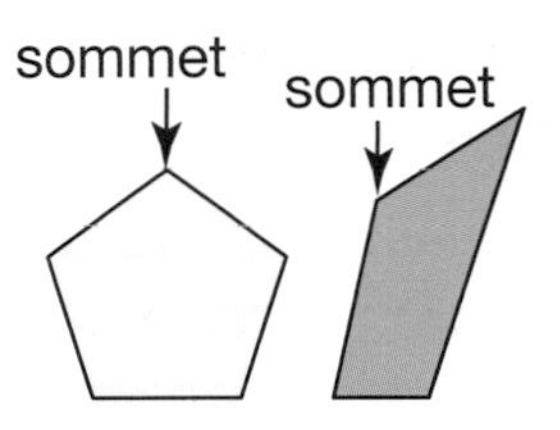

coordonnées : Éléments qui décrivent la position d'un point sur une ligne ou un plan. Exemple : Le jeton est placé sur la case C4.

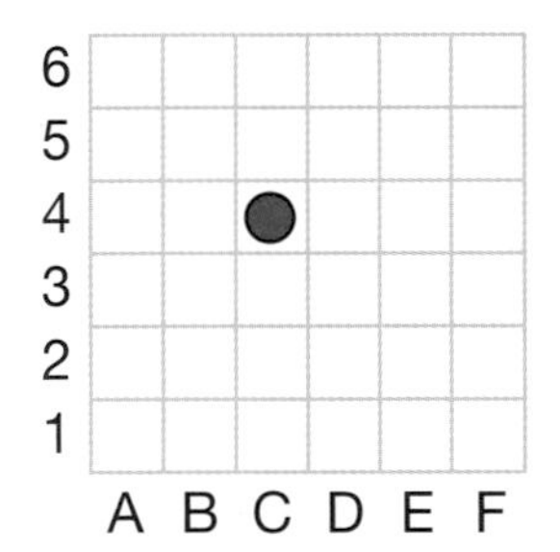

côté : Chacun des **segments de droite** qui forment un polygone.

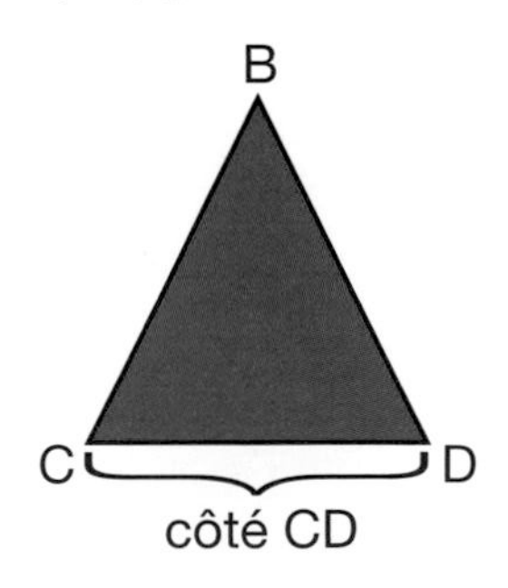

cube : Solide à 6 faces carrées **congruentes**.

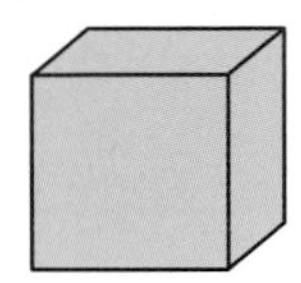

D

décennie : Unité de mesure du temps qui vaut 10 ans.

décimètre (dm) : Unité de mesure de longueur qui vaut 1 dixième de 1 **mètre**. Exemple : Dans le **matériel de base dix**, une réglette de dizaine mesure 1 dm de longueur.
1 dm = 10 cm, 10 dm = 1 m

décomposition : Division d'un nombre en unités plus petites.
Exemple : 2 centaines = 200 unités.
Voir **regroupement**.

degré (°) : Unité de mesure des angles ou des arcs de cercle.

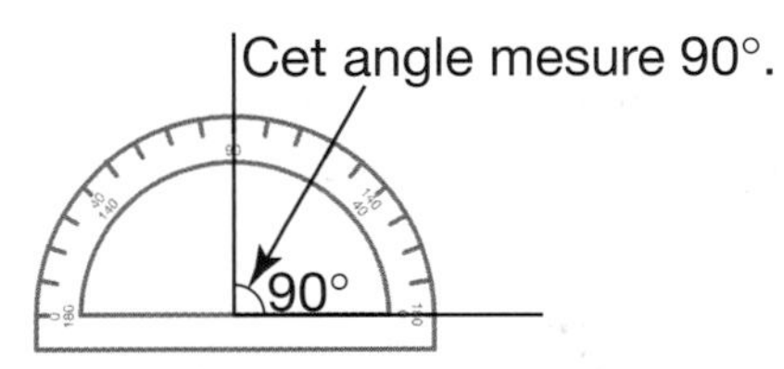

degré Celsius (°C) : Unité de mesure de la température. Exemple : L'eau gèle à 0 °C et bout à 100 °C.

dénominateur : Dans une fraction, nombre qui indique en combien de parties l'unité a été divisée. Exemple : Dans la fraction $\frac{3}{4}$, 4 est le dénominateur, et 3 est le numérateur. *Voir aussi* **numérateur**.

$\frac{3}{4}$ ← dénominateur

dénominateur commun : Se dit du dénominateur de 2 fractions ou plus, quand il est le même pour chaque fraction. Exemple : les fractions $\frac{5}{8}$ et $\frac{7}{8}$ ont un dénominateur commun : le huitième.

développement : Figure à 2 dimensions qui, une fois repliée, permet de former une figure à 3 dimensions.

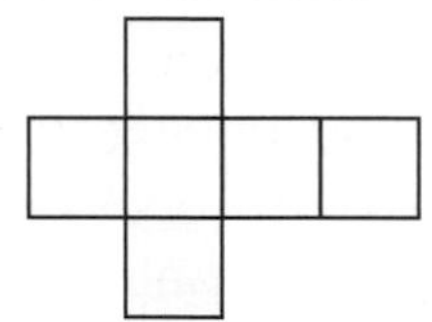

Voici le développement d'un cube.

diagonale : 1. Segment de droite qui joint 2 **sommets** non consécutifs d'une figure à 2 dimensions.
2. Segment de droite qui joint 2 sommets qui ne sont pas sur la même **face** d'une figure à 3 dimensions.

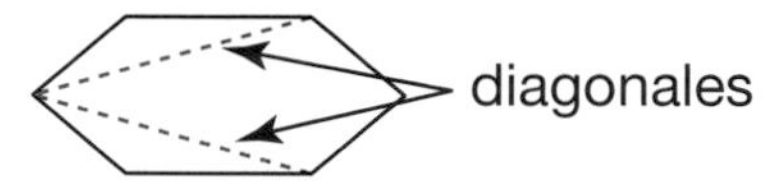

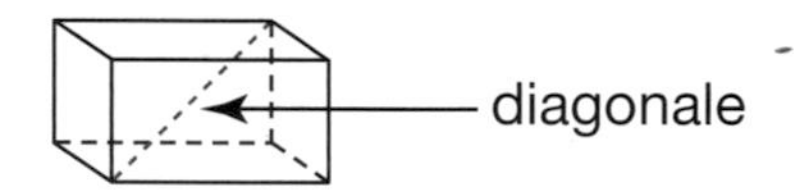

diagramme : Façon de représenter un ensemble de données pour faciliter la compréhension. Un diagramme peut être concret (exemple : les garçons sur une ligne et les filles sur une autre), en images (exemple : des images de garçons sur une rangée et de filles sur une autre) ou abstrait (exemple : sur un diagramme à bandes, 2 bandes montrent combien d'élèves sont des garçons et combien sont des filles).

diagramme à bandes : Diagramme qui montre des données sur des bandes horizontales ou verticales.

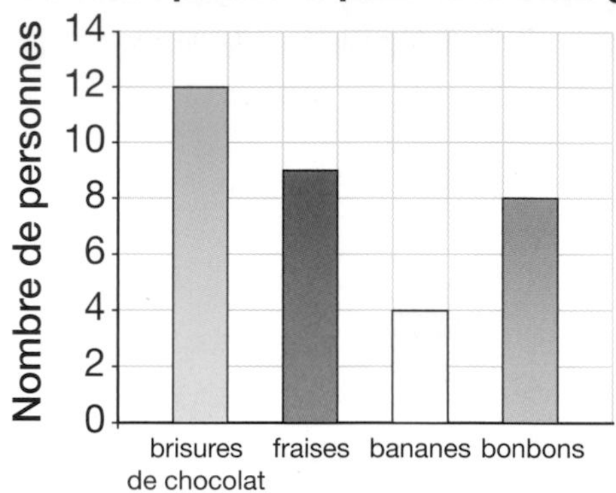

diagramme à tiges et à feuilles : Diagramme qui montre un ensemble de données. Les feuilles représentent les chiffres à la position des unités. Les tiges représentent tous les autres nombres. Exemple : Dans ce diagramme, la feuille encerclée représente le nombre 258.

Tige	Feuilles
24	1 5 8
25	2 2 3 4 7 ⑧ 9
26	0 3
27	
28	8

diagramme circulaire : Diagramme qui présente des données sur un cercle. Chaque valeur correspond à une portion du cercle. Exemple : Un diagramme circulaire peut servir pour montrer à quoi des élèves occupent leur journée.

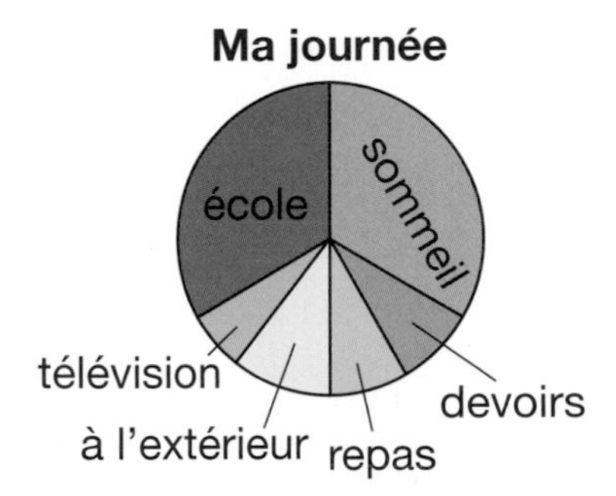

diagramme de Venn : Diagramme qui sert à organiser des données en ensembles à l'aide de formes circulaires.

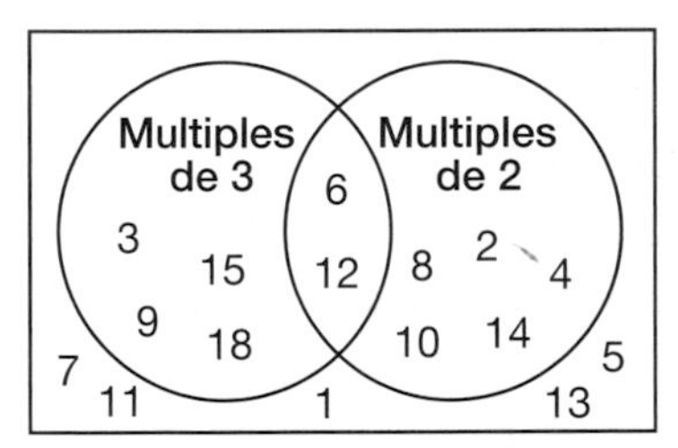

Ce diagramme de Venn montre que 6 et 12 sont des multiples de 2 et de 3.

diagramme en arbre : Diagramme qui permet de noter et de compter des combinaisons d'**événements**. Exemple : Ce diagramme en arbre montre tous les nombres de 3 chiffres qui peuvent être formés à partir des chiffres 1, 2 et 3 si 1 doit être le premier chiffre du nombre et si chaque chiffre n'est employé qu'une seule fois.

1 — 2 — 3 (123)
1 — 3 — 2 (132)

différence : Résultat de la soustraction de 2 nombres.

$$\begin{array}{r} 93 \\ -45 \\ \hline 48 \end{array} \leftarrow \text{différence}$$

dimension : Chacune des grandeurs qui permettent de décrire des figures géométriques, telles la largeur, la longueur, la hauteur, l'épaisseur et la profondeur. Exemples : Une ligne est unidimensionnelle; c'est une figure à 1 dimension. Une surface est bidimensionnelle; c'est une figure à 2 dimensions. Un volume ou un solide sont tridimensionnels; ce sont des figures à 3 dimensions.

dividende : Dans une division, nom donné au nombre qu'on divise.

$9 \div 3 = 3$ (9 : dividende)

diviser un nombre par 2 : Trouver la moitié d'un nombre.

diviseur : Dans une division, nom donné au nombre qui divise.

$24 \div 3 = 8$ (3 : diviseur)

divisible : Qui se divise sans reste. Exemple : 30 est divisible par 6 parce qu'on peut former exactement 5 groupes de 6 unités.

donnée : Information recueillie dans un sondage, une expérience ou en observant un événement. Exemples : le nom des élèves dans une liste; des illustrations d'animaux de compagnie.

doubler un nombre : Multiplier un nombre par 2.

droite de probabilités : Ligne droite qui permet de montrer les possibilités de divers résultats.

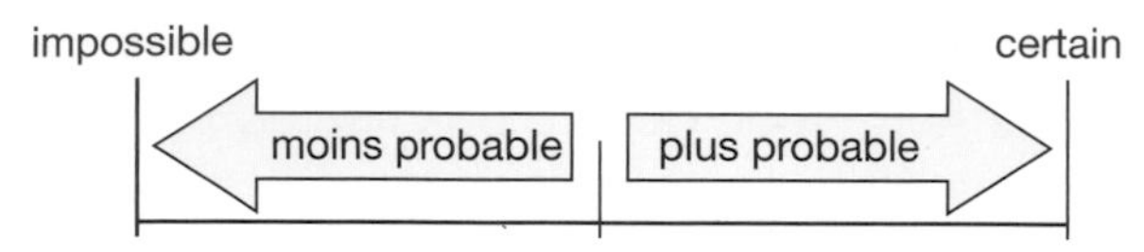

droite numérique : Ligne droite sur laquelle des nombres sont représentés dans un ordre croissant.

0 1 2 3 4 5 6 7 8 9 10

échelle : 1. Indication de la valeur de chaque symbole d'un pictogramme.
2. Rapport d'une longueur sur un graphique, une carte, un modèle réduit, etc., à la longueur correspondante.
Exemple : Des marques ou des subdivisions servent à indiquer l'échelle sur une tasse à mesurer ou sur l'**axe** d'un diagramme.

ensemble : Groupement ou collection d'objets ou de nombres.

équation : Phrase mathématique qui comporte un signe d'égalité et au moins une variable ou inconnue.
Exemples : $4 + 2 = ■$, $5 + ■ = 8$

estimation : Calcul approximatif d'un résultat ou d'une mesure.

étendue : **Différence** entre la plus grande et la plus petite valeur dans un ensemble de données. Exemple : Pour les nombres 1, 2, 5, 7, 9, 11, 12, l'étendue correspond à $12 - 1$, soit 11.

événement : **Résultat possible** d'une expérience de **probabilité**.
Exemple : Aux dés, on peut déterminer que le fait d'obtenir un nombre pair (2, 4 ou 6) constitue un événement.

face : Figure en 2 dimensions qui forme la surface plane d'une figure en 3 dimensions.

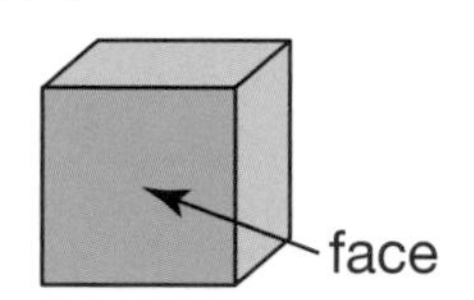

facteur : Dans une multiplication, chacun des éléments qui sont multipliés.

$2 \times 6 = 12$

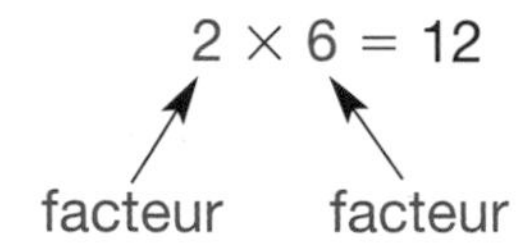

famille d'opérations : Ensemble d'opérations d'addition et de soustraction, ou de multiplication et de division; chaque opération contient les mêmes nombres. Exemples :

$3 \times 2 = 6$ et $6 \div 3 = 2$
$2 \times 3 = 6$ et $6 \div 2 = 3$

fermé(e) : Se dit d'une figure qui ne comporte pas de **points terminaux**.
Exemple : Un carré est une figure fermée.

figure à 2 dimensions : Figure dont les dimensions sont la longueur et la largeur.

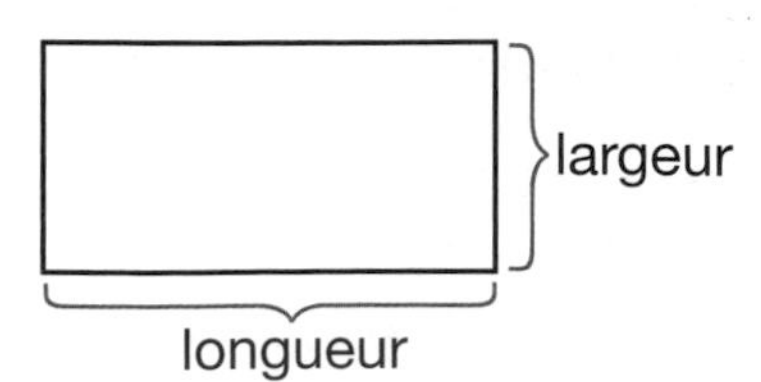

figure à 3 dimensions : Figure dont les dimensions sont la longueur, la largeur et la hauteur.

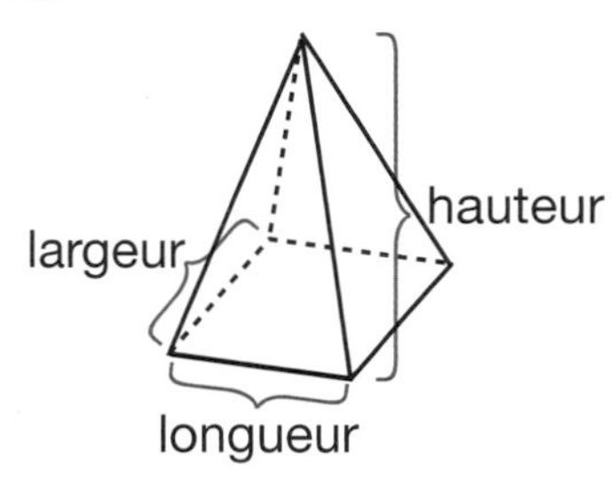

forme : **Propriété** qui décrit l'apparence d'un objet géométrique. Exemple : Les cercles et les sphères ont tous les 2 une forme ronde.

forme décomposée, sous : Façon d'écrire un nombre qui montre la valeur de position de chaque chiffre. Exemple : Sous forme décomposée, 2 365 s'écrit 2 000 + 300 + 60 + 5 ou 2 unités de mille + 3 centaines + 6 dizaines + 5 unités. *Voir* **chiffres, en** et **mots, en**.

fraction : Nombre utilisé pour expliquer une partie d'un entier ou une partie d'un ensemble. Exemples :
$\frac{3}{4}$ est une **fraction propre**;
$\frac{4}{3}$ est une **fraction impropre**;
$5\frac{1}{2}$ est un **nombre fractionnaire**.
Voir aussi **numérateur** et **dénominateur**.

fraction impropre : Fraction dont le **numérateur** est plus grand que le **dénominateur**. Exemple : $\frac{4}{3}$.

fraction propre : Fraction dont le **numérateur** est plus petit que le **dénominateur**. Exemples : $\frac{1}{2}$, $\frac{5}{6}$, $\frac{2}{7}$.

G

glissement : Déplacement d'une figure vers la droite, la gauche, le haut ou le bas, sans la tourner ni la retourner. *Voir aussi* **transformation** et **translation**.

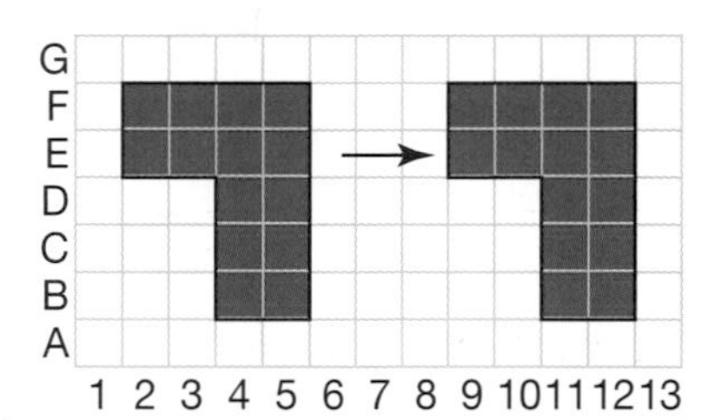

gramme (g) : Unité de mesure de la **masse** qui vaut 1 centième de 1 kilogramme. Exemple : 1 ml d'eau a une masse de 1 g.
1 000 g = 1 kg

H

heptagone : Figure géométrique à 7 côtés droits et 7 angles.

hexagone : Figure géométrique à 6 côtés droits et 6 angles.

horloge analogique : Horloge qui mesure le temps à l'aide d'aiguilles sur un cadran.

I

intervalle : Distance entre 2 extrêmes sur l'échelle d'un diagramme. Les intervalles d'un diagramme doivent être égaux. Exemple : Si, sur un axe, les nombres sont 0, 5, 10, 15, ..., alors les intervalles sont de 5.

kilogramme (kg) : Unité de mesure de la **masse** qui vaut 1 000 grammes. Exemple : La masse d'un manuel de mathématiques est d'environ 1 kg.
1 kg = 1 000 g

kilomètre (km) : Unité de mesure de la **longueur** qui vaut 1 000 mètres.
1 km = 1 000 m

légende : Texte qui accompagne une illustration et qui explique la signification des couleurs ou des symboles.

ligne horizontale : Sur une page, ligne **parallèle** au bord inférieur de la page; ou ligne qui suit le niveau du plancher.

ligne verticale : Sur une page, ligne **parallèle** au côté de la page.

liste ordonnée : Démarche qui permet de suivre un certain ordre pour trouver toutes les possibilités.

litre (L) : Unité de mesure de la **capacité** qui vaut 1 000 ml. Exemple : Dans le **matériel de base dix**, un cube de mille unités a une capacité de 1 L.

longueur : Grandeur d'une ligne ou d'un **segment de droite**, d'une extrémité à l'autre.

Ce segment de droite mesure 2 cm de longueur.

losange : **Parallélogramme** à 4 côtés congrus.

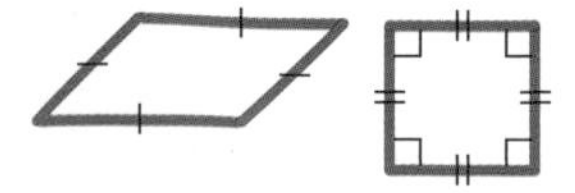

masse : Mesure de la quantité de matière d'un objet. Exemple : Les unités de mesure courantes sont le gramme (g) et le kilogramme (kg).

matériel de base dix : Matériel de manipulation qui représente des unités, des dizaines, des centaines et des unités de mille.

Unités de mille	Centaines	Dizaines	Unités
2	3	5	4

mètre (m) : Unité de mesure de longueur qui vaut 1 000 mm ou 1 millième de 1 km. Exemples : Une poignée de porte est à environ 1 m du sol.
1 000 mm = 1 m, 100 cm = 1 m,
1 000 m = 1 km

mètre carré : Unité conventionnelle de mesure de l'**aire**; aire couverte par un carré dont les côtés mesurent 1 m de long.

millénaire : Unité de mesure du temps qui vaut 1 000 ans.

millilitre (ml) : Unité de mesure de capacité qui vaut 1 millième de 1 litre. Exemple : En **matériel de base dix**, 1 cube-unité a une capacité de 1 ml.
1 000 ml = 1 L

millimètre (mm) : Unité de mesure de longueur qui vaut 1 millième de 1 mètre. Exemple : Un dix cents mesure environ 1 mm d'épaisseur.
10 mm = 1 cm, 1 000 mm = 1 m

mots, en : Façon d'écrire un nombre avec des mots. Exemple : En mots, 2 365 s'écrit deux mille trois cent soixante-cinq.

multiple : Produit d'un nombre entier quand il est multiplié par un autre nombre entier. Exemple : En multipliant 10 par les nombres entiers 0 à 4, on obtient les multiples 0, 10, 20, 30 et 40.

nombre décimal : Façon d'écrire une **fraction** quand le **dénominateur** est 10, 100, 1 000, ...

nombre entier : Nombre que l'on peut compter à partir de 0 : 0, 1, 2, 3, ...

nombre fractionnaire : Nombre composé d'un **nombre entier** et d'une **fraction**. Exemple : $3\frac{1}{2}$.

nombre impair : **Nombre entier** qui n'est pas divisible par 2. Exemple : 15 est un nombre impair parce que sa division par 2 laisse un **reste** de 1 : $15 \div 2 = 7$ R1.

nombre ordinal : Nombre qui exprime le rang et l'ordre d'un élément dans un ensemble de nombres donné. Exemple : 1er, troisième, 15e.

nombre pair : Nombre divisible par 2. Exemple : 12 est un nombre pair parce que $12 \div 2 = 6$.

numérateur : Dans une **fraction**, nombre qui indique le nombre de parties équivalentes dont se compose cette fraction. *Voir aussi* **dénominateur**.

$\frac{3}{4}$ ← numérateur

octogone : Figure géométrique à 8 côtés droits et 8 angles.

opération mathématique : Une addition, une soustraction, une multiplication ou une division. Exemple : En 4e année, nous apprenons des opérations jusqu'à $\underbrace{9 \times 9 = 81}_{\text{opération mathématique}}$.

opérateur : Symbole ou groupe de symboles qui transforme un nombre en un autre nombre par un traitement mathématique. Exemple : Dans $134 + 4 = 138$, l'opérateur est $+4$.

parallèle : Se dit de 2 lignes toujours séparées par la même distance.

parallélogramme : **Quadrilatère** dont les côtés opposés sont **parallèles** et congrus. Exemple : Le **losange**, le **rectangle** et le **carré** constituent tous les genres de parallélogrammes.

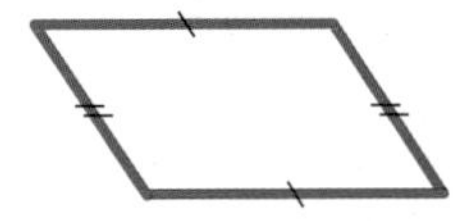

pentagone : Figure géométrique à 5 côtés droits et 5 angles.

périmètre : Longueur totale du contour d'une figure fermée.

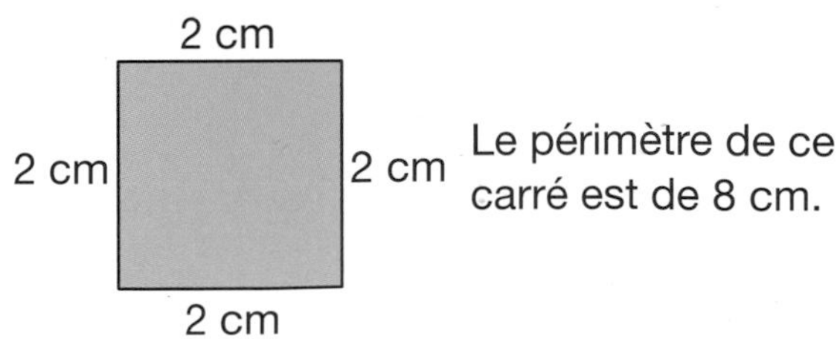

pictogramme : **Diagramme à bandes** qui utilise des dessins ou des symboles pour représenter des quantités.

Quel âge as-tu?

7 ☺☺☺☺
8 ☺☺☺☺☺☺☺☺
9 ☺☺☺☺☺☺☺
10 ☺☺☺

Chaque ☺ correspond à 5 personnes.

plus grand que (>) : Signe de comparaison entre 2 nombres. Exemple : 10 est plus grand que 5 s'écrit 10 > 5.

plus petit que (<) : Signe de comparaison entre 2 nombres. Exemple : 5 est plus petit que 10 s'écrit 5 < 10.

point terminal : Point où commence ou se termine une ligne droite.

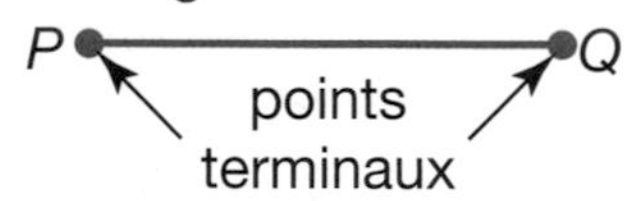

polygone : Figure à 2 dimensions déterminée par une ligne simple fermée et constituée uniquement de lignes droites.

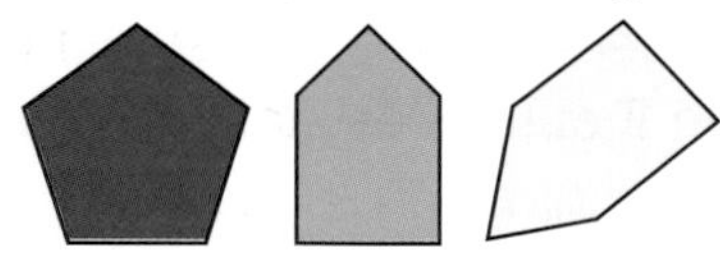

polygone régulier : Figure à 2 dimensions aux côtés et aux angles congrus.

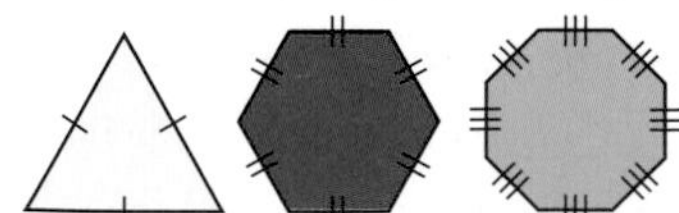

précision : Qualité de ce qui est précis. Exemple : Une mesure faite avec une règle graduée en millimètres est plus précise qu'une mesure faite avec une règle graduée en centimètres.

prisme : Figure à 3 dimensions à bases opposées **congruentes**; les autres faces sont des parallélogrammes. Exemple : un prisme à base triangulaire.

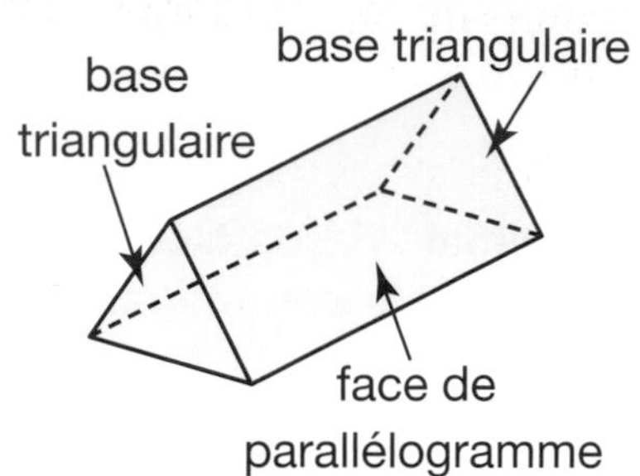

probabilité : Proportion de chances qu'un événement se produise.

produit : Résultat de la multiplication de 2 ou plusieurs nombres. Exemple :

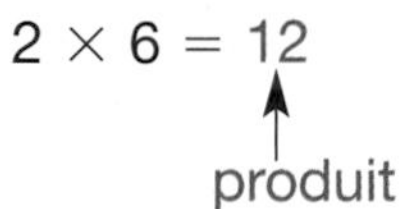

propriété : Caractéristique fondamentale d'une suite ou d'une forme géométrique. Exemples de propriétés : le nombre d'arêtes, le nombre de sommets ou de côtés parallèles. *Voir* **attribut**.

pyramide : Solide à base polygonale; les faces en forme de triangle se joignent à un seul **sommet**. Exemple : une pyramide à base rectangulaire.

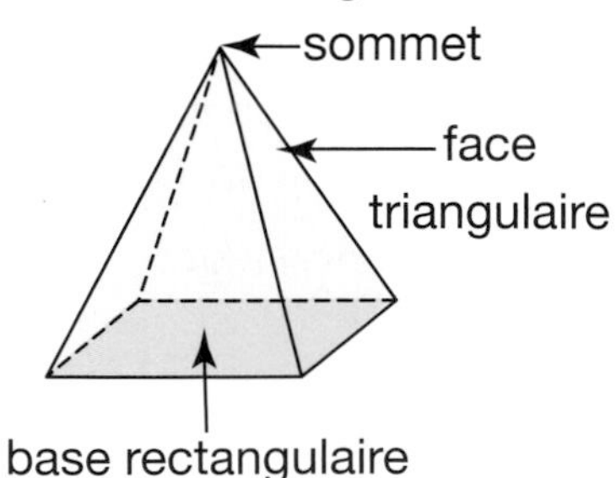

quadrilatère : Figure géométrique à 4 côtés droits et 4 angles. *Voir aussi* **cerf-volant**, **parallélogramme**, **rectangle**, **losange**, **carré**, **trapèze**.

quotient : Réponse à une division. Un quotient exclut le **reste**.

12 ÷ 5 = 2 R2

quotient

rangée : Alignement horizontal d'éléments dans un tableau. *Voir aussi* **colonne**.

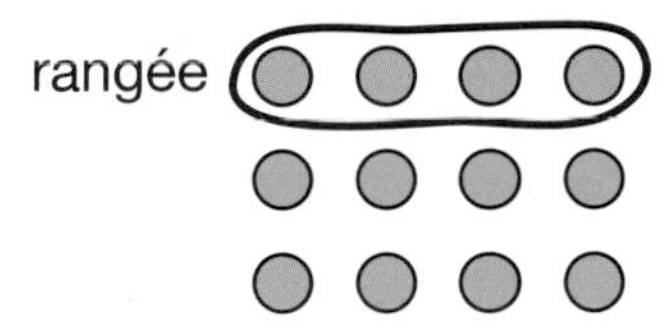

rapporteur : Instrument qui sert à mesurer des **angles**.

rectangle : **Parallélogramme** à 4 angles droits.

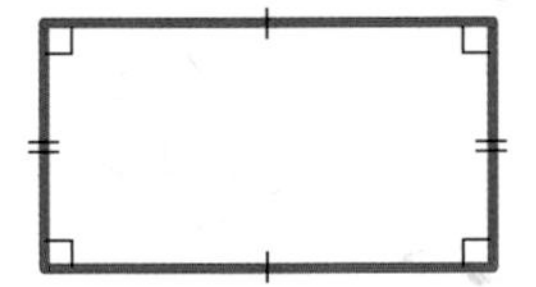

réflexion : Réplique inverse d'une figure à 2 dimensions. Chaque point est recopié du côté opposé d'une ligne droite, appelée axe de réflexion, tout en restant à la même distance de cette ligne. *Voir aussi* **transformation**.

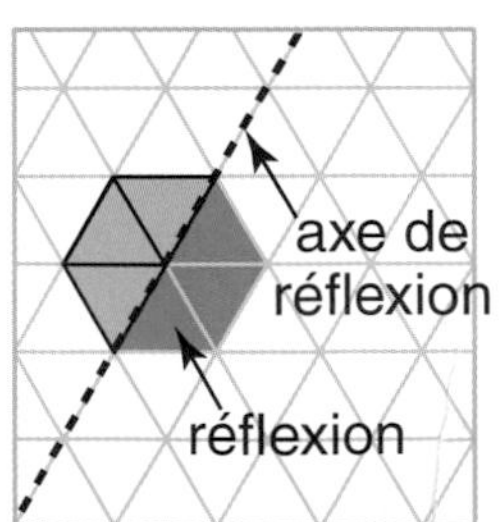

règle de la suite : Façon dont une suite commence et peut se prolonger en maintenant sa régularité; règle qui permet de construire une suite de nombres.

regroupement : Façon d'écrire un nombre sous une forme concentrée.
Exemple : 2 centaines + 13 dizaines = 3 centaines + 3 dizaines.
Voir **décomposition**.

régularité : Phénomène qu'on rencontre dans des suites.

reste : Quantité qui reste après la division d'un nombre en parties égales.

14 ÷ 4 = 3 R2

reste

résultat : Solution d'un problème ou d'une opération. Exemple : Les résultats possibles du lancement d'un dé sont 1, 2, 3, 4, 5 et 6; 7 est un résultat impossible.

résultat certain : Résultat qui se produira toujours. Exemple : Si un joueur lance un dé qui présente un 3 sur chaque face, obtenir un 3 est un résultat certain.

résultat impossible : Résultat qui ne peut pas se produire. Exemple : Il est impossible d'obtenir un 5 en lançant un dé qui porte un 3 sur toutes ses faces.

résultat improbable : Résultat qui a peu de chances de se produire. Exemple : Si on lance des dés dont toutes les faces sauf une portent le chiffre 3, obtenir un autre chiffre que 3 est un résultat improbable.

résultat possible : Tout résultat qui peut se produire. Exemple : En lançant un dé, les résultats possibles sont :
1, 2, 3, 4, 5 et 6.

résultats également probables : Résultats qui ont des chances égales de se produire. Exemple : Il est également probable de voir une pièce de monnaie retomber sur face que sur pile.

résultat vraisemblable : Résultat qui peut facilement se produire. Exemple : Si on lance un dé dont toutes les faces sauf une portent un 3, obtenir un 3 est un résultat vraisemblable.

rotation : Résultat d'un déplacement autour d'un point. Le déplacement doit permettre de maintenir chaque point de la figure à la même distance du centre de rotation. *Voir aussi* **transformation**.

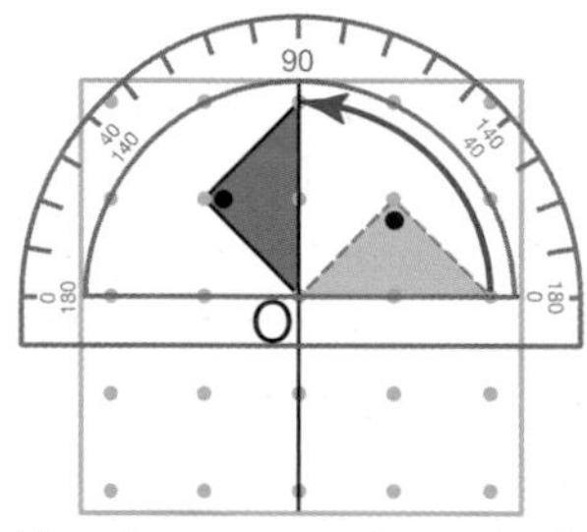

Voici une rotation de 90°
autour du point O dans le sens
contraire des aiguilles d'une montre.

segment de droite : Partie d'une ligne droite comprise entre 2 points terminaux.

semblable : De forme identique, mais pas nécessairement de même grandeur. *Voir aussi* **congruent**.

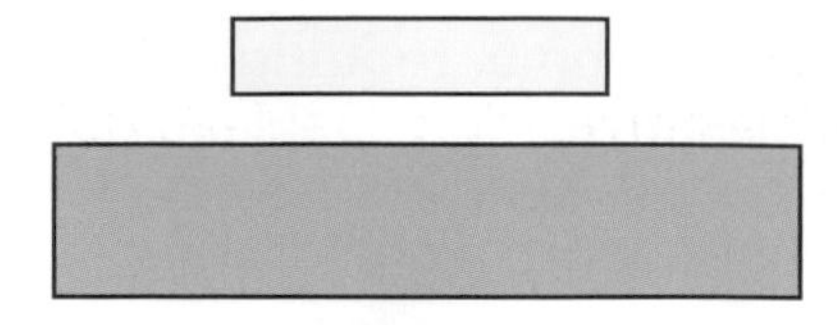

Voici 2 rectangles semblables.

siècle : Unité de mesure du temps qui vaut 100 ans.

somme : Résultat d'une addition.

$14 + 37 = 51$

↑
somme

sommet : Point de rencontre de 2 côtés d'un polygone ou de 2 arêtes d'un solide. Exemples : Un cube a 8 sommets.
Un angle a 1 sommet.

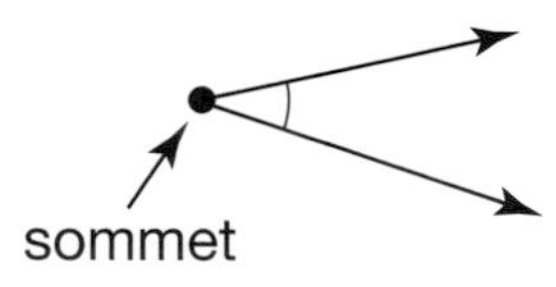

sondage : Interrogation de personnes pour obtenir divers renseignements.

suite : Ensemble de nombres ou d'objets placés dans un certain ordre selon une loi appelée **règle de la suite**.

suite non numérique : Ensemble d'objets, autres que des nombres, placés dans un certain ordre. Exemple : A, C, E, G, ... est une suite non numérique.

suite numérique : Ensemble de nombres placés dans un certain ordre.

tableau de corrélation : Tableau qui présente des données côte à côte pour les comparer. Exemple : Employer un tableau de corrélation pour inscrire les résultats d'un sondage sur la crème glacée préférée des élèves.

Crème glacée préférée	
à la vanille	//// //// /
au chocolat	//// //// //// //// ///
aux fraises	////

tableau en T : Schéma d'organisation des informations dans un tableau de 2 colonnes.

Semaines	Jours
1	7
2	14
3	21

tétraèdre : Pyramide à base triangulaire. Un tétraèdre a 4 **faces**.

transformation : Opération qui, à partir d'une règle donnée, consiste à faire correspondre tout point du plan à une seule image. Les transformations comprennent les **translations**, les **rotations** et les **réflexions**.

translation : Résultat d'un glissement. Le glissement doit se faire en ligne droite, vers la gauche ou la droite, le haut ou le bas. *Voir aussi* **transformation**.

trapèze : **Quadrilatère** qui n'a qu'une seule paire de côtés **parallèles**.

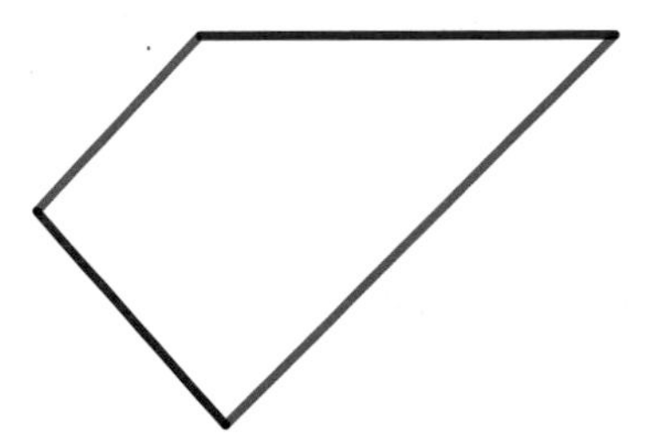

triangle : Figure géométrique à 3 côtés droits et 3 angles.

unité au carré : Unité non conventionnelle de mesure de l'**aire**.

unité conventionnelle : Unité de mesure qui a été choisie comme référence internationale. Exemples : mètre, kilogramme, litre et mètre carré sont des unités conventionnelles. *Voir aussi* **unité non conventionnelle**.

unité non conventionnelle : Unité de mesure qui ne fait pas partie d'un système de mesures choisies comme références internationales. Exemple : Un bureau mesure 5 canettes de large. *Voir aussi* **unité conventionnelle**.

valeur de position : Valeur d'un chiffre dans un nombre d'après la position qu'il occupe dans ce nombre. Exemple : Dans le nombre 237, le chiffre 3 représente 3 dizaines, tandis que dans le nombre 5,03 il représente 3 centièmes.

virgule décimale : Virgule qui sépare la partie entière de la partie décimale d'un nombre décimal.

volume : Mesure de la quantité d'espace qu'occupe un solide.

Index

0. *Voir* zéro

Abréviations, unités de mesure, 123

Addition
- calculatrice, 10-11, 13, 90-91, 92-93
- calcul mental (nombres décimaux, sommes d'argent), 87, 110-111, 112-113, 243, 347
- calcul mental (sans nombres décimaux), 21, 37, 88-89, 167, 265
- centième décimal, 112-113, 243, 344-345, 347
- chiffres cachés (casse-tête), 107
- curiosités mathématiques, 21, 107
- dixième décimal, 336-337, 341
- droite numérique, 88-89, 90-91
- estimation de nombres, 90-91, 92-93
- jeu de maths, 97, 103
- multiplier des nombres en utilisant l'addition répétée, 148-149
- nombre du milieu, 167
- somme et produit (casse-tête), 237
- tableau de valeurs de position, 94-96
- triangle de Pascal, 21

Addition des nombres
- compléter une table de multiplication, 164-166
- soustraire mentalement, 99

Aire
- d'un pentamino, 225
- d'un rectangle, dimensions linéaires, 222-224
- d'un rectangle, tuiles carrées, 226-227
- fractions d'une, 322-323, 324-325
- jeu de maths, 217
- mesure, 210-221
- unités de mesure, 212, 214-215, 218-219

Algorithme, pour multiplier des nombres, 248-250

Angle
- dans des rotations, 386-387
- définition (par l'image), 192
- jeu de maths, 201
- mesure, 192-193

Années et jours (suites), 10, 260

Arête (figure à 3 dimensions), 295, 298-299

Arrangements
- définition, 154
- familles d'opérations, 154-155, 178, 263
- modèles (blocs, tuiles), 158-159, 234-235
- multiplications, divisions, 154-155, 234-235
- simplification de la multiplication, 238-239
- tâche du chapitre, 178

Arrondissement
- à la dizaine, à la centaine... près, 42-43
- droite numérique, 90-91
- estimation, 87, 90-91
- mesure, 124-125

Axe de réflexion, 388

Axe de symétrie
- dans un quadrilatère de tangram, 185
- dans un triangle, un carré, un rectangle, 198-199
- définition, 198
- hexagone, 199
- mira, 185, 198-199, 388-389

Bande numérique, 16-17

Blocs et tuiles. *Voir* cubes emboîtables; matériel de base dix; mosaïque géométrique; probabilités

Calculatrice
- addition des nombres, 10-11, 13, 90-91, 92-93
- division d'un nombre par 0 (impossibilité), 161
- estimation, 90-91, 92-93
- jeu de maths effectué à l'aide d'une, 13
- multiplication des nombres, 252-253
- persistance des nombres, 237
- suites numériques, 10, 13

Calcul mental. *Voir sous* addition; centième décimal; droite numérique; somme d'argent; soustraction

Capacité. *Voir aussi* volume.
- définition, 306
- mesure de la, 306, 308-309

Carré
- aire d'un carré, comparé à un parallélogramme, 213
- axe de symétrie, 198
- définition, 183

diagramme sur du papier à points, 61, 198
face d'une figure à 2 dimensions, 225, 226-227
face d'une figure à 3 dimensions, 296
rotations, 395
sur un géoplan, 221

Casse-tête
chiffres cachés, 107
figures congruentes, 180-181
matériel de base dix, 36, 54
somme et produit, 237
tâche du chapitre, 54
tangram, 185

Centième. *Voir* centième décimal

Centième décimal
additionner des nombres, soustraire des nombres, 112-113, 243, 344-345, 347
calcul mental, 347
comparé à 0 et à 1, 342-343
estimation, 372
expliquer, 354
numérateur, dénominateur, 342-343, 346
probabilités, 372
tâche du chapitre, 354

Centimètre. *Voir aussi* centimètre carré, définition
abréviation, 123

Centimètre carré, définition, 214

Centre de rotation, 386

Cercle fractionnaire, 322-323

Cerf-volant
définition et propriétés, 199
expliquer (tâche du chapitre), 354

Charpente, 298-299

Chiffres cachés (curiosités mathématiques, pour additionner et soustraire des nombres), 107

Classement
des figures à 2 dimensions, 181, 182-183, 200
pour faire une suite, 2-3
tableau de corrélation, 56-57, 64

Colonne. *Voir* arrangements

Compter par bonds de 2, de 3, ... (curiosités mathématiques), 170

Construire un modèle, 196-197

Coordonnées
définition, 382
inscription des, 382-383
jeu de maths, 391

Coupe transversale, 297

Courtepointe, 387, 392-393, 396-397

Cube
coupes transversales, 297
tâche du chapitre, 318

Cubes emboîtables
arrangements, 158-159
fraction, 322-323
opérations avec des nombres décimaux, 340-341
volume, 310-311

Curiosités mathématiques
additionner des nombres, 21, 107
aire, 221
compter par bonds de 2, de 3, ... 170
diagramme à tiges et à feuilles, 65
diviser des nombres, 133, 161
figures à 2 dimensions, 185, 190, 221
figures à 3 dimensions, 295, 299
fractions et probabilités, 369
mesure, 133
moyenne, 283
multiplier des nombres, 167, 170, 237, 253
soustraire des nombres, 107
triangle de Pascal, 21
zéro, 161

Décennie, 136-137

Décimètre
définition, 124
nombre décimal, 332-333

Décomposition
division, 270-271, 280-281
soustraction, 104-106, 108-109

Degré (angle), définition, 193

Démarche. *Voir* algorithme

Dénominateur
centième décimal, 342-343, 346
dans l'écriture des fractions, 323, 327, 328-329
dixième décimal, 330-331, 346
probabilités, 369

Descriptions. *Voir* expliquer

Dessiner des figures à 3 dimensions, 300-301

Diagramme. *Voir* cercle fractionnaire; dessiner des figures à 3 dimensions; diagramme à bandes; diagramme à tiges et à feuilles; diagramme de Venn; diagramme en arbre; distances; drapeaux; ombre de charpente; papier à points; pictogramme

Diagramme à bandes
échelle, 62-63
erreurs, 68-69

DUV

interprétation, 56-57, 68-69
intervalles d'un, 66-67
jeu de maths, 75

Diagramme à tiges et à feuilles, définition (curiosités mathématiques), 65

Diagramme circulaire. *Voir aussi* cercle fractionnaire
erreurs, 68-69
estimation, 86-87

Diagramme de Venn
classement de quadrilatères, 183
interprétation, 57

Diagramme en arbre
définition, 370
probabilités, 370-371

Différence. *Voir* soustraction

Dimensions linéaires et aire d'un rectangle, 222-224

Distances, réseau pour mesurer des, 130-131

Dividende, définition, 270

Diviser un nombre par 2
définition, 162
doubler un nombre, dans une multiplication, 162-163

Diviseur, définition, 264

Division des nombres
curiosités mathématiques, 133, 161
dimensions des arrangements, 154-155, 262
essais systématiques, 271-273
estimation, 276-277
groupement (partage), 150-151, 264, 266-267, 270-271, 280-281, 290
jeu de maths, 171, 275
matériel de base dix, 270-271, 280-281
modèles pour, 264
moyenne, 283
multiplication, 152-153
par 0 (impossibilité), 161
par étapes, 278-279
reste, 268
simplification des problèmes, 278-279
soustraction répétée, 266-267
tâche du chapitre, 290

Dixième. *Voir* dixième décimal

Dixième décimal
additionner des nombres, soustraire des nombres, 336-337, 338-339, 341
comparé à 1, 332-333
expliquer, 340-341, 354
jeu de maths, 335
numérateur, dénominateur, 330-331, 346
tâche du chapitre, 354

Doubler (multiplier) des nombres, 148-149, 162-163

Drapeaux, et fractions d'une aire, 324-325

Droite. *Voir* droite de probabilité; droite numérique

Droite de probabilité, 358-359, 366. *Voir aussi* droite numérique

Droite numérique. *Voir aussi* droite de probabilité; ligne du temps
dans l'addition par calcul mental, 88-89
dans la soustraction par calcul mental, 100-101
division, 152-153
estimation, 90-91
soustraction, 100-101

Échelle
diagramme à bandes, 62-63
pictogrammes 59

Emballage (3 dimensions), 292-293

En chiffres, pour écrire des nombres. *Voir aussi* forme décomposée d'écriture des nombres
définition, 32

Ensemble, fractions d'un, 328-329

Équation
avec un 0, 161
compléter une équation, 87
définition, 18
somme et produit (casse-tête), 237
suites numériques, 18-19, 20

Essais systématiques, par (division), 271-273

Estimation
addition de nombres, 90-91, 92-93
aire, 211
argent, 46-47
arrondissement, 87, 90-91
calculatrice, 92-93
définition du glossaire, 407
diagramme circulaire, 86-87
division, 276-277
droite numérique, 90-91
expliquer, 92-93
fractions, 323, 372
longueur, 137
multiplication, 244-245, 247, 248-249, 252-253
périmètre, 211
soustraction, 102-103
temps, 139
volume, 311

Étendue (d'un ensemble de données)
définition, 64
fabrication d'un diagramme à bandes, 66-67

Événement. *Voir* probabilités

Événement certain, impossible, probable, improbable, ... *Voir* probabilités.

Expliquer
la mise en ordre des nombres, 44-45
la multiplication des nombres, 244-245
le matériel de base dix, 54
les figures à 2 dimensions, 354, 392-393
les figures à 3 dimensions, 206, 292-293, 302-303, 318
les nombres décimaux, 340-341, 354
les sondages, 72-73
l'estimation des nombres, 92-93
le volume, 318
tâche du chapitre, 206, 318, 354

Faces
de formes carrées en 2 dimensions, 296
de formes triangulaires en 3 dimensions, 296
d'un prisme, d'une pyramide, 293, 294, 295

Facteurs et produit, 147

Famille d'opérations
arrangement, 154-155, 178, 263
arrangements et multiplication ou division, 154-155
division, 154, 263
multiplication, 154, 234-235, 263

Feuilles de calcul et tableur, 71

Figure à 2 dimensions (2-D). *Voir* aire; axe de symétrie; carré; cerf-volant; classement; figures congruentes (2-D); figures semblables (2-D); heptagone (jeu de maths); hexagone; images mentales; losange; modèle; mosaïque géométrique; octogone (mosaïque géométrique en forme de triangle); parallélogramme; pentamino; périmètre; quadrilatère; rectangle; réflexion; rotation; tangram; translation; trapèze; triangle

Figure à 3 dimensions (3-D). *Voir* arête (figure à 3 dimensions); capacité; charpente; coupe transversale; cube; faces; images mentales; masse; modèles de solides (figures à 3 dimensions); prisme; pyramide; sommet; tétraèdre; volume

Figures congruentes (2-D). *Voir aussi* figures semblables (2-D).
définition, 186
exemples, jeu, 186-187
figure à 3 dimensions, développement, 296
morceaux de casse-tête, 180-181
sur géoplan, 221

Figures semblables (2-D). *Voir aussi* figures congruentes (2-D)
définition, 188
exemples, 188-189
test de similitude (rectangles, triangles), 190

Forme décomposée d'écriture des nombres. *Voir aussi* en chiffres, pour écrire des nombres
définition, 32
multiplication, 240-241, 246-247

Fraction
centième décimal, 342-343, 344-345, 346, 347, 372
comparer des fractions, 324-325, 326-327, 332-333, 342-343
dixième décimal, 330-331, 332-333, 340-341
d'une aire, 322-323, 324-325
d'un ensemble, 328-329
estimation, 323, 372
jeu de maths, 335
probabilités, 369, 372

Fraction impropre
définition, 326
nombre fractionnaire, 326-327, 328-329

Géoplan et figure à 2 dimensions, 186, 221

Gramme, 305

Grille de 100 et suite numérique, 14-15, 166

Groupement. *Voir aussi* regroupement
division, définition de la, 150-151, 264, 266-267, 270-271, 280-281, 290
pour multiplier, 156-157

Heptagone (jeu de maths), 201

Hexagone
axe de symétrie, 199
d'un bloc en forme de triangle, 195
périmètre, 157
propriétés d'un, 181

Horloge, 123, 138-139

Images mentales
figure à 2 dimensions, 195, 213, 395
figure à 3 dimensions, 297
fractions et probabilités, 372
longueur, 137

Intervalle, définition, 66
dans un diagramme à bandes, 66-67
Inukshuk et suite, 8-9

Jeu de maths
addition, 97, 103
aire, 217
angle, 201
diagramme à bandes, 75
division, 171
dixième décimal, 335
figures congruentes (2-D), 186-187
fraction, 335
heptagone, 201
multiplication, 41, 251
probabilités, 363, 365
reste, 275
soustraction, 103
suites numériques pour calculatrice, 13
Jours et années (suites de), 10

Kilogramme, 305
Kilomètre, 123

Légende (d'un diagramme), définition, 68
Ligne. *Voir* ligne du temps; lignes parallèles
Ligne du temps, 137
Lignes parallèles, définition, 182
Liste ordonnée
définition, 226
problème d'aire, 226-227
Litre, 306
Logiciel. *Voir* ordinateurs
Longueur. *Voir aussi* distances; mesure
estimation (images mentales), 137
mesure, 124-129, 134-135, 137
unités de, 123-129, 133
Losange
axe de symétrie, 199
définition, 183
morceaux de casse-tête, 180-181
propriétés d'un, 181
rotation, 387

Masse
définition, 305
mesure, 305, 308-309
Matériel de base dix
addition ou soustraction des dixièmes décimaux, 340-341
casse-tête, 36, 54
division des nombres entiers, 270-271, 280-281
multiplication des nombres entiers, 236, 240-241, 246-247, 248-250
représentation des nombres entiers, 28-38
suites numériques, 18-19
tableau de valeurs de position, 30-38
tâche du chapitre, 54
Mesure
aire, 210-221
angles, 192-193
arrondissement, 124-125
capacité, 306-307, 308-309
curiosités mathématiques, 133, 137
définition du glossaire, 408
longueur, 124-129, 134-135, 137
masse, 305, 308-309
périmètre, 122-123, 134-135, 144
temps, 136-139
Méthode. *Voir* algorithme
Mètre. *Voir aussi* mètre carré, définition
abréviation, 123
Mètre carré, définition, 218
Millénaire, 136-137
Millilitre, 306
Millimètre
comparé au nanomètre, 133
définition, 126
Minute (temps), 138-139
Mira
axe de symétrie, 185, 198-199
réflexion, 388-389
Mise en ordre (comparaison) de nombres. *Voir aussi sous* fraction
expliquer, 44-45
matériel de base dix, 34-35
tableau de valeurs de position, 34-35
Modèle. *Voir aussi* matériel de base dix
arrangements, avec des blocs, 158-159
charpente, d'un solide, 298-299
définition du glossaire, 408
de moyenne, avec des blocs, 283
de quadrilatère, 184, 186-187
division, 264
d'un inukshuk, avec des blocs, 8
forme, 310-311
fraction, 322-323
solide, d'une figure à 3 dimensions, 294, 297, 310-311
volume d'un solide

Modèles de solides (figures à 3 dimensions), 294, 297, 310-311
Monnaie, rendre la, 110-111, 112-113
Mosaïque géométrique
casse-tête géométrique, formation, 180-181
combinaison de trapèzes, 196, 381
figure formée de carrés, 225, 226-227
figure formée de triangles, 195
fraction, 322-323, 326-327
régularité dans un tableau en T, 8
Moyenne, 283
Multiple, définition, 267
Multiplication
aire d'un rectangle, 222-224
à l'aide d'un algorithme, 248-250
avec une calculatrice, 237
cercle numérique, 170
choix d'une démarche, 252-253
curiosités mathématiques, 161, 170
dimensions d'un arrangement, 154-155, 234-235, 238-239, 263
division, 152-153
estimation, 244-245, 247, 248-249, 252-253
et compter par bonds de 2, de 3, ..., 170
expliquer, 244-245
facteurs, produits, 147
forme décomposée, 240-241, 246-247
jeu de maths, 41, 251
matériel de base dix, 236, 240-241, 246-247, 248-250
multiplication à l'égyptienne, 253
par 0 (curiosités mathématiques), 161
par 2 (multiplier par 2), 148-149, 162-163
par 9 (curiosités mathématiques), 167
par 10, par 100, ..., 38-39, 41
par décomposition, 156-157
simplification de problèmes, 238-239
somme et produit (casse-tête), 237
tableau de valeurs de position, 240-241, 246-247, 248-250
tâche du chapitre, 260
Multiplication à l'égyptienne, 253

Nanomètre, 133
Nombre décimal, définition, 330
Nombre du milieu (calcul mental), 167
Nombre fractionnaire
définition, 326
fraction impropre, 326-327, 328-329
Nombre manquant (suite numérique), 16-17, 18-19
Nombres voisins, 168-169
Noms des figures. *Voir sous* expliquer
Numérateur
centième décimal, 342-343, 346
dans les fractions écrites en mots, 323, 327, 328-329
dixième décimal, 330-331, 346
probabilités, 369

Octogone (mosaïque géométrique en forme de triangle), 195
Ombre de charpente, 299
Ordinateur
grapheur, pour feuilles de calcul, 71
logiciel de graphisme, pour figures semblables, 188
réflexions, rotations, translations, 394
Ordonner (comparer) des nombres. *Voir aussi sous* fraction
matériel de base dix, 34-35
expliquer, 44-45
tableau de valeurs de position, 34-35

Pailles, pour illustrer des quadrilatères, 184
Papier à points
axe de symétrie, 198-199
figure à 2 dimensions sur, 61, 198-199, 386-387
Papier quadrillé
coordonnées, 382-383
jeu de maths, aire, 217
réflexion, 388-389, 392-393
règle de la suite, 396-397
rotation, 392-393
translation, 384-385, 392-393
Parallélogramme
aire comparée à celle d'un carré, 213
aire comparée à celle d'un rectangle, 221
définition, 182
modèle avec des pailles, 184
morceaux de casse-tête, 180-181

DUV

mosaïque géométrique en forme de triangle, 195
propriétés d'un, 181
Partage. *Voir* groupement
Pentamino, 225
Périmètre
aire d'un pentamino, forme, 225
d'un hexagone, 157
d'un rectangle, 134-135, 144
d'un triangle, 122-123
estimation, 211
tâche du chapitre, 144, 232
Persistance des nombres (calculatrice), 237
Pictogramme
construction d'un, 58-59
erreurs dans, 68-69
interprétation, 57, 68-69
Pied (longueur), et mètre 133
Population (tâche du chapitre), 54, 120
Prédiction d'événements. *Voir* probabilités
Prisme
arêtes, 295
charpente, 298-299
coupe transversale, 297
dessiner, 300-301
estimation du volume, avec des blocs, 311
faces, sommets, 293, 294, 295
Probabilités
diagrammes en arbre, 370-371
fractions, 369, 372
jeu de maths, 363, 365
roulettes (sections égales), 360-361
roulettes (sections inégales), 365, 366-367, 368, 369, 372, 378
tâche du chapitre, 378
tuiles, 362-363
Produit et facteurs, 147
Pyramide
arêtes, 295
charpente, 298-299
coupe transversale, 297
dessiner, 300-301
faces, sommets, 293, 294, 295

Quadrilatère
classement selon les propriétés, 182-183
dans un tangram, 185
définition, 182
modèle d'un, 184, 186-187
Quotient, définition, 151

Rangée. *Voir* arrangements
Rapporteur, définition, 193
Rectangle
aire d'un bloc en forme de carré, 226-227
aire et longueur des côtés, 222-224
définition, 183
diagramme sur du papier à points, 61
morceaux d'un casse-tête, 180-181
périmètre d'un, 134-135
propriétés, 181
sur un géoplan, 221
Réflexion. *Voir aussi* axe de réflexion
avec un ordinateur, 394
comparaison avec une rotation, 389
définition, 388
d'un trapèze, 388, 394
d'un triangle, 389, 392-393
expliquer, 392-393
Règle. *Voir* mesure
Règle de la suite
calculatrice, 10, 13
courtepointe, 396-397
définition, 10
description en mots, 6-7, 16-17, 36
équation, 18-19, 20
expliquer, 392-393
inukshuk, 8-9
jeu de maths, 13
jours et années, 10
matériel de base dix, 18-19
multiplier par 7, par 8, 168-169
multiplier par 10, par 100, par 1000, 38-39
nombres voisins, 168-169
problèmes de valeurs de position, 36
résolution de problèmes, 14-15
suite non numérique, 26
Regroupement. *Voir aussi* décomposition, groupement
addition, 88, 94-96
définition, 94
Régularité. *Voir* suite numérique et régularité
Régularité dans le temps, 10, 123
Représentation de nombres. *Voir* matériel de base dix
Reste
définition, 266
interprétation, 268
jeu de maths, 275
Rotation
centre, 386
comparaison avec une réflexion, 389
comparaison avec une translation, 387
définition, 386
d'un carré, 395
d'un losange, 387
d'un triangle, 386-387, 392-393, 395
expliquer, 392-393
faite à l'ordinateur, 394
propriétés, 386-387

Roulettes et probabilités
avec des sections égales, 360-361
avec des sections inégales, 365, 366-367, 368, 369, 372, 378
jeu de maths, 365
tâche du chapitre, 378

Siècle, 136-137
Simplification de problèmes
division, 278-279
multiplication, 238-239
Somme. *Voir* addition
Somme d'argent
addition et soustraction de, 87, 110-111, 112-113, 243, 347
calcul et estimation, 46-47
calcul mental, 243, 347
centième décimal, 347
Somme et produit (casse-tête), 237
Sommet
de figures à 3 dimensions faites de carrés, de triangles, 296
de prisme, de pyramide, ..., 293, 294, 295, 298-299
Sondage
expliquer, 72-73
planification et conduite, 74
tâche du chapitre, 82
Soustraction
calcul mental, 100-101, 112-113, 347
centièmes décimaux, 344-345
chiffres cachés (casse-tête), 107
curiosités mathématiques, 107
décomposition, 104-106, 108-109
division à l'aide de la soustraction répétée, 266-267
dixièmes décimaux, 338-339, 341
estimation, 102-103
expliquer, 72-73
jeu de maths, 103
tableau de valeurs de position, 104-106
tâche du chapitre, 82
Suite de motifs sur une ceinture, 380
Suite non numérique. *Voir aussi* suite et régularité
à partir de réflexions, rotations, translations, 392-393, 394
ceintures, 380
courtepointe, 387, 392-393, 396-397
inukshuk, 8-9
perles, 2-4, 380
régularité numérique dans, 26
tâche du chapitre, 26, 354
Suite numérique et régularité. *Voir aussi* années et jours; calculatrice; classement; équation; grille de 100 et suite numérique; inukshuk et suite; nombre manquant; règle de la suite; régularité; suite de motifs sur une ceinture; suite non numérique; suites de perles; tableau en T et suite numérique
Suites de perles, 2-3, 4-5, 380
Suites numériques multiples, 16-17
tableau, 8, 10, 14-15, 166
table de multiplication, 146-147, 166-167, 169
tâche du chapitre, 26
triangle de Pascal, 21

Table. *Voir aussi* table de multiplication
tableau de corrélation, 56-57
Tableau. *Voir* grille de 100; tableau de corrélation; tableau de valeurs de position; tableau en T
Tableau de corrélation
diagrammes à bandes, 56-57, 62-63
étendue des données, 64
Tableau de valeurs de position
addition, 94-96
comparaison de nombres, 34-35
forme décomposée, 32-33
matériel de base dix, 30-38
multiplication, 240-241, 246-247, 248-250
soustraction, 104-106
Tableau en T et suite numérique, 8, 10
Table de multiplication
addition, 164-165
arrangement, 234-235
grille de 100, 166
régularité dans un tableau, 167
Tangram, 185
Temps
horloge, 123, 138-139
mesure, 123, 136-139
régularité dans le temps, 10, 123, 260
Tétraèdre, 302-303
Traitement des données (tables, tableaux, diagrammes), 56-75

DUV

Transformations. *Voir* réflexion; rotation; translation

Translation
- comparaison avec des rotations, 387
- définition, 384
- d'un trapèze, 384-385
- d'un triangle, 392-393
- expliquer, 392-393
- faite à l'ordinateur, 394
- propriétés, 384-385

Trapèze
- définition, 183
- modèles avec des pailles, 184
- mosaïque géométrique, 196-197, 381, 384-385
- réflexion, 388, 394
- rotation, 394
- translation, 384-385, 394

Triangle
- face d'un solide, 296
- partie d'un hexagone, 195
- partie d'un parallélogramme, 195
- périmètre, 122-123
- réflexion, 389, 392-393
- rotation, 386-387, 392-393, 395
- similitude, dessin à l'ordinateur, 188
- translation, 392-393

Triangle de Pascal, 21

Tuiles, cubes et blocs. *Voir* cubes emboîtables; matériel de base dix; mosaïque géométrique; probabilités

Unité de mesure
- aire, 212, 214-215, 218-219
- capacité, 306-307, 308-309
- longueur, 123-129, 133
- masse, 305, 308-309
- temps, 136-139

Vocabulaire mathématique *Voir* expliquer

Volume *Voir aussi* capacité
- définition, 310
- estimation, 311
- expliquer, 318
- modèle d'une figure à 3 dimensions, 310-311

Voyage *Voir* distances

Zéro, multiplication et division, 161

Références photographiques

Photo de la couverture © Corbis/Magma

Début du chap. 2, page 27 : © Gabriel Jecan/Corbis/Magma; page 30 : © Ken Wilson; Papilio/Corbis/Magma; page 31 : First Light; page 33, haut : © Jerry Cooke/Corbis/Magma, bas : David Madison/Stone/Getty Images; page 34 : © AFP/Corbis/Magma; page 40 : Mike Johnson; page 53 : © Reuters New Media Inc./Corbis/Magma

Chap. 3, page 58 : « Gotta Find a Footprint », extrait de Bone Poems, © James Moss, 1997. Reproduit avec la permission de Workman Publishing Co., Inc., New York. Tous droits réservés; page 71 : Corbis/Magma

Début du chap. 4, page 85 : © Kevin Fleming/Corbis/Magma; page 86 : © Michael Newman/Photo Edit; page 93 : First Light

Chap. 5, page 136 : Corel

Début du chap. 6, page 145 : Eyewire/Getty Images; page 166 : Ryan McVay/PhotoDisc/Getty Images; page 169 : Corbis/Magma

Début du chap. 7, page 179 : Gary Conner/Index Stock; page 180 : Corbis/Magma

Début du chap. 8, page 209 : © David Zimmerman/Corbis/Magma

Début du chap. 9, page 233 : Musée canadien de la civilisation, photographe Harry Foster, 1988, image n° S89-1873; page 239 : © David Lees/Corbis/Magma; page 244 : Corbis/Magma; page 246 : Infocus International/Image Bank/Getty Images; page 24, haut : Corel, bas : © Jim Winkley; Ecoscene/Corbis/Magma

Début du chap. 10, page 278 : Viktor Pivovarov/CP Picture Archive; page 280 : © Kevin R. Morris/Corbis/Magma; page 286 : Jules Frazier/PhotoDisc/Getty Images; page 287 : Russell Illiq/PhotoDisc; page 288 : David Young-Wolff/Photo Edit

Début du chap. 11, page 291 : gracieuseté de Levitt Architect Limited; page 296 : © James Davis; Eye Ubiquitous/Corbis/Magma; page 298 : First Light; page 300 : © Tony Freeman/Photo Edit; page 303 : gracieuseté de Levitt Architect Limited; page 30, à gauche : Ryan McVay/PhotoDisc/Getty Images, à droite : © David Young-Wolf Photo Edit; page 309, 1re rangée (i) : Evan Sklar/Foodpix/Getty Images, à droite : © David Young-Wolff/Photo Edit; (ii) : © Owaki-Kulla/Corbis/Magma, (iii) : Nelson photo, 2e rangée (i) : PhotoDisc/Getty Images; (ii) : C-Squared Studios/PhotoDisc/Getty Images, (iii) : PhotoLink/PhotoDisc/Getty Images, 3e rangée (i) : photo Nelson, (ii) : © Kevin R. Morris/Corbis/Magma, (iii) : Corbis/Magma, 4e rangée (i) : Great American Stock/IndexStock, (ii) : First Light, (iii) Corel; page 317 : HIRB/Index Stock

Début du chap. 12, page 321 : © Ron Watts/Corbis/Magma; page 334 : First Light; page 338 : Oxford Scientific Films; page 33, haut : W. Perry Conway/Corbis/Magma, bas : Digital Vision/Getty Images; page 340 : © W. Perry Conway/Corbis/Magma; page 34, haut : S. Charles Brown, Frank Lane Picture Agency/Corbis/Magma, bas : © Ron Austing; Frank Lane Picture Agency/Corbis/Magma; page 344 : © John B. Boykin/Corbis/Magma

Chap. 14, page 379 : © Bonnie Kamin/Photo Edit; page 406, haut : © Buddy Mays/Corbis/Magma, centre : Gail Shumway/Taxi/Getty Images, bas : First Light